危险货物运输应急救援指南

（2024版）

《危险货物运输应急救援指南》编译工作委员会　编译

Emergency Response Guidebook for Transportation of Dangerous Goods

(2024 Edition)

化学工业出版社

·北京·

内容简介

《危险货物运输应急救援指南》（2024 版）从我国实际需要出发，以联合国《关于危险货物运输的建议书》（第 23 修订版）和有关危险货物运输国家标准为依据，并结合我国国情，依据《ERG 2024》编译而成。内容包括概述、中文名称索引、UN 号索引、应急指南卡、初始隔离和防护距离、遇水反应产生毒性气体的物质、常见吸入毒性危害物质、防护用品、净化、火灾和泄漏控制、锂电池及电动车火灾控制要点、沸腾液体膨胀蒸气爆炸和热撕裂、防恐以及附录等内容。

本指南主要使用对象为交通运输、安全生产、公安消防、环境保护、疾病控制和中毒救治等单位的工作人员。本指南也是编制危险货物运输事故应急救援预案、开展应急救援演练和培训的重要参考书。

图书在版编目（CIP）数据

危险货物运输应急救援指南：2024 版 /《危险货物运输应急救援指南》编译工作委员会编译. -- 北京：化学工业出版社，2025. 11. -- ISBN 978-7-122-48866-4

Ⅰ. U294. 8-62

中国国家版本馆 CIP 数据核字第 202517HF04 号

责任编辑：林　媛　蔡洪伟
责任校对：王　静　　装帧设计：史利平

出版发行：化学工业出版社
（北京市东城区青年湖南街 13 号　邮政编码 100011）
印　　装：河北鑫兆源印刷有限公司
787mm×1092mm　1/32　印张 21¼　字数 469 千字
2026 年 1 月北京第 1 版第 1 次印刷

购书咨询：010-64518888　　售后服务：010-64518899
网　　址：http://www.cip.com.cn
凡购买本书，如有缺损质量问题，本社销售中心负责调换。

定　　价：118.00 元

编译工作委员会

主　　任：李云鹏

副 主 任：张兴林　王静敏　张　霖

委　　员：（按姓氏笔画为序）

王全凯　王海军　左大伟　付艳青

卢　明　许吉翔　许建宁　李玉红

李伟忠　李晓清　李婷婷　沈辰峰

肖焕新　宋振乾　邹晓华　张　云

张延衡　范　宾　范贵根　金康生

陈正才　陈良超　陈建雨　赵　东

胡启亮　洪其虎　侯志强　顾文龙

秦　矼　钱满清　黄　群　蒋文新

魏　昕　魏国兴

编译人员

主　　编：陈正才

编译人员：陈正才　贺少鹏　蒋文新　徐静晗

王肖梅　余　辛

审校人员：陈正才　张文玺　胡训军　王雨堃

前言

在现代经济生活中，危险物品贯穿于生产与消费环节，在发电、取暖、清洁水源等多方面发挥着不可或缺的作用，有力地提升了我们的生活质量。然而，因其自身危险性，若操作或处理失当，极易引发事故，从而对我们的安全、健康以及资源环境构成威胁。所以，保障危险物品流通过程的安全并提升危险货物运输事故应急救援能力，已成为全社会关注的重要问题。

前些年，我国多地危险货物运输事故频发，给人民生命财产带来巨大损失。例如2006年8月7日，中国石化管道公司仪征原油输油站16号储罐（储量15万吨，已存价值5亿元进口原油11万吨）遭雷击起火，仪征输油站迅速启动应急预案，启用固定泡沫灭火系统并报警，各方应对及时，成功将火灾控制在初起状态。2011年9月6日，常州市发生翻斗车与苯乙烯槽罐车相撞事故，槽罐车罐体破裂致苯乙烯泄漏起火并蔓延至木业厂，因消防施救及时，仅1小时左右扑灭大火，除翻斗车驾驶员受伤外无其他大碍。

反之，应急处置不当则会加重事故危害并危及救援人员生命。例如2015年8月12日天津港瑞海国际物流有限公司危险品仓库发生特别重大火灾爆炸事故，129种化学物质燃烧、爆炸或泄漏扩散，约一半为氢氧化钠等6种货物，爆炸还引燃周边建筑与大量普通货物，造成165人遇难，其中公安消防人员104人，应急处置不力教训惨痛。2006年1月至8月，全国有25起因应急处置不当等原因导致伤亡扩大的事故，41人遇险却造成59位救援人员牺牲。

随着危险货物运量与品种的增加，其安全运输备受重视。近年来，国家有关部门颁布了诸多法规、规章与标准，还编印了大量培训材料，但危险货物运输事故应急救援方面的权威适用资料仍显不足。为此，我国相关部门和单位积极引进国际先进技术和管理经验。

加拿大运输部，美国运输部，墨西哥基础设施、通信及运输部，阿根廷化学品应急信息中心于21世纪初联合制定《危险货物运输应急救援指南》(《ERG》)，每4年更新一次。2008年联合国危险货物运输专家小组委员会向成员国推荐《ERG 2008》，我国有关部门据此编译出版了《危险货物运输应急救援指南》(2010版)。

目前，《ERG》已更新至《ERG 2024》。2016年中美相关会议上美国推介《ERG 2016》，中国有关单位及时组织编译出版，并依据联合国危险货物运输建议书规章范本及相关国家标准，结合中国国情，汲取《ERG》精华，制定并发布了系列国家标准《危险货物运输应急救援指南》(GB/T 39652.1～4—2021)。

本指南依据《ERG 2024》编译而成，面向交通运输、安全生产和应急管理等多领域工作人员，是编制应急救援预案、开展危险货物运输事故应急救援演练和培训的重要参考工具书，将与《ERG》同步适时修订。

本指南在编译过程中，得到了应急管理部危险化学品监管二司、中国疾病预防控制中心职业卫生与中毒控制所以及山东京博物流股份有限公司、上海化工研究院检测有限公司、杭州瑞欧科技有限公司、交通运输部天津水运工程科学研究院、北京中交信达科技有限公司、北京国化石油和化工中小企业服务中心、上海港城危险品物流有限公司、宁波舟山港集团有限公司、广州港集团股份有限公司、青岛市交通运输局、连云港新东方国际货柜码头有限公司、天津洪缘航运有限公司、江阴恒阳化工储运有限公司、香港爱高烟花有限公司以及安天下信息科技（集团）有限公司等单位领导和专家的大力支持。许多专家提出了宝贵意见，有的专家还参与了书稿的编译或审核校对工作，在此一并致谢！

《危险货物运输应急救援指南》编译工作委员会

2025年2月

目录

第三部分　应急指南卡 309

第一部分

概述

第一节　使用者须知

在本指南中，危险品、危险物品和危险货物这几个术语是同义的。

本指南主要根据加拿大运输部（TC）、美国运输部（DOT）和墨西哥基础设施、通信及运输部（SICT）、阿根廷化学品应急信息中心（CIQUIME）联合制定的《2024应急救援指南》（ERG 2024）编译而成。

本指南可供最先到达危险货物运输事故现场的消防队员、公安干警和其他救援人员使用。

本指南为快速确认事故所涉及危险货物的危险性类别和危害程度、在事故初始救援阶段采取自我保护和公众保护应急措施时提供基本指导。所谓“初始救援阶段”是指第一批救援人员到达事故现场，开始确认现场存在并识别危险货物、迅速采取保护措施和现场安全措施、向专业救助人员提出咨询和帮助要求的阶段。

本指南为到达危险货物事故现场的救援人员做初始决定时提供参考，它不能替代应急救援人员的培训以及人们对于危险货物事故处理的知识和判断力。本指南不提供危险货物的物理和化学性质等相关信息，也没有列出处理所有可能与危险货物事故相关的情况。本指南主要用于指导处置公路和铁路危险货物运输事故，处置水路和航空危险货物运输事故以及固定设施事故时可适当参考。

最先到达危险货物运输事故现场的人员应当尽可能查找事故所涉及危险货物的各种信息。通过联系有关应急救援机构、拨打货运单上的应急电话或查阅货运单有关信息，相比查阅本指南，可能获取更多、也更具体和准确的关于危险货物的信息。

《危险货物运输应急救援指南》（2024 版）结合了最新的联合国《关于危险货物运输的建议书》（第 23 修订版）以及中国国家标准关于危险货物品名表的内容。

爆炸品没有单独列出，无论是以正式运输名称还是联合国编号（UN 号），但它们在索引表中以带有“项别号爆炸品”的名称出现：

- 中文名称索引表中按字母顺序排列；
- UN 号索引表开头部分。

化学和生物战剂参考“防范利用化学/生物/放射性物质实施犯罪和恐怖活动”部分。

在中文名称索引表和 UN 号索引表中，指南号后面带有字母（P）的，表示此类物质在某些条件下存在聚合反应危害。例如：UN1092-丙烯醛，稳定的，指南号 131P。

为防范和应对危险货物运输事故或相关事件，应当了解并熟悉本指南的使用。通过组织开展危险货物运输应急救援培训，以帮助生产、管理和应急等有关人员更好地使用本指南。

第二节　指南内容提要

1. 索引表

为便于查找使用，本指南分别列出中文名称索引表和 UN 号（即联合国编号）索引表。

（1）中文名称索引表

索引表按危险货物中文名称拼音顺序列出。根据危险货物中文名称可以迅速找到相应的指南卡。在危险货物中文名称后同时列出了危险货物英文名称、UN 号和指南号。

举例：

中文名称	英文名称	UN 号	指南号
硫酸	Sulfuric acid	1830	137

如果危险货物中文名称中含有数字、英文字母、希腊字母、罗马数字或符号等，在排序时对其进行忽略，按照出现的第一个汉字进行排序。例如，2-氨基-5-二乙氨基戊烷，按照“氨”检索。

（2）UN 号索引表

此索引表按危险货物 UN 号编码顺序列出。根据 UN 号可以迅速找到相应的指南卡。在 UN 号之后同时列出了危险货物中文名称、危险货物英文名称和指南号。

举例：

UN 号	中文名称	英文名称	指南号
1090	丙酮	Acetone	127

在中文名称索引表和 UN 号索引表中，对于吸入毒性有害物质的条目用灰色标记条区分并集中列在表 4-1 初始隔离和防护距离表中，以突出此类物质并方便对其初始隔离距离和防护距离的查找。

2. 应急指南卡

应急指南卡是本指南的中心内容。应急指南卡列出了所有关于安全防护措施的建议。每个指南卡是针对具有相似化学性质和毒理特性的同一类危险货物编写的，并提供了自身防护和公众安全以及应急响应措施等建议。应急指南卡依次列出安全相关信息以及疏散、火灾、溢出或泄漏、急救等应急响应方面的内容。全部有效指南卡有 62 个，预留 2 个（指南 121 和指南 167）。

指南卡的标题表明了该类危险货物的共同危险特性。

举例：

指南 124　气体——毒性和/或腐蚀性-氧化性。

每个指南卡由 3 个部分组成。

第 1 部分——潜在危险：依据接触该危险货物可能产生的火灾、爆炸和健康效应，描述了潜在危险。危险性最大的列在首位，应急救援人员应首先查阅这部分内容，以便于在第一时间做出决定来保护现场人员和周围公众。

第 2 部分——公众安全：依据现场环境列出了应对公众安全所采取的保障措施。它提供了事故现场紧急隔离要求、防护服和呼吸防护器穿戴建议等重要信息，列出了少量泄漏、大量泄漏及火灾等三种情况下进行疏散的安全距离。

第 3 部分——应急响应：列出各种应急措施，包括急救措施。针对危险货物发生火灾、泄漏等不同事故情况提出了可采取的应急措施及对策的建议。该部分提供的急救指导特殊要求，可根据某种用品或用法要求使用。此外还有针对危险货物事故的急救指导通用要求。急救指导通用要求载于第三部分应急指南卡第二节。

3. 毒性物质的泄漏与应对

本指南第四部分关于吸入毒性物质及应对措施的内容中含有 3 个列表：表 4-1 初始隔离和防护距离表、表 4-2 遇水反应产生毒性气体的物质和表 4-3 常见吸入毒性危害物质初始隔离和防护距离。

第一个列表即表 4-1 初始隔离和防护距离表，按 UN 号列出。该列表主要用于吸入毒性物质（简称 TIH 气体）和遇水反应物质——泄漏到水中产生大量毒性气体的物质的应急处置。为方便识别和查找，这些物质的每个条目在索引表中都加印了灰色标记条，以示区别。

针对物质泄漏量大小，表 4-1 提供了 2 种推荐性安全防范距离即初始隔离距离和防护距离：少量泄漏（208L 或以下）时，采用初始隔离距离；大量泄漏（208L 以上）时，采用防护距离。

在“初始隔离距离”范围内，需要穿着防护服并进行呼吸防护。应考虑从泄漏源向四周疏散所有人员。这个距离被定义为一个圆圈（初始隔离区外围）任一点到泄漏源中心的半径。当该圆圈内的人员处于泄漏源上风向时，可能处于危险当中；而处于泄漏源下风向时，可能危及生命安全。“防护距离”是指在泄漏源下风向能够实行防护措施的安全距离，所实行的防护措施包括：保护应急人员及公众的健康和人身安全以及组织指挥本区域人员进行疏散或就地躲避（更多资料，请参阅本指南第四部分第三节防护措施）。

由于不同大气条件对危险区域的影响在白天和夜晚有很大差异，表格中的距离值细分为白天与夜晚两种状态。无论如何，毒性物质产生蒸气以后，其质量和浓度更应该受到关注。夜晚时空气比较平稳，空气中的物质扩散较慢，故夜晚时的毒性危害影响区域大于白天。而白天大气运动剧烈，空气中所含物质扩散较快，从而空气中有害蒸气浓度也相应降低，达到毒性危害水平的区域也较小。所谓白天是指日出之后至日落之前时间段，夜晚是指在日落和日出之间时间段。

例如 UN1955，即“压缩气体，毒性（吸入危害区域 A）”，少量泄漏情况下的初始隔离距离是 150m，即表示向四周疏散的直线距离为 300m；其防护距离：白天是 1.0km，夜晚是 3.9km。

注意：有些遇水反应物质在表 4-1 中有 2 个条目。因为它们是吸入毒性有害物质和遇水产生另外的毒性气体物质，故分别用“（当泄漏在地面时）”和“（当泄漏在水中时）”来区别。例如：三氟化溴（UN1746）和亚硫酰氯（UN1836）。如果遇水反应物质在表 4-1 中只有一个条目，即带有（当泄漏在水中时）条目，而该物质实际上并没有泄漏到水中，则表 4-1 和表 4-2 不适用。此时可通过合适的指南卡得到安全距离。例如：乙基二氯硅烷（UN1183）和乙酰碘（UN1898）。

第二个列表即表 4-2（遇水反应产生毒性气体的物质），列表按照 UN 号顺序排列，内容包括泄漏到水中会产生大量吸入毒性气体（TIH）的物质以及这些物质所产生的 TIH 气体。

在表 4-1 中，遇水反应物质可以很方便地通过其名称后面附加的“（泄漏到水中时）”来识别。

注意：表 4-2 中列出的 TIH 气体仅供参考。这些 TIH 气体已被纳入表 1 中的安全距离考虑范围内。

例如，表 4-2 列出的 UN1689 固态氰化钠，当泄漏到水中时会产生氰化氢气体（HCN）。在表 4-1 中，必须参照的是固态氰化钠的安全距离，而不是氰化氢气体的安全距离。

第三个列表即表 4-3（常见吸入毒性危害物质初始隔离和防护距离），该表列出了无水氨（UN1005）、氯气（UN1017）、环氧乙烷（UN1040）和含有氮的环氧乙烷（UN1040）、无水氯化氢（UN1050）和冷冻液态氯化氢（UN2186）、无水氟化氢（UN1052）、二氧化硫（UN1079）等6种常见吸入毒性有害气体在白天和夜晚、不同风速和使用不同容积容器情况下发生大量泄漏时的初始隔离距离和保护距离。

4. 如何选择适当的隔离距离和防护距离

有关隔离距离和防护距离的内容分别出现在本指南第三部分应急指南卡和第四部分吸入毒性物质及其他中的表4-1初始隔离及防护距离表两处。隔离距离和防护距离的确定与事故泄漏物是否吸入毒性危害物质有关。

需要注意的是，有些应急指南卡仅针对非吸入毒性危害物质（有37个指南卡），如指南128；有些应急指南卡仅针对吸入毒性危害物质或遇水反应物质（有5个指南卡），如指南124；除此以外，还有一些应急指南卡是既针对吸入毒性危害物质又针对非吸入毒性危害物质（有20个指南卡），如指南131。

如果需要处理的事故泄漏物属于非吸入毒性危害物质（在索引表中无灰色标记的条目），请查找该物质对应的指南卡，在疏散这个标题下，会出现作为当前最紧急防护措施的初始隔离距离以及发生泄漏、火灾或爆炸等危险情况下的具体距离。注意，查找某些应急指南卡时也可参考表4-1。不过这仅涉及索引表中带有灰色标记的条目（即吸入毒性危害物质）。

有些非吸入毒性危害物质对应的指南卡既针对吸入毒性危害物质又针对非吸入毒性危害物质，其初始隔离距离会在指南卡的“公共安全”项下提到，并适用于非吸入毒性危害物质。此外，在指南卡中也会提醒使用者，对于非吸入毒性危害物质，在下风向可以根据需要增大隔离距离。

如果正在处理的事故涉及吸入毒性危害物质、遇水反应物质（索引表中带有灰色标记的条目），应分别按以下 2 种情况对待：

① 如果没有发生火灾，可直接在表 4-1（初始隔离及防护距离表）中查找初始隔离和防护距离。应急指南卡中也有相应的提示。

② 如果发生火灾，直接查找相对应的指南卡并采用疏散标题下火灾项下所列的距离，为应对残余物质的释放也可参阅表 4-1 中的距离。

第三节　货　运　单

在开始实施危险货物事故应急救援行动之初，货运单能够提供至关重要的信息。货运单含有可快速确认危险货物危险特性等相关信息。这些信息在采取自我保护措施和公众防护措施时可提供重要参考。

危险货物货运单应包含正确的货物名称、危险货物分类、UN 号、包装类别、发货地点、发货及收货单位和 24 小时应急电话号码。此外，货运单还应提供危险货物主要危害特性等相关信息。大多数商运危险货物都有货运单。货运单一般由机动车辆驾驶员、列车乘务员、轮船驾驶员和飞机飞行员等代为保管。

为方便随时查用，建议出发时将本指南相关应急指南卡内容粘贴在货运单上，或随身携带本指南。

第四节　安全预防措施

1. 从上风向、上坡或上游处小心接近事故现场

远离蒸气、烟雾、烟尘和溢出物。

使车辆与事故现场保持安全距离。

2. 确保事故现场的安全

在直接进入事故现场之前，先设置好隔离区域，以保护自身、周围人群和环境的安全。

3. 确认危害

标示牌、外包装标签、货运单、运输车辆危险性识别号标示图板、化学品安全技术说明书以及事故现场专业人士的意见都是获取信息的重要来源。整理分析所获得的信息，并查阅本指南相关页面内容以确认危害。货主或其他权威人士所提供的额外信息可能与指南卡所提供的一些重点内容或处理细节不同。

注意：指南卡所提供的信息只是一些最重要或在最险恶情形下对某一类项危险货物的应急处理方法。如果能够得到事故所涉及危险货物的详细信息，应采取适合于事故现场实际情况的措施。

4. 对事故现场进行评估

需要考虑以下因素：

① 是否着火、溢出或泄漏；

② 天气情况；

③ 地形；

④ 受到威胁的对象（人员、财物或环境）；

⑤ 应该采取的措施（疏散、就地避险或筑堤防护）；

⑥ 需要的资源（人力、设备或其他）；

⑦ 应该立即采取的措施。

5. 报告事故及寻求帮助

立即报告上级单位并建议通报有关主管部门和寻求专业人士帮助。

6. 进入事故现场之前的应对措施

首先要考虑确保周围人群和应急救援人员自身的安全。只有穿戴好合适的防护装备才能进入事故现场。

应当以一种合适的方式进行应急救援，即在救援行动和保护财产与救援人员的安全之间进行权衡，防止救援人员出现问题。如果条件允许，应抢救伤亡人员；否则，应迅速撤离。要始终把确保处于危险区域内人员（包括救援人员）的安全放在最重要的位置上。

建立救援指挥所和通信联系，保持对险情的掌控。随着事故现场情况的变化，应不断对事故险情进行评估并适时调整应对措施。

7. 重要提示：不要接触泄漏物质

不要以为没有气味就认为气体或蒸气就是无害的——无色无味的气体或蒸气往往可能有毒。搬运空容器时务必谨慎小心，因为在清理和清除所有残留物之前，它们仍可能存在危险。

第五节　信息的报送和获取

到达事故现场后，首先应该辨认危险货物的状态，做好自身和公众防护，确保周围安全。如果条件允许，应尽快向受过训练的专业人员求助。应按照标准操作程序或当地应急救援预案要求获取帮助。一般情况下，报送事故等有关信息以及获取本指南之外信息时应按照以下程序和方法进行。

1. 组织或机构

及时报告有关组织或机构。它们会根据所得信息采取一系列的行动，包括派遣熟练的专业人员到事发现场支援和启动当地的应急救援预案。一定要报告当地的消防和公安部门。

2. 应急救援电话

拨打货运单所列的应急救援电话。负责接听电话的人员要对货运单所列危险货物以及应采取的措施非常熟悉，或可以立即找到精通该危险货物处置的人员。

3. 获得国家层面的支持

如果找不到当地的应急救援电话，可以采用本指南第五部分附录提供的应急救援机构联系方式进行联系。一旦接到电话得知事故情况后，应急救援机构将会立即提供事故早期的处理意见。应急救援机构也会联系生产厂家和运输单位以获取更多的信息，如果需要，还会与现场联系。

4. 尽可能向事故处理小组和负责技术指导的专家提供或报送的信息

① 求助者姓名、单位、电话和微信号码。

② 事故位置和现场状况（是否泄漏、着火等）。

③ 事故涉及危险货物的名称、UN号和危险性识别号。

④ 托运人/收货人/发货地点。

⑤ 运输工具名称和车（船）编号。

⑥ 包装容器类型及其大小。

⑦ 危险货物运输量/泄漏量。

⑧ 当地环境条件（天气、地形情况）。

⑨ 是否邻近学校、医院和下水道。

⑩ 伤害和暴露情况。

⑪ 已经报告或联系过的当地应急救援相关机构。

第六节　危险货物分类

危险货物的危险性类别以其分类（或分项）号和名称表示。标示牌可用来识别危险货物的危险性类别。危险货物的分类号必须标在标示牌的下方。如果可行，主要危险性以及次要危险性都需要标明。对于货运单，要求在所运输的危险货物名称后面同时标示其分类号。

危险货物根据其危险性分为以下9类。

第1类——爆炸品

1.1　有整体爆炸危险的物质和物品

1.2　有迸射危险，但无整体爆炸危险的物质和物品

1.3　有燃烧危险并有局部爆炸危险或局部迸射危险或这两种危险都有，但无整体爆炸危险的物质和物品

1.4　不呈现重大危险的物质和物品

1.5　有整体爆炸危险的非常不敏感物质

1.6　无整体爆炸危险的极端不敏感物品

第 2 类——气体

2.1 易燃气体

2.2 非易燃无毒气体

2.3 毒性气体

第 3 类——易燃液体

第 4 类——易燃固体、易于自燃的物质、遇水放出易燃气体的物质

4.1 易燃固体

4.2 易于自燃的物质

4.3 遇水放出易燃气体的物质

第 5 类——氧化性物质和有机过氧化物

5.1 氧化性物质

5.2 有机过氧化物

第 6 类——毒性物质和感染性物质

6.1 毒性物质

6.2 感染性物质

第 7 类——放射性物质

第 8 类——腐蚀性物质

第 9 类——杂项危险物质和物品

第七节 标记、标签和菱形标志牌以及与指南卡的关系

1. 标记、标签和菱形标志牌概述

本节列出了危险货物车辆上使用的菱形标志牌，并标

出了相应的指南号。当靠近已被证实已经或有可能发生危险货物事故的现场且对危险货物编号或名称未知时可通过车辆上的菱形标志牌查找到有用的信息。在此过程中请注意：

① 从上风向、上坡方向和/或上游方向谨慎接近事故现场，保持安全距离，以便安全地识别和/或阅读菱形标志牌或矩形标志牌。如有，可使用望远镜。

② 将车辆菱形标志牌与本节列出的菱形标志牌逐一进行比对，找到与危险货物类别相关联的应急指南卡号。

③ 查看该指南号的相关信息。例如：易燃液体（第 3 类）对应于指南 127。腐蚀性物质（第 8 类）对应于指南 153。当显示“危险”菱形标志牌或者泄漏、溢出或燃烧的危险货物性质未知，可使用指南 111。当怀疑存在危险材料或危险品，但是没有看到标志牌，也可使用指南 111。如果对应多种指南，则首先利用最保守的指南（即需要采取最大程度保护行动的指南）。

可使用指南 127

可使用指南 153

④ 与标志牌相关的指南提供了最重要的风险和/或危险信息。

⑤ 当获得 UN 编号或正确运输名称等具体信息时，必须查阅针对该材料推荐的更具体的应急指南卡。

⑥ 菱形标志牌上的一个星号（＊）代表一种爆炸品的配装组字母代码。星号必须用相应的配装组字母代码替换。

⑦ 菱形标志牌上的双星号（＊＊）代表爆炸品的分类（项别）。双星号必须用相应的项别号代替。

标记、标签和标志牌以及危险货物分类号（项别号）与应急指南卡的对应关系如表 1-1、表 1-2 所示。

2. 标记、标签和标志牌与应急指南号对应关系

标记、标签和标志牌与应急指南号对应关系见表 1-1。只有在使用货运单、带 UN 编号的菱形标志牌或矩形标志牌无法具体识别或确认危险货物时，才可使用表 1-1、表 1-2。

表 1-1　标记、标签和标志牌与应急指南卡的对应关系

<table>
<tr><th>标记、标签和标志牌</th><th>指南号</th></tr>
<tr><td>
</td><td>111</td></tr>
<tr><td>

对于 1.1、1.2、1.3 和 1.5 项，必要时加上项别号（＊＊）和配装组字母代码（＊）。</td><td>112</td></tr>
</table>

续表

标记、标签和标志牌	指南号
 对于第 1.4 和 1.6 项,必要时加上配装组字母代码(*)	114
	118
	120
	122

续表

标记、标签和标志牌	指南号
	123
	125
	127
	128
	134
	136

续表

<table>
<tr><th>标记、标签和标志牌</th><th>指南号</th></tr>
<tr><td></td><td>139</td></tr>
<tr><td></td><td>143</td></tr>
<tr><td></td><td>148</td></tr>
<tr><td></td><td>153</td></tr>
<tr><td></td><td>153</td></tr>
<tr><td>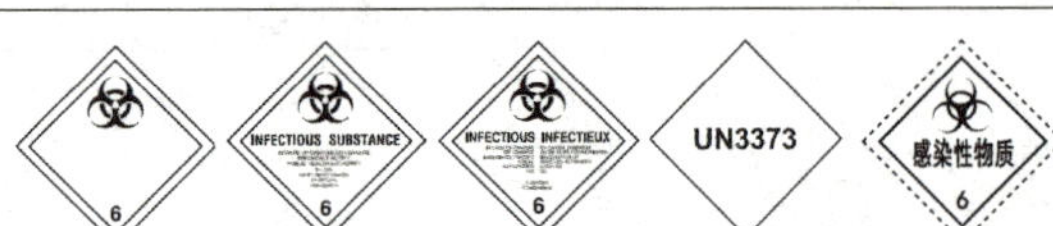</td><td>158</td></tr>
</table>

续表

标记、标签和标志牌	指南号
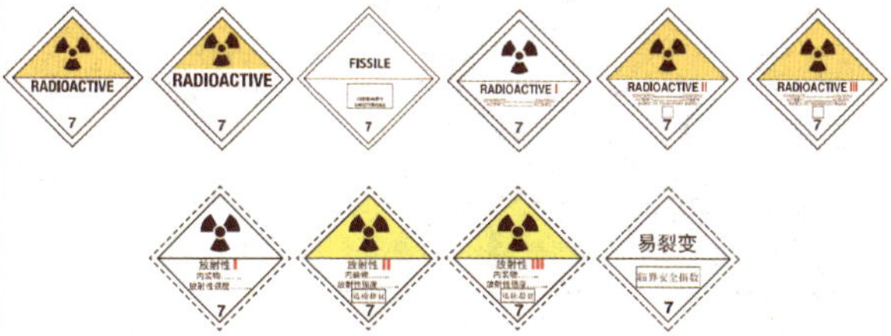	163
	138 锂金属电池（UN3090、UN3091）、147 锂离子电池（UN3480、UN 3481）
	171

3. 危险货物分类号与应急指南卡的对应关系

危险货物分类号与应急指南卡的对应关系见表 1-2。

表 1-2 危险货物分类号与应急指南卡的对应关系

危险货物标示牌上的危险货物分类号	应急指南卡上的指南号
1.1、1.2、1.3、1.5	112
1.4、1.6	114
2.1	118
2.2	122

续表

危险货物标示牌上的危险货物分类号	应急指南卡上的指南号
2.3	123(无水氨对应 125)
3	127(燃料油对应 128)
4.1	134
4.2	136
4.3	139
5.1	143
5.2	148
6.1	153
6.2	158
7	163
8	153
9	171

第八节　交通车辆识别图表

1. 铁路车辆

注意： 应急响应人员必须知晓，铁路罐车的结构、配件和用途千差万别。铁路罐车可运输固体、液体或气体产品。这些产品或许有压力。在应急响应启动之前，应通过查阅货运单、列车编组或者联系调度中心来识别危险货物。如下图所示，铁路罐车侧面或末端的钢印信息可用于识别或确认所装载的危险货物：

① 显示物品名称；

② 显示其他信息，特别是报备的标识和车辆编号，当这些信息提供给指挥中心时将有助于危险货物的识别或确认。

铁路车辆上的常见标记：报备的标识和车辆编号、装载限制（千克或吨）、车辆空重、菱形标志牌、罐体合格证和泄压装置信息、车辆规格和载货名称。

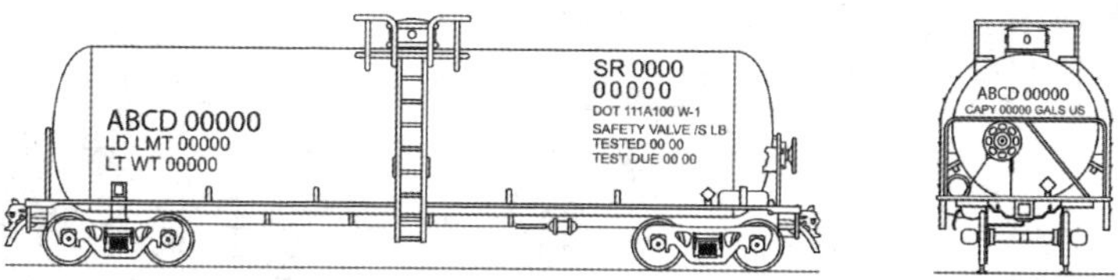

如果危险货物无法通过任何其他方法加以识别或确认，可将指南推荐内容作为最后参考。

2. 公路车辆

注意：本图表仅描述了公路拖车和货物运输装置的一般形状。应急响应人员必须知晓，用于运输化学品的公路拖车形态不一，有许多变体。许多运输液体、固体、液化压缩气体和冷冻液化气体的多式联运罐车也有类似的轮廓。本指南所标示的拖车类型可用于运输危险性最大的化学品。

警告：公路拖车可能有护套，横截面可能与图示不同，外部环形加强筋可能看不见。

注：紧急切断阀通常位于油箱前部，靠近驾驶室车门。

如果危险货物无法通过任何其他方法加以识别或确认，可将指南推荐内容作为最后参考。

类型	图示	特点	指南号
压力罐车	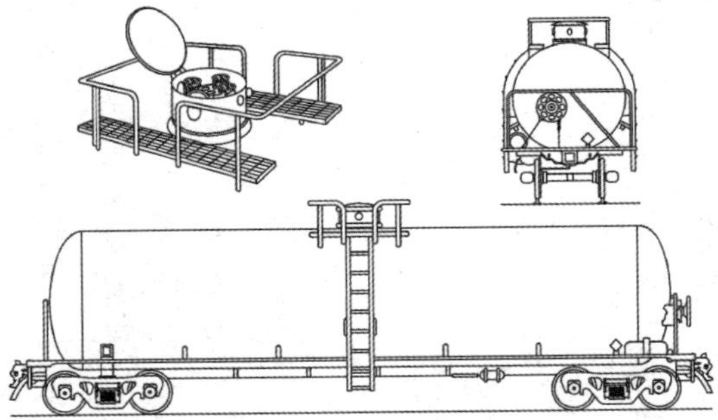	• 用于易燃、非易燃、有毒和/或液化压缩气体 • 保护罩 • 无底部配件 • 压力通常高于 276kPa	117
无压/低压罐车	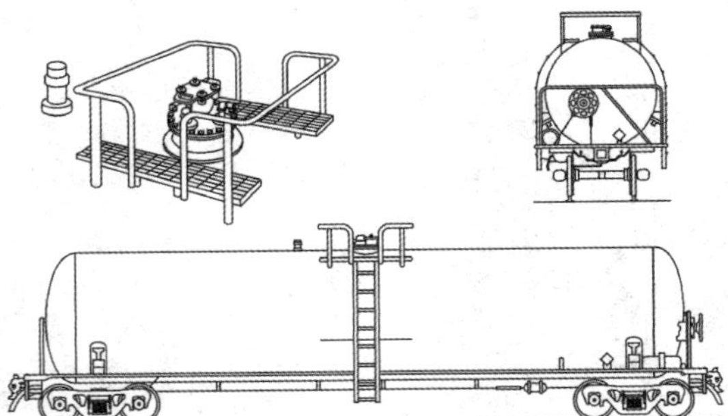	• 被称为通用罐车 • 适用于各种危险和非危险材料 • 罐体顶部通常可见接头和阀门 • 有些可能有底部出口阀 • 压力通常低于 172kPa	131

续表

类型	图示	特点	指南号
无压/低压罐车（TC117，DOT117）	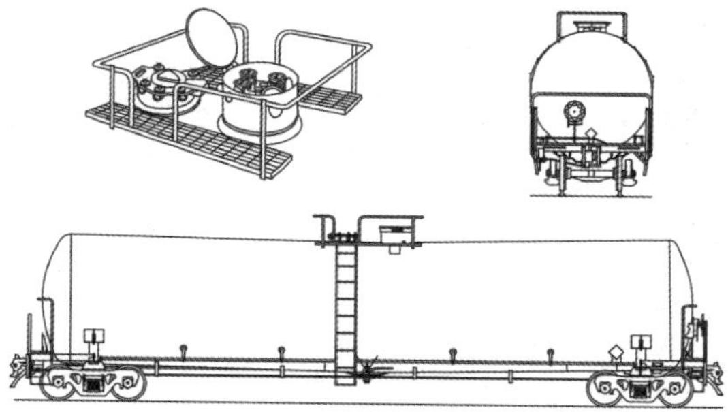	• 用于易燃液体（如石油原油、乙醇） • 与人孔分离的保护罩 • 底部出口阀 • 压力通常低于 172kPa	128
低温罐车	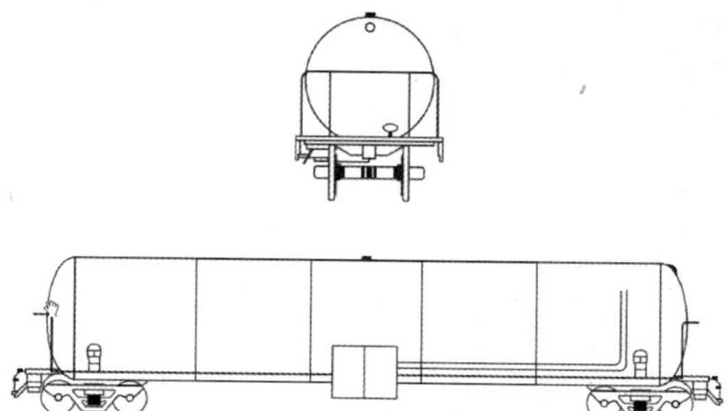	• 用于冷冻液化气体（低温液体） • 真空隔热轨道车（罐中罐） • 配件舱位于罐体地面的机柜中 • 压力范围为 69～517kPa	115

续表

类型	图示	特点	指南号
厢式车	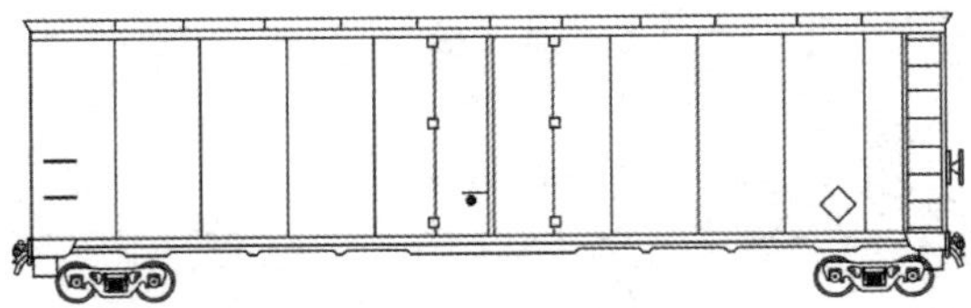	• 用于运输散装或非散装包装的一般货物 • 可以运输装在小包装或“手提包”中的危险材料/危险货物 • 单滑动门或双滑动门	111
料斗车	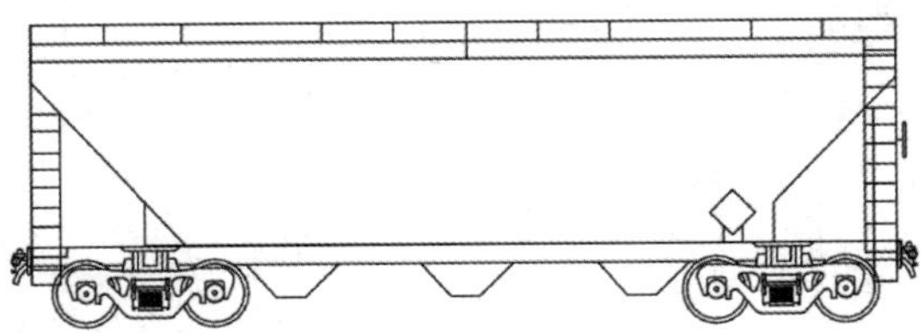	• 用于散装商品和散装货物（如煤炭、矿石、水泥和固体颗粒材料） • 当门打开时，散装货物在重力作用下通过料斗底门卸下	140

类型	图示	特点	指南号
公路罐车(一)	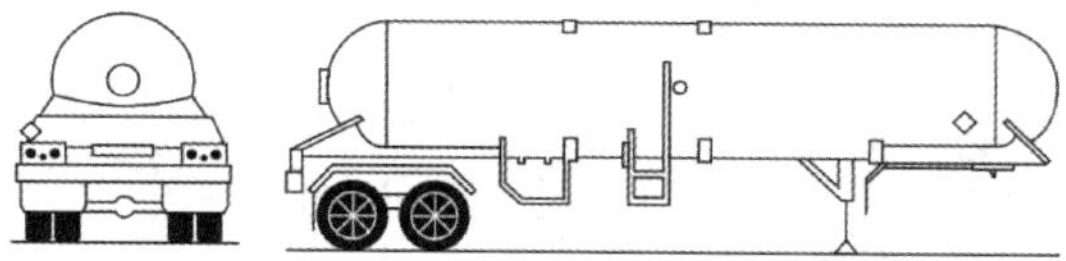	• 用于液化压缩气体(如液化石油气、氨) • 圆形封头 • 设计压力介于 689～3447kPa • 有不同的配置	117
公路罐车(二)	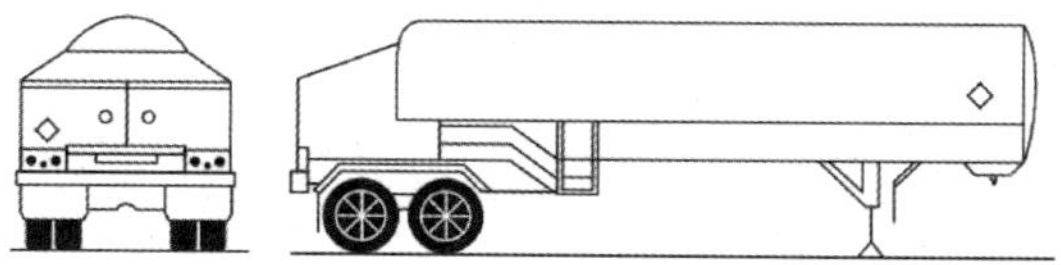	• 用于冷冻液化气体(低温液体) • 类似于“巨型保温瓶” • 配件舱位于罐体后部的机柜中 • 最大允许工作压力(MAWP)介于 172～3447kPa	117
公路罐车(三)	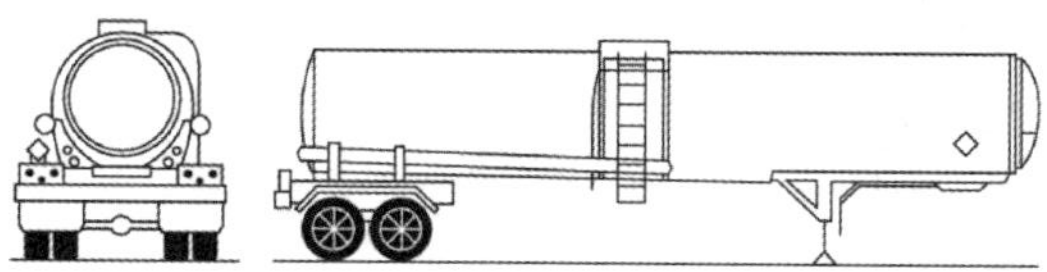	• 用于有毒、腐蚀性和易燃液体 • 圆形横截面 • 可能有外部环形加强筋 • 最大允许工作压力(MAWP)至少为 172kPa	137

续表

类型	图示	特点	指南号
公路罐车（四）	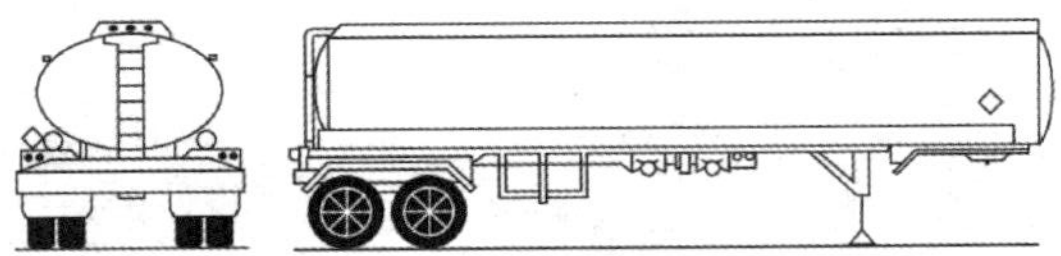	• 用于易燃液体（如汽油、柴油） • 椭圆形横截面 • 顶部有防滚保护 • 底部有出口阀 • 最大允许工作压力（MAWP）在21～34kPa（美国＋墨西哥：MC306、DOT406、SCT306/406） • 最大允许工作压力（MAWP）在21～103kPa（加拿大：TC306/406）	131
公路罐车（五）	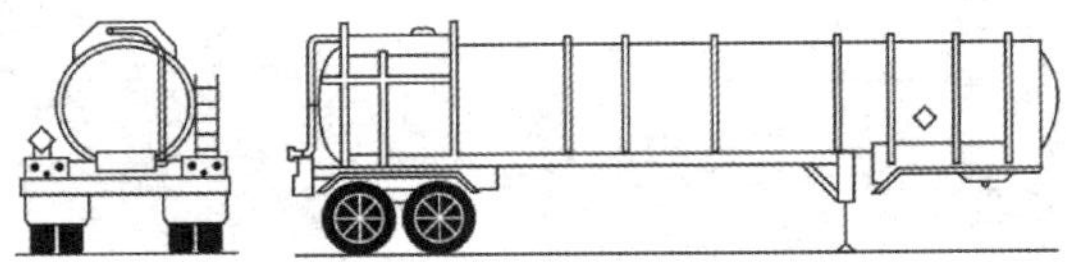	• 通常用于腐蚀性液体 • 圆形横截面 • 外部环形加强筋 • 储罐直径相对较小 • 最大允许工作压力（MAWP）至少为103kPa	137
公路罐车（六）	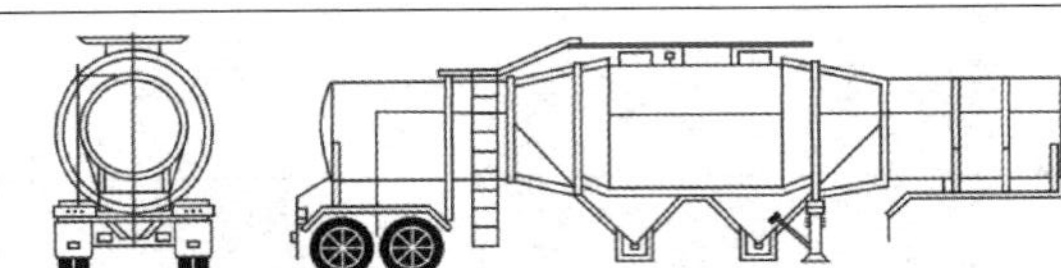	• 用于乳化炸药和水凝胶炸药 • 料斗式配置 • 最大允许工作压力（MAWP）在34～103kPa之间	112

续表

类型	图示	特点	指南号
压缩气体/管式拖车	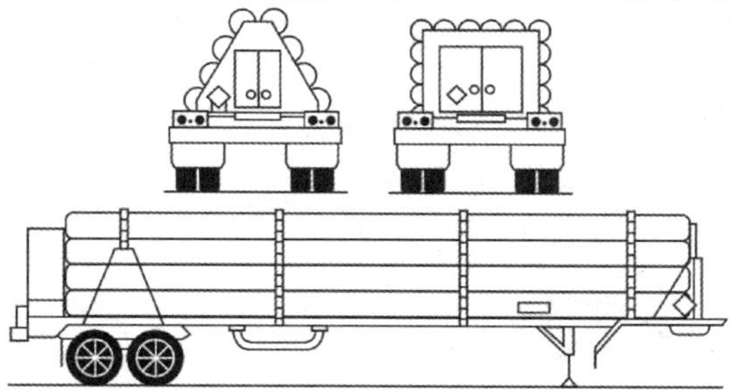	• 用于加压气体(如空气、氦气、氧气) • 固定安装在拖车上的水平长管 • 填充和排放歧管通常位于拖车后部	117
干散货拖车	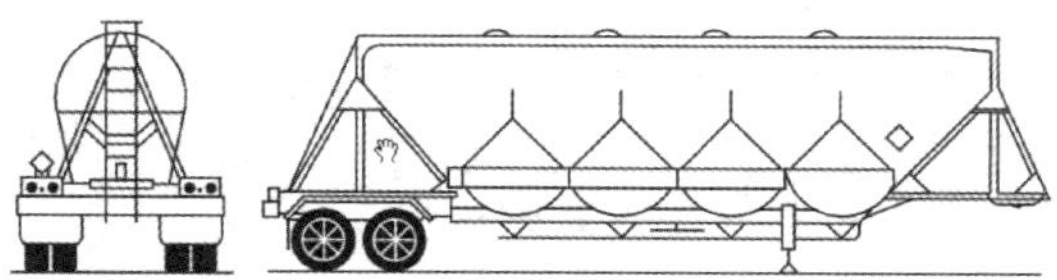	• 用于干散货(如氧化剂、腐蚀性固体、水泥、塑料颗粒、化肥) • 也称为料斗罐或料斗拖车 • 形状各异,但总是包含一个或多个锥形料仓	134
真空罐车	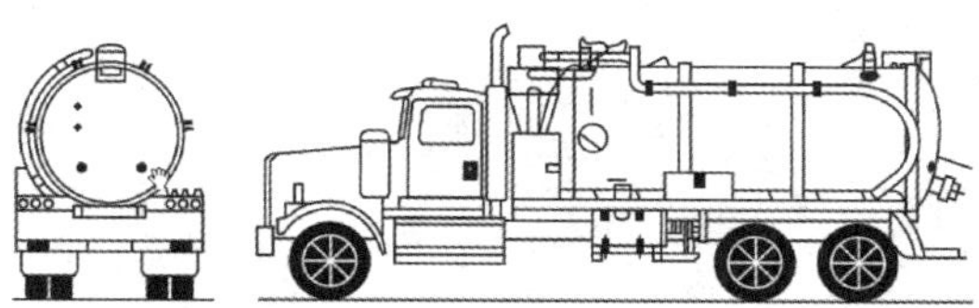	• 用于清理化学品/石油泄漏或运输原油、水 • 大型铰链后门用于倾倒垃圾	137

续表

类型	图示	特点	指南号
混合货物	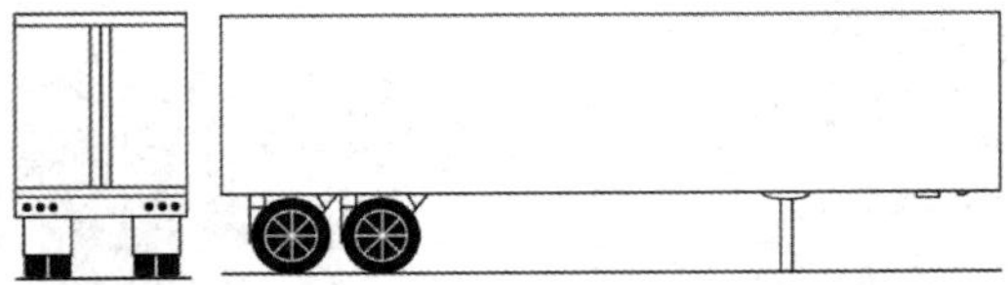	• 用于运输散装或包装的一般货物 • 可以运输装在小包装（如袋、箱、桶）或中型散货箱（IBC）中的危险货物 • 箱门位于后部	111
多式联运集装箱	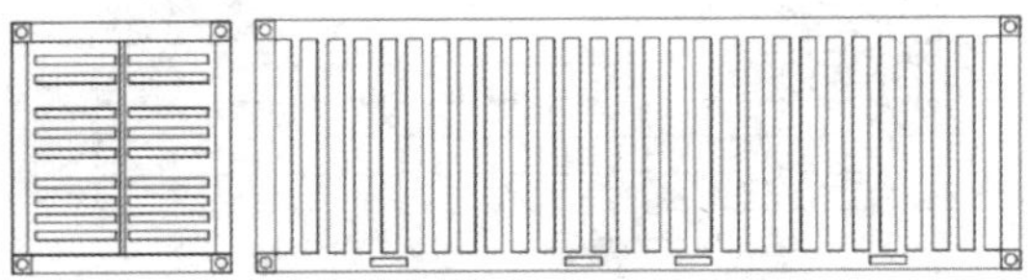		111
多式联运罐箱	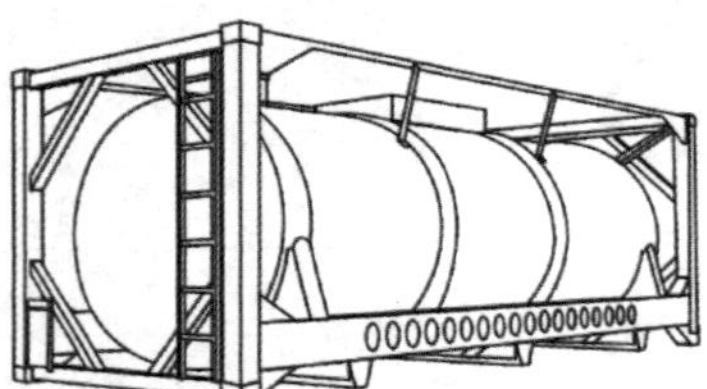	• 用于液化压缩气体、冷冻液化气体、固体和液体 • 工作压力介于138～3447kPa • 储罐容量介于200～45000L，储罐尺寸可能有所不同	117

第九节　危险货物运输事故发生后如何使用本指南

1. 通过以下任何一种途径确定危险货物

① 标志牌、货运单或包装上的 UN 号。

② 货运单或包装上的危险货物名称。

2. 通过以下索引查找危险货物对应的应急指南卡编号

① 中文名称索引。

② UN 号索引。

3. 查找相应的应急指南卡，并认真阅读

如果以上步骤不能完成，但能找到危险货物标志牌，可以通过危险货物标志牌上的危险货物分类号查找对应的应急指南卡编号，接着查阅相应的应急指南卡。如果货运单有应急救援电话号码，拨打该电话号码；如果没有货运单或应急救援电话号码，立即联系本指南第五部分附录所列的应急救援机构，向其尽可能多地提供现有信息，比如运载工具的名称和车牌号码。如果危险货物性质不详，但能确认是危险货物事故时，可查阅并利用指南 111，直至得到其他信息。

第十节　全球化学品统一分类和标签制度（GHS）

（运输时 GHS 标记可能会出现在封闭的包装容器内部）

全球化学品统一分类和标签制度（GHS）是联合国发布的国际性指导方针，旨在统一并协调在整个化学品生命周期内与化学品生产、储存、运输、处置、消费者使用和所处环境等所有部门相关的化学品分类和标签的方法和标准。

GHS 使用 9 个符号来传达特定的物理、健康和环境风险信息。GHS 标签主要由包括在白色背景上的黑色符号和红色框架组成的菱形象形图表示，此外还有信号词、危险说明、警示说明、产品标识、供应商标识等信息。

GHS 象形图与危险货物运输标签类似；但标签的背景颜色不同。运输部门很少采用 GHS 信号词和危险说明中的相关内容。在运输过程中，不用 GHS 象形图来表示运输标签和标示牌所反映的同一（或较小）风险，但它可能出现在包装内部。对于联合国危险货物运输建议书规章范本所包含的物质和混合物，其运输标签优先于物理危害标签。

GHS 标签的例子：

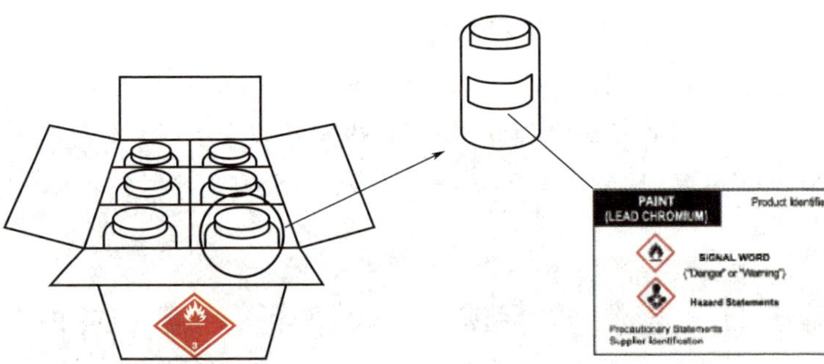

外包装：带有易燃液体运输标签的箱子　　内包装：带有 GHS 危险警示标签的塑料瓶子

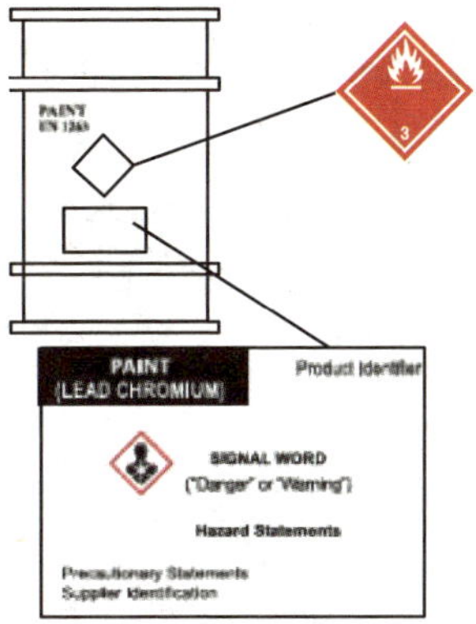

单一包装：带有易燃液体运输标签
和 GHS 危险警示标签的 200L 桶

在某些情况下，如包装桶或中型散装容器（IBC）必须载明各部门所要求的信息，除了所需的运输标签和标示牌外，可能还会发现 GHS 标签。GHS 标签和运输标签两者的形式不一样，在紧急情况下能很容易被识别。

GHS 象形图	物理危害	GHS 象形图	健康与环境危害
	爆炸品； 自反应； 有机过氧化物		腐蚀皮肤； 严重眼损伤
	易燃； 自燃； 自反应； 有机过氧化物； 自热； 遇水放出易燃气体		急性毒性（有害）； 皮肤致敏； 刺激皮肤和眼睛； 麻醉作用； 呼吸道刺激； 对臭氧层有害（环境）

续表

GHS 象形图	物理危害	GHS 象形图	健康与环境危害
	氧化剂		呼吸道致敏； 诱变剂； 致癌物质； 生殖毒性； 靶器官毒性； 对水生环境有害； 吸入危害
	加压气体		水生环境危害
	腐蚀金属		急性毒性（致命的或有毒的）

第十一节　多式联运集装箱上标示的危险性识别号

一些多式联运散装集装箱的橙色标示牌的上半部分标记着危险性识别号，这是按国际规则和包括我国在内一些国家的法规要求制作并使用的，橙色标示牌下半部分标记的是 4 位数的联合国编号。

橙色标示牌上半部的危险性识别号由 2～3 位数字组成。一般来说，数字表示下列危险：

2—由压力或化学反应导致的气体泄漏

3—液体（蒸气）、气体和自热液体的易燃性

4—固体或自热固体的易燃性

5—会产生氧化或助燃作用

6—具有毒性或感染性危险

7—有放射性危险

8—有腐蚀性危险

9—具有发生剧烈自反应危险

注：① 数字 9 表示具有发生剧烈自反应危险，意为物质本身具有爆炸性质而可能发生爆炸、分解和聚合反应并释放大量的热或易燃和/或有毒气体。

② 数字双写表示对特别危害性的强调，如 33、66、88。

③ 某一物质的危害性由单个数字表示时，后面加 0（例如 30、40、50）。

④ 如果某种危险性识别号以“X”打头，表示该物质会与水发生危险反应，对于这类物质，水只能在专家的允许下使用（例如：X88）。

⑤ 第 1 类物质危险性识别号直接以其分类号（即项号＋配装组字母）表示。第 2 类至第 9 类危险货物危险性识别号含义如下：

20—导致窒息的气体或无次要危险性的气体

22—冷冻液化气体，窒息性

223—冷冻液化气体，易燃性

225—冷冻液化气体，氧化性（助燃型）

23—易燃气体

238—气体，易燃且具有腐蚀性

239—易燃气体，能自发引起剧烈反应

25—氧化性（助燃型）气体

26—毒性气体

263—毒性气体，易燃性

265—毒性气体，氧化性（助燃型）

268—毒性气体，腐蚀性

28—气体，腐蚀性

30—易燃液体（闪点在23～60℃之间，包括23℃和60℃），或闪点高于60℃的易燃液体和加热到等于或高于其闪点某一温度的熔融固体，或自热液体

323—遇水反应的易燃液体，释放易燃气体

X323—遇水发生危险反应的易燃液体，释放易燃气体

33—高度易燃液体（闪点低于23℃）

333—自燃液体

X333—遇水发生危险反应的自燃液体

336—高度易燃液体，毒性

338—高度易燃液体，腐蚀性

X338—高度易燃液体，腐蚀性，遇水发生危险反应

339—高度易燃液体，会发生剧烈自反应

36—易燃液体（闪点在23～60℃之间，包含23℃和60℃在内），轻微毒性，或自热液体，毒性

362—易燃液体，毒性，遇水反应，释放可燃气体

X362—易燃毒性液体，遇水发生危险反应，释放易燃气体

368—易燃液体，毒性，腐蚀性

38—易燃液体（闪点在 23～60℃之间，包含 23℃和 60℃在内），轻微腐蚀性或自热液体，腐蚀性

382—易燃液体，腐蚀性，遇水反应，释放易燃气体

X382—易燃液体，腐蚀性，遇水发生危险反应，释放易燃气体

39—易燃液体，会发生剧烈自反应

40—易燃固体，或自反应物质，或自热物质

423—遇水反应的固体，释放易燃气体；或遇水反应的易燃固体，释放易燃气体；或遇水反应的自热固体，释放易燃气体

X423—遇水发生危险反应的固体，释放易燃气体；或遇水发生危险反应的易燃固体，释放易燃气体；或遇水发生危险反应的自热固体，释放易燃气体

43—自燃（发火）固体

X432—遇水发生危险反应的自燃（发火）固体，释放易燃气体

44—易燃固体，在高温下呈熔化状态

446—易燃固体，毒性，在高温下呈熔化状态

46—易燃或自热固体，毒性

462—遇水反应的毒性固体，释放易燃气体

X462—遇水发生危险反应的固体，释放有毒气体

48—易燃或自热固体，腐蚀性

482—遇水反应的腐蚀性固体，释放易燃气体

X482—遇水发生危险反应的固体，释放腐蚀性气体

50—氧化性（助燃型）物质

539—易燃有机过氧化物

55—强氧化性（助燃型）物质

556—强氧化性（助燃型）物质，毒性

558—强氧化性（助燃型）物质，腐蚀性

559—强氧化性（助燃型）物质，会发生剧烈自反应

56—氧化性物质（助燃型），毒性

568—氧化性物质（助燃型），毒性，腐蚀性

58—氧化性物质（助燃型），腐蚀性

59—氧化性物质（助燃型），会发生剧烈自反应

60—毒性或轻微毒性物质

606—感染性物质

623—遇水反应的毒性液体，释放易燃气体

63—毒性物质，易燃（闪点在 23～60℃之间，包含 23℃和 60℃在内）

638—毒性物质，易燃（闪点在 23～60℃之间，包含 23℃和 60℃在内），腐蚀性

639—毒性物质，易燃（闪点不高于 60℃），会发生剧烈自反应

64—毒性固体，易燃或自热

642—遇水反应的毒性固体，释放易燃气体

65—毒性物质，氧化性（助燃型）

66—高度毒性物质

663—高度毒性物质，易燃（闪点不高于 60℃）

664—高度毒性固体，易燃或自热

665—高度毒性物质，氧化性（助燃型）

668—高度毒性物质，腐蚀性

X668—高度毒性物质，腐蚀性，遇水发生危险反应

669—高度毒性物质，会发生剧烈自反应

68—毒性物质，腐蚀性

69—毒性或轻微毒性物质，会发生剧烈自反应

70—放射性物质

768—放射性物质，有毒，腐蚀性

78—放射性物质，腐蚀性

80—腐蚀性或轻微腐蚀性物质

X80—腐蚀性或轻微腐蚀性物质，遇水发生危险反应

823—遇水反应的腐蚀性液体，释放易燃气体

83—腐蚀性或轻微腐蚀性物质，易燃（闪点在23～60℃之间，包含23℃和60℃在内）

X83—腐蚀性或轻微腐蚀性物质，易燃（闪点在23～60℃之间，包含23℃和60℃在内），遇水发生危险反应

836—腐蚀性或微腐蚀性物质，易燃（闪点在23～60℃之间，包含23℃和60℃在内），毒性

839—腐蚀性或轻微腐蚀性物质，易燃（闪点在23～60℃之间，包含23℃和60℃在内），会发生剧烈自反应

X839—腐蚀性或轻微腐蚀性物质，易燃（闪点在23～60℃之间，包含23℃和60℃在内），会发生剧烈自反应，遇水发生危险反应

84—腐蚀性固体，易燃或自热

842—遇水反应的腐蚀性固体，释放易燃气体

85—腐蚀性或轻微腐蚀性物质，氧化性（助燃型）

856—腐蚀性或轻微腐蚀性物质，氧化性（助燃型）和毒性

86—腐蚀性或轻微腐蚀性物质，毒性

88—高度腐蚀性物质

X88—高度腐蚀性物质，遇水发生危险反应

883—高度腐蚀性物质，易燃性（闪点在23～60℃之间，包含23℃和60℃在内）

884—高度腐蚀性固体，易燃或自热

885—高度腐蚀性物质，氧化性（助燃型）

886—高度腐蚀性物质，毒性

X886—高度腐蚀性物质，毒性，遇水发生危险反应

89—腐蚀性或轻微腐蚀性物质，会发生剧烈自反应

90—环境危害物质，杂项危险物质

99—在高温环境中运输的杂项危险物质

第十二节　管道运输

在世界许多地方，如美国、加拿大和中国，越来越多的危险物品通过地下管道运输，相关的结构可以运输天然气、液化天然气、原油、汽油、柴油、无水氨、二氧化碳、航空燃料和其他商品等。虽然大多数管道掩埋于地下，但通常有地面结构和标志以表明管道的存在。相关部门应急人员应了解管辖范围内的管道、管道运输的品种以及管道的运营商，积极主动地关注有助于安全有效地应对管道突发事件。

1. 管道类型

(1) 天然气管道

① 天然气输送管道。大直径的钢制管道以较高压力(范围从 1.38～10.34MPa) 输送易燃天然气 (包括有毒和无毒的)。输送管道中的天然气是没有气味的——通常没有加入硫醇 (能散发臭鸡蛋味); 但含有硫化氢 (H_2S) 的天然气会有明显的臭鸡蛋味。

② 天然气配送管道。天然气通过配送管道直接输送给终端客户。这些管道直径较小、承压较低, 通常用钢、铸铁或塑料制造。配送管道中的天然气添加了硫醇, 有臭鸡蛋味道。

③ 天然气集气管道和气井生产管道。天然气集气管道和气井生产管道将井口收集的原生态天然气输送到天然气处理厂或加工厂。处于汇集管道中的天然气混合了一定数量的液化天然气和水, 在某些地区甚至混有毒性硫化氢 (H_2S)。这些管道中的天然气没有添加有臭鸡蛋味道的硫醇; 但含有硫化氢的天然气会有明显的臭鸡蛋味。

(2) 液体危险品和高挥发性液体管道

① 液体危险品管道。原油、石油制品 (如汽油、煤油、航空燃料或柴油) 和其他液体危险品 (如无水氨或乙醇) 经常通过管道运输。

许多液态石油制品管道常常在同一管道中输送不同类型的液态石油制品。为此, 管道操作人员往往分“批”发送不同类型的产品。例如, 操作人员可能先发送汽油几个小时, 然后换成航空燃料, 再切换到柴油等。

② 高挥发性液体管道。高挥发性液体管道输送液体危险品。这些液体危险品释放到大气时会形成蒸气云 (在 37.8℃

时蒸气压超过 276kPa）。液态丙烷就是一种高挥发性液体。

2. 管道标识

由于管道通常被掩埋于地下，管道标识主要用来提示管道沿线区域地下埋有管线，如图 1-1 和图 1-2 所示。典型的地下管道有配送、收集和输送 3 种，只有输送管道才有以下所述的地面标识以表明其存在。

图 1-1　美国油气输送管道标识示例

图 1-2　中国油气输送管道标识示例

管道标识提示所在区域内有油气输送管道、该管道所输送产品，并附有管道运营商的名称和电话号码。在天然气和液体危险品输送管道沿线以及管道与街道、公路、铁路或水路相交的重要位置，经常设置标识桩、标识牌或警示牌。管道标识只表示管道的存在——它们并不表示管道的确切位置。管道在敷设区域内的位置可能随其长度而变化，并且，在同一敷设区域内可能有多个管道。

注意：对于传输含有硫化氢（H_2S）危险品的管道，其标识可能标示“酸”或“毒”。

天然气配送管道没有地上标志。天然气集气管道和气井生产管道也往往不设地上标识。

3. 管道结构地上设施

① 天然气输送管道：压缩机站，阀门，计量站。

② 天然气配送管道：调节站，用户仪表和调节器，阀箱盖。

③ 天然气集气管道和气井生产管道：压缩机站，阀门，计量站，井口，管道，阀组。

④ 石油和液体危险品管道：储罐，阀门，泵站，装车台。

4. 管道泄漏和破裂的迹象

管道泄漏的范围可能从相对较小的泄漏到灾难性的破裂。特别需要注意的是，一旦气体和液体从管道中释放出来，它们的表现形式完全不同。一般来说，管道泄漏或破裂可能有如下迹象：

① 有嘶嘶声、咆哮声或爆炸声；

② 从地面或水中冒出火焰（也许是很大的火焰）；

③ 出现蒸气云、雾或薄雾；

④ 泥土、碎片或水喷出地面；

⑤ 液体从地下冒出或在水中冒泡；

⑥ 异常强烈的、奇特的臭鸡蛋味、硫醇味（某些天然气管道添加的一种气味）、臭鼬或石油的气味；

⑦ 管道敷设区域地面的植被褪色或死亡，或覆盖的雪层变色；

⑧ 流动或静止的水面上出现浮油或光泽；

⑨ 夏季出现冻土区；

⑩ 冬季出现罕见的融雪区。

5. 如何应对管道紧急情况

（1）切记安全第一！

优先考虑如何确保自身安全和管辖区域的安全。在使用气体探测设备侦测爆炸或毒性危害影响程度时，应从上风向、上坡或上游接近管道出事地点。

① 注意穿戴好个人防护装备。做好防范突发火灾的准备。做好呼吸防护。为防范爆炸发生，应使用防护装置保护应急人员。

② 不要触碰管道阀门（除非与管道操作员工协同作业）。不适当的操作可能会使事态恶化，并将你和他人置于危险之中。

③ 切勿在管道给料阀切断之前试图扑灭管道火灾。这极有可能导致易燃或爆炸性气体累积成为大型蒸气云或液池，从而使事态变得更糟，并将你和他人置于危险之中。

④ 不要为刻意辨别产品而在蒸气云中行走或驾驶。

⑤ 车辆不要停在人孔或雨水渠上。

⑥ 隔离区设立之前，不要让车辆或机械设备（潜在的火源）接近现场。

（2）确保现场安全，迅速制定疏散或就地避险方案

与其他救援人员合作，严禁其他人员进入某一区域。

（3）弄清涉事品种和运营商

必须按照如下安全方法操作！根据产品特性或其他外部线索或许能弄清楚产品种类。要寻找标示着产品种类、管道运营商及其应急联系信息的管道标识。管道一般要输送许多种类的产品，包括气体、液体和高挥发性液体。这些产品在管道内是液态的，但一旦从管道中释放出来则是气态的。气体的蒸气密度决定了它们在空气中是上升还是下降。对于液体危险品，黏度和密度也是必须考虑的重要特性。辨明产品种类有助于确定合适距离以确保受影响区域被安全隔离。

（4）联系管道运营商

管道运营商是应急行动过程中的重要资源之一。要利用管道标识上的应急联系信息或先前从管道运营商那里获得的联系方式向管道运营商通报所发现的险情。

（5）设立指挥所

根据需要实施事故指挥所组织模式，并做好相关准备，以便在其他利益相关方和各有关资源到达时实施统一指挥。

（6）其他重要因素

① 无论现场是否存在火苗，都不得带入火种，如明火、运行的车辆或电器（手机、传呼机、双向无线对讲机、灯、车库开门器、风扇、门铃等）。

② 不得将使用过的任何设备丢弃在管道泄漏区或附近。

③ 如果需要交流，应在不危及自己或他人安全情况下尽量远离发生噪声的管道。

④ 管道通常离其他公共设施、铁路和公路很近。这些设施可能会受到管道泄漏的影响，同时也可能是潜在的火源。

⑤ 天然气可能会在地下从泄漏点沿阻力最小的路径

（包括下水道、水管和地质形成物）移动。

6. 确定保护距离时的注意事项

① 产品种类——如果你知道涉事危险品的名称，请在按危险品名称字母顺序排列的索引表中找到该危险品及其对应的三位数的指南号，然后利用该指南号查阅指南中的建议；

② 管道的压力和直径（可通过管道操作人员获知）；

③ 管道操作人员关闭阀门的时间（自动阀门速度快，手动阀门速度慢）；

④ 阀门关闭后产品在管道中的损耗时间；

⑤ 进行大气监测和空气采样的能力；

⑥ 天气（包括风向等）；

⑦ 地形、人口密度、人口统计数据和可用的灭火方法等当地参考资料；

⑧ 附近房屋建筑的材质和密度；

⑨ 自然和人为障碍（如高速公路、铁路、河流等）。

7. 美国、加拿大管道管理信息

（1）美国管道位置信息

美国国家管道测绘系统（NPMS）给出了美国境内液体危险品和天然气输送管道的一般位置。NPMS 中描绘的管道与实际位置的距离差距在 500ft（1ft＝0.3048m）以内。应急响应人员可以申请开通 NPMS 网站专门账户，该账户将允许访问比一般性公众账户更为详细的信息。NPMS 不包含天然气集气管道和气井生产管道位置信息。

（2）美国管道应急培训信息

在通常情况下，可参考由美国运输部管道和危险品安全管理署提供的管道应急培训材料。有关地方或管辖机关也会组织管道事故方面的应急培训。

(3) 美国其他相关管理信息

① 管道公众意识协会；

② 美国运输部管道和危险品安全管理署；

③ 管道应急响应计划（PERI）。

(4) 加拿大管道信息

加拿大管道位置：加拿大能源管道协会网站可查阅加拿大境内天然气和液体管道的大致位置。

第二部分

索 引 表

第一节　索引表使用说明

1. 在中文名称索引表和 UN 号索引表中，对于用灰色标记突出显示的条目，请遵循以下步骤

（1）如果没有起火

① 直接转到表 4-1。

② 查找危险货物的 UN 号和名称。

③ 确定初始隔离距离和保护动作距离。

④ 也可以参考相应的应急指南卡。

（2）如果起火并且火势增大

① 使用合适的应急指南卡来确定疏散距离。

② 为规避下风向人员接触残余毒性物质的释放危险，使用表 4-1 确定防护距离。

2. 注意事项

① 如果表 4-1 初始隔离和防护距离表中的危险货物名称后带有"（泄漏到水中时）"，这些危险货物溢入水中时会产生大量吸入毒性物质（简称 TIH 气体）。对于一些遇水反应物质同时也是 TIH 气体物质［如 UN1746（三氟化溴）、UN1836（亚硫酰氯）］，表 4-1 分别就"泄漏到地面时"和"泄漏到水中时"两种情况对同一物质名称列出 2 个条目。如果遇水反应物质在表 4-1 中只有一个条目，而该物质并没有泄漏到水中，表 4-1 和表 4-4 则不适用，安全距离可以通过相应的应急指南卡获取。

② 在紧急状态下，对爆炸品的应急响应只针对爆炸品的某一项，而不是单独针对某一个，故未按其 UN 号单独列出

爆炸品。对于 1.1 项、1.2 项、1.3 项和 1.5 项爆炸品，请参阅指南 112。对于 1.4 项和 1.6 项爆炸品，请参见指南 114。

③ 化学毒剂没有指定 UN 号（联合国编号），因为它们一般不用于商业运输。在紧急情况下，有关应急指南卡可为初始应急行动提供指导，也可参阅第四部分第十二节 防范利用化学/生物/放射性制剂实施犯罪和恐怖活动相关内容。

第二节　中文名称索引表

中文名称	英文名称	UN 号	指南号
A			
吖啶	Acridine	2713	153
安全火柴(册式、卡式或盒上划燃)	Matches, safety (book, card or strike on box)	1944	133
安全装置,电启动	Safety devices, electrically initiated	3268	171
氨,无水的	Ammonia, anhydrous	1005	125
氨基苯酚(邻、间、对)	Aminophenols(*o*-, *m*-, *p*-)	2512	152
氨基苯乙醚	Phenetidines	2311	153
氨基吡啶(邻、间、对)	Aminopyridines(*o*-, *m*-, *p*-)	2671	153
2-氨基-4,6-二硝基酚,湿的,按质量计含水不少于 20%	2-Amino-4,6-dinitrophenol, wetted, with not less than 20% water, by mass	3317	113
2-氨基-5-二乙氨基戊烷	2-Amino-5-diethylaminop-entane	2946	153
氨基磺酸	Sulphamic acid	2967	154
氨基甲酸酯农药,固体的,毒性	Carbamate pesticide, solid, toxic	2757	151

续表

中文名称	英文名称	UN号	指南号
氨基甲酸酯农药，液体的，毒性	Carbamate pesticide, liquid, toxic	2992	151
氨基甲酸酯农药，液体的，毒性，易燃，闪点不低于23℃	Carbamate pesticide, liquid, toxic, flammable, flash point not less than 23℃	2991	131
氨基甲酸酯农药，液体的，易燃，毒性，闪点低于23℃	Carbamate pesticide, liquid, flammable, toxic, flash point less than 23℃	2758	131
氨基碱金属	Alkali metal amides	1390	139
2-氨基-4-氯苯酚	2-Amino-4-chlorophenol	2673	151
2-(2-氨基乙氧基)乙醇	2-(2-Aminoethoxy)ethanol	3055	154
氨溶液，水溶液在15℃时的相对密度为0.880～0.975，含氨量10%～35%	Ammonia solution, relative density between 0.880 and 0.957 at 15℃ in water, with more than 10% but not more than 35% Ammonia	2672	154
氨溶液，水溶液在15℃时的相对密度小于0.880，含氨量35%～50%	Ammonia solution, relative density less than 0.880 at 15℃ in water, with more than 35% but not more than 50% ammonia	2073	125
氨溶液，水溶液在15℃时相对密度小于0.880，含氨量大于50%	Ammonia solution, relative-density less than 0.880 at 15℃ in water, with more than 50% ammonia	3318	125
N-氨乙基哌嗪	*N*-Aminoethylpiperazine	2815	153
胺，固体的，腐蚀性，未另作规定的；或聚胺，固体的，腐蚀性，未另作规定的	Amines, solid, corrosive, n. o. s., or polyamines, solid, corrosive, n. o. s.	3259	154

续表

中文名称	英文名称	UN号	指南号
胺,液体的,腐蚀性,未另作规定的;或聚胺,液体的,腐蚀性,未另作规定的	Amines, liquid, corrosive, n. o. s. or polyamines, liquid, corrosive, n. o. s.	2735	153
胺,液体的,腐蚀性,易燃,未另作规定的;或聚胺,液体的,腐蚀性,易燃,未另作规定的	Amines, liquid, corrosive, flammable, n. o. s. or polyamines, liquid, corrosive, flammable, n. o. s.	2734	132
胺,易燃,腐蚀性,未另作规定的;或聚胺,易燃,腐蚀性,未另作规定的	Amines, flammable, corrosive, n. o. s. or polyamines, flammable, corrosive, n. o. s.	2733	132
B			
八氟丙烷(制冷气体R 218)	Octafluoropropane(Refrigerant gas R 218)	2424	126
八氟-2-丁烯(制冷气体R 1318)	Octafluorobut-2-ene(Refrigerant gas R 1318)	2422	126
八氟环丁烷(制冷气体RC 318)	Octafluorocyclobutane(Refrigerant gas RC 318)	1976	126
巴豆炔	Crotonylene	1144	128
白磷,熔融的	Phosphorus, white, molten	2447	136
白磷或黄磷,干燥,或浸在水中或溶液中	Phosphorus, white or yellow, dry or under water or in solution	1381	136
白石棉,温石棉	Asbestos, chrysotile	2590	171
包含在设备中的锂金属电池组或同设备打包在一起的锂电池组(包含锂合金电池组)	Lithium batteries contained in equipment or lithium batteries packed with equipment (including lithium alloy batteries)	3091	138

续表

中文名称	英文名称	UN号	指南号
包含在设备中的锂离子电池组或同设备打包在一起的锂离子电池组(包括锂离子聚合物电池)	Lithiumion batteries contained in equipment or lithium ion batteries packed with equipment(including lithium ion polymer batteries)	3481	147
包含在设备中的有机电解质钠离子电池组或与设备包装在一起的有机电解质钠离子电池组	Sodium ion batteries contained in equipment or Sodium ion batteries packed with equipment, with organic electrolyte	3552	147
钡	Barium	1400	138
钡合金,发火的	Barium alloys,pyrophoric	1854	135
钡化合物,未另作规定的	Barium compound,n. o. s.	1564	154
苯	Benzene	1114	130
苯胺	Aniline	1547	153
苯二胺(邻、间、对)	Phenylenediamines (*o*-, *m*-, *p*-)	1673	153
苯酚,固体的	Phenol,solid	1671	153
苯酚,熔融的	Phenol,molten	2312	153
苯酚磺酸,液体的	Phenolsulphonic acid,liquid	1803	153
苯酚溶液	Phenol solution	2821	153
苯汞化合物,未另作规定的	Phenylmercuriccompound, n. o. s.	2026	151
苯磺酰氯	Benzenesulphonyl chloride	2225	156
苯基二氯化磷	Phenylphosphorus dichloride	2798	137
苯基硫代磷酰二氯	Phenylphosphorus thiodichloride	2799	137

续表

中文名称	英文名称	UN号	指南号
苯基三氯硅烷	Phenyltrichlorosilane	1804	156
苯基乙腈,液体的	Phenylacetonitrile,liquid	2470	152
苯甲醛	Benzaldehyde	1990	171
苯甲酸汞	Mercury benzoate	1631	154
苯肼	Phenylhydrazine	2572	153
苯醌	Benzoquinone	2587	153
苯硫酚	Phenyl mercaptan	2337	131
苯酰甲基溴	Phenacyl bromide	2645	153
苯酰氯	Benzoyl chloride	1736	137
苯氧基乙酸衍生物农药,固体的,毒性	Phenoxyacetic acid derivative pesticide,solid,toxic	3345	153
苯氧基乙酸衍生物农药,液体的,毒性	Phenoxyacetic acid derivative pesticide,liquid,toxic	3348	153
苯氧基乙酸衍生物农药,液体的,毒性,易燃,闪点不低于23℃	Phenoxyacetic acid derivative pesticide, liquid, toxic, flammable, flash point not less than 23℃	3347	131
苯氧基乙酸衍生物农药,液体的,易燃,毒性,闪点低于23℃	Phenoxyacetic acid derivative pesticide, liquid, flammable, toxic, flash point less than 23℃	3346	131
苯乙酰氯	Phenylacetyl chloride	2577	156
吡啶	Pyridine	1282	129
吡咯烷	Pyrrolidine	1922	132
蓖麻籽或蓖麻粉或蓖麻油渣或蓖麻片	Castor beans or castor meal or castor pomace or castor flake	2969	171

续表

中文名称	英文名称	UN 号	指南号
苄基碘	Benzyl iodide	2653	156
苄基二甲胺	Benzyldimethylamine	2619	132
苄基氯	Benzyl chloride	1738	156
苄基溴	Benzyl bromide	1737	156
苄腈	Benzonitrile	2224	152
表溴醇	Epibromohydrin	2558	131
冰醋酸,或乙酸溶液,按质量计含酸大于80%	Acetic acid, glacial, or acetic acid solution, more than 80% acid, by mass	2789	132
冰片(龙脑)	Borneol	1312	133
丙胺	Propylamine	1277	132
丙二腈	Malononitrile	2647	153
丙二烯,稳定的	Propadiene, stabilized	2200	116P
丙基三氯硅烷	Propyltrichlorosilane	1816	155
丙腈	Propionitrile	2404	131
丙邻二胺(1,2-二氨基丙烷)	1,2- Propylenediamine	2258	132
丙硫醇	Propanethiols	2402	130
丙氯醇	Propylene chlorohydrin	2611	131
丙醛	Propionaldehyde	1275	129P
丙酸,按质量计含酸10%~90%	Propionic acid with not less than 10% and less than 90% acid by mass	1848	153
丙酸,按质量计含酸不小于90%	Propionic acid, with not less than 90% acid by mass	3463	153

续表

中文名称	英文名称	UN号	指南号
丙酸丁酯	Butyl propionates	1914	130
丙酸酐	Propionic anhydride	2496	156
丙酸甲酯	Methyl propionate	1248	129
丙酸乙酯	Ethyl propionate	1195	129
丙酸异丙酯	Isopropyl propionate	2409	129
丙酸异丁酯	Isobutyl propionate	2394	129
丙酮	Acetone	1090	127
丙酮合氰化氢,稳定的	Acetone cyanohydrin, stabilized	1541	156
丙酮油	Acetone oils	1091	127
丙烷	Propane	1978	115
丙烯	Propylene	1077	115
丙烯腈,稳定的	Acrylonitrile,stabilized	1093	131P
丙烯醛,稳定的	Acrolein,stabilized	1092	131P
丙烯酸,稳定的	Acrylic acid,stabilized	2218	132P
丙烯酸丁酯,稳定的	Butyl acrylates,stabilized	2348	129P
2-丙烯酸二甲氨基乙酯,稳定的	2- Dimethylaminoethyl acrylate,stabilized	3302	152P
丙烯酸甲酯,稳定的	Methylacrylate,stabilized	1919	129P
丙烯酸乙酯,稳定的	Ethyl acrylate,stabilized	1917	129P
丙烯酸异丁酯,稳定的	Isobutyl acrylate,stabilized	2527	129P
丙烯酰胺,固体的	Acrylamide,solid	2074	153P
丙烯酰胺溶液	Acrylamide solution	3426	153P
丙烯亚胺,稳定的	Propyleneimine,stabilized	1921	131P

续表

中文名称	英文名称	UN号	指南号
丙酰氯	Propionyl chloride	1815	155
不饱和油类处理的纸，未完全干的(包括复写纸)	Paper, unsaturated oil treated, incompletely dried (including carbon paper)	1379	133
不对称二甲肼	Dimethylhydrazine, unsymmetrical	1163	131
C			
草酸乙酯	Ethyl oxalate	2525	156
超氧化钾	Potassium superoxide	2466	143
超氧化钠	Sodium superoxide	2547	143
潮湿棉花	Cotton, wet	1365	133
车用汽油或汽油	Motor spirit or gasoline or petrol	1203	128
充氨溶液化肥，含有游离氨	Fertilizer, ammoniating solution with free ammonia	1043	125
醇化物乙醇溶液，未另作规定的	Alcoholates solution, n. o. s., in alcohol	3274	132
醇类，未另作规定的	Alcohols, n. o. s.	1987	127
醇类，易燃，毒性，未另作规定的	Alcohols, flammable, toxic, n. o. s.	1986	131
磁化材料	Magnetized material	2807	171
次氯酸钡，含有效氯大于22%	Barium hypochlorite with more than 22% available chlorine	2741	141
次氯酸钙，干的，腐蚀性；或次氯酸钙混合物，干的，腐蚀性，含有效氯大于39%(有效氧8.8%)	Calcium hypochlorite, dry, corrosive or calciumhypochlorite mixture, dry, corrosive with more than 39% avaible chlorine(8.8% avaible oxygen)	3485	140

续表

中文名称	英文名称	UN号	指南号
次氯酸钙,干的;或次氯酸钙混合物,干的,含有效氯高于39%(有效氧8.8%)	Calcium hypochlorite, dry or calcium hypochlorite mixture, dry with more than 39% available chlorine(8.8% available oxygen)	1748	140
次氯酸钙混合物,干的,腐蚀性,含有效氯10%~39%	Calcium hypochlorite mixture, dry, corrosive with more than 10% but not more than 39% avaible chlorine	3486	140
次氯酸钙混合物,干的,含有效氯10%~39%	Calcium hypochlorite mixture, dry with more than 10% but notmore than 39% available chlorine	2208	140
次氯酸锂,干的,或次氯酸锂混合物	Lithium hypochlorite, dry or lithium hypochlorite mixture	1471	140
次氯酸叔丁酯	*Tert*-butyl hypochlorite	3255	135
次氯酸盐,无机的,未另作规定的	Hypochlorites, inorganic, n. o. s.	3212	140
次氯酸盐溶液	Hypochlorite solution	1791	154
粗制萘或精制萘	Naphthalene, crude, or naphthalene, refined	1334	133
醋酸铅(乙酸铅)	Lead acetate	1616	151
催泪弹药,非爆炸性,不带起爆药或发射药,没有引信	Ammunition, tear-producing, non-explosive without burster or expelling charge, non-fuzed	2017	159
催泪性毒气筒	Tear gas candles	1700	159
催泪性毒气物质,固体的,未另作规定的	Tear gas substance, solid, n. o. s.	3448	159

续表

中文名称	英文名称	UN号	指南号
催泪性毒气物质，液体的，未另作规定的	Tear gas substance, liquid, n. o. s.	1693	159
萃取调味剂，液体的	Extracts, flavouring, liquid	1197	127
萃取香料，液体的	Extracts, aromatic, liquid	1169	127
D			
打火机或打火机加油器，装有易燃气体	Lighters or lighter refills, containing flammable gas	1057	115
代森锰，稳定的，或代森锰制剂，加防自热稳定剂	Maneb, stabilized, or maneb preparation, stabilized against self-heating	2968	135
代森锰或代森锰制剂，代森锰含量不低于60%	Maneb or maneb preparation with not less than 60% maneb	2210	135
单体苯乙烯，稳定的	Styrene monomer, stabilized	2055	128P
单体丙烯酸甲酯，稳定的	Methyl methacrylate monomer, stabilized	1247	129P
弹药，毒性，非爆炸性，不带起爆药或发射药，没有引信	Ammunition, toxic, non-explosive without burster or expelling charge, non-fuzed	2016	151
氮，冷冻液体	Nitrogen, refrigerated liquid	1977	120
氮化锂	Lithium nitride	2806	139
氮气，压缩的	Nitrogen, compressed	1066	120
氘(重氢)，压缩的	Deuterium, compressed	1957	115
碲化合物，未另作规定的	Tellurium compound, n. o. s.	3284	151
点火剂，固体的，含易燃液体	Firelighters, solid with flammable liquid	2623	133
碘	Iodine	3495	154
碘丙烷	Iodopropanes	2392	129

续表

中文名称	英文名称	UN号	指南号
2-碘丁烷	2-Iodobutane	2390	129
碘化汞	Mercury iodide	1638	151
碘化汞钾	Mercury potassium iodide	1643	151
碘化氢，无水的	Hydrogen iodide, anhydrous	2197	125
碘甲基丙烷	Iodomethylpropanes	2391	129
电池供电车辆（锂离子电池）或电池供电设备（锂离子电池）	Battery-powered vehicle (with lithium ion batteries) or battery powered equipment (with lithium ion batteries)	3171	147
电池供电车辆（钠电池）或电池供电设备（金属锂电池或钠电池）	Battery-powered vehicle (with sodium batteries) or battery-powered equipment (with lithium metal batteries or with sodium batteries)	3171	138
电池供电车辆（湿电池）或电池供电设备（湿电池）	Battery-powered vehicle (wet battery) or battery-powered equipment (wet battery)	3171	154
叠氮化钡，湿的，按质量计含水不低于50%	Barium azide, wetted with not less than 50% water, by mass	1571	113
叠氮化钠	Sodium azide	1687	153
1，2-丁撑氧（环氧丁烷），稳定的	1,2-Butene oxide, stabilized	3022	127P
丁醇	Butanols	1120	129
丁二酮	Butanedione	2346	127
丁二烯，稳定的；或丁二烯和碳氢化合物的混合物，稳定的，含丁二烯40%以上	Butadienes, stabilized or butadienes and hydrocarbon mixture, stabilized, containing more than 40% butadienes	1010	116P

续表

中文名称	英文名称	UN号	指南号
丁基苯	Butylbenzenes	2709	128
N-丁基苯胺	*N*-Butylaniline	2738	153
丁基甲苯	Butyltoluenes	2667	152
丁基三氯硅烷	Butyltrichlorosilane	1747	155
丁间醇醛	Aldol	2839	153
丁腈	Butyronitrile	2411	131
丁硫醇	Butyl mercaptan	2347	130
丁醛	Butyraldehyde	1129	129P
丁醛肟	Butyraldoxime	2840	129
1,4-丁炔二醇	1,4-Butynediol	2716	153
丁酸	Butyric acid	2820	153
丁酸酐	Butyric anhydride	2739	156
丁酸甲酯	Methyl butyrate	1237	129
丁酸戊酯	Amyl butyrates	2620	130
丁酸乙烯酯,稳定的	Vinyl butyrate,stabilized	2838	129P
丁酸乙酯	Ethyl butyrate	1180	130
丁酸异丙酯	Isopropyl butyrate	2405	129
丁烷	Butane	1011	115
丁烯	Butylene	1012	115
丁烯醛,或丁烯醛,稳定的	Crotonaldehyde, or crotonaldehyde,stabilized	1143	131P
丁烯酸,固体的	Crotonic acid,solid	2823	153
丁烯酸,液体的	Crotonic acid,liquid	3472	153
丁烯酸乙酯	Ethyl crotonate	1862	130
丁酰氯	Butyl chloride	2353	155

续表

中文名称	英文名称	UN号	指南号
动物或植物或合成的纤维或纤维织品,未另作规定的,含油	Fibres or fabrics, animal or vegetable or synthetic, n. o. s. with oil	1373	133
动物纤维或植物纤维,烧过的,湿的或潮的	Fibers, animal or fibers, vegetable burnt, wet or damp	1372	133
毒素,从生物体提取的,固体的,未另作规定的	Toxins, extracted from living sources, solid, n. o. s.	3462	152
毒素,从生物体提取的,液体的,未另作规定的	Toxins, extracted from living sources, liquid, n. o. s.	3172	152
毒性固体,腐蚀性,无机的,未另作规定的	Toxic solid, corrosive, inorganic, n. o. s.	3290	154
毒性固体,腐蚀性,有机的,未另作规定的	Toxic solid, corrosive, organic, n. o. s.	2928	154
毒性固体,无机的,未另作规定的	Toxic solid, inorganic, n. o. s.	3288	151
毒性固体,氧化性,未另作规定的	Toxic solid, oxidizing, n. o. s.	3086	141
毒性固体,易燃,无机的,未另作规定的	Toxic solid, flammable, inorganic, n. o. s.	3535	134
毒性固体,易燃,有机的,未另作规定的	Toxic solid, flammable, organic, n. o. s.	2930	134
毒性固体,有机的,未另作规定的	Toxic solid, organic, n. o. s.	2811	154
毒性固体,遇水反应的,未另作规定的	Toxic solid, water-reactive, n. o. s.	3125	139
毒性固体,自热的,未另作规定的	Toxic solid, self-heating, n. o. s.	3124	136

续表

中文名称	英文名称	UN 号	指南号
毒性液体，腐蚀性，无机的，未另作规定的	Toxic liquid, corrosive, inorganic, n. o. s.	3289	154
毒性液体，腐蚀性，有机的，未另作规定的	Toxic liquid, corrosive, organic, n. o. s.	2927	154
毒性液体，无机的，未另作规定的	Toxic liquid, inorganic, n. o. s.	3287	151
毒性液体，氧化性，未另作规定的	Toxic liquid, oxidizing, n. o. s.	3122	142
毒性液体，易燃，有机的，未另作规定的	Toxicliquid, flammable, organic, n. o. s.	2929	131
毒性液体，有机的，未另作规定的	Toxic liquid, organic, n. o. s.	2810	153
毒性液体，遇水反应的，未另作规定的	Toxic liquid, water-reactive, n. o. s.	3123	139
对氨苯基胂酸钠	Sodium arsanilate	2473	154
对称二甲肼	Dimethylhydrazine, symmetrical	2382	131
对称二氯二甲醚	Dichlorodimethyl ether, symmetrical	2249	131
对二硝基二甲基苯胺	*p*-Nitrosodimethylaniline	1369	135
对环境有危害的物质，固体的，未另作规定的	Environmentally hazardous substances, solid, n. o. s.	3077	171
对环境有危害的物质，液体的，未另作规定的	Environmentally hazardous substances, liquid, n. o. s.	3082	171
多钒酸铵	Ammonium polyvanadate	2861	151
多硫化铵溶液	Ammonium polysulphide solution	2818	154

第二部分 索引表

续表

中文名称	英文名称	UN号	指南号
多卤联苯,固体的;或单甲基卤化二苯基甲烷,固体的;或多卤三联苯,固体的	Polychlorinated biphenyls, solid or halogenated monomethyldiphenyl-methanes, solid or Polyhalogenated terphenyls, solid	3152	171
多卤联苯,液体的;或单甲基卤化二苯基甲烷,液体的;或多卤三联苯,液体的	Polychlorinated biphenyls, liquid or halogenated monomethyldiphenyl-methanes, liquid or polyhalogenated terphenyls, liquid	3151	171
多氯联苯,固体的	Polychlorinated biphenyls, solid	3432	171
多氯联苯,液体的	Polychlorinated biphenyls, liquid	2315	171
E			
4,4′-二氨基二苯基甲烷	4,4′-Diaminodiphenylmethane	2651	153
二氨基镁	Magnesium diamide	2004	135
二苯胺氯胂	Diphenylamine chloroarsine	1698	154
二苯基二氯硅烷	Diphenyldichlorosilane	1769	156
二苯甲基溴	Diphenylmetheyl bromide	1770	153
二苯氯胂,固体的	Diphenylchloroarsine, solid	3450	151
二苯氯胂,液体的	Diphenylchloroarsine, liquid	1699	151
二苄基二氯硅烷	Dibenzyldichlorosilane	2434	156
二丙胺	Dipropylamine	2383	132
二丙酮	Dipropyl ketone	2710	128
二丙酮醇	Diacetone alcohol	1148	129

续表

中文名称	英文名称	UN 号	指南号
二丁氨基乙醇	Dibutylaminoethanol	2873	153
二丁醚	Dibutyl ethers	1149	128
二噁烷	Dioxane	1165	127
1,2-二-(二甲氨基)乙烷	1,2-Di-(dimethylamino)ethane	2372	129
二氟化氢铵,固体的	Ammonium hydrogendifluoride, solid	1727	154
二氟化氢铵溶液	Ammonium hydrogendifluoride solution	2817	154
二氟化氢钾,固体的	Potassium hydrogen difluoride, solid	1811	154
二氟化氢钾溶液	Potassium hydrogen difluoride solution	3421	154
二氟化氢钠	Sodium hydrogendifluoride	2439	154
二氟化氧,压缩的	Oxygen difluoride, compressed	2190	124
二氟甲烷(制冷气体 R 32)	Difluoromethane (Refrigerant gas R 32)	3252	115
二氟磷酸,无水的	Difluorophosphosporic acid, anhydrous	1768	154
二氟氯甲烷(制冷气体 R 22)	Chlorodifluoromethane (Refrigerant gas R 22)	1018	126
二氟氯甲烷和五氟氯乙烷混合物,有固定沸点,前者约占 49%(制冷气体 R 502)	Chlorodifluoromethane and chloropentafluoroethane mixture with fixed boiling point, with approximately 49% chlorodifluoromethane (Refrigerant gas R 502)	1973	126

第二部分 索引表

续表

中文名称	英文名称	UN 号	指南号
二氟氯溴甲烷(制冷气体R 12B1)	Chlorodifluorobromomethane(Refrigerant gas R 12B1)	1974	126
二氟氢化物,固体的,未另作规定的	Hydrogendifluorides, solid, n. o. s	1740	154
二氟氢化物溶液,未另作规定的	Hydrogendifluorides solution, n. o. s.	3471	154
1,1-二氟乙烷(制冷气体R 152a)	1,1-Difluoroethane (Refrigerant gas R 152a)	1030	115
1,1-二氟乙烯(制冷气体R 1132a)	1,1-Difluoroethylene (Refrigerant gas R 1132a)	1959	116P
二环 2.2.1-庚-2,5-二烯,稳定的(2,5-降冰片二烯,稳定的)	Bicyclo [2.2.1]-hepta-2,5-diene,stabilized(2,5-norbornadiene,stabilized)	2251	128P
二环己胺	Dicyclohexylamine	2565	153
2-二甲氨基甲基丙烯酸乙酯,稳定的	2-Dimethylaminoethyl methacrylate,stabilized	2522	153P
二甲氨基甲酰氯	Dimethylcarbamoyl chloride	2262	156
2-二甲氨基乙醇	2-Dimethylaminoethanol	2051	132
2-二甲氨基乙腈	2-Dimethylaminoacetonitrile	2378	131
二甲胺,无水的	Dimethylamine,anhydrous	1032	118
二甲胺水溶液	Dimethylamine aqueous solution	1160	132
二甲苯	Xylenes	1307	130
二甲苯酚,固体的	Xylenols,solid	2261	153
二甲苯酚,液体的	Xylenols,liquid	3430	153
二甲二硫	Dimethyl disulphide	2381	131
N,*N*-二甲基苯胺	*N*,*N*-dimethylaniline	2253	153

续表

中文名称	英文名称	UN号	指南号
二甲基苯胺,固体的	Xylidines,solid	3452	153
二甲基苯胺,液体的	Xylidines,liquid	1711	153
N-二甲基丙胺	Dimethyl-*N*-propylamine	2266	132
2,2-二甲基丙烷	2,2-Dimethylpropane	2044	115
1,3-二甲基丁胺	1,3-Dimethylbutylamine	2379	132
2,3-二甲基丁烷	2,3-Dimethylbutane	2457	128
二甲基二噁烷	Dimethyldioxanes	2707	127
二甲基二氯硅烷	Dimethyldichlorosilane	1162	155
二甲基二乙氧基硅烷	Dimethyldiethoxysilane	2380	127
N,*N*-二甲基环己胺	*N*,*N*-Dimethylcyclohexylamine	2264	132
二甲基环己烷	Dimethylcyclohexanes	2263	128
N,*N*-二甲基甲酰胺	*N*,*N*-Dimethylformamide	2265	129
二甲基硫代磷酰氯	Dimethyl thiophosphoryl chloride	2267	156
二甲硫	Dimethyl sulphide	1164	130
二甲马钱子碱(番木鳖碱)	Brucine	1570	151
二甲醚	Dimethyl ether	1033	115
1,1-二甲氧基乙烷	1,1-Dimethoxyethane	2377	127
1,2-二甲氧基乙烷	1,2-Dimethoxyethane	2252	127
二聚丙烯醛,稳定的	Acrolein dimer,stabilized	2607	129P
二聚环戊二烯(双茂)	Dicyclopentadiene	2048	130P
二聚戊烯	Dipentene	2052	128
二聚异丁烯异构物	Diisobutylene, isomeric, compounds	2050	128

第二部分 索引表

续表

中文名称	英文名称	UN号	指南号
二苦硫(六硝基二苯硫),湿的,按质量计含水不低于10%	Dipicryl sulphide, wetted, with not less than 10% water, by mass	2852	113
二磷化三镁	Magnesium phosphide	2011	139
二硫代焦磷酸四乙酯	Tetraethyl dithiopyrophosphate	1704	153
二硫化钛	Titanium disulphide	3174	135
二硫化碳	Carbon disulphide	1131	131
二硫化硒	Selenium disulphide	2657	153
二氯苯胺,固体的	Dichloroanilines,solid	3442	153
二氯苯胺,液体的	Dichloroanilines,liquid	1590	153
二氯苯基三氯硅烷	Dichlorophenyltrichlorosilane	1766	156
1,3-二氯-2-丙醇	1,3-Dichloropropanol-2	2750	153
1,3-二氯丙酮	1,3-Dichloroacetone	2649	153
1,2-二氯丙烷	1,2-Dichloropropane	1279	130
二氯丙烯	Dichloropropenes	2047	129
二氯二氟甲烷(制冷气体R 12)	Dichlorodifluoromethane (Refrigerant gas R 12)	1028	126
二氯二氟甲烷和二氟乙烷的共沸混合物,含二氯二氟甲烷约74%(制冷气体R 500)	Dichlorodifluoromethane and difluoroethane azeotropic mixture with approximately 74% dichlorodifluoromethane(Refrigerant gas R 500)	2602	126
2,2′-二氯二乙醚	2,2′-Dichlorodiethyl ether	1916	152
二氯氟甲烷(制冷气体R 21)	Dichlorofluoromethane (Refrigerant gas R 21)	1029	126

续表

中文名称	英文名称	UN号	指南号
二氯硅烷	Dichlorosilane	2189	119
二氯化苯胩	Phenylcarbylamine chloride	1672	151
二氯化乙烯	Ethylene dichloride	1184	131
二氯甲基苯	Benzylidene chloride	1886	156
二氯甲烷	Dichloromethane	1593	160
1,2-二氯-1,1,2,2-四氟乙烷(制冷气体R 114)	1,2-Dichloro-1,1,2,2-tetrafluoroethane(Refrigerant gas R 114)	1958	126
二氯戊烷	Dichloropentanes	1152	130
1,1-二氯-1-硝基乙烷	1,1-Dichloro-1-nitroethane	2650	153
二氯氧化硒	Selenium oxychloride	2879	157
二氯乙酸	Dichloroacetic acid	1764	153
二氯乙酸甲酯	Methyl dichloroacetate	2299	156
1,1-二氯乙烷	1,1-Dichloroethane	2362	130
1,2-二氯乙烯	1,2-Dichloroethylene	1150	130P
二氯乙酰氯	Dichloroacetyl chloride	1765	156
二氯异丙醚	Dichloroisopropyl ether	2490	153
二氯异氰尿酸,干的,或二氯异氰尿酸盐	Dichloroisocyanuric acid, dry or dichloroisocyanuric acid salts	2465	140
2,3-二氢吡喃	2,3-Dihydropyran	2376	127
二氢化镁	Magnesium hydride	2010	138
二烯丙基胺	Diallylamine	2359	132
二烯丙基醚	Diallyl ether	2360	131P
二硝基苯,固体的	Dinitrobenzenes, solid	3443	152

续表

中文名称	英文名称	UN 号	指南号
二硝基苯,液体的	Dinitrobenzenes,liquid	1597	152
二硝基苯胺	Dinitroanilines	1596	153
二硝基苯酚,湿的,按质量计含水不低于15%	Dinitrophenol, wetted with not less than 15% water,by mass	1320	113
二硝基苯酚溶液	Dinitrophenol solution	1599	153
二硝基苯酚盐,湿的,按质量计含水不低于15%	Dinitrophenolates, wetted with notless than 15% water,by mass	1321	113
二硝基甲苯,固体的	Dinitrotoluenes,solid	3454	152
二硝基甲苯,熔融的	Dinitrotoluenes,molten	1600	152
二硝基甲苯,液体的	Dinitrotoluenes,liquid	2038	152
二硝基间苯二酚,湿的,按质量计含水不低于15%	Dinitroresorcinol, wetted with not less than 15% water, by mass	1322	113
二硝基邻甲苯酚钠,湿的,按质量计含水不低于15%	Sodium dinitro-*o*-cresolate, wetted with not less than 15% water,by mass	1348	113
二硝基邻甲苯酚钠,湿的,按质量计含水不低于10%	Sodium dinitro-*o*-cresolate, wetted, with not less than 10% water by mass	3369	113
二硝基邻甲酚	Dinitro-*o*-cresol	1598	153
二硝基邻甲酚铵,固体的	Ammonium dinitro-*o*-cresolate,solid	1843	141
二硝基邻甲酚铵溶液	Ammonium dinitro-*o*-cresolate solution	3424	141
二硝基氯苯,固体的	Chlorodinitrobenzenes,solid	3441	153

续表

中文名称	英文名称	UN 号	指南号
二硝基氯苯，液体的	Chlorodinitrobenzenes，liquid	1577	153
1，2-二溴-3-丁酮	1，2-Dibromobutan-3-one	2648	154
二溴二氟甲烷	Dibromodifluoromethane	1941	171
二溴化乙烯（亚乙基二溴）	Ethylene dibromide	1605	154
二溴甲烷	Dibromomethane	2664	160
二溴氯丙烷	Dibromochloropropanes	2872	159
二氧化硫	Sulphur dioxide	1079	125
二氧化硫脲	Thiourea dioxide	3341	135
二氧化铅	Lead dioxide	1872	140
二氧化碳	Carbon dioxide	1013	120
二氧化碳，固体的（干冰）	Carbon dioxide, solid (dry ice)	1845	120
二氧化碳，冷冻液体	Carbon dioxide, refrigerated liquid	2187	120
二氧戊环	Dioxolane	1166	127
3-二乙氨基丙胺	3-Diethylaminopropylamine	2684	132
2-二乙氨基乙醇	2-Diethylaminoethanol	2686	132
二乙胺	Diethylamine	1154	132
二乙撑三胺（二亚乙基三胺）	Diethylenetriamine	2079	154
二乙基苯	Diethylbenzene	2049	130
N，*N*-二乙基苯胺	*N*，*N*-Diethylaniline	2432	153
二乙基二氯硅烷	Diethyldichlorosilane	1767	155
二乙基硫代磷酰氯	Diethylthiophosphoryl chloride	2751	156

续表

中文名称	英文名称	UN号	指南号
N,*N*-二乙基亚乙基二胺	*N*,*N*-Diethylethylenediamine	2685	132
二乙硫醚(二乙硫)	Diethyl sulphide	2375	129
二乙醚(乙醚)	Diethyl ether(ethyl ether)	1155	127
二乙酮	Diethyl ketone	1156	127
二乙烯基醚,稳定的	Divinyl ether,stabilized	1167	128P
3,3-二乙氧基丙烯	3,3-Diethoxypropene	2374	127
二乙氧基甲烷	Diethoxymethane	2373	127
二异丙胺	Diisopropylamine	1158	132
二异丙醚	Diisopropyl ether	1159	127
二异丁胺	Diisobutylamine	2361	132
二异丁酮	Diisobutyl ketone	1157	128
二异氰酸异佛尔酮酯	Isophorone diisocyanate	2290	156
1,6-二异氰酸正己酯(己撑二异氰酸酯)	Hexamethylene-diisocyanate	2281	156
二正丙醚	Di-*n*-propyl ether	2384	127
二正丁胺	Di-*n*-butylamine	2248	132
二正戊胺	Di-*n*-amylamine	2841	131
F			
发动机燃料抗爆剂,易燃	Motor fuel anti-knock mixture,flammable	3483	131
发动机燃料抗爆剂混合物	Motor fuel anti-knock compound	1649	152
发火固体,无机的,未另作规定的	Pyrophoric solid, inorganic, n. o. s.	3200	135

续表

中文名称	英文名称	UN 号	指南号
发火固体,有机的,未另作规定的	Pyrophoric solid, organic, n. o. s.	2846	135
发火金属,未另作规定;或发火合金,未另作规定的	Pyrophoric metal, n. o. s. or pyrophoric alloy, n. o. s.	1383	135
发火液体,无机的,未另作规定的	Pyrophoric liquid, inorganic, n. o. s.	3194	135
发火液体,有机的,未另作规定的	Pyrophoric liquid, organic, n. o. s.	2845	135
发烟硫酸	Sulphuric acid, fuming	1831	137
钒化合物,未另作规定的	Vanadium compound, n. o. s.	3285	151
钒酸铵钠	Sodium ammonium vanadate	2863	154
反丁烯二酰氯(富马酰氯)	Fumaryl chloride	1780	156
放射性材料,A 型包装件,非特殊形式,不裂变或例外的易裂变	Radioactive material, type A package, non-special form, non fissile or fissile-excepted	2915	163
放射性材料,A 型包装件,特殊形式,不裂变或例外的易裂变	Radioactive material, type A package, special form, non fissile or fissile-excepted	3332	164
放射性材料,A 型包装件,特殊形式,易裂变	Radioactive material, type A package, special form, fissile	3333	165
放射性材料,A 型包装件,易裂变,非特殊形式	Radioactive material, type A package, fissile, non-special form	3327	165
放射性材料,B(M)型包装件,不裂变或例外的易裂变	Radioactive material, type B (M) package non-special form, non fissile or fissile-excepted	2917	163

续表

中文名称	英文名称	UN号	指南号
放射性材料,B(M)型包装件,易裂变	Radioactive material, type B (M) package, fissile	3329	165
放射性材料,B(U)型包装件,易裂变	Radioactive material, type B (U) package, fissile	3328	165
放射性材料,C型包装件,不裂变或例外的易裂变	Radioactive material, type C package, non fissile or fissile-excepted	3323	163
放射性材料,C型包装件,易裂变	Radioactive material, type C package, fissile	3330	165
放射性材料,按特殊安排运输,不裂变或例外的易裂变	Radioactive material, transported under special arrangement, non fissile or fissile-excepted	2919	163
放射性材料,按特殊安排运输,易裂变	Radioactive material, transported under special arrangement, fissile	3331	165
放射性材料,表面污染物体(SCO-Ⅰ或SCO-Ⅱ),不裂变或例外的易裂变	Radioactive material, surface contaminated objects (SCO-Ⅰ or SCO-Ⅱ) non fissile or fissile-excepted	2913	162
放射性材料,表面污染物体(SCO-Ⅰ或SCO-Ⅱ),易裂变	Radioactive material, surface contaminated objects (SCO-Ⅰ or SCO-Ⅱ), fissile	3326	165
放射性材料,低比活度(LSA-Ⅰ),不裂变或例外的易裂变	Radioactive material, low specific activity (LSA-Ⅰ) non fissile or fissile-excepted	2912	162
放射性材料,低比活度(LSA-Ⅱ),不裂变或例外的易裂变	Radioactive material, low specific activity (LSA-Ⅱ) non fissile or fissile-excepted	3321	162

续表

中文名称	英文名称	UN号	指南号
放射性材料，低比活度(LSA-Ⅱ)，易裂变	Radioactive material, low specific activity(LSA-Ⅱ), fissile	3324	165
放射性材料，低比活度(LSA-Ⅲ)，易裂变	Radioactive material, low specific activity(LSA-Ⅲ), fissile	3325	165
放射性材料，低比活度(LSA-Ⅲ)，不裂变或例外的易裂变	Radioactive material, low specific activity (LSA-Ⅲ) non fissile or fissile-excepted	3322	162
放射性材料，例外包装件——空包装	Radioactive material, excepted package—empty packaging	2908	161
放射性材料，例外包装件——天然铀、贫化铀或天然钍制造的物品	Radioactivematerial, excepted package—articles manufactured from natural uranium or depleted uranium or natural thorium	2909	161
放射性材料，例外包装件——物质数量有限	Radioactive material, excepted package—limited quantity of material	2910	161
放射性材料，例外包装件——仪器或物品	Radioactive material, excepted package—instruments or articles	2911	161
放射性材料，六氟化铀，不裂变或例外的易裂变	Radioactive material, uranium hexafluoride, non fissile or fissile-excepted	2978	166
放射性材料，六氟化铀，易裂变	Radioactive material, uranium hexafluoride, fissile	2977	166
放射性材料，B(U)型包装件，不裂变或例外的易裂变	Radioactive material, type B (U) package, non fissile or fissile-excepted	2916	163

续表

中文名称	英文名称	UN 号	指南号
飞行器液压动力装置燃料箱(装有无水肼和甲肼混合液)(M86 号燃料)	Aircraft hydraulic power unit fuel tank(containing a mixture of anhydrous hydrazine and methylhydrazine)(M86 fuel)	3165	131
非对称电容器(储能量大于 0.3W·h)	Capacitor, asymmetric (with an energy storage capacity greater than 0.3W·h)	3508	171
非晶形硅粉	Silicon powder, amorphous	1346	170
非晶形磷	Phosphorus, amorphous	1338	133
非自动膨胀式救生装置,装备中含有危险物品	Life-saving appliances, not self-inflating containing dangerous goods as equipment	3072	171
废弃空容器,未清洁	Packaging, discarded, empty, uncleaned	3509	171
废橡胶或回收橡胶,粉末或颗粒,粒径不超过 840μm,橡胶含量超过45%	Rubber scrap or rubber shoddy, powdered or granulated, not exceeding 840 microns and rubber content exceeding 45%	1345	133
废氧化铁或废海绵状铁,从提纯煤气获得的	Iron oxide, spent or Iron sponge, spent obtained from coal gas purification	1376	135
呋喃	Furan	2389	128
氟苯	Fluorobenzene	2387	130
氟苯胺	Fluoroanilines	2941	153
氟代甲苯	Fluorotoluenes	2388	130
氟硅酸	Fluorosilicic acid	1778	154

续表

中文名称	英文名称	UN号	指南号
氟硅酸铵	Ammonium fluorosilicate	2854	151
氟硅酸钾	Potassium fluorosilicate	2655	151
氟硅酸镁	Magnesium fluorosilicate	2853	151
氟硅酸钠	Sodium fluorosilicate	2674	154
氟硅酸锌	Zinc fluorosilicate	2855	151
氟硅酸盐(酯),未另作规定的	Fluorosilicates,n. o. s.	2856	151
氟化铵	Ammonium fluoride	2505	154
氟化高氯酰(高氯酰氟)	Perchloryl fluoride	3083	124
氟化铬,固体的	Chromic fluoride,solid	1756	154
氟化铬溶液	Chromic fluoride solution	1757	154
氟化钾,固体的	Potassium fluoride,solid	1812	154
氟化钾溶液	Potassium fluoride solution	3422	154
氟化钠,固体的	Sodium fluoride,solid	1690	154
氟化钠溶液	Sodium fluoride solution	3415	154
氟化氢,无水的	Hydrogen fluoride,anhydrous	1052	125
氟磺酸	Fluorosulphonic acid	1777	137
氟磷酸	Fluorophosphoric acid	1776	154
氟硼酸	Fluoroboric acid	1775	154
氟气,压缩的	Fluorine,compressed	1045	124
氟乙酸	Fluoroacetic acid	2642	154
氟乙酸钾	Potassium fluoroacetate	2628	151
氟乙酸钠	Sodium fluoroacetate	2629	151
腐蚀性固体,毒性,未另作规定的	Corrosive solid,toxic,n. o. s.	2923	154

续表

中文名称	英文名称	UN号	指南号
腐蚀性固体,碱性的,无机的,未另作规定的	Corrosive solid, basic, inorganic, n. o. s.	3262	154
腐蚀性固体,碱性的,有机的,未另作规定的	Corrosive solid, basic, organic, n. o. s.	3263	154
腐蚀性固体,酸性的,无机的,未另作规定的	Corrosive solid, acidic, inorganic, n. o. s.	3260	154
腐蚀性固体,酸性的,有机的,未另作规定的	Corrosive solid, acidic, organic, n. o. s.	3261	154
腐蚀性固体,未另作规定的	Corrosive solid, n. o. s.	1759	154
腐蚀性固体,氧化性,未另作规定的	Corrosive solid, oxidizing, n. o. s.	3084	157
腐蚀性固体,易燃,未另作规定的	Corrosive solid, flammable, n. o. s.	2921	134
腐蚀性固体,遇水反应的,未另作规定的	Corrosive solid, water-reactive, n. o. s.	3096	138
腐蚀性固体,自热的,未另作规定的	Corrosive solid, self-heating, n. o. s.	3095	136
腐蚀性液体,毒性,未另作规定的	Corrosive liquid, toxic, n. o. s.	2922	154
腐蚀性液体,碱性的,无机的,未另作规定的	Corrosive liquid, basic, inorganic, n. o. s.	3266	154
腐蚀性液体,碱性的,有机的,未另作规定的	Corrosive liquid, basic, organic, n. o. s.	3267	153
腐蚀性液体,酸性的,无机的,未另作规定的	Corrosive liquid, acidic, inorganic, n. o. s.	3264	154
腐蚀性液体,酸性的,有机的,未另作规定的	Corrosive liquid, acidic, organic, n. o. s.	3265	153

续表

中文名称	英文名称	UN 号	指南号
腐蚀性液体，未另作规定的	Corrosive liquid, n. o. s.	1760	154
腐蚀性液体，氧化性，未另作规定的	Corrosive liquid, oxidizing, n. o. s.	3093	157
腐蚀性液体，易燃，未另作规定的	Corrosive liquid, flammable, n. o. s.	2920	132
腐蚀性液体，遇水反应的，未另作规定的	Corrosive liquid, water-reactive, n. o. s.	3094	138
腐蚀性液体，自热的，未另作规定的	Corrosive liquid, self-heating, n. o. s.	3301	136
G			
钙	Calcium	1401	138
钙金属，发火的；或钙合金，发火的	Calcium, pyrophoric or calciumalloys, pyrophoric	1855	135
钙锰硅合金	Calcium manganese silicon	2844	138
干草，禾秆或碎稻草和稻壳	Hay, straw or bhusa	1327	133
干锆粉	Zirconiumpowder, dry	2008	135
感染性物质，对人感染	Infectious substance, affecting humans	2814	158
感染性物质，只对动物感染	Infectious substance, affecting animals only	2900	158
高氯酸，按质量计含酸50%～72%	Perchlorates acid with more than 50% but not more than 72% acid, by mass	1873	143
高氯酸，按质量计含酸不超过50%	Perchloric acid with not more than 50% acid, by mass	1802	157

续表

中文名称	英文名称	UN号	指南号
高氯酸铵	Ammonium perchlorate	1442	143
高氯酸钡，固体的	Barium perchlorate, solid	1447	141
高氯酸钡溶液	Barium perchlorate solution	3406	141
高氯酸钙	Calcium perchlorate	1455	140
高氯酸钾	Potassium perchlorate	1489	140
高氯酸镁	Magnesium perchlorate	1475	140
高氯酸钠	Sodium perchlorate	1502	140
高氯酸铅，固体的	Lead perchlorate, solid	1470	141
高氯酸铅溶液	Lead perchlorate solution	3408	141
高氯酸锶	Strontium perchlorate	1508	140
高氯酸盐，无机的，水溶液，未另作规定的	Perchlorates, inorganic, aqueous solution, n. o. s.	3211	140
高氯酸盐，无机的，未另作规定的	Perchlorates, inorganic, n. o. s.	1481	140
高锰酸钡	Barium permanganate	1448	141
高锰酸钙	Calcium permanganate	1456	140
高锰酸钾	Potassium permanganate	1490	140
高锰酸钠	Sodium permanganate	1503	140
高锰酸锌	Zinc permanganate	1515	140
高锰酸盐，无机的，水溶液，未另作规定的	Permanganates, inorganic, aqueous solution, n. o. s.	3214	140
高锰酸盐，无机的，未另作规定的	Permanganates, inorganic, n. o. s.	1482	140
高温固体，未另作规定的，温度等于或高于240℃	Elevated temperature solid, n. o. s. , at or above 240℃	3258	171

续表

中文名称	英文名称	UN 号	指南号
高温液体,未另作规定的,温度等于或高于 100℃但低于其闪点(包括熔融金属、熔融盐类等)	Elevated temperature liquid, n. o. s. , at or above 100℃ and below its flash point(including molten metals, molten salts, etc.)	3257	171
高温液体,易燃,未另作规定的,闪点高于 60℃,温度等于或高于其闪点	Elevated temperature liquid, flammable, n. o. s. with flash point above 60℃, at or above its flash point	3256	128
锆,悬浮在易燃液体中	Zirconium suspended in a flammable liquid	1308	170
锆粉,湿的,含水不低于 25% (a)机械方法生产的,粒径小于 53μm;(b)化学方法生产的,粒径小于 840μm	Zirconium powder, wetted with not less than 25% water(a visible excess of water must be present) (a) mechanically produced, particle size less than 53 microns; (b) chemically produced, particle size less than 840 microns	1358	170
锆金属,干的,成卷线材,精整金属薄板、带材(厚度 18~254μm)	Zirconium, dry, coiled wire, finished metal sheets or strip (thinner than 254 microns but not thinner than 18 microns)	2858	170
锆金属,干的,精整薄板、带材或成卷线材	Zirconium, dry, finished sheets, strip or coiled wire	2009	135
锆金属碎屑	Zirconium scrap	1932	135
镉化合物	Cadmium compound	2570	154
铬硫酸	Chromosulphuric acid	2240	154
铬酸溶液	Chromic acid solution	1755	154

续表

中文名称	英文名称	UN 号	指南号
庚烷	Heptanes	1206	128
汞	Mercury	2809	172
汞化合物，固体的，未另作规定的	Mercury compound, solid, n. o. s.	2025	151
汞化合物，液体的，未另作规定的	Mercury compound, liquid, n. o. s.	2024	151
汞基农药，固体的，毒性	Mercury based pesticide, solid, toxic	2777	151
汞基农药，液体的，毒性	Mercury based pesticide, liquid, toxic	3012	151
汞基农药，液体的，毒性，易燃，闪点不低于 23℃	Mercury based pesticide, liquid, toxic, flammable, flash point not less than 23℃	3011	131
汞基农药，液体的，易燃，毒性，闪点低于 23℃	Mercury based pesticide, liquid, flammable, toxic, flash point less than 23℃	2778	131
光气	Phosgene	1076	125
硅化钙	Calcium silicide	1405	138
硅化镁	Magnesium silicide	2624	138
硅锂合金	Lithium silicon	1417	138
硅铝粉，无涂层的	Aluminum silicon powder, uncoated	1398	138
硅铝铁合金粉	Aluminum ferrosilicon powder	1395	139
硅酸四乙酯	Tetraethyl silicate	1292	129
硅铁，含硅 30%～90%	Ferrosilicon with 30% or more but less than 90% silicon	1408	139

续表

中文名称	英文名称	UN号	指南号
硅烷	Silane	2203	116
癸硼烷(十硼烷)	Decaborane	1868	134
过硫酸铵	Ammonium persulphate	1444	140
过硫酸钾	Potassium persulphate	1492	140
过硫酸钠	Sodium persulphate	1505	140
过硫酸盐,无机的,水溶液,未另作规定的	Persulphates, inorganic, aqueous solution, n. o. s.	3216	140
过硫酸盐,无机的,未另作规定的	Persulphates, inorganic, n. o. s.	3215	140
过硼酸钠,无水的	Sodium peroxoborate, anhydrous	3247	140
过硼酸钠一水合物	Sodium perborate monohydrate	3377	140
过氧化钡	Barium peroxide	1449	141
过氧化钙	Calcium peroxide	1457	140
过氧化钾	Potassium peroxide	1491	144
过氧化锂	Lithium peroxide	1472	143
过氧化镁	Magnesium peroxide	1476	140
过氧化钠	Sodium peroxide	1504	144
过氧化氢,稳定的,或过氧化氢水溶液,稳定的,过氧化氢含量大于60%	Hydrogen peroxide, stabilized or hydrogen peroxide, aqueous solution, stabilized with more than 60% hydrogen peroxide	2015	143
过氧化氢和过氧乙酸混合物,含酸(类)、水和不超过5%的过氧乙酸,稳定的	Hydrogen peroxide and peroxyacetic acid mixture with acid(s), water and not more than 5% peroxyacetic acid, stabilized	3149	140

第二部分 索引表

续表

中文名称	英文名称	UN号	指南号
过氧化氢脲	Urea hydrogen peroxide	1511	140
过氧化氢水溶液，过氧化氢含量8%～20%（必要时加稳定剂）	Hydrogen peroxide, aqueous solution, with not less than 8% but less than 20% Hydrogen peroxide(stabilized as necessary)	2984	140
过氧化氢水溶液，过氧化氢含量20%～60%（必要时加稳定剂）	Hydrogen peroxide, aqueous solution with not less than 20% but not more than 60% hydrogen peroxide(stabilized as necessary)	2014	140
过氧化锶	Strontium peroxide	1509	143
过氧化碳酸钠水合物	Sodium carbonate peroxyhydrate	3378	140
过氧化物，无机的，未另作规定的	Peroxides, inorganic, n. o. s.	1483	140
过氧化锌	Zinc peroxide	1516	143
H			
铪粉，干的	Hafnium powder, dry	2545	135
铪粉，湿的，含水不低于25%（所含过量水应看得出来） (a)机械方法生产的，粒径小于53μm；(b)化学方法生产的，粒径小于840μm	Hafnium powder, wetted with not less than 25% water(a visible excess of water must be present) (a) mechanically produced, particle size less than 53 microns; (b) chemically produced, particle size less than 840 microns	1326	170
氦，冷冻液体	Helium, refrigerated liquid	1963	120
氦气，压缩的	Helium, compressed	1046	120

续表

中文名称	英文名称	UN号	指南号
含腐蚀性液体的固体，未另作规定的	Solids containing corrosivel-iquid, n. o. s.	3244	154
含酒精硝化纤维素（按质量计含酒精不低于25%，按干重含氮不超过12.6%）	Nitrocellulose with alcohol (not less than 25% alcohol, by mass, and not more than 12.6% nitrogen, by dry mass)	2556	113
含硫原油，易燃，毒性	Petroleum sour crude oil, flammable, toxic	3494	131
含钠电池组或含钠电池	Batteries, containing sodium, or cells, containing sodium	3292	138
含砷农药，固体的，毒性	Arsenical pesticide, solid, toxic	2759	151
含砷农药，液体的，毒性	Arsenical pesticide, liquid, toxic	2994	151
含砷农药，液体的，易燃，毒性，闪点低于23℃	Arsenical pesticide, liquid, flammable, toxic, flash point less than 23℃	2760	131
含砷农药，液体的，毒性，易燃，闪点不低于23℃	Arsenical pesticide, liquid, toxic, flammable, flash point not less than 23℃	2993	131
含水硝化纤维素（按质量计含水不低于25%）	Nitrocellulose with water (not less than 25% water, by mass)	2555	113
含易燃性液体的固体，未另作规定的	Solid containing flammable liquid, n. o. s.	3175	133
含油废棉	Cotton waste, oily	1364	133
含油碎布	Rags, oily	1856	133
含有毒性气体的物品，未另作规定的	Articles containing toxic gas, n. o. s.	3539	123

第二部分 索引表

续表

中文名称	英文名称	UN号	指南号
含有毒性物质的物品，未另作规定的	Articles containing toxic substance, n. o. s.	3546	151
含有毒性液体的固体，未另作规定的	Solids containing toxic liquid, n. o. s.	3243	151
含有非易燃、非毒性气体的物品，未另作规定的	Articles containing nonflammable, non toxic gas, n. o. s.	3538	120
含有腐蚀性物质的物品，未另作规定的	Articles containing corrosive substance, n. o. s.	3547	154
含有氧化性物质的物品，未另作规定的	Articles containing oxidizing substance, n. o. s.	3544	140
含有易燃固体的物品，未另作规定的	Articles containing flammable solid, n. o. s.	3541	133
含有易燃气体的物品，未另作规定的	Articles containing flammable gas, n. o. s.	3537	115
含有易燃液体的物品，未另作规定的	Articles containing flammable liquid, n. o. s.	3540	127
含有易于自燃固体的物品，未另作规定的	Articles containing a substance liable to spontaneous combustion solid, n. o. s.	3542	135
含有有机过氧化物的物品，未另作规定的	Articles containing organic peroxide, n. o. s.	3545	145
含有遇水放出易燃气体的物品，未另作规定的	Articles containing a substance which in contact with water emits flammable gases, n. o. s.	3543	138
含有杂项危险货物的物品，未另作规定的	Articles containing miscellaneous dangerous goods, n. o. s.	3548	171
含于制成品中的汞	Mercury contained in manufactured articles	3506	172

续表

中文名称	英文名称	UN号	指南号
含于制成品中的镓	Gallium contained in manufactured articles	3554	172
航空燃料，涡轮发动机用	Fuel，aviation，turbine engine	1863	128
核酸汞	Mercury nucleate	1639	151
黑色金属的镗屑、刨屑、旋屑或切屑，易自热	Ferrous metal borings，shavings，turnings or cuttings in a form liable to self-heating	2793	170
化学品箱或急救箱	Chemical kit or first aid kit	3316	171
化学氧气发生器	Oxygen generator，chemical	3356	140
化学样品，毒性	Chemical sample，toxic	3315	151
环丙烷	Cyclopropane	1027	115
环丁烷	Cyclobutane	2601	115
环庚三烯	Cycloheptatriene	2603	131
环庚烷	Cycloheptane	2241	128
环庚烯	Cycloheptene	2242	128
环己胺	Cyclohexylamine	2357	132
环己基三氯硅烷	Cyclohexyltrichlorosilane	1763	156
环己硫醇	Cyclohexyl mercaptan	3054	129
环己酮	Cyclohexanone	1915	127
环己烷	Cyclohexane	1145	128
环己烯	Cyclohexene	2256	130
环己烯基三氯硅烷	Cyclohexenyltrichlorosilane	1762	156
环六亚甲基四胺	Hexamethylenetetramine	1328	133
1，5，9-环十二碳三烯	1，5，9-Cyclododecatriene	2518	153
环烷酸钴粉	Cobaltnaphthenates，powder	2001	133
环戊醇	Cyclopentanol	2244	129

续表

中文名称	英文名称	UN 号	指南号
环戊酮	Cyclopentanone	2245	128
环戊烷	Cyclopentane	1146	128
环戊烯	Cyclopentene	2246	128
环辛二烯	Cyclooctadienes	2520	130P
环辛四烯	Cyclooctatetraene	2358	128P
环氧乙烷，或含氮环氧乙烷，在50℃时最高总压力为1MPa(10bar)	Ethylene oxide, or ethylene oxide with nitrogen up to a total pressure of 1MPa (10bar) at 50℃	1040	119P
环氧乙烷和二氯二氟甲烷混合物，含环氧乙烷不大于12.5%	Ethylene oxide and dichlorodifluoromethane mixture, with not more than 12.5% ethylene oxide	3070	126
环氧乙烷和二氧化碳混合物，含环氧乙烷不大于9%	Ethylene oxide and carbon dioxide mixture with not more than 9% ethylene oxide	1952	126
环氧乙烷和二氧化碳混合物，含环氧乙烷超过87%	Ethylene oxide and carbon dioxide mixture with more than 87% ethylene oxide	3300	119P
环氧乙烷和二氧化碳混合物，环氧乙烷的含量9%～87%	Ethylene oxide and carbon dioxide mixture with more than 9% but not more than 87% ethylene oxide	1041	115
环氧乙烷和四氟氯乙烷混合物，含环氧乙烷不超过8.8%	Ethylene oxide and chlorotetrafluoroethane mixture with not more than 8.8% ethylene oxide	3297	126
环氧乙烷和四氟乙烷混合物，含环氧乙烷不超过5.6%	Ethylene oxide and tetrafluoroethane mixture with not more than 5.6% ethylene oxide	3299	126

续表

中文名称	英文名称	UN 号	指南号
环氧乙烷和五氟乙烷混合物，含环氧乙烷不超过 7.9%	Ethylene oxide and pentafluoroethane mixture with not more than 7.9% ethylene oxide	3298	126
环氧乙烷和氧化丙烯混合物，含环氧乙烷不大于 30%	Ethylene oxide and propylene oxide mixture, not more than 30% ethylene oxide	2983	131P
1,2-环氧-3-乙氧基丙烷	1,2-Epoxy-3-ethoxypropane	2752	127
黄原酸盐	Xanthates	3342	135
茴香胺	Anisidines	2431	153
茴香醚	Anisole	2222	128
茴香酰氯	Anisoyl chloride	1729	156
活性炭	Carbon, activated	1362	133
火柴，"可随处划燃"	Matches, "strike anywhere"	1331	133
J			
基因改变的微生物或基因改变的生物体	Genetically modified microorganisms or genetically-modified organisms	3245	171
己醇	Hexanols	2282	129
己二腈	Adiponitrile	2205	153
己二烯	Hexadiene	2458	130
己基三氯硅烷	Hexyltrichlorosilane	1784	156
己醛	Hexaldehyde	1207	130
己酸	Caproic acid	2829	153
己烷	Hexanes	1208	128
1-己烯	1-Hexene	2370	128

续表

中文名称	英文名称	UN 号	指南号
季戊四醇四硝酸酯(季戊四醇四硝酸酯季戊炸药)混合物,减敏的,固体的,未另作规定的,按质量计含季戊四醇四硝酸酯10%～20%	Pentaerythrite tetranitrate mixture, desensitized, solid, n. o. s. with more than 10% but not more than 20% PETN, by mass	3344	113
加压化学品,毒性,未另作规定的	Chemical under pressure, toxic, n. o. s.	3502	123
加压化学品,腐蚀性,未另作规定的	Chemical under pressure, corrosive, n. o. s.	3503	125
加压化学品,未另作规定的	Chemical under pressure, n. o. s.	3500	126
加压化学品,易燃,毒性,未另作规定的	Chemical underpressure, flammable, toxic, n. o. s.	3504	119
加压化学品,易燃,腐蚀性,未另作规定的	Chemical under pressure, flammable, corrosive, n. o. s.	3505	118
加压化学品,易燃,未另作规定的	Chemical under pressure, flammable, n. o. s.	3501	115
镓	Gallium	2803	172
甲胺,无水的	Methylamine, anhydrous	1061	118
甲胺水溶液	Methylamine, aqueous solution	1235	132
甲苯	Toluene	1294	130
甲苯胺,固体的	Toluidines, solid	3451	153
甲苯胺,液体的	Toluidines, liquid	1708	153
2,4-甲苯二胺,固体的	2,4-Toluylenediamine, solid	1709	151
2,4-甲苯二胺溶液	2,4-Toluylenediamine solution	3418	151

续表

中文名称	英文名称	UN号	指南号
甲苯二异氰酸酯	Toluene diisocyanate	2078	156
甲苯基酸(甲苯酚)	Cresylic acid	2022	153
甲苄基溴(二甲苯基溴),固体的	Xylyl bromide,solid	3417	152
甲苄基溴(二甲苯基溴),液体的	Xylyl bromide,liquid	1701	152
甲醇	Methanol	1230	131
甲醇钠	Sodium methylate	1431	138
甲醇钠的乙醇溶液	Sodium methylate solution in alcohol	1289	132
甲代烯丙醇	Methallyl alcohol	2614	129
甲酚,固体的	Cresols,solid	3455	153
甲酚,液体的	Cresols,liquid	2076	153
甲磺酰氯	Methanesulphonyl chloride	3246	156
N-甲基苯胺	*N*-Methylaniline	2294	153
甲基苯基二氯硅烷	Methylpenyldichlorosilane	2437	156
甲基吡啶(皮考啉)	Picolines	2313	129
α-甲基苄基醇,固体的	alpha-Methylbenzyl alcohol; solid	3438	153
α-甲基苄基醇,液体的	alpha-Methylbenzyl alcohol, liquid	2937	153
甲基丙基醚(甲丙醚)	Methyl propyl ether	2612	127
甲基丙基酮	Methyl propyl ketone	1249	127
甲基丙烯腈,稳定的	Methacrylonitrile,stabilized	3079	131P
甲基丙烯醛,稳定的	Methacrylaldehyde,stabilized	2396	131P
甲基丙烯酸,稳定的	Methacrylic acid,stabilized	2531	153P

续表

中文名称	英文名称	UN号	指南号
甲基丙烯酸乙酯，稳定的	Ethyl methacrylate, stabilized	2277	130P
甲基丙烯酸异丁酯，稳定的	Isobutyl methacrylate, stabilized	2283	130P
甲基丙烯酸正丁酯，稳定的	*n*-Butyl methacrylate, stabilized	2227	130P
甲基碘	Methyl iodide	2644	151
N-甲基丁胺	*N*-Methylbutylamine	2945	132
甲基丁基醚（甲丁醚）	Butyl methyl ether	2350	127
2-甲基丁醛	2-Methylbutanal	3371	129
3-甲基-2-丁酮	3-Methylbutan-2-one	2397	127
2-甲基-1-丁烯	2-Methyl-1-butene	2459	128
2-甲基-2-丁烯	2-Methyl-2-butene	2460	128
3-甲基-1-丁烯	3-Methyl-1-butene	2561	128
甲基二氯硅烷	Methyl dichlorosilane	1242	139
2-甲基呋喃	2-Methylfuran	2301	128
甲基氟（制冷气体 R 41）	Methyl fluoride (Refrigerant gas R 41)	2454	115
2-甲基-2-庚硫醇	2-Methyl-2-heptanethiol	3023	131
甲基环己醇，易燃	Methylcyclohexanols, flammable	2617	129
甲基环己酮	Methylcyclohexanone	2297	128
甲基环己烷	Methylcyclohexane	2296	128
甲基环戊烷	Methylcyclopentane	2298	128
5-甲基-2-己酮	5-Methylhexan-2-one	2302	127

续表

中文名称	英文名称	UN 号	指南号
甲基肼	Methyl hydrazine	1244	131
甲基氯(制冷气体 R 40)	Methyl chloride (Refrigerant gas R 40)	1063	115
甲基氯苯胺，固体的	Chlorotoluidines, solid	2239	153
甲基氯苯胺，液体的	Chlorotoluidines, liquid	3429	153
甲基氯硅烷	Methylchlorosilane	2534	119
甲基氯和二氯甲烷混合物	Methyl chloride and methylene chloride mixture	1912	115
甲基氯甲基醚	Methyl chloromethyl ether	1239	131
4-甲基吗啉(*N*-甲基吗啉)	4-Methylmorpholine (*N*-Methylmorpholine)	2535	132
1-甲基哌啶	1-Methylpiperidine	2399	132
甲基三氯硅烷	Methyl trichlorosilane	1250	155
甲基叔丁基醚	Methyl *tert*-butyl ether	2398	127
甲基四氢呋喃	Methyltetrahydrofuran	2536	127
2-甲基-2-戊醇	2-Methylpentan-2-ol	2560	129
甲基戊二烯	Methylpentadiene	2461	128
α-甲基戊醛	Alpha-methylvaleraldehyde	2367	130
甲基烯丙基氯	Methylallyl chloride	2554	130P
甲基溴，含有不超过 2% 的三氯硝基甲烷	Methyl bromide with not more than 2% chloropicrin	1062	123
甲基溴和二溴化乙烯混合物，液体的	Methyl bromide and ethylene dibromide mixture, liquid	1647	151
2-甲基-5-乙基吡啶	2-Methyl-5-ethylpyridine	2300	153
甲基乙炔和丙二烯混合物，稳定的	Methylacetylene and propadiene mixture, stabilized	1060	116P

第二部分　索引表

续表

中文名称	英文名称	UN号	指南号
甲基乙烯基酮，稳定的	Methyl vinyl ketone, stabilized	1251	131P
甲基异丙烯基酮，稳定的	Methyl isopropenyl ketone, stabilized	1246	127P
甲基异丁基甲醇	Methyl isobutyl carbinol	2053	129
甲基异丁基酮	Methyl isobutyl ketone	1245	127
甲硫醇	Methyl mercaptan	1064	117
甲醛溶液，甲醛含量不低于25%	Formaldehyde solutions with not less than 25% formaldehyde	2209	153
甲醛溶液，易燃	Formaldehyde solution, flammable	1198	132
甲醛缩二甲醛(甲缩醛)	Methylal	1234	127
甲酸，按质量计含酸5%～85%	Formic acid with not less than 5% but not more than 85% acid by mass	3412	153
甲酸，按质量计含酸高于85%	Formic acid with more than 85% acid by mass	1779	153
甲酸丙酯	Propyl formates	1281	129
甲酸甲酯	Methyl formate	1243	129
甲酸戊酯	Amyl formates	1109	129
甲酸烯丙酯	Allyl formate	2336	131
甲酸乙酯	Ethyl formate	1190	129
甲酸异丁酯	Isobutyl formate	2393	129
甲酸正丁酯	*n*-Butyl formate	1128	129
甲烷，冷冻液体或甲烷含量高的冷冻液态天然气	Methane, refrigerated liquid or natural gas, refrigerated liquid with high methane content	1972	115

续表

中文名称	英文名称	UN号	指南号
甲烷,压缩的或甲烷含量高的压缩天然气	Methane,compressed or natural gas, compressed with high methane content	1971	115
1-甲氧基-2-丙醇	1-Methoxy-2-propanol	3092	129
4-甲氧基-4-甲基-2-戊酮	4-Methoxy-4-methylpentan-2-one	2293	128
甲乙醚	Ethyl methyl ether	1039	115
钾	Potassium	2257	138
钾金属合金,固体的	Potassium,metal alloys,solid	3403	138
钾金属合金,液体的	Potassium, metal alloys, liquid	1420	138
钾钠合金,固体的	Potassium sodium alloys,solid	3404	138
钾钠合金,液体的	Potassium sodium alloys,liquid	1422	138
间苯二酚	Resorcinol	2876	153
减敏爆炸物,固体的,未另作规定的	Desensitized explosive,solid, n. o. s.	3380	113
减敏爆炸物,液体的,未另作规定的	Desensitized explosive, liquid,n. o. s.	3379	113
碱金属分散体,易燃;或碱土金属分散体,易燃	Alkali meal dispersion,flammable,or alkaline earth metal dispersion,flammable	3482	138
碱金属分散体或碱土金属分散体	Alkaline metal dispersion or Alkaline earth metal dispersion	1391	138
碱金属汞齐,固体的	Alkali metal amalgam,solid	3401	138

续表

中文名称	英文名称	UN 号	指南号
碱金属汞齐，液体的	Alkali metal amalgam, liquid	1389	138
碱金属合金，液体的，未另作规定的	Alkali metal alloy, liquid, n. o. s.	1421	138
碱石灰，含氢氧化钠大于4%	Soda lime with more than 4% sodium hydroxide	1907	154
碱土金属醇化物，未另作规定的	Alkaline earth metal alcoholates, n. o. s.	3205	135
碱土金属醇化物，自热的，腐蚀性，未另作规定的	Alkali metal alcoholates, self-heating, corrosive, n. o. s.	3206	136
碱土金属汞齐，固体的	Alkaline earth metal amalgam, solid	3402	138
碱土金属汞齐，液体的	Alkaline earth metal amalgam, liquid	1392	138
碱土金属合金，未另作规定的	Alkaline earth metal alloy, n. o. s.	1393	138
碱性电池液	Battery fluid, alkali	2797	154
胶片，以硝化纤维素为基料，涂有明胶的，碎胶片除外	Films, nitrocellulose base, gelatin coated, except scrap	1324	133
焦硫酰二氯	Pyrosulphuryl chloride	1817	137
焦油，液体的，包括铺路油，沥青和稀释沥青	Tars, liquid, including road oils, and cutback bitumens	1999	130
金属催化剂，干的	Metal catalyst, dry	2881	135
金属催化剂，湿的，含有可见过量液体	Metal catalyst, wetted with a visible excess of liquid	1378	170
金属粉，易燃，未另作规定的	Metal powder, flammable, n. o. s.	3089	170

续表

中文名称	英文名称	UN号	指南号
金属粉,自热的,未另作规定的	Metal powder, self-heating, n. o. s.	3189	135
金属氢化物储存系统中的氢,或设备中包含的金属氢化物储存系统中的氢,或与设备打包在一起的金属氢化物储存系统中的氢	Hydrogen in a metal hydride storage system or hydrogen in a metal hydride storage system contained in equipment or hydrogen in a metal hydride storage system packed with equipment	3468	115
金属氢化物,易燃,未另作规定的	Metal hydrides, flammable, n. o. s.	3182	170
金属氢化物,遇水反应的,未另作规定的	Metal hydrides, water-reactive, n. o. s.	1409	138
金属物质,遇水反应的,未另作规定的	Metallic substance, water-reactive, n. o. s.	3208	138
金属物质,遇水反应的,自热的,未另作规定的	Metallic substance, water-reactive, self-heating, n. o. s.	3209	138
腈类,毒性,固体的,未另作规定的	Nitriles, toxic, solid, n. o. s.	3439	151
腈类,毒性,液体的,未另作规定的	Nitriles, toxic, liquid, n. o. s.	3276	151
腈类,毒性,易燃,未另作规定的	Nitriles, toxic, flammable, n. o. s.	3275	131
腈类,易燃,毒性,未另作规定的	Nitriles, flammable, toxic, n. o. s.	3273	131
肼,无水的	Hydrazine, anhydrous	2029	132
肼水溶液,按质量计含肼不超过37%	Hydrazine, aqueous solution with not more than 37% hydrazine, by mass	3293	153

第二部分 索引表

续表

中文名称	英文名称	UN号	指南号
肼水溶液，按质量计含肼超过37%	Hydrazine aqueous solution with more than 37% hydrazine, by mass	2030	153
肼水溶液，易燃，按质量计含肼超过37%	Hydrazine aqueous solution, flammable with more than 37% hydrazine, by mass	3484	132
酒精饮料，按体积计含乙醇大于24%	Alcoholic beverages, with more than 24% by volume	3065	127
酒石酸烟碱	Nicotine tartrate	1659	151
酒石酸氧锑钾	Antimony potassium tartrate	1551	151
救生设备，自动膨胀式	Life-saving appliances, self-inflating	2990	171
聚苯乙烯珠粒料，可膨胀，会放出易燃气体	Polymeric beads, expandable, evolving flammable vapour	2211	171
聚合物质，固体的，温度控制的，未另作规定的	Polymerizing substance, solid, temperature controlled, n. o. s.	3533	150P
聚合物质，固体的，稳定的，未另作规定的	Polymerizing substance, solid, stabilized, n. o. s.	3531	149P
聚合物质，液体的，温度控制的，未另作规定的	Polymerizing substance, liquid, temperature controlled, n. o. s.	3534	150P
聚合物质，液体的，稳定的，未另作规定的	Polymerizing substance, liquid, stabilized, n. o. s.	3532	149P
聚乙醛	Metaldehyde	1332	133
聚酯树脂器材，液基材料	Polyester resin kit, liquid base material	3269	128

续表

中文名称	英文名称	UN 号	指南号
聚酯树脂试剂盒，固体基材	Polyester resin kit，solid base material	3527	128P
K			
卡可基酸(二甲次砷酸)	Cacodylic acid	1572	151
卡可酸钠(二甲胂酸钠)	Sodium cacodylate	1688	152
糠胺	Furfurylamine	2526	132
糠醇	Furfuryl alcohol	2874	153
糠醛	Furaldehydes	1199	153P
苛性碱，液态的，未另作规定的	Caustic alkali，liquid，n. o. s.	1719	154
颗粒状海绵钛或海绵钛粉末	Titanium sponge granules or titanium sponge powders	2878	170
可溶铅化合物，未另作规定的	Lead compound，soluble，n. o. s.	2291	151
氪，冷冻液体	Krypton，refrigerated liquid	1970	120
氪气，压缩的	Krypton，compressed	1056	120
空气，冷冻液体	Air，refrigerated liquid	1003	122
空气，压缩的	Air，compressed	1002	122
空运受管制的固体，未另作规定的	Aviation regulated solid，n. o. s.	3335	171
空运受管制的液体，未另作规定的	Aviation regulated liquid，n. o. s.	3334	171
苦氨酸锆，湿的，按质量计含水不低于 20%	Zirconium picramate，wetted with not less than 20% water，by mass	1517	113

第二部分　索引表

续表

中文名称	英文名称	UN号	指南号
苦氨酸钠，湿的，按质量计含水不低于20%	Sodium picramate, wetted with not less than 20% water, by mass	1349	113
苦味酸铵，湿的，按质量计含水不低于10%	Ammonium picrate, wetted with not less than 10% water, by mass	1310	113
苦味酸银，湿的，按质量计含水不低于30%	Silver picrate, wetted with not less than 30% water, by mass	1347	113
喹啉	Quinoline	2656	154
L			
锂	Lithium	1415	138
锂硅铁	Lithium ferrosilicon	2830	139
锂金属电池组（包括锂合金电池组）	Lithium metal batteries (including lithium alloy batteries)	3090	138
锂离子电池组（包括锂离子聚合物电池）	Lithium ion batteries (including lithium ion polymer batteries)	3480	147
连二亚硫酸钙（亚硫酸氢钙）	Calcium dithionite (calcium hydrosulphite)	1923	135
连二亚硫酸钾（亚硫酸氢钾）	Potassium dithionite (potassium hydrosulphite)	1929	135
连二亚硫酸钠	Sodium dithionite (sodium hydrosulphite)	1384	135
连二亚硫酸锌（亚硫酸氢锌）	Zinc dithionite (zinc hydrosulphite)	1931	171
联苯胺	Benzidine	1885	153

续表

中文名称	英文名称	UN 号	指南号
联吡啶农药,固体的,毒性	Bipyridilium pesticide, solid, toxic	2781	151
联吡啶农药,液体的,毒性	Bipyridilium pesticide, liquid, toxic	3016	151
联吡啶农药,液体的,毒性,易燃,闪点不低于23℃	Bipyridilium pesticide, liquid, toxic, flammable, flash point not less than 23℃	3015	131
联吡啶农药,液体的,易燃,毒性,闪点低于23℃	Bipyridilium pesticide, liquid, flammable, toxic, flash point less than 23℃	2782	131
邻苯二甲酸酐,含马来酸酐大于0.05%	Phthalic anhydride with more than 0.05% of maleic anhydride	2214	156
邻二氯苯	*o*-Dichlorobenzene	1591	152
磷化钙	Calcium phosphide	1360	139
磷化钾	Potassium phosphide	2012	139
磷化铝	Aluminumphosphide	1397	139
磷化铝镁	Magnesium aluminum phosphide	1419	139
磷化铝农药	Aluminum phosphide pesticide	3048	157
磷化钠	Sodium phosphide	1432	139
磷化氢(膦)	Phosphine	2199	119
磷化氢,吸附的	Phosphine, adsorbed	3525	173
磷化锶	Strontium phosphide	2013	139
磷化锡	Stannic phosphides	1433	139
磷化锌	Zinc phosphide	1714	139

续表

中文名称	英文名称	UN号	指南号
磷酸,固体的	Phosphoric acid,solid	3453	154
磷酸二氢丁酯	Butyl acid phosphate	1718	153
磷酸溶液	Phosphoric acid,solution	1805	154
磷酸三甲苯酯,含邻位异构物大于3%	Tricresyl phosphate with more than 3% ortho isomer	2574	151
磷虾粉	Krill meal	3497	133
9-磷杂二环壬烷(环辛二烯膦)	9-Phosphabicyclononanes (cyclooctadiene phosphines)	2940	135
硫	Sulphur	1350	133
硫醇,液体的,毒性,易燃,未另作规定的;或液态硫醇混合物,毒性,易燃,未另作规定的	Mercaptans, liquid, toxic, flammable, n. o. s. or mercaptan mixture,liquid,toxic, flammable,n. o. s.	3071	131
硫醇,液体的,易燃,毒性,未另作规定的;或硫醇混合物,液体的,易燃,毒性,未另作规定的	Mercaptans, liquid, flammable, toxic, n. o. s. , or Mercaptan mixture,liquid,flammable,toxic,n. o. s.	1228	131
硫醇,液体的,易燃,未另作规定的;或硫醇混合物,液体的,易燃,未另作规定的	Mercaptans, liquid, flammable, n. o. s. , or mercaptan mixture, liquid, flammable, n. o. s.	3336	130
硫代氨基甲酸酯农药,固体的,毒性	Thiocarbamate pesticide,solid,toxic	2771	151
硫代氨基甲酸酯农药,液体的,毒性	Thiocarbamate pesticide,liquid,toxic	3006	151
硫代氨基甲酸酯农药,液体的,毒性,易燃,闪点不低于23℃	Thiocarbamate pesticide,liquid, toxic, flammable, flash point not less than 23℃	3005	131

续表

中文名称	英文名称	UN号	指南号
硫代氨基甲酸酯农药，液体的，易燃，毒性，闪点低于23℃	Thiocarbamate pesticide, liquid, flammable, toxic, flash point less than 23℃	2772	131
硫代磷酰氯	Thiophosphoryl chloride	1837	157
硫代乳酸	Thiolactic acid	2936	153
硫代乙酸	Thioacetic acid	2436	129
硫甘醇	Thioglycol	2966	153
硫光气	Thiophosgene	2474	156
硫化铵溶液	Ammonium sulphide solution	2683	132
硫化钾，无水的；或硫化钾，含结晶水低于30%	Potassium sulphide, anhydrous, or potassium sulphide with less than 30% water of hydration	1382	135
硫化钠，无水的；或硫化钠，含结晶水低于30%	Sodium sulphide, anhydrous, or sodium sulphide with less than 30% water of crystallization	1385	135
硫化氢	Hydrogen sulphide	1053	117
硫化羰	Carbonyl sulphide	2204	119
硫黄，熔融的	Sulphur, molten	2448	133
硫氰酸汞	Mercury thiocyanate	1646	151
硫酸，含酸不超过51%，或酸性电池液	Sulphuric acid, with not more than 51% acid, or battery fluid, acid	2796	157
硫酸，含酸大于51%	Sulphuric acid with more than 51% acid	1830	137

续表

中文名称	英文名称	UN号	指南号
硫酸二甲酯	Dimethyl sulphate	1595	156
硫酸二乙酯	Diethyl sulphate	1594	152
硫酸废液	Sulphuric acid, spent	1832	137
硫酸汞	Mercury sulphate	1645	151
硫酸胲(硫酸羟胺)	Hydroxylamine sulphate	2865	154
硫酸铅,含游离酸高于3%	Lead sulphate, with more than 3% free acid	1794	154
硫酸氢铵	Ammonium hydrogen sulphate	2506	154
硫酸氢钾	Potassium hydrogen sulphate	2509	154
硫酸氢盐水溶液	Bisulphates, aqueous solution	2837	154
硫酸烟碱,固体的	Nicotine sulphate, solid	3445	151
硫酸烟碱溶液	Nicotine sulphate solution	1658	151
硫酸氧钒	Vanadyl sulphate	2931	151
硫酰氟	Sulphuryl fluoride	2191	123
硫酰氯	Sulphuryl chloride	1834	137
4-硫杂戊醛	4-Thiapentanal	2785	152
六氟丙酮	Hexafluoroacetone	2420	125
六氟丙烯(制冷气体 R 1216)	Hexafluoropropylene (Refrigerant gas R 1216)	1858	126
六氟化碲	Tellurium hexafluoride	2195	125
六氟化硫	Sulphur hexafluoride	1080	126
六氟化钨	Tungsten hexafluoride	2196	125
六氟化硒	Selenium hexafluoride	2194	125

续表

中文名称	英文名称	UN号	指南号
六氟化铀，放射性材料，例外包件，每个包件小于0.1kg，不裂变或例外的易裂变	Uranium hexafluoride, radioactive material, excepted package, less than 0.1kg per package, non fissile or fissile-excepted	3507	166
六氟磷酸	Hexafluorophosphoric acid	1782	154
六氟乙烷（制冷气体R 116）	Hexafluoroethane (Refrigerant gas R 116)	2193	126
六氯苯	Hexachlorobenzene	2729	152
六氯丙酮	Hexachloroacetone	2661	153
六氯丁二烯	Hexachlorobutadiene	2279	151
六氯酚	Hexachlorophene	2875	151
六氯环戊二烯	Hexachlorocyclopentadiene	2646	151
六亚甲基二胺（己撑二胺），固体的	Hexamethylenediamine, solid	2280	153
六亚甲基二胺溶液	Hexamethylenediamine solution	1783	153
六亚甲基亚胺	Hexamethyleneimine	2493	132
伦敦紫	London purple	1621	151
铝粉，无涂层的	Aluminum powder, uncoated	1396	138
铝粉，有涂层的	Aluminum powder, coated	1309	170
铝熔炼副产品，或铝再熔副产品	Aluminum smelting by-products, or aluminum remelting by-products	3170	138
铝酸钠，固体的	Sodium aluminate, solid	2812	154
铝酸钠溶液	Sodium aluminate solution	1819	154
氯	Chlorine	1017	124

第二部分 索引表

续表

中文名称	英文名称	UN号	指南号
氯,吸附的	Chlorine,adsorbed	3520	173
氯苯	Chlorobenzene	1134	130
氯苯胺,固体的	Chloroanilines,solid	2018	152
氯苯胺,液体的	Chloroanilines,liquid	2019	152
氯苯酚,固体的	Chlorophenols,solid	2020	153
氯苯酚,液体的	Chlorophenols,liquid	2021	153
氯苯酚盐,固体的;或苯酚盐,固体的	Chlorophenolates, solid, or phenolates,solid	2905	154
氯苯酚盐,液体的;或苯酚盐,液体的	Chlorophenolates, liquid, or phenolates,liquid	2904	154
氯苯基三氯硅烷	Chlorophenyltrichlorosilane	1753	156
氯苯甲基氯,固体的	Chlorobenzyl chlorides,solid	3427	153
氯苯甲基氯,液体的	Chlorobenzyl chlorides, liquid	2235	153
2-氯吡啶	2-Chloropyridene	2822	153
3-氯-1-丙醇	3-Chloro-propanol-1	2849	153
3-氯-1,2-丙三醇	Glycerol alpha-monochlorohydrin	2689	153
2-氯丙酸	2-Chloropropionic acid	2511	153
2-氯丙酸甲酯	Methyl 2-chloropropionate	2933	129
2-氯丙酸乙酯	Ethyl 2-chloropropionate	2935	129
2-氯丙酸异丙酯	Isopropyl 2-chloropropionate	2934	129
氯丙酮,稳定的	Chloroacetone,stabilized	1695	131
1-氯丙烷	1-Chloropropane	1278	129
2-氯丙烷	2-Chloropropane	2356	129

续表

中文名称	英文名称	UN 号	指南号
2-氯丙烯	2-Chloropropene	2456	130P
氯铂酸，固体的	Chloroplatinic acid, solid	2507	154
氯代茴香胺	Chloroanisidines	2233	152
氯丁二烯，稳定的	Chloroprene, stabilized	1991	131P
氯丁烷	Chlorobutanes	1127	130
1-氯-1,1-二氟乙烷（制冷气体 R 142b）	1-Chloro-1,1-difluoroethane (Refrigerant gas R 142b)	2517	115
氯仿（三氯甲烷）	Chloroform	1888	151
氯硅烷，毒性，腐蚀性，未另作规定的	Chlorosilanes, toxic, corrosive, n. o. s.	3361	156
氯硅烷，毒性，腐蚀性，易燃，未另作规定的	Chlorosilanes, toxic, corrosive, flammable, n. o. s.	3362	155
氯硅烷，腐蚀性，未另作规定的	Chlorosilanes, corrosive, n. o. s.	2987	156
氯硅烷，腐蚀性，易燃，未另作规定的	Chlorosilanes, corrosive, flammable, n. o. s.	2986	155
氯硅烷，易燃，腐蚀性，未另作规定的	Chlorosilanes, flammable, corrosive, n. o. s.	2985	155
氯硅烷，遇水反应的，易燃，腐蚀性，未另作规定的	Chlorosilanes, water-reactive, flammable, corrosive, n. o. s.	2988	139
氯化汞	Mercuric chloride	1624	154
氯化汞铵	Mercury ammonium chloride	1630	151
氯化硫	Sulphur chlorides	1828	137
氯化铝，无水的	Aluminum chloride, anhydrous	1726	137
氯化铝溶液	Aluminium chloride solution	2581	154

续表

中文名称	英文名称	UN号	指南号
氯化氢,冷冻液体	Hydrogen chloride, refrigerated liquid	2186	125
氯化氢,无水的	Hydrogen chloride, anhydrous	1050	125
氯化氰,稳定的	Cyanogen chloride, stabilized	1589	125
氯化铁,无水的	Ferric chloride, anhydrous	1773	157
氯化铁溶液	Ferric chloride solution	2582	154
氯化铜	Copper chloride	2802	154
氯化锌,无水的	Zinc chloride, anhydrous	2331	154
氯化锌溶液	Zinc chloride solution	1840	154
氯化溴	Bromine chloride	2901	124
氯化亚硝酰	Nitrosyl chloride	1069	125
3-氯-1,2-环氧丙烷(表氯醇)	Epichlorohydrin	2023	131P
氯磺酸(含或不含三氧化硫)	Chlorosulphonic acid(with or without sulphur trioxide)	1754	137
氯甲苯	Chlorotoluenes	2238	129
氯甲酚,固体的	Chlorocresols, solid	3437	152
氯甲酚溶液	Chlorocresols solution	2669	152
氯甲基乙基醚	Chloromethyl ethyl ether	2354	131
氯甲酸-2-乙基己酯	2-Ethylhexyl chloroformate	2748	156
氯甲酸苯酯	Phenyl chloroformate	2746	156
氯甲酸苄酯	Benzyl chloroformate	1739	137
氯甲酸环丁酯	Cyclobutyl chloroformate	2744	155
氯甲酸甲酯	Methyl chloroformate	1238	155
氯甲酸氯甲酯	Chloromethyl chloroformate	2745	157
氯甲酸叔丁基环己酯	*Tert*-butylcyclohexyl chloroformate	2747	156

续表

中文名称	英文名称	UN号	指南号
氯甲酸烯丙酯	Allyl chloroformate	1722	155
氯甲酸乙酯	Ethyl chloroformate	1182	155
氯甲酸异丙酯	Isopropyl chloroformate	2407	155
氯甲酸正丙酯	*n*-Propyl chloroformate	2740	155
氯甲酸正丁酯	*n*-Butyl chloroformate	2743	155
氯甲酸酯，毒性，腐蚀性，未另作规定的	Chloroformates，toxic，corrosive，n. o. s.	3277	154
氯甲酸酯，毒性，腐蚀性，易燃，未另作规定的	Chlorocarbonates，toxic，corrosive，flammable，n. o. s.	2742	155
氯硫代甲酸乙酯	Ethyl chlorothioformate	2826	155
氯醛，无水的，稳定的	Chloral， anhydrous， stabilized	2075	153
1-氯-2，2，2-三氟乙烷（制冷气体 R 133a）	1-Chloro-2，2，2-trifluoroethane（Refrigerant gas R 133a）	1983	126
1-氯-1，2，2，2-四氟乙烷（制冷气体 R 124）	1-Chloro-1，2，2，2-tetrafluoroethane（Refrigerant gas R 124）	1021	126
氯酸钡，固体的	Barium chlorate，solid	1445	141
氯酸钡溶液	Barium chlorate solution	3405	141
氯酸钙	Calcium chlorate	1452	140
氯酸钙水溶液	Calcium chlorate， aqueous solution	2429	140
氯酸钾	Potassium chlorate	1485	140
氯酸钾水溶液	Potassium chlorate，aqueous solution	2427	140
氯酸镁	Magnesium chlorate	2723	140

续表

中文名称	英文名称	UN号	指南号
氯酸钠	Sodium chlorate	1495	140
氯酸钠水溶液	Sodium chlorate, aqueous solution	2428	140
氯酸水溶液，含氯酸不大于10%	Chloric acid, aqueous solution with not more than 10% chloric acid	2626	140
氯酸锶	Strontium chlorate	1506	143
氯酸铊	Thallium chlorate	2573	141
氯酸铜	Copper chlorate	2721	140
氯酸锌	Zinc chlorate	1513	140
氯酸盐，无机的，水溶液，未另作规定的	Chlorates, inorganic, aqueous solution, n. o. s.	3210	140
氯酸盐，无机的，未另作规定的	Chlorates, inorganic, n. o. s.	1461	140
氯酸盐和氯化镁混合物，固体的	Chlorate and magnesium chloride mixture, solid	1459	140
氯酸盐和氯化镁混合物溶液	Chlorate and magnesium chloride mixture solution	3407	140
氯酸盐和硼酸盐混合物	Chlorate and borate mixture	1458	140
氯氧化铬	Chromium oxychloride	1758	137
2-氯乙醇	Ethylene chlorohydrin	1135	131
氯乙腈	Chloroacetonitrile	2668	131
2-氯乙醛	2-Chloroethanal	2232	153
氯乙酸，固体的	Chloroacetic acid, solid	1751	153
氯乙酸，熔融的	Chloroacetic acid, molten	3250	153
氯乙酸甲酯	Methyl chloroacetate	2295	131
氯乙酸钠	Sodium chloracetate	2659	151

续表

中文名称	英文名称	UN号	指南号
氯乙酸溶液	Chloroacetic acid solution	1750	153
氯乙酸乙烯酯	Vinyl chloroacetate	2589	155
氯乙酸乙酯	Ethyl chloroacetate	1181	155
氯乙酸异丙酯	Isopropyl chloroacetate	2947	127
氯乙酰苯，固体的	Chloroacetophenone，solid	1697	153
氯乙酰苯，液体的	Chloroacetophenone，liquid	3416	153
氯乙酰氯	Chloroacetyl chlorid	1752	156
M			
马来酸酐	Maleic anhydride	2215	156
马钱子碱或马钱子碱盐	Strychnine or strychnine salts	1692	151
吗啉	Morpholine	2054	132
煤焦油馏出物，易燃	Coal tar distillates，flammable	1136	128
煤气，压缩的	Coal gas，compressed	1023	119
煤油	Kerosene	1223	128
镁粉或镁合金粉	Magnesium powder or magnesium alloys powder	1418	138
镁金属或镁合金，丸状、旋屑或带状，含镁大于50%	Magnesium or magnesium alloys with more than 50% magnesium in pellets，turning or ribbons	1869	138
镁粒，涂层的，粒径不小于149μm	Magnesium granules，coated，particle size not less than 149 microns	2950	138
醚类，未另作规定的	Ethers，n. o. s.	3271	127
灭火剂散布装置	Fire suppressant dispersing devices	3559	171
灭火器，装有压缩或液化气体	Fire extinguishers with compressed or liquefied gas	1044	126

续表

中文名称	英文名称	UN号	指南号
灭火器启动剂,腐蚀性液体	Fire extinguisher charges, corrosive liquid	1774	154
木材防腐剂,液体的	Wood preservatives, liquid	1306	129
N			
钠	Sodium	1428	138
氖,冷冻液体	Neon, refrigerated liquid	1913	120
氖气,压缩的	Neon, compressed	1065	120
耐风火柴	Matches, fusee	2254	133
萘,熔融的	Naphthalene, molten	2304	133
α-萘胺	Alpha-naphthylamine	2077	153
β-萘胺,固体的	Beta-naphthylamine, solid	1650	153
β-萘胺溶液	Beta-naphthylamine solution	3411	153
萘硫脲	Naphthylthiourea	1651	153
萘脲	Naphthylurea	1652	153
内燃机,易燃气体动力,或燃料电池易燃气体动力发动机,或易燃气体动力内燃机机械,或燃料电池易燃气体动力机械	Engine, internal combustion, flammable gas powered or engine, fuel cell, flammable gas powered or machinery, internal combustion, flammable gas powered or machinery, fuel cell, flammable gas powered	3529	115
内燃机,易燃液体动力,或燃料电池易燃液体动力发动机,或易燃液体动力内燃机机械,或燃料电池易燃液体动力机械	Engine, internal combustion, flammable liquid powered or engine, fuel cell, flammable liquid powered or machinery, internal combustion, flammable liquid powered or machinery, fuel cell, flammable liquid powered	3528	128

续表

中文名称	英文名称	UN号	指南号
内燃机或内燃机械	Engine, internal combustion or machinery, internal combustion	3530	171
拟除虫菊酯农药,固体的,毒性	Pyrethroid pesticide, solid, toxic	3349	151
拟除虫菊酯农药,液体的,毒性	Pyrethroid pesticide, liquid, toxic	3352	151
拟除虫菊酯农药,液体的,毒性,易燃,闪点不低于23℃	Pyrethroid pesticide, liquid, toxic, flammable, flash point not less than 23℃	3351	131
拟除虫菊酯农药,液体的,易燃,毒性,闪点低于23℃	Pyrethroid pesticide, liquid, flammable, toxic, flash point less than 23℃	3350	131
黏合剂,含易燃液体	Adhesives, containing flammable liquid	1133	128
镍/金属氢化物蓄电池组(镍氢电池组)	Batteries, nickel-metal hydride	3496	171
农药,固体的,毒性,未另作规定的	Pesticide, solid, toxic, n. o. s.	2588	151
农药,液体的,毒性,未另作规定的	Pesticide, liquid, toxic, n. o. s.	2902	151
农药,液体的,毒性,易燃,未另作规定的,闪点不低于23℃	Pesticide, liquid, toxic, flammable, n. o. s., flash point not less than 23℃	2903	131
农药,液体的,易燃,毒性,未另作规定的,闪点低于23℃	Pesticide, liquid, flammable, toxic, n. o. s., flash point less than 23℃	3021	131
O			
偶氮甲酰胺	Azodicarbonamide	3242	149

续表

中文名称	英文名称	UN号	指南号
P			
哌啶	Piperidine	2401	132
哌嗪	Piperazine	2579	153
α-蒎烯	Alpha-pinene	2368	128
硼氢化钾	Potassium borohydride	1870	138
硼氢化锂	Lithium borohydride	1413	138
硼氢化钠	Sodium borohydride	1426	138
硼氢化钠和氢氧化钠溶液,按质量计含硼氢化钠不大于12%、含氢氧化钠不大于40%	Sodium borohydride and sodium hydroxide solution, with not more than 12% sodium borohydride and not more than 40% sodium hydroxide by mass	3320	157
硼酸三甲酯	Trimethyl borate	2416	129
硼酸三烯丙酯	Triallyl borate	2609	156
硼酸三异丙酯	Triisopropyl borate	2616	129
硼酸乙酯	Ethyl borate	1176	129
铍粉	Beryllium powder	1567	134
铍化合物,未另作规定的	Beryllium compound, n. o. s.	1566	154
偏钒酸铵	Ammonium metavanadate	2859	154
偏钒酸钾	Potassium metavanadate	2864	151
葡萄糖酸汞	Mercury gluconate	1637	151
Q			
七氟丙烷(制冷气体R 227)	Heptafluoropropane (Refrigerant gas R 227)	3296	126

续表

中文名称	英文名称	UN号	指南号
七硫化四磷，不含黄磷和白磷	Phosphorus heptasulphide, free from yellow or white phosphorus	1339	139
气态杀虫剂，毒性，未另作规定的	Insecticide gas, toxic, n. o. s.	1967	123
气态杀虫剂，未另作规定的	Insecticide gas, n. o. s.	1968	126
气体，冷冻液体，未另作规定的	Gas, refrigerated liquid, n. o. s.	3158	120
气体，冷冻液体，氧化性，未另作规定的	Gas, refrigerated liquid, oxidizing, n. o. s.	3311	122
气体，冷冻液体，易燃，未另作规定的	Gas, refrigerated liquid, flammable, n. o. s.	3312	115
气体杀虫剂，毒性，易燃，未另作规定的	Insecticide gas, toxic, flammable, n. o. s.	3355	119
气体杀虫剂，易燃，未另作规定的	Insecticide gas, flammable, n. o. s.	3354	115
气压或液压物品（含有非易燃气体）	Articles, pressurized, pneumatic or hydraulic (containing non-flammable gas)	3164	126
1-羟基苯并三唑水合物	1-Hydroxybenzotriazole, monohydrate	3474	113
氢，冷冻液体	Hydrogen, refrigerated liquid	1966	115
氢碘酸	Hydriodic acid	1787	154
氢氟酸	Hydrofluoric acid	1790	157
氢氟酸和硫酸混合物	Hydrofluoric acid and sulphuric acid mixture	1786	157

续表

中文名称	英文名称	UN号	指南号
氢和甲烷混合物，压缩的	Hydrogen and methane mixture, compressed	2034	115
氢化钙	Calcium hydride	1404	138
氢化锆	Zirconium hydride	1437	138
氢化锂	Lithium hydride	1414	138
氢化锂，熔凝固态	Lithium hydride, fused solid	2805	138
氢化铝	Aluminium hydride	2463	138
氢化铝锂	Lithium aluminum hydride	1410	138
氢化铝锂的醚溶液	Lithium aluminum hydride, ethereal	1411	138
氢化铝钠	Sodium aluminum hydride	2835	138
氢化钠	Sodium hydride	1427	138
氢化钛	Titanium hydride	1871	170
氢硫化钠，含结晶水不低于25%	Sodium hydrosulphide, hydrated with not less than 25% water of crystallization	2949	154
氢硫化钠，含结晶水低于25%	Sodium hydrosulphide with less than 25% water of crystallization	2318	135
氢氯酸	Hydrochloric acid	1789	157
氢硼化铝，或装置中的氢硼化铝	Aluminum borohydride, or aluminum borohydride in devices	2870	135
氢气，压缩的	Hydrogen, compressed	1049	115
氢氰酸水溶液（氰化氢水溶液），含氰化氢不超过20%	Hydrocyanic acid, aqueous solution (hydrogen cyanide, aqueous solution), with not more than 20% hydrogen cyanide	1613	154

续表

中文名称	英文名称	UN号	指南号
氢溴酸	Hydrobromic acid	1788	154
氢氧化苯汞	Phenylmercuric hydroxide	1894	151
氢氧化钴粉末，含有不少于10%的可吸入颗粒	Cobalt dihydroxide powder, containing not less than 10% respirable particles	3550	147
氢氧化钾，固体的	Potassium hydroxide, solid	1813	154
氢氧化钾溶液	Potassium hydroxide solution	1814	154
氢氧化锂	Lithium hydroxide	2680	154
氢氧化锂溶液	Lithium hydroxide solution	2679	154
氢氧化钠，固体的	Sodium hydroxide, solid	1823	154
氢氧化钠溶液	Sodium hydroxide solution	1824	154
氢氧化铷	Rubidium hydroxide	2678	154
氢氧化铷溶液	Rubidium hydroxide solution	2677	154
氢氧化铯	Caesium hydroxide	2682	157
氢氧化铯溶液	Caesium hydroxide solution	2681	154
氢氧化四甲铵，固体的	Tetramethylammonium hydroxide, solid	3423	153
氢氧化四甲铵溶液	Tetramethylammonium hydroxide solution	1835	153
氰	Cyanogen	1026	119
氰氨化钙，碳化钙含量高于0.1%	Calcium cyanamide with more than 0.1% calcium carbide	1403	138
氰化钡	Barium cyanide	1565	157
氰化钙	Calcium cyanide	1575	157
氰化汞	Mercury cyanide	1636	154
氰化汞钾	Mercuric potassium cyanide	1626	157

续表

中文名称	英文名称	UN号	指南号
氰化钾,固体的	Potassium cyanide, solid	1680	157
氰化钾溶液	Potassium cyanide solution	3413	157
氰化钠,固体的	Sodium cyanide, solid	1689	157
氰化钠溶液	Sodium cyanide solution	3414	157
氰化镍	Nickel cyanide	1653	151
氰化铅	Lead cyanide	1620	151
氰化氢,稳定的,含水低于3%	Hydrogen cyanide, stabilized containing less than 3% water	1051	117P
氰化氢,稳定的,含水低于3%,被多孔惰性材料吸收	Hydrogen cyanide, stabilized, containing less than 3% water and absorbed in a porous inert material	1614	152
氰化氢乙醇溶液,含氰化氢不超过45%	Hydrogen cyanide, solution in alcohol with not more than 45% hydrogen cyanide	3294	131
氰化铜	Copper cyanide	1587	151
氰化物,无机的,固体的,未另作规定的	Cyanides, inorganic, solid, n. o. s.	1588	157
氰化物溶液,未另作规定的	Cyanide solution, n. o. s.	1935	157
氰化锌	Zinc cyanide	1713	151
氰化银	Silver cyanide	1684	151
氰尿酰氯	Cyanuric chloride	2670	157
氰亚铜酸钾	Potassium cuprocyanide	1679	157
氰亚铜酸钠,固体的	Sodium cuprocyanide, solid	2316	157
氰亚铜酸钠溶液	Sodium cuprocyanide solution	2317	157

续表

中文名称	英文名称	UN 号	指南号
氰氧化汞,减敏的	Mercuric oxycyanide, desensitized	1642	151
巯基乙酸	Thioglycolic acid	1940	153
取代硝基苯酚农药,固体的,毒性	Substituted nitrophenol pesticide, solid, toxic	2779	153
取代硝基苯酚农药,液体的,毒性	Substituted nitrophenol pesticide, liquid, toxic	3014	153
取代硝基苯酚农药,液体的,毒性,易燃,闪点不低于 23℃	Substituted nitrophenol pesticide, liquid, toxic, flammable, flash point not less than 23℃	3013	131
取代硝基苯酚农药,液体的,易燃,毒性,闪点低于 23℃	Substituted nitrophenol pesticide, liquid, flammable, toxic, flash point less than 23℃	2780	131
全氟(甲基乙烯基醚)	Perfluoro (methyl vinyl ether)	3153	115
全氟(乙基乙烯基醚)	Perfluoro(ethylvinyl ether)	3154	115
全氯甲硫醇	Perchloromethyl mercaptan	1670	157
醛类,未另作规定的	Aldehydes, n. o. s.	1989	129P
醛类,易燃,毒性,未另作规定的	Aldehydes, flammable, toxic, n. o. s.	1988	131P
R			
燃料电池盒或包含在设备中的燃料电池盒,或与设备打包在一起的燃料电池盒,含腐蚀性物质	Fuel cell cartridges or fuel cell cartridges contained in equipment or fuel cell cartridges packed with equipment, containing corrosive substances	3477	153

第二部分 索引表

续表

中文名称	英文名称	UN号	指南号
燃料电池盒或包含在设备中的燃料电池盒，或与设备打包在一起的燃料电池盒，含液化可燃气体	Fuel cell cartridges or fuel cell cartridges contained in equipment or fuel cell cartridges packed with equipment, containing liquefied flammable gas	3478	115
燃料电池盒或包含在设备中的燃料电池盒，或与设备打包在一起的燃料电池盒，含易燃液体	Fuel cell cartridges or fuel cell cartridges contained in equipment or fuel cell cartridges packed with equipment, containing flammable liquids	3473	128
燃料电池盒或包含在设备中的燃料电池盒，或与设备打包在一起的燃料电池盒，含遇水反应物质	Fuel cell cartridges or fuel cell cartridges contained in equipment or fuel cell cartridges packed with equipment, containing water-reactive substances	3476	138
燃料电池盒或包含在设备中的燃料电池盒，或与设备打包在一起的燃料电池盒，含在金属中储存的氢	Fuel cell cartridges or fuel cell cartridges contained in equipment or fuel cell cartridges packed with equipment, containing hydrogen in metal hydride	3479	115
染料，固体的，毒性，未另作规定的；或染料中间产品，固体的，毒性，未另作规定的	Dye, solid, toxic, n. o. s. or dye intermediate, solid, toxic, n. o. s.	3143	151
染料，固体的，腐蚀性，未另作规定的；或染料中间产品，固体的，腐蚀性，未另作规定的	Dye, solid, corrosive, n. o. s. , or dye intermediate, solid, corrosive, n. o. s.	3147	154

续表

中文名称	英文名称	UN号	指南号
染料,液体的,毒性,未另作规定的;或染料中间体,液体的,毒性,未另作规定的	Dye,liquid,toxic,n. o. s. ,or dye intermediate,liquid,toxic,n. o. s.	1602	151
染料,液体的,腐蚀性,未另作规定的;或染料中间产品,液体的,腐蚀性,未另作规定的	Dye,liquid,corrosive,n. o. s,or dye intermediate,liquid,corrosive,n. o. s.	2801	154
壬基三氯硅烷	Nonyltrichlorosilane	1799	156
壬烷	Nonanes	1920	128
熔凝树脂酸钙	Calcium resinate,fused	1314	133
铷	Rubidium	1423	138
乳酸锑	Antimony lactate	1550	151
乳酸乙酯	Ethyl lactate	1192	129
S			
噻吩	Thiophene	2414	130
赛璐珞,块、棒、卷、片、管等,碎屑除外	Celluloid in block,rods,rolls,sheets, tubes etc. , except scrap	2000	133
赛璐珞,碎屑	Celluloid,scrap	2002	135
三丙胺	Tripropylamine	2260	132
三丁胺	Tributylamine	2542	153
三丁基膦	Tributylphosphane	3254	135
三氟化氮	Nitrogen trifluoride	2451	122
三氟化氯	Chlorite trifluoride	1749	124
三氟化硼	Boron trifluoride	1008	125

续表

中文名称	英文名称	UN号	指南号
三氟化硼，吸附的	Boron trifluoride, adsorbed	3519	173
三氟化硼合丙酸，固体的	Boron trifluoride propionic acid complex, solid	3420	157
三氟化硼合丙酸，液体的	Boron trifluoride propionic acid complex, liquid	1743	157
三氟化硼合二甲醚	Boron trifluoride dimethyl etherate	2965	139
三氟化硼合二水合物	Boron trifluoride dihydrate	2851	157
三氟化硼合二乙醚	Boron trifluoride diethyl etherate	2604	132
三氟化硼合乙酸，固体的	Boron trifluoride acetic acid complex, solid	3419	157
三氟化硼合乙酸，液体的	Boron trifluoride acetic acid complex, liquid	1742	157
三氟化溴	Bromine trifluoride	1746	144
三氟甲苯	Benzotrifluoride	2338	127
2-三氟甲基苯胺	2-Trifluoromethylaniline	2942	153
3-三氟甲基苯胺	3-Trifluoromethylaniline	2948	153
三氟甲基氯苯	Chlorobenzotrifluorides	2234	130
三氟甲基四唑钠盐的丙酮溶液，按质量计丙酮不少于68%	Trifluoromethyltetrazole-sodium salt in acetone, with not less than 68% acetone, by mass	3555	113
三氟甲烷(制冷气体R 23)	Trifluoromethane (Refrigerant gas R 23)	1984	126

续表

中文名称	英文名称	UN号	指南号
三氟甲烷,冷冻液体	Trifluoromethane, refrigerated liquid	3136	120
三氟氯甲烷(制冷气体 R 13)	Chlorotrifluoromethane (Refrigerant gas R 13)	1022	126
三氟氯甲烷和三氟甲烷的共沸混合液,含三氟氯甲烷约60%(制冷气体 R 503)	Chlorotrifluoromethane and trifluoromethane azeotropic mixture with approximately 60% chlorotrifluoromethane (Refrigerant gas R 503)	2599	126
三氟氯乙烯,稳定的(制冷气体 R 1113)	Trifluorochloroethylene, stabilized (refrigerant gas R 1113)	1082	119P
三氟乙酸	Trifluoroacetic acid	2699	154
1,1,1-三氟乙烷(制冷气体 R 143a)	1,1,1-Trifluoroethane (Refrigerant gas R 143a)	2035	115
三氟乙酰氯	Trifluoroacetyl chloride	3057	125
三甲胺,无水的	Trimethylamine, anhydrous	1083	118
三甲胺水溶液,按质量含三乙胺不大于50%	Trimethylamine, aqueous solution, not more than 50% trimethylamine, by mass	1297	132
1,3,5-三甲基苯	1,3,5-Trimethylbenzene	2325	129
三甲基环己胺	Trimethylcyclohexylamine	2326	153
三甲基六亚甲基二胺	Trimethyl hexamethylenediamines	2327	153
三甲基六亚甲基二异氰酸酯	Trimethylhexamethylene diisocyanate	2328	156
三甲基氯硅烷	Trimethylchlorosilane	1298	155

第二部分 索引表

续表

中文名称	英文名称	UN号	指南号
三甲基乙酰氯	Trimethylacetyl chloride	2438	131
三聚丙烯	Tripropylene	2057	128
三聚异丁烯	Triisobutylene	2324	128
三硫化二磷，不含黄磷和白磷	Phosphorus trisulphide, free from yellow or white phosphorus	1343	139
三硫化四磷，不含黄磷和或白磷	Phosphorus sesquisulphide, free from yellow or white phosphorus	1341	139
三氯苯，液体的	Trichlorobenzenes, liquid	2321	153
三氯丁烯	Trichlorobutene	2322	152
三氯硅烷	Trichlorosilane	1295	139
三氯化钒	Vanadium trichloride	2475	157
三氯化磷	Phosphorus trichloride	1809	137
三氯化硼	Boron trichloride	1741	125
三氯化砷	Arsenic trichloride	1560	157
三氯化钛，发火的；或三氯化钛混合物，发火的	Titanium trichloride, pyrophoric or titanium trichloride mixture, pyrophoric	2441	135
三氯化钛混合物	Titanium trichloride mixture	2869	157
三氯化锑	Antimony trichloride	1733	157
三氯甲苯	Benzotrichloride	2226	156
三氯硝基甲烷（氯化苦）	Chloropicrin	1580	154

续表

中文名称	英文名称	UN号	指南号
三氯硝基甲烷和甲基氯混合物	Chloropicrin and methyl chloride mixture	1582	119
三氯硝基甲烷和甲基溴混合物，含三氯硝基甲烷高于2%	Chloropicrin and methyl bromide mixture with more than 2% chloropicrin	1581	123
三氯硝基甲烷混合物，未另作规定的	Chloropicrin mixture, n. o. s.	1583	154
三氯氧化钒	Vanadium oxytrichloride	2443	137
三氯氧磷(磷酰氯)	Phosphorus oxychloride	1810	137
三氯乙酸	Trichloroacetic acid	1839	153
三氯乙酸甲酯	Methyl trichloroacetate	2533	156
三氯乙酸溶液	Trichloroacetic acid solution	2564	153
1,1,1-三氯乙烷	1,1,1-Trichloroethane	2831	160
三氯乙烯	Trichloroethylene	1710	160
三氯乙酰氯	Trichloroacetyl chloride	2442	156
三氯异氰脲酸，干的	Trichloroisocyanuric acid, dry	2468	140
三嗪农药，固体的，毒性	Triazine pesticide, solid, toxic	2763	151
三嗪农药，液体的，毒性	Triazine pesticide, liquid, toxic	2998	151
三嗪农药，液体的，毒性，易燃，闪点不低于23℃	Triazine pesticide, liquid, toxic, flammable, flash point not less than 23℃	2997	131

第二部分　索引表

续表

中文名称	英文名称	UN 号	指南号
三嗪农药,液体的,易燃,毒性,闪点低于 23℃	Triazine pesticide, liquid, flammable, toxic, flash point less than 23℃	2764	131
三烯丙胺	Triallylamine	2610	132
三硝基苯,湿的,按质量计含水不低于 10%	Trinitrobenzene, wetted, with not less than 10% water by mass	3367	113
三硝基苯,湿的,按质量计含水不低于 30%	Trinitrobenzene, wetted with not less than 30% water, by mass	1354	113
三硝基苯酚(苦味酸),湿的,按质量计含水不低于 10%	Trinitrophenol(picric acid), wetted, with not less than 10% water by mass	3364	113
三硝基苯酚(苦味酸),湿的,按质量计含水不低于 30%	Trinitrophenol(picric acid), wetted with not less than 30% water, by mass	1344	113
三硝基苯甲酸,湿的,按质量计含水不低于 10%	Trinitrobenzoic acid, wetted, with not less than 10% water by mass	3368	113
三硝基苯甲酸,湿的,按质量计含水不低于 30%	Trinitrobenzoic acid, wetted with not less than 30% water, by mass	1355	113
三硝基甲苯(TNT),湿的,按质量计含水不低于 10%	Trinitrotoluene(TNT), wetted, with not less than 10% water by mass	3366	113
三硝基甲苯(TNT),湿的,按质量计含水不低于 30%	Trinitrotoluene(TNT), wetted with not less than 30% water, by mass	1356	113

续表

中文名称	英文名称	UN号	指南号
三硝基氯苯(苦基氯),湿的,按质量计含水不低于10%	Trinitrochlorobenzene(picryl chloride), wetted, with not less than 10% waterby mass	3365	113
三溴化磷	Phosphorus tribromide	1808	137
三溴化硼	Boron tribromide	2692	157
三溴氧化磷	Phosphorus oxybromide	1939	137
三溴氧化磷,熔融的	Phosphorus oxybromide, molten	2576	137
三亚乙基四胺	Triethylenetetramine	2259	153
三氧硅酸二钠	Disodium trioxosilicate	3253	154
三氧化二氮	Nitrogen trioxide	2421	124
三氧化二磷	Phosphorus trioxide	2578	157
三氧化二砷	Arsenic trioxide	1561	151
三氧化铬,无水的	Chromium trioxide, anhydrous	1463	141
三氧化硫,稳定的	Sulphur trioxide,stabilized	1829	137
三乙胺	Triethylamine	1296	132
伞花烃	Cymenes	2046	130
铯	Cesium	1407	138
砷	Arsenic	1558	152
砷粉	Arsenical dust	1562	152
砷化合物,固体的,未另作规定的,无机的,包括:砷酸盐,未另作规定的;亚砷酸盐,未另作规定的;硫化砷,未另作规定的	Arsenic compound, solid, n. o. s. ,inorganic, including: arsenates, n. o. s. ; arsenites, n. o. s. ; and arsenic sulphides,n. o. s.	1557	152

第二部分 索引表

续表

中文名称	英文名称	UN号	指南号
砷化合物，液体的，未另作规定的，无机的，包括：砷酸盐，未另作规定的；亚砷酸盐，未另作规定的；硫化砷，未另作规定的	Arsenic compound, liquid, n. o. s., inorganic, including: arsenates, n. o. s.; arsenites, n. o. s.; and arsenic sulphides, n. o. s.	1556	152
砷酸，固体的	Arsenic acid, solid	1554	154
砷酸，液体的	Arsenic acid, liquid	1553	154
砷酸铵	Ammonium arsenate	1546	151
砷酸钙	Calcium arsenate	1573	151
砷酸钙和亚砷酸钙混合物，固体的	Calcium arsenate and Calcium arsenite mixture, solid	1574	151
砷酸汞	Mercuric arsenate	1623	151
砷酸钾	Potassium arsenate	1677	151
砷酸镁	Magnesium arsenate	1622	151
砷酸钠	Sodium arsenate	1685	151
砷酸铅	Lead arsenates	1617	151
砷酸铁	Ferric arsenate	1606	151
砷酸锌、亚砷酸锌或砷酸锌和亚砷酸锌混合物	Zinc arsenate, zinc arsenite, or zinc arsenate and zinc arsenite mixture	1712	151
砷酸亚铁	Ferrous arsenate	1608	151
胂	Arsine	2188	119
胂，吸附的	Arsine, adsorbed	3522	173
生物碱，固体的，未另作规定的；或生物碱盐类，固体的，未另作规定的	Alkaloids, solid, n. o. s., or alkaloid salts, solid, n. o. s.	1544	151

续表

中文名称	英文名称	UN 号	指南号
生物碱,液体的,未另作规定的;或生物碱盐类,液体的,未另作规定的	Alkaloids, liquid, n. o. s. or alkaloids salts, liquid, n. o. s.	3140	151
生物物质,B类	Biological substance, category B	3373	158
十八烷基三氯硅烷	Octadecyltrichlorosilane	1800	156
十二烷基三氯硅烷	Dodecyltrichlorosilane	1771	156
十六烷基三氯硅烷	Hexadecyltrichlorosilane	1781	156
十氢化萘	Decahydronaphthalene	1147	130
十一烷	Undecane	2330	128
石棉,闪石(铁石棉、透闪石、阳起石、直闪石、青石棉)	Asbestos, amphibole (amosite, tremolite, actinolite, anthophyllite, crocidolite)	2212	171
石油馏出物,未另作规定的;或石油产品,未另作规定的	Petroleum distillates, n. o. s., or petroleum products, n. o. s.	1268	128
石油气,液化的	Petroleum gases, liquefied	1075	115
石油原油	Petroleum crude oil	1267	128
铈,板、锭或棒	Cerium, slabs, ingots or rods	1333	170
铈,切屑或粗粉	Cerium, turnings or gritty powder	3078	138
5-叔丁基-2,4,6-三硝基间二甲苯(二甲苯麝香)	5-*Tert*-butyl-2,4,6-triitro-*m*-xylene(musk xylene)	2956	149
树脂溶液,易燃	Resin solution, flammable	1866	128
树脂酸钙	Calcium resinate	1313	133
树脂酸钴,沉淀的	Cobalt resinate, precipitated	1318	133
树脂酸铝	Aluminum resinate	2715	133

续表

中文名称	英文名称	UN号	指南号
树脂酸锰	Manganese resinate	1330	133
树脂酸锌	Zinc resinate	2714	133
双电层电容器(能量储存能力大于0.3W·h)	Capacitor, electric double layer (with an energy storage capacity greater than 0.3W·h)	3499	171
双烯酮,稳定的	Diketene, stabilized	2521	131P
水合次氯酸钙,腐蚀性;或水合次氯酸钙混合物,腐蚀性,含水不低于5.5%但不超过16%	Calcium hypochlorite, hydrated, corrosive or calcium hypochlorite, hydrated mixture, corrosive with not less than 5.5% but not more than 16% water	3487	140
水合次氯酸钙,或水合次氯酸钙混合物,含水5.5%~16%	Calcium hypochlorite, hydrated, or calcium hypochlorite, hydrated mixture, with not less than 5.5% but not more than 16 % water	2880	140
水合硫化钾,含结晶水不低于30%	Potassium sulphide, hydrated with not less than 30% water ofcrystallization	1847	153
水合硫化钠,含水不低于30%	Sodium sulphide, hydrated with not less than 30% water	1849	153
水合六氟丙酮,固体的	Hexafluoroacetone hydrate, solid	3436	151
水合六氟丙酮,液体的	Hexafluoroacetone hydrate, liquid	2552	151
水杨酸汞	Mercury salicylate	1644	151
水杨酸烟碱	Nicotine salicylate	1657	151

续表

中文名称	英文名称	UN 号	指南号
四氟化硅	Silicon tetrafluoride	1859	125
四氟化硅，吸附的	Silicon tetrafluoride, adsorbed	3521	173
四氟化硫	Sulphur tetrafluoride	2418	125
四氟甲烷(制冷气体 R 14)	Tetrafluoromethane (Refrigerant gas R 14)	1982	126
1,1,1,2-四氟乙烷(制冷气体 R 134a)	1,1,1,2-Tetrafluoroethane (Refrigerant gas R 134a)	3159	126
四氟乙烯，稳定的	Tetrafluoroethylene, stabilized	1081	116P
四甲基硅烷	Tetramethylsilane	2749	130
四甲基氢氧化铵水溶液含不低于 25%的四甲基氢氧化铵	Tetramethylammonium hydroxide aqueous solution with not less than 25% tetramethylammonium hydroxide	3560	153
四聚丙烯	Propylene tetramer	2850	128
四磷酸六乙酯	Hexaethyl tetraphosphate	1611	151
四磷酸六乙酯和压缩气体混合物	Hexaethyl tetraphosphate and compressed gas mixture	1612	123
四氯化钒	Vanadium tetrachloride	2444	137
四氯化锆	Zirconium tetrachloride	2503	137
四氯化硅	Silicon tetrachloride	1818	157
四氯化钛	Titanium tetrachloride	1838	137
四氯化碳	Carbon tetrachloride	1846	151
四氯化锡，无水的	Stannic chloride, anhydrous	1827	137
1,1,2,2-四氯乙烷	1,1,2,2-Tetrachloroethane	1702	151
四氯乙烯	Tetrachloroethylene	1897	160

续表

中文名称	英文名称	UN号	指南号
1,2,3,6-四氢吡啶	1,2,3,6-Tetrahydropyridine	2410	129
四氢呋喃	Tetrahydrofuran	2056	127
1,2,3,6-四氢化苯甲醛	1,2,3,6-Tetrahydro-benzaldehyde	2498	129
四氢化糠胺	Tetrahydrofurfurylamine	2943	129
四氢化邻苯二甲酸酐,含马来酐大于0.05%	Tetrahydrophthalic anhydrides with more than 0.05% of maleic anhydride	2698	156
四氢噻吩	Tetrahydrothiophene	2412	130
四硝基甲烷	Tetranitromethane	1510	143
四溴化碳	Carbon tetrabromide	2516	151
四溴乙烷	Tetrabromoethane	2504	159
四亚乙基五胺	Tetraethylenepentamine	2320	153
四氧化锇	Osmium tetroxide	2471	154
四氧化二氮(二氧化氮)	Dinitrogen tetroxide (nitrogen dioxide)	1067	124
松节油	Turpentine	1299	128
松节油代用品	Turpentine substitute	1300	128
松香油	Rosin oil	1286	127
松油	Pine oil	1272	129
塑料,以硝化纤维素为基料,自热的,未另作规定的	Plastics, nitrocellulose-based, self-heating, n. o. s.	2006	135
塑料成型化合物,呈揉塑团、薄片或挤压出的绳索状,会放出易燃蒸气	Plastics moulding compound in dough, sheet or extruded rope form evolving flammable vapour	3314	171
酸式磷酸二异辛酯	Diisooctylacid phosphate	1902	153

续表

中文名称	英文名称	UN号	指南号
酸式磷酸戊酯	Amyl acid phosphate	2819	153
酸式磷酸异丙酯	Isopropyl acid phosphate	1793	153
酸式亚硫酸盐水溶液，未另作规定的	Bisulphites, aqueous solution, n. o. s.	2693	154
缩水甘油醛	Glycidaldehyde	2622	131P
T			
铊化合物，未另作规定的	Thallium compound, n. o. s.	1707	151
钛粉，干的	Titanium powder, dry	2546	135
钛粉，湿的，含水不低于25%（所含过量水应看得出来） (a)机械方法生产的，粒径小于53μm； (b)化学方法生产的，粒径小于840μm	Titanium powder, wetted with not less than 25% water(a visible excess of water must be present) (a) mechanically produced, particle size less than 53 microns; (b) chemically produced, particle size less than 840 microns	1352	170
碳，来源于动物或植物	Carbon, animal or vegetable origin	1361	133
碳化钙	Calcium carbide	1402	138
碳化铝	Aluminum carbide	1394	138
碳酸二甲酯	Dimethyl carbonate	1161	129
碳酸二乙酯	Diethyl carbonate	2366	128
碳酰氟	Carbonyl fluoride	2417	125
羰基金属，固体的，未另作规定的	Metal carbonyls, solid, n. o. s.	3466	151
羰基金属，液体的，未另作规定的	Metal carbonyls, liquid, n. o. s.	3281	151

续表

中文名称	英文名称	UN号	指南号
羰基镍	Nickel carbonyl	1259	131
锑粉	Antimony powder	2871	170
锑化合物，无机的，固体的，未另作规定的	Antimony compound, inorganic, solid, n. o. s.	1549	157
锑化合物，无机的，液体的，未另作规定的	Antimony compound, inorganic, liquid, n. o. s.	3141	157
锑化氢	Stibine	2676	119
萜品油烯	Terpinolene	2541	128
萜烃，未另作规定的	Terpene hydrocarbons, n. o. s.	2319	128
铁铈合金	Ferrocerium	1323	170
烃类，液体的，未另作规定的	Hydrocarbons, liquid, n. o. s.	3295	128
烃类气体混合物，压缩的，未另作规定的	Hydrocarbon gas mixture, compressed, n. o. s.	1964	115
铜基农药，固体的，毒性	Copper based pesticide, solid, toxic	2775	151
铜基农药，液体的，毒性	Copper based pesticide, liquid, toxic	3010	151
铜基农药，液体的，毒性，易燃，闪点不低于23℃	Copper based pesticide, liquid, toxic, flammable, flash point not less than 23℃	3009	131
铜基农药，液体的，易燃，毒性，闪点低于23℃	Copper based pesticide, liquid, flammable, toxic, flash point less than 23℃	2776	131
铜乙二胺溶液	Cupriethylenediamine, solution	1761	154
酮类，液体的，未另作规定的	Ketones, liquid, n. o. s.	1224	127

续表

中文名称	英文名称	UN 号	指南号
涂料(包括色漆、喷漆、瓷釉、着色剂、虫胶、清漆、抛光剂、液态填料和液态喷漆基料)或涂料的相关材料(包括涂料稀释剂或冲淡剂)	Paint (including paint, lacquer, enamel, stain, shellac, varnish, polish, liquid filler and liquid lacquer base) or paint related material(including paint thinning or reducing compound)	1263	128
涂料(包括色漆、喷漆、瓷釉、着色剂、虫胶、清漆、抛光剂、液态填料和液态喷漆基料)或涂料的相关材料(包括涂料稀释剂或冲淡剂)	Paint (including paint, lacquer, enamel, stain, shellac, varnish, polish, liquid filler and liquid lacquer base) or paint related material(including paint thinning or reducing compound)	3066	153
涂料,腐蚀性,易燃(包括色漆、喷漆、瓷釉、着色剂、虫胶、清漆、抛光剂、液态填料和液态喷漆基料);或涂料的相关材料,腐蚀性,易燃(包括涂料稀释剂或冲淡剂)	Paint, corrosive, flammable(including paint, lacquer, enamel, stain, shellac, varnish, polish, liquid filler and liquid lacquer base), or paint related material, corrosive, flammable(including paint thinning or reducing compound)	3470	132
涂料,易燃,腐蚀性(包括色漆、喷漆、瓷釉、着色剂、虫胶、清漆、抛光剂、液态填料和液态喷漆基料);或涂料的相关材料,易燃,腐蚀性(包括涂料稀释剂或冲淡剂)	Paint, flammable, corrosive (including paint, lacquer, enamel, stain, shellac, varnish, polish, liquid filler and liquid lacquer base) or paint related material, flammable, corrosive(including paint thinning or reducing compound)	3469	132

第二部分 索引表

续表

中文名称	英文名称	UN号	指南号
涂料溶液(包括用于工业或其他用途的表面处理剂或涂料,例如车辆的底漆、圆桶或琵琶桶的面料)	Coating solution(includes surface treatments or coatings used for industrial or other purposes such as vehicle undercoating, drum or barrel lining)	1139	127
W			
瓦斯油或柴油或轻质燃料油	Gas oil or diesel fuel or heating oil, light	1202	128
烷基苯酚,固体的,未另作规定的(包括 $C_2 \sim C_{12}$ 的同系物)	Alkylphenols, solid, n. o. s. (including $C_2 \sim C_{12}$ homologues)	2430	153
烷基苯酚,液体的,未另作规定的(包括 $C_2 \sim C_{12}$ 的同系物)	Alkyl phenols, liquid, n. o. s. (including $C_2 \sim C_{12}$ homologues)	3145	153
烷基磺酸,固体的;或芳基磺酸,固体的,含游离硫酸不大于5%	Alkyl sulphonic acids, solid or arylsulphonic acids, solid with not more than 5% free sulphuric acid	2585	153
烷基磺酸,固体的;或芳基磺酸,固体的,含游离硫酸大于5%	Alkylsulphonic acids, solid or arylsulphonic acids, solid with more than 5% free sulphuric acid	2583	153
烷基磺酸,液体的;或芳基磺酸,液体的,含游离硫酸不大于5%	Alkylsulphonic acids, liquid or arylsulphonic acids, liquid with not more than 5% free sulphuric acid	2586	153
烷基磺酸,液体的;或芳基磺酸,液体的,含游离硫酸大于5%	Alkylsulphonic acids, liquid or arylsulphonic acids, liquid with more than 5% free sulphuric acid	2584	153

续表

中文名称	英文名称	UN 号	指南号
烷基硫酸	Alkylsulphuric acids	2571	156
王水	Nitrohydrochloric acid	1798	157
“维斯塔”蜡火柴(涂蜡火柴)	Matches, wax “Vesta”	1945	133
未压缩气体样品,毒性,未另作规定的,非冷冻液体	Gas sample, non-pressurized, toxic, n. o. s., not refrigerated liquid	3169	123
未压缩气体样品,毒性,易燃,未另作规定的,非冷冻液体	Gas sample, non-pressurized, toxic, flammable, n. o. s., not refrigerated liquid	3168	119
未压缩气体样品,易燃,未另作规定的,非冷冻液体	Gas sample, non-pressurized, flammable, n. o. s., not refrigerated liquid	3167	115
五氟化碘	Iodine pentafluoride	2495	144
五氟化磷	Phosphorus pentafluoride	2198	125
五氟化磷,吸附的	Phosphorus pentafluoride, adsorbed	3524	173
五氟化氯	Chlorine pentafluoride	2548	124
五氟化锑	Antimony pentafluoride	1732	157
五氟化溴	Bromine pentafluoride	1745	144
五氟氯乙烷(制冷气体 R 115)	Chloropentafluoroethane (Refrigerant gas R 115)	1020	126
五氟乙烷(制冷气体 R 125)	Pentafluoroethane (Refrigerant gas R 125)	3220	126
五甲基庚烷	Pentamethylheptane	2286	128
五硫化二磷,不含黄磷和白磷	Phosphorus pentasulphide, free from yellow or white phosphorus	1340	139

续表

中文名称	英文名称	UN号	指南号
五氯苯酚钠	Sodium pentachlorophenate	2567	154
五氯酚	Pentachlorophenol	3155	154
五氯化磷	Phosphorus pentachloride	1806	137
五氯化钼	Molybdenum pentachloride	2508	156
五氯化锑，液体的	Antimony pentachloride, liquid	1730	157
五氯化锑溶液	Antimony pentachloride solution	1731	157
五氯乙烷	Pentachloroethane	1669	151
五水合四氯化锡	Stannic chloride, pentahydrate	2440	154
五羰铁	Iron pentacarbonyl	1994	136
五溴化磷	Phosphorus pentabromide	2691	137
五氧化二钒，非熔凝状态	Vanadium pentoxide, non-fused form	2862	151
五氧化二磷	Phosphorus pentoxide	1807	137
五氧化二砷	Arsenic pentoxide	1559	151
戊胺	Amylamine	1106	132
戊醇	Pentanols	1105	129
1-戊醇	1-Pentol	2705	153P
2,4-戊二酮	Pentane-2,4-dione	2310	131
戊基氯	Amyl chloride	1107	129
戊基三氯硅烷	Amyltrichlorosilane	1728	156
戊硫醇	Amyl mercaptan	1111	130
戊硼烷	Pentaborane	1380	135

续表

中文名称	英文名称	UN 号	指南号
戊醛	Valeraldehyde	2058	129
戊烷,液体的	Pentanes,liquid	1265	128
1-戊烯(正戊烯)	1-Pentene(*n*-Amylene)	1108	127
戊酰氯	Valeryl chloride	2502	132
物品中的危险货物,或机器中的危险货物或仪器中的危险货物	Dangerous goods in articles or dangerous goods in machinery or dangerous goods in apparatus	3363	171
X			
吸附气体,未另作规定的	Adsorbed gas,n. o. s.	3511	174
吸附气体,毒性,腐蚀性,未另作规定的	Adsorbed gas, toxic, corrosive,n. o. s.	3516	173
吸附气体,毒性,未另作规定的	Adsorbed gas,toxic,n. o. s.	3512	173
吸附气体,毒性,氧化性,腐蚀性,未另作规定的	Adsorbed gas, toxic, oxidizing,corrosive,n. o. s.	3518	173
吸附气体,毒性,氧化性,未另作规定的	Adsorbed gas, toxic, oxidizing,n. o. s.	3515	173
吸附气体,毒性,易燃,腐蚀性,未另作规定的	Adsorbed gas,toxic,flammable,corrosive,n. o. s.	3517	173
吸附气体,毒性,易燃,未另作规定的	Adsorbed gas,toxic,flammable,n. o. s.	3514	173
吸附气体,氧化性,未另作规定的	Adsorbed gas,oxidizing, n. o. s.	3513	174
吸附气体,易燃,未另作规定的	Adsorbed gas, flammable, n. o. s.	3510	174

续表

中文名称	英文名称	UN号	指南号
吸入毒性危害液体，腐蚀性，未另作规定的，LC_{50}低于或等于200mL/m^3，且饱和蒸气浓度大于或等于500LC_{50}	Toxic by inhalation liquid, corrosive, n. o. s., with an LC_{50} lower than or equal to 200mL/m^3 and saturated vapour concentration greater than or equal to 500 LC_{50}	3389	154
吸入毒性危害液体，腐蚀性，未另作规定的，LC_{50}低于或等于1000mL/m^3，且饱和蒸气浓度大于或等于10LC_{50}	Toxic by inhalation liquid, corrosive, n. o. s., with an LC_{50} lower than or equal to 1000mL/m^3 and saturated vapour concentration greater than or equal to 10 LC_{50}	3390	154
吸入毒性危害液体，未另作规定的，LC_{50}低于或等于200mL/m^3，且饱和蒸气浓度大于或等于500LC_{50}	Toxicby inhalation liquid, n. o. s., with an LC_{50} lower than or equal to 200mL/m^3 and saturated vapour concentration greater than or equal to 500 LC_{50}	3381	151
吸入毒性危害液体，未另作规定的，LC_{50}低于或等于1000mL/m^3，且饱和蒸气浓度大于或等于10LC_{50}	Toxic by inhalation liquid, n. o. s., with an LC_{50} lower than or equal to 1000mL/m^3 and saturated vapour concentration greater than or equal to 10 LC_{50}	3382	151
吸入毒性危害液体，氧化性，未另作规定的，LC_{50}低于或等于200mL/m^3，且饱和蒸气浓度大于或等于500LC_{50}	Toxic by inhalation liquid, oxidizing, n. o. s., with an LC_{50} lower than or equal to 200mL/m^3 and saturated vapour concentration greater than or equal to 500 LC_{50}	3387	142

续表

中文名称	英文名称	UN号	指南号
吸入毒性危害液体,氧化性,未另作规定的,LC_{50}低于或等于1000mL/m^3,且饱和蒸气浓度大于或等于10LC_{50}	Toxic by inhalation liquid, oxidizing, n. o. s., with an LC_{50} lower than or equal to 1000mL/m^3 and saturated vapour concentration greater than or equal to 10 LC_{50}	3388	142
吸入毒性危害液体,易燃,腐蚀性,未另作规定的,LC_{50}低于或等于200mL/m^3,且饱和蒸气浓度大于或等于500LC_{50}	Toxic by inhalation liquid, flammable, corrosive, n. o. s. with an LC_{50} lower than or equal to 200mL/m^3 and saturated vapour concentration greater than or equal to 500 LC_{50}	3488	131
吸入毒性危害液体,易燃,腐蚀性,未另作规定的,LC_{50}低于或等于1000mL/m^3,且饱和蒸气浓度大于或等于10LC_{50}	Toxic by inhalation liquid, flammable, corrosive, n. o. s., with an LC_{50} lower than or equal to 1000mL/m^3 and saturated vapour concentration greater than or equal to 10 LC_{50}	3489	131
吸入毒性危害液体,易燃的,未另作规定的,LC_{50}低于或等于200mL/m^3,且饱和蒸气浓度大于或等于500LC_{50}	Toxic by inhalation liquid, flammable, n. o. s., with an LC_{50} lower than or equal to 200mL/m^3 and saturated vapour concentration greater than or equal to 500 LC_{50}	3383	131
吸入毒性危害液体,易燃,未另作规定的,LC_{50}低于或等于1000mL/m^3,且饱和蒸气浓度大于或等于10LC_{50}	Toxic by inhalation liquid, flammable, n. o. s., with an LC_{50} lower than or equal to 1000mL/m^3 and saturated vapour concentration greater than or equal to 10 LC_{50}	3384	131

续表

中文名称	英文名称	UN号	指南号
吸入毒性危害液体，遇水反应的，未另作规定的，LC_{50} 低于或等于 200mL/m^3，且饱和蒸气浓度大于或等于 500LC_{50}	Toxic by inhalation liquid, water-reactive, n. o. s. , with an LC_{50} lower than or equal to 200mL/m^3 and saturated vapour concentration greater than or equal to 500 LC_{50}	3385	139
吸入毒性危害液体，遇水反应的，未另作规定的，LC_{50} 低于或等于 1000mL/m^3，且饱和蒸气浓度大于或等于 10LC_{50}	Toxic by inhalation liquid, water-reactive, n. o. s. , with an LC_{50} lower than or equal to 1000mL/m^3 and saturated vapour concentration greater than or equal to 10 LC_{50}	3386	139
吸入毒性危害液体，遇水反应的，易燃，未另作规定的，LC_{50} 低于或等于 200mL/m^3，且饱和蒸气浓度大于或等于 500LC_{50}	Toxic by inhalation liquid, water-reactive, flammable n. o. s. , with an LC_{50} lower than or equal to 200mL/m^3 and saturated vapour concentration greater than or equal to 500 LC_{50}	3490	155
吸入毒性危害液体，遇水反应的，易燃，未另作规定的，LC_{50} 低于或等于 1000mL/m^3，且饱和蒸气浓度大于或等于 10LC_{50}	Toxic by inhalation liquid, water-reactive, flammable, n. o. s. , with an LC_{50} lower than or equal to 1000mL/m^3 and saturated vapour concentration greater than or equal to 10 LC_{50}	3491	155
硒化合物，固体的，未另作规定的	Selenium compound, solid, n. o. s.	3283	151
硒化合物，液体的，未另作规定的	Selenium compound, liquid, n. o. s.	3440	151

续表

中文名称	英文名称	UN号	指南号
硒化氢,无水的	Hydrogen selenide, anhydrous	2202	117
硒化氢,吸附的	Hydrogen selenide,adsorbed	3526	173
硒酸	Selenic acid	1905	154
硒酸盐或亚硒酸盐	Selenates or selenites	2630	151
烯丙胺	Allylamine	2334	131
烯丙醇	Allyl alcohol	1098	131
烯丙基碘	Allyl iodide	1723	132
烯丙基氯	Allyl chloride	1100	131P
烯丙基三氯硅烷,稳定的	Allyltrichlorosilane, stabilized	1724	155
烯丙基缩水甘油醚	Allyl glycidyl ether	2219	129
烯丙基溴	Allyl bromide	1099	131P
烯丙基乙基醚	Allyl ethyl ether	2335	131
纤维或纤维织品,浸过轻度硝化的硝化纤维素,未另作规定的	Fabrics or fabrics impregnated with weakly nitrated nitrocellulose,n. o. s.	1353	133
氙	Xenon	2036	120
氙,冷冻液体	Xenon,refrigerated liquid	2591	120
香豆素衍生物农药,固体的,毒性	Coumarin derivative pesticide,solid,toxic	3027	151
香豆素衍生物农药,液体的,毒性	Coumarin derivative pesticide,liquid,toxic	3026	151
香豆素衍生物农药,液体的,毒性,易燃,闪点不低于23℃	Coumarin derivative pesticide, liquid, toxic, flammable, flash point not less than 23℃	3025	131

续表

中文名称	英文名称	UN号	指南号
香豆素衍生物农药，液体的，毒性，易燃，闪点低于23℃	Coumarin derivative pesticide，liquid，flammable，toxic，flash point less than 23℃	3024	131
香料制品，含易燃溶剂	Perfumery products with flammable solvents	1266	127
1.1项、1.2项、1.3项或1.5项爆炸品	Explosives，division 1.1，1.2，1.3 or 1.5	—	112
1.4项或1.6项爆炸品	Explosives，division 1.4 or 1.6	—	114
橡胶溶液	Rubber solution	1287	127
消毒剂，固体的，毒性，未另作规定的	Disinfectant，solid，toxic，n. o. s.	1601	151
消毒剂，液体的，毒性，未另作规定的	Disinfectant，liquid，toxic，n. o. s.	3142	151
消毒剂，液体的，腐蚀性，未另作规定的	Disinfectant，liquid，corrosive，n. o. s.	1903	153
硝化淀粉，湿的，按质量计含水量不低于20%	Nitrostarch，wetted with not less than 20% water，by mass	1337	113
硝化甘油混合物，减敏的，固体的，未另作规定的，按质量计含硝化甘油2%～10%	Nitroglycerin mixture，desensitized，solid，n. o. s.，with more than 2% but not more than 10% nitroglycerin，by mass	3319	113
硝化甘油混合物，减敏的，液体的，未另作规定的，按质量计硝化甘油不大于30%	Nitroglycerin mixture，desensitized，liquid，n. o. s. with not more than 30% nitroglycerin，by mass	3357	113

续表

中文名称	英文名称	UN号	指南号
硝化甘油混合物，减敏的，液体的，易燃，未另作规定的，按质量计含硝化甘油含量不超过30%	Nitroglycerin mixture, desensitized, liquid, flammable, n. o. s. with not more than 30% nitroglycerin, by mass	3343	113
硝化甘油乙醇溶液，含硝化甘油不大于1%	Nitroglycerin solution in alcohol with not more than 1% nitroglycerin	1204	127
硝化甘油酒精溶液，含硝化甘油1%～5%	Nitroglycerin, solution in alcohol with more than 1% but not more than 5% nitroglycerin	3064	127
硝化酸混合物	Nitrating acid mixture	1796	157
硝化酸混合物，废的	Nitrating acid mixture, spent	1826	157
硝化纤维素，按干重含氮不超过12.6%，含或不含增塑剂、含或不含颜料混合物	Nitrocellulose, with not more than 12.6% nitrogen, by dry mass, mixture with or without plasticizer, with or without pigment	2557	133
硝化纤维素滤膜，按干重计含氮不大于12.6%	Nitrocellulose membrane filters, with not more than 12.6% nitrogen, by dry mass	3270	133
硝化纤维素溶液，易燃，按干重含氮不大于12.6%，含硝化纤维素不大于55%	Nitrocellulose solution, flammable with not more than 12.6% nitrogen, by dry mass, and not more than 55% nitrocellulose	2059	127
硝基苯	Nitrobenzene	1662	152
硝基苯胺(邻、间、对)	Nitroanilines(*o*-, *m*-, *p*-)	1661	153

续表

中文名称	英文名称	UN 号	指南号
硝基苯酚(邻、间、对)	Nitrophenols(*o*-,*m*-,*p*-)	1663	153
硝基苯磺酸	Nitrobenzenesulphonic acid	2305	153
4-硝基苯肼,按质量计含水不小于30%	4-Nitrophenylhydrazine, with not less than 30% water,by mass	3376	113
硝基苯溴,固体的	Nitrobromobenzenes,solid	3459	152
硝基苯溴,液体的	Nitrobromobenzenes,liquid	2732	152
硝基丙烷	Nitropropanes	2608	129
硝基二甲苯,固体的	Nitroxylenes,solid	3447	152
硝基二甲苯,液体的	Nitroxylenes,liquid	1665	152
硝基胍(橄苦岩),湿的,按质量计含水不低于20%	Nitroguanidine(picrite),wetted with no less than 20% water,by mass	1336	113
硝基茴香醚,固体的	Nitroanisoles,solid	3458	152
硝基茴香醚,液体的	Nitroanisoles,liquid	2730	152
硝基甲苯,固体的	Nitrotoluenes,solid	3446	152
硝基甲苯,液体的	Nitrotoluenes,liquid	1664	152
硝基甲苯酚,固体的	Nitrocresols,solid	2446	153
硝基甲苯酚,液体的	Nitrocresols,liquid	3434	153
硝基甲烷	Nitromethane	1261	129
硝基氯苯,固体的	Chloronitrobenzenes,solid	1578	152
硝基氯苯,液体的	Chloronitrobenzenes,liquid	3409	152
硝基氯苯胺	Chloronitroanilines	2237	153
硝基氯甲苯,固体的	Chloronitrotoluenes,solid	3457	152
硝基氯甲苯,液体的	Chloronitrotoluenes,liquid	2433	152

续表

中文名称	英文名称	UN号	指南号
3-硝基-4-氯三氟甲基苯	3-Nitro-4-chlorobenzotrifluoride	2307	152
硝基萘	Nitronaphthalene	2538	133
硝基三氟甲苯，固体的	Nitrobenzotrifluorides，solid	3431	152
硝基三氟甲苯，液体的	Nitrobenzotrifluorides，liquid	2306	152
硝基乙烷	Nitroethane	2842	129
硝酸，发红烟的	Nitric acid，red fuming	2032	157
硝酸，发红烟的除外	Nitric acid，other than red fuming	2031	157
硝酸铵，含可燃物质总量不大于0.2%，包括以碳计算的任何有机物质，但不包括任何其他添加物质	Ammonium nitrate with not more than 0.2% combustible substances，including any organic substance calculated as carbon，to the exclusion of any other added substance	1942	140
硝酸铵，液体的（热浓溶液）	Ammonium nitrate，liquid (hot concentrated solution)	2426	140
硝酸铵基化肥	Ammonium nitrate based fertilizers	2067	140
硝酸铵基化肥	Ammonium nitrate based fertilizers	2071	140
硝酸铵乳胶、悬浮体或凝胶，爆破炸药的中间体	Ammonium nitrate emulsion or suspension or gel，intermediate for blasting explosives	3375	140
硝酸钡	Barium nitrate	1446	141
硝酸苯汞	Phenylmercuric nitrate	1895	151
硝酸钙	Calcium nitrate	1454	140

续表

中文名称	英文名称	UN号	指南号
硝酸锆	Zirconium nitrate	2728	140
硝酸铬	Chromium nitrate	2720	141
硝酸汞	Mercuric nitrate	1625	141
硝酸胍	Guanidine nitrate	1467	143
硝酸钾	Potassium nitrate	1486	140
硝酸钾和亚硝酸钠混合物	Potassium nitrate and sodium nitrite mixture	1487	140
硝酸锂	Lithium nitrate	2722	140
硝酸铝	Aluminum nitrate	1438	140
硝酸镁	Magnesium nitrate	1474	140
硝酸锰	Manganese nitrate	2724	140
硝酸钠	Sodium nitrate	1498	140
硝酸钠和硝酸钾混合物	Sodium nitrate and potassium nitrate mixture	1499	140
硝酸脲,湿的,按质量计含水不低于10%	Urea nitrate, wetted, with not less than 10% water by mass	3370	113
硝酸脲,湿的,按质量计含水不低于20%	Urea nitrate, wetted with not less than 20% water, by mass	1357	113
硝酸镍	Nickel nitrate	2725	140
硝酸钕镨	Didymium nitrate	1465	140
硝酸铍	Beryllium nitrate	2464	141
硝酸铅	Lead nitrate	1469	141
硝酸铯	Caesium nitrate	1451	140
硝酸锶	Strontium nitrate	1507	140

续表

中文名称	英文名称	UN 号	指南号
硝酸铊	Thallium nitrate	2727	141
硝酸铁	Ferric nitrate	1466	140
硝酸戊酯	Amyl nitrate	1112	128
硝酸锌	Zinc nitrate	1514	140
硝酸亚汞	Mercurous nitrate	1627	141
硝酸盐，无机的，水溶液，未另作规定的	Nitrates, inorganic, aqueous solution, n. o. s.	3218	140
硝酸盐，无机的，未另作规定的	Nitrates, inorganic, n. o. s.	1477	140
硝酸异丙酯	Isopropyl nitrate	1222	130
硝酸银	Silver nitrate	1493	140
硝酸正丙酯	*n*-Propyl nitrate	1865	128
辛二烯	Octadiene	2309	128P
辛基三氯硅烷	Octyltrichlorosilane	1801	156
辛醛	Octyl aldehydes	1191	129
辛烷	Octanes	1262	128
锌粉或锌粉尘	Zinc powder or zinc dust	1436	138
锌灰	Zinc ashes	1435	138
B 型有机过氧化物，固体的	Organic peroxide type B, solid	3102	146
C 型有机过氧化物，固体的	Organic peroxide type C, solid	3104	146
D 型有机过氧化物，固体的	Organic peroxide type D, solid	3106	145
E 型有机过氧化物，固体的	Organic peroxide type E, solid	3108	145

续表

中文名称	英文名称	UN号	指南号
F型有机过氧化物，固体的	Organic peroxide type F,solid	3110	145
B型有机过氧化物，固体的，控制温度的	Organic peroxide type B,solid,temperature controlled	3112	148
C型有机过氧化物，固体的，控制温度的	Organic peroxide type C,solid,temperature controlled	3114	148
D型有机过氧化物，固体的，控制温度的	Organic peroxide type D,solid,temperature controlled	3116	148
E型有机过氧化物，固体的，控制温度的	Organic peroxide type E,solid,temperature controlled	3118	148
F型有机过氧化物，固体的，控制温度的	Organic peroxide type F,solid,temperature controlled	3120	148
B型有机过氧化物，液体的	Organic peroxide type B,liquid	3101	146
C型有机过氧化物，液体的	Organic peroxidetype C,liquid	3103	146
D型有机过氧化物，液体的	Organic peroxide type D,liquid	3105	145
E型有机过氧化物，液体的	Organic peroxide type E,liquid	3107	145
F型有机过氧化物，液体的	Organic peroxide type F,liquid	3109	145
B型有机过氧化物，液体的，控制温度的	Organic peroxide type B,liquid,temperature controlled	3111	148
C型有机过氧化物，液体的，控制温度的	Organic peroxide type C,liquid,temperature controlled	3113	148
D型有机过氧化物，液体的，控制温度的	Organic peroxide type D,liquid,temperature controlled	3115	148

续表

中文名称	英文名称	UN 号	指南号
E 型有机过氧化物，液体的，控制温度的	Organic peroxide type E, liquid, temperature controlled	3117	148
F 型有机过氧化物，液体的，控制温度的	Organic peroxide type F, liquid, temperature controlled	3119	148
B 型自反应固体	Self-reactive solid, type B	3222	149
C 型自反应固体	Self-reactive solid, type C	3224	149
D 型自反应固体	Self-reactive solid, type D	3226	149
E 型自反应固体	Self-reactive solid, type E	3228	149
F 型自反应固体	Self-reactive solid, type F	3230	149
B 型自反应固体，控制温度的	Self-reactive solid, type B, temperature controlled	3232	150
C 型自反应固体，控制温度的	Self-reactive solid, type C, temperature controlled	3234	150
D 型自反应固体，控制温度的	Self-reactive solid, type D, temperature controlled	3236	150
E 型自反应固体，控制温度的	Self-reactive solid, type E, temperature controlled	3238	150
F 型自反应固体，控制温度的	Self-reactive solid, type F, temperature controlled	3240	150
B 型自反应液体	Self-reactive liquid, type B	3221	149
C 型自反应液体	Self-reactive liquid, type C	3223	149
D 型自反应液体	Self-reactive liquid, type D	3225	149
E 型自反应液体	Self-reactive liquid, type E	3227	149
F 型自反应液体	Self-reactive liquid, type F	3229	149
B 型自反应液体，控制温度的	Self-reactive liquid, type B, temperature controlled	3231	150

续表

中文名称	英文名称	UN号	指南号
C型自反应液体，控制温度的	Self-reactive liquid, type C, temperature controlled	3233	150
D型自反应液体，控制温度的	Self-reactive liquid, type D, temperature controlled	3235	150
E型自反应液体，控制温度的	Self-reactive liquid, type E, temperature controlled	3237	150
F型自反应液体，控制温度的	Self-reactive liquid, type F, temperature controlled	3239	150
溴苯	Bromobenzene	2514	130
溴苄基氰，固体的	Bromobenzyl cyanides, solid	3449	159
溴苄基氰，液体的	Bromobenzyl cyanides, liquid	1694	159
3-溴丙炔	3-Bromopropyne	2345	130
溴丙酮	Bromoacetone	1569	131
溴丙烷	Bromopropanes	2344	129
1-溴丁烷	1-Bromobutane	1126	130
2-溴丁烷	2-Bromobutane	2339	130
溴仿	Bromoform	2515	159
溴化汞	Mercury bromides	1634	154
溴化甲基镁的乙醚溶液	Methyl magnesium bromide in ethyl ether	1928	138
溴化铝，无水的	Aluminum bromide, anhydrous	1725	137
溴化铝溶液	Aluminium bromide solution	2580	154
溴化氢，无水的	Hydrogen bromide, anhydrous	1048	125
溴化氰	Cyanogen bromide	1889	157

续表

中文名称	英文名称	UN号	指南号
溴化砷	Arsenic bromide	1555	151
溴或溴溶液	bromine or bromine solution	1744	154
溴甲基丙烷	Bromomethylpropanes	2342	130
1-溴-3-甲基丁烷	1-Bromo-3-methylbutane	2341	130
1-溴-3-氯丙烷	1-Bromo-3-chloropropropane	2688	159
溴氯甲烷	Bromochloromethane	1887	160
溴三氟甲烷(制冷气体 R 13B1)	Bromotrifluoroethane (Refrigerant gas R 13B1)	1009	126
溴三氟乙烯	Bromotrifluoroethylene	2419	116
溴酸钡	Barium bromate	2719	141
溴酸钾	Potassium bromate	1484	140
溴酸镁	Magnesium bromate	1473	140
溴酸钠	Sodium bromate	1494	140
溴酸锌	Zinc bromate	2469	140
溴酸盐,无机的,水溶液,未另作规定的	Bromates,inorganic,aqueous solution,n. o. s.	3213	140
溴酸盐,无机的,未另作规定的	Bromates,inorganic,n. o. s.	1450	140
2-溴戊烷	2-Bromopentane	2343	130
2-溴-2-硝基丙烷-1,3-二醇	2-Bromo-2-nitropropane-1,3-diol	3241	133
2-溴乙基乙基醚	2-Bromoethyl ethyl ether	2340	130
溴乙酸,固体的	Bromoacetic acid,solid	3425	156
溴乙酸甲酯	Methyl bromoacetate	2643	153
溴乙酸溶液	Bromoacetic acid solution	1938	156

续表

中文名称	英文名称	UN 号	指南号
溴乙酸乙酯	Ethyl bromoacetate	1603	155
溴乙酰溴	Bromoacetyl bromide	2513	156
蓄电电池组,干的,含有固体氢氧化钾	Batteries, dry, containing potassium hydroxide, solid, electric storage	3028	154
蓄电电池组,湿的,密封的	Batteries, wet, non-spillable, electric storage	2800	154
蓄电电池组,湿的,装有碱液	Batteries, wet, filled with alkali, electric storage	2795	154
蓄电电池组,湿的,装有酸液	Batteries, wet, filled with acid, electric storage	2794	154
熏蒸过的货物运输单元	Fumigated cargo transport unit	3359	171
Y			
压缩气体,毒性,腐蚀性,未另作规定的	Compressed gas, toxic, corrosive, n. o. s.	3304	125
压缩气体,毒性,未另作规定的	Compressed gas, toxic, n. o. s.	1955	123
压缩气体,毒性,氧化性,腐蚀性,未另作规定的	Compressed gas, toxic, oxidizing, corrosive, n. o. s.	3306	124
压缩气体,毒性,氧化性,未另作规定的	Compressed gas, toxic, oxidizing, n. o. s.	3303	124
压缩气体,毒性,易燃,腐蚀性,未另作规定的	Compressed gas, toxic, flammable, corrosive, n. o. s.	3305	119
压缩气体,毒性,易燃,未另作规定的	Compressed gas, toxic, flammable, n. o. s.	1953	119
压缩气体,未另作规定的	Compressed gas, n. o. s.	1956	126
压缩气体,氧化性,未另作规定的	Compressed gas, oxidizing, n. o. s.	3156	122

续表

中文名称	英文名称	UN号	指南号
压缩气体,易燃,未另作规定的	Compressed gas,flammable,n. o. s	1954	115
3,3′-亚氨基二丙胺(三丙撑三胺)	3,3′-Iminodipropylamine	2269	153
亚磷酸	Phosphorus acid	2834	154
亚磷酸二氢铅	Lead phosphite,dibasic	2989	133
亚磷酸三甲酯	Trimethyl phosphite	2329	130
亚磷酸三乙酯	Triethyl phosphite	2323	130
亚硫酸	Sulphurous acid	1833	154
亚硫酰氯	Thionyl chloride	1836	137
亚氯酸钙	Calcium chlorite	1453	140
亚氯酸钠	Sodium chlorite	1496	143
亚氯酸盐,无机的,未另作规定的	Chlorites,inorganic,n. o. s.	1462	143
亚氯酸盐溶液	Chlorite solution	1908	154
亚砷酸钾	Potassium arsenite	1678	154
亚砷酸钠,固体的	Sodium arsenite,solid	2027	151
亚砷酸钠水溶液	Sodium arsenite,aqueous solution	1686	154
亚砷酸铅	Lead arsenites	1618	151
亚砷酸锶	Strontium arsenite	1691	151
亚砷酸铁	Ferric arsenite	1607	151
亚砷酸铜	Copper arsenite	1586	151
亚砷酸银	Silver arsenite	1683	151
亚硝基硫酸,固体的	Nitrosylsulphuric acid,solid	3456	157

续表

中文名称	英文名称	UN号	指南号
亚硝基硫酸,液体的	Nitrosylsulphuric acid,liquid	2308	157
亚硝酸丁酯	Butyl nitrites	2351	129
亚硝酸二环己胺	Dicyclohexylammonium nitrite	2687	133
亚硝酸甲酯	Methyl nitrite	2455	116
亚硝酸钾	Potassium nitrite	1488	140
亚硝酸钠	Sodium nitrite	1500	141
亚硝酸镍	Nickel nitrite	2726	140
亚硝酸戊酯	Amyl nitrite	1113	129
亚硝酸锌铵	Zinc ammonium nitrite	1512	140
亚硝酸盐,无机的,水溶液,未另作规定的	Nitrites, inorganic, aqueous solution,n. o. s.	3219	140
亚硝酸盐,无机的,未另作规定的	Nitrites,inorganic,n. o. s.	2627	140
亚硝酸乙酯溶液	Ethyl nitrite,solution	1194	131
亚异丙基丙酮	Mesityl oxide	1229	129
氩,冷冻液体	Argon,refrigerated liquid	1951	120
氩气,压缩的	Argon,compressed	1006	120
烟碱	Nicotine	1654	151
烟碱化合物,固体的,未另作规定的;或烟碱制剂,固体的,未另作规定的	Nicotine compound, solid, n. o. s. ,or nicotine preparation,solid,n. o. s.	1655	151
烟碱化合物,液体的,未另作规定的;或液态烟碱制剂,未另作规定的	Nicotine compound, liquid, n. o. s. ,or nicotine preparation,liquid,n. o. s.	3144	151
烟幕弹,非爆炸性,含腐蚀性液体,不带引爆装置	Bombs, smoke, non-explosive with corrosive liquid, without initiating device	2028	153

续表

中文名称	英文名称	UN 号	指南号
烟雾剂	Aerosols	1950	126
盐酸苯胺	Aniline hydrochloride	1548	153
盐酸烟碱,固体的	Nicotine hydrochloride, solid	3444	151
盐酸烟碱,液体的或盐酸烟碱溶液	Nicotine hydrochloride, liquid or solution	1656	151
盐酸盐对氯邻甲苯胺,固体的	4-Chloro-*o*-toluidine hydrochloride, solid	1579	153
盐酸盐对氯邻甲苯胺溶液	4-Chloro-*o*-toluidine hydrochloride solution	3410	153
羊毛废料,湿的	Wool waste, wet	1387	133
氧化钡	Barium oxide	1884	157
氧化丙烯	Propylene oxide	1280	127P
氧化钙	Calcium oxide	1910	157
氧化汞	Mercury oxide	1641	151
氧化钾	Potassium monoxide	2033	154
氧化钠	Sodium monoxide	1825	157
氧化三-(1-氮丙啶基)膦溶液	Tris-(1-aziridinyl) phosphine oxide solution	2501	152
氧化性固体,毒性,未另作规定的	Oxidizing solid, toxic, n. o. s.	3087	141
氧化性固体,腐蚀性,未另作规定的	Oxidizing solid, corrosive, n. o. s.	3085	140
氧化性固体,未另作规定的	Oxidizing solid, n. o. s.	1479	140
氧化性固体,易燃,未另作规定的	Oxidizing solid, flammable, n. o. s.	3137	140

第二部分 索引表

续表

中文名称	英文名称	UN 号	指南号
氧化性固体，遇水反应的，未另作规定的	Oxidizing solid, water-reactive, n. o. s.	3121	144
氧化性固体，自热的，未另作规定的	Oxidizing solid, self-heating, n. o. s.	3100	135
氧化性液体，毒性，未另作规定的	Oxidizing liquid, toxic, n. o. s.	3099	142
氧化性液体，腐蚀性，未另作规定的	Oxidizing liquid, corrosive, n. o. s.	3098	140
氧化性液体，未另作规定的	Oxidizing liquid, n. o. s.	3139	140
氧化亚氮	Nitrous oxide	1070	122
氧化亚氮，冷冻液体	Nitrous oxide, refrigerated liquid	2201	122
氧气，冷冻液体	Oxygen, refrigerated liquid	1073	122
氧气，压缩的	Oxygen, compressed	1072	122
药品，固体的，毒性，未另作规定的	Medicine, solid, toxic, n. o. s.	3249	151
药品，液体的，易燃，毒性，未另作规定的	Medicine, liquid, flammable, toxic, n. o. s.	3248	131
药用酊剂	Tinctures, medicinal	1293	127
椰肉干	Copra	1363	135
页岩油	Shale oil	1288	128
液化气体，毒性，腐蚀性，未另作规定的	Liquefied gas, toxic, corrosive, n. o. s.	3308	125
液化气体，毒性，未另作规定的	Liquefied gas, toxic, n. o. s.	3162	123
液化气体，毒性，氧化性，腐蚀性，未另作规定的	Liquefied gas, toxic, oxidizing, corrosive, n. o. s.	3310	124

续表

中文名称	英文名称	UN号	指南号
液化气体，毒性，氧化性，未另作规定的	Liquefied gas, toxic, oxidizing, n. o. s.	3307	124
液化气体，毒性，易燃，腐蚀性，未另作规定的	Liquefied gas, toxic, flammable, corrosive, n. o. s.	3309	119
液化气体，毒性，易燃，未另作规定的	Liquefied gas, toxic, flammable, n. o. s.	3160	119
液化气体，非易燃，充有氮、二氧化碳或空气	Liquefied gases, non-flammable, charged with nitrogen, carbon dioxide or air	1058	120
液化气体，未另作规定的	Liquefied gas, n. o. s.	3163	126
液化气体，氧化性，未另作规定的	Liquefied gas, oxidizing, n. o. s.	3157	122
液化气体，易燃，未另作规定的	Liquefied gas, flammable, n. o. s.	3161	115
液化烃类气体混合物，未另作规定的	Hydrocarbon gas mixture, liquefied, n. o. s.	1965	115
一氯化碘，固体的	Iodine monochloride, solid	1792	157
一氯化碘，液体的	Iodine monochloride, liquid	3498	157
一硝基甲苯胺	Nitrotoluidines(mono)	2660	153
一氧化氮，压缩的	Nitric oxide, compressed	1660	124
一氧化氮和四氧化二氮混合物（一氧化氮和二氧化氮混合物）	Nitric oxide and dinitrogen tetroxide mixture (nitric oxide and nitrogen dioxide mixture)	1975	124
一氧化碳，压缩的	Carbon monoxide, compressed	1016	119
医疗废弃物，类别A，对人感染，固体的；或医疗废弃物，类别A，只对动物感染，固体的	Medical waste, category A, affecting humans, solid or medical waste, category A, affecting animals only, solid	3549	158

第二部分 索引表

续表

中文名称	英文名称	UN号	指南号
医药,液体的,毒性,未另作规定的	Medicine, liquid, toxic, n. o. s.	1851	151
医院诊所废弃物,未具体说明的,未另作规定的;或(生物)医学废弃物,未另作规定的;或管制的医学废弃物,未另作规定的	Clinical waste, unspecified, n. o. s., or (bio) medical waste, n. o. s., or regulated medical waste, n. o. s.	3291	158
乙胺	Ethylamine	1036	118
乙胺水溶液,乙胺含量50%～70%	Ethylamine, aqueous solution with not less than 50% but not more than 70% ethylamine	2270	132
乙苯	Ethylbenzene	1175	130
N-乙苄基甲苯胺,固体的	*N*-Ethylbenzyltoluidines, solid	3460	153
N-乙苄基甲苯胺,液体的	*N*-Ethylbenzyltoluidines, liquid	2753	153
乙撑亚胺(亚乙基乙胺),稳定的	Ethyleneimine, stabilized	1185	131P
乙醇(酒精)或乙醇溶液(酒精溶液)	Ethanol (ethyl alcohol) or ethanol solution (ethyl alcohol solution)	1170	127
乙醇胺或乙醇胺溶液	Ethanolamine or ethanolamine solution	2491	153
乙醇和汽油混合物,乙醇含量大于10%	Ethanol and gasoline mixture, with more than 10% ethanol	3475	127
1,2-乙二胺(乙撑二胺)	Ethylenediamine	1604	132
乙二醇二乙醚	Ethylene glycol diethyl ether	1153	127

续表

中文名称	英文名称	UN 号	指南号
乙二醇一甲醚	Ethylene glycol monomethyl ether	1188	127
乙二醇一乙醚	Ethylene glycol monoethyl ether	1171	127
乙硅烷	Disilane	3553	116
N-乙基-*N*-苄基苯胺	*N*-Ethyl-*N*-benzylaniline	2274	153
2-乙基苯胺	2-Ethylaniline	2273	153
N-乙基苯胺	*N*-Ethylaniline	2272	153
乙基苯基二氯硅烷	Ethylphenyldichlorosilane	2435	156
乙基丙基醚(乙丙醚)	Ethyl propyl ether	2615	127
2-乙基丁醇	2-Ethylbutanol	2275	129
乙基丁基醚	Ethyl butyl ether	1179	127
2-乙基丁醛	2-Ethylbutyraldehyde	1178	130
乙基二氯硅烷	Ethyldichlorosilane	1183	139
乙基二氯胂	Ethyldichloroarsine	1892	151
乙基氟(制冷气体 R 161)	Ethyl fluoride (Refrigerant gas R 161)	2453	115
2-乙基己胺	2-Ethylhexylamine	2276	132
N-乙基甲苯胺	*N*-Ethyltoluidines	2754	153
乙基甲基酮(甲乙酮)	Ethyl methyl ketone(methyl ethyl ketone)	1193	127
乙基氯	Ethyl chloride	1037	115
1-乙基哌啶	1-Ethylpiperidine	2386	132
乙基三氯硅烷	Ethyltrichlorosilane	1196	155
乙基戊基酮(乙戊酮)	Ethyl amyl ketone	2271	128
乙基溴	Ethyl bromide	1891	131

续表

中文名称	英文名称	UN号	指南号
乙基乙炔,稳定的	Ethylacetylene, stabilized	2452	116P
乙腈	Acetonitrile	1648	127
乙硫醇	Ethyl mercaptan	2363	129
乙硼烷	Diborane	1911	119
乙醛	Acetaldehyde	1089	129P
乙醛合氨	Acetaldehyde ammonia	1841	171
乙醛肟	Acetaldehyde oxime	2332	129
乙炔,溶解的	Acetylene, dissolved	1001	116
乙炔,无溶剂	Acetylene, solvent free	3374	116
乙酸-2-乙基丁酯	2-Ethylbutylacetate	1177	130
乙酸苯汞	Phenylmercuric acetate	1674	151
乙酸丁酯	Butyl acetates	1123	129
乙酸酐	Acetic anhydride	1715	137
乙酸汞(醋酸汞)	Mercury acetate	1629	151
乙酸环己酯	Cyclohexyl acetate	2243	130
乙酸甲基戊酯	Methylamyl acetate	1233	130
乙酸甲酯	Methyl acetate	1231	129
乙酸溶液,按质量计含酸10%~80%	Acetic acid solution, more than 10% but not more than 80% acid, by mass	2790	153
乙酸戊酯	Amyl acetates	1104	129
乙酸烯丙酯	Allyl acetate	2333	131
乙酸乙二醇一甲醚酯	Ethylene glycol monomethyl ether acetate	1189	129
乙酸乙二醇一乙醚酯	Ethylene glycol monoethyl ether acetate	1172	129

续表

中文名称	英文名称	UN号	指南号
乙酸乙烯酯，稳定的	Vinyl acetate, stabilized	1301	129P
乙酸乙酯	Ethyl acetate	1173	129
乙酸异丙烯酯	Isopropenyl acetate	2403	129P
乙酸异丙酯	Isopropyl acetate	1220	129
乙酸异丁酯	Isobutyl acetate	1213	129
乙酸正丙酯	*n*-Propyl acetate	1276	129
乙缩醛	Acetal	1088	127
乙烷	Ethane	1035	115
乙烷，冷冻液体	Ethane, refrigerated liquid	1961	115
乙烯	Ethylene	1962	116P
乙烯，冷冻液体	Ethylene, refrigerated liquid	1038	115
乙烯、乙炔和丙烯混合物，冷冻液体，含乙烯至少71.5%，乙炔不多于22.5%，丙烯不多于6%	Ethylene, acetylene and propylene in mixture, refrigerated liquid containing at least 71.5% ethylene with not more than 22.5% acetylene and not more than 6% propylene	3138	115
乙烯叉二氯（亚乙烯基二氯），稳定的	Vinylidene chloride, stabilized	1303	130P
乙烯基吡啶，稳定的	Vinyl pyridines, stabilized	3073	131P
乙烯基丁基醚，稳定的	Butyl vinyl ether, stabilized	2352	127P
乙烯基氟，稳定的	Vinyl fluoride, stabilized	1860	116P
乙烯基甲苯，稳定的	Vinyltoluenes, stabilized	2618	130P
乙烯基甲基醚，稳定的	Vinyl methyl ether, stabilized	1087	116P

续表

中文名称	英文名称	UN号	指南号
乙烯基氯，稳定的	Vinyl chloride, stabilized	1086	116P
乙烯基三氯硅烷，稳定的	Vinyltrichlorosilane, stabilized	1305	155P
乙烯基溴，稳定的	Vinyl bromide, stabilized	1085	116P
乙烯基乙基醚，稳定的	Vinyl ethyl ether, stabilized	1302	127P
乙烯基异丁基醚，稳定的	Vinyl isobutyl ether, stabilized	1304	127P
乙酰碘	Acetyl iodide	1898	156
乙酰甲基甲醇	Acetyl methyl carbinol	2621	127
乙酰氯	Acetyl chloride	1717	155
乙酰溴	Acetyl bromide	1716	156
乙酰亚砷酸铜	Copper acetoarsenite	1585	151
以锂离子电池组为动力的车辆	Vehicle, lithium ion battery powered	3556	147
以锂金属电池组为动力的车辆	Vehicle, lithium metal battery powered	3557	138
以钠离子电池组为动力的车辆	Vehicle, sodium ion battery powered	3558	147
以烃类气体作能源的小型装置或小型装置的烃类气体充气罐，带有释放装置	Devices, small, hydrocarbon gas powered or hydrocarbon gas refills for small devices with release device	3150	115
异丙胺	Isopropylamine	1221	132
异丙醇	Isopropanol (isopropyl alcohol)	1219	129
异丙基苯	Isopropylbenzene	1918	130
异丙烯基苯	Isopropenylbenzene	2303	128

续表

中文名称	英文名称	UN号	指南号
异丁胺	Isobutylamine	1214	132
异丁醇	Isobutanol(isobutyl alcohol)	1212	129
异丁腈	Isobutyronitrile	2284	131
异丁醛	Isobutyraldehyde (isobutyl aldehyde)	2045	130
异丁酸	Isobutyric acid	2529	132
异丁酸乙酯	Ethyl isobutyrate	2385	129
异丁酸异丙酯	Isopropyl isobutyrate	2406	127
异丁酸异丁酯	Isobutyl isobutyrate	2528	130
异丁烷	Isobutane	1969	115
异丁烯	Isobutylene	1055	115
异丁酰氯	Isobutyryl chloride	2395	155
异佛尔酮二胺	Isophoronediamine	2289	153
异庚烯	Isoheptenes	2287	128
异己烯	Isohexenes	2288	128
异硫氰酸甲酯	Methyl isothiocyanate	2477	131
异硫氰酸烯丙酯,稳定的	Allyl isothiocyanate, stabilized	1545	131
异氰酸3-氯-4-甲基苯酯,固体的	3-Chloro-4-methylphenyl isocyanate,solid	3428	156
异氰酸3-氯-4-甲基苯酯,液体的	3-Chloro-4-methylphenyl isocyanate,liquid	2236	156
异氰酸苯酯	Phenyl isocyanate	2487	155
异氰酸二氯苯酯	Dichlorophenyl isocyanates	2250	156
异氰酸环己酯	Cyclohexyl isocyanate	2488	155
异氰酸甲氧基甲酯	Methoxymethyl isocyanate	2605	155

第二部分 索引表

续表

中文名称	英文名称	UN 号	指南号
异氰酸甲酯	Methyl isocyanate	2480	155P
异氰酸三氟甲基苯酯	Isocyanatobenzotrifluorides	2285	155
异氰酸叔丁酯	*Tert*-butyl isocyanate	2484	155
异氰酸盐(酯),毒性,未另作规定的;或异氰酸盐(酯)溶液,毒性,未另作规定的	Isocyanates, toxic, n. o. s. or isocyanate solution, toxic, n. o. s.	2206	156
异氰酸乙酯	Ethyl isocyanate	2481	155
异氰酸异丙酯	Isopropyl isocyanate	2483	155P
异氰酸异丁酯	Isobutyl isocyanate	2486	155P
异氰酸正丙酯	*n*-Propyl isocyanate	2482	155P
异氰酸正丁酯	*n*-Butyl isocyanate	2485	155P
异氰酸酯,毒性,易燃,未另作规定的;或异氰酸酯溶液,毒性,易燃,未另作规定的	Isocyanates, toxic, flammable, n. o. s. or isocyanate solution, toxic, flammable, n. o. s.	3080	155
异氰酸酯,易燃,毒性,未另作规定的;或异氰酸酯溶液,易燃,毒性,未另作规定的	Isocyanates, flammable, toxic, n. o. s. or isocyanate solution, flammable, toxic, n. o. s.	2478	155
异山梨醇-5-一硝酸酯	Isosorbide-5-mononitrate	3251	133
异山梨醇二硝酸酯混合物,含有不小于60%的乳糖、甘露糖、淀粉或磷酸氢钙	Isosorbide dinitrate mixture, with not less than 60% lactose, mannose, starch or calcium hydrogen phosphate	2907	133
异戊二烯,稳定的	Isoprene, stabilized	1218	130P
异戊酸甲酯	Methyl isovalerate	2400	130
异戊烯	Isopentenes	2371	128

续表

中文名称	英文名称	UN号	指南号
异辛烯	Isooctenes	1216	128
易燃固体，毒性，无机的，未另作规定的	Flammable solid，toxic，inorganic，n. o. s.	3179	134
易燃固体，毒性，有机的，未另作规定的	Flammable solid，toxic，organic，n. o. s.	2926	134
易燃固体，腐蚀性，无机的，未另作规定的	Flammable solid，corrosive，inorganic，n. o. s.	3180	134
易燃固体，腐蚀性，有机的，未另作规定的	Flammable solid，corrosive，organic，n. o. s.	2925	134
易燃固体，无机的，未另作规定的	Flammable solid，inorganic，n. o. s.	3178	133
易燃固体，氧化性，未另作规定的	Flammable solid，oxidizing，n. o. s.	3097	140
易燃固体，有机的，熔融的，未另作规定的	Flammable solid，organic，molten，n. o. s.	3176	133
易燃固体，有机的，未另作规定的	Flammable solid，organic，n. o. s.	1325	133
易燃气体动力车辆，或易燃气体燃料电池动力车辆	Vehicle，flammable gas powered or vehicle，fuel cell，flammable gas powered	3166	115
易燃液体，毒性，腐蚀性，未另作规定的	Flammable liquid，toxic，corrosive，n. o. s.	3286	131
易燃液体，毒性，未另作规定的	Flammable liquid，toxic，n. o. s.	1992	131
易燃液体，腐蚀性，未另作规定的	Flammable liquid，corrosive，n. o. s.	2924	132
易燃液体，未另作规定的	Flammable liquid，n. o. s.	1993	128
易燃液体动力车辆，或易燃液体燃料电池动力车辆	Vehicle，flammable liquid powered or vehicle，fuel cell，flammable liquid powered	3166	128

续表

中文名称	英文名称	UN 号	指南号
印刷油墨,易燃,或印刷油墨相关材料(包括印刷油墨稀释剂或还原剂),易燃	Printing ink, flammable or Printing ink related material (including printing ink thinning or reducing compound), flammable	1210	129
油气,压缩的	Oil gas, compressed	1071	119
油酸汞	Mercury oleate	1640	151
有机电解质钠离子电池组	Sodium ion batteries with organic lectrolyte	3551	147
有机化合物的金属盐,易燃,未另作规定的	Metal salts of organic compounds, flammable, n. o. s.	3181	133
有机金属化合物,毒性,固体的,未另作规定的	Organometallic compound, toxic, solid, n. o. s.	3467	151
有机金属化合物,液体的,毒性,未另作规定的	Organometallic compound, liquid, toxic, n. o. s.	3282	151
有机金属物质,固体的,发火的	Organometallic substance, solid, pyrophoric	3391	135
有机金属物质,固体的,发火的,遇水反应的	Organometallic substance, solid, pyrophoric, water-reactive	3393	135
有机金属物质,固体的,遇水反应的	Organometallic substance, solid, water-reactive	3395	135
有机金属物质,固体的,遇水反应的,易燃	Organometallic substance, solid, water-reactive, flammable	3396	138
有机金属物质,固体的,遇水反应的,自热的	Organometallic substance, solid, water-reactive, self-heating	3397	138
有机金属物质,固体的,自热的	Organometallic substance, solid, self-heating	3400	138

续表

中文名称	英文名称	UN号	指南号
有机金属物质,液体的,发火的	Organometallic substance, liquid, pyrophoric	3392	135
有机金属物质,液体的,发火的,遇水反应的	Organometallic substance, liquid, pyrophoric, water-reactive	3394	135
有机金属物质,液体的,遇水反应的	Organometallic substance, liquid, water-reactive	3398	135
有机金属物质,液体的,遇水反应的,易燃	Organometallic substance, liquid, water-reactive, flammable	3399	138
有机磷化合物,毒性,固体的,未另作规定的	Organophosphorus compound, toxic, solid, n. o. s.	3464	151
有机磷化合物,毒性,液体的,未另作规定的	Organophosphorus compound, toxic, liquid, n. o. s.	3278	151
有机磷化合物,毒性,易燃,未另作规定的	Organophosphorus compound, toxic, flammable, n. o. s.	3279	131
有机磷农药,固体的,毒性	Organophosphorus pesticide, solid, toxic	2783	152
有机磷农药,液体的,毒性	Organophosphorus pesticide, liquid, toxic	3018	152
有机磷农药,液体的,毒性,易燃,闪点不低于23℃	Organophosphorus pesticide, liquid, toxic, flammable, flash point not less than 23℃	3017	131
有机磷农药,液体的,易燃,毒性,闪点低于23℃	Organophosphorus pesticide, liquid, flammable, toxic, flash point less than 23℃	2784	131
有机氯农药,固体的,毒性	Organochlorine pesticide, solid, toxic	2761	151
有机氯农药,液体的,毒性	Organochlorine pesticide, liquid, toxic	2996	151

续表

中文名称	英文名称	UN号	指南号
有机氯农药,液体的,毒性,易燃,闪点不低于23℃	Organochlorine pesticide,liquid, toxic, flammable, flash point not less than 23℃	2995	131
有机氯农药,液体的,易燃,毒性,闪点低于23℃	Organochlorine pesticide,liquid, flammable, toxic, flash point less than 23℃	2762	131
有机砷化合物,固体的,未另作规定的	Organoarsenic compound, solid,n. o. s.	3465	151
有机砷化合物,液体的,未另作规定的	Organoarsenic compound, liquid,n. o. s.	3280	151
有机锡化合物,固体的,未另作规定的	Organotin compound, solid, n. o. s.	3146	153
有机锡化合物,液体的,未另作规定的	Organotin compound,liquid, n. o. s.	2788	153
有机锡农药,固体的,毒性	Organotin pesticide, solid, toxic	2786	153
有机锡农药,液体的,毒性	Organotin pesticide, liquid, toxic	3020	153
有机锡农药,液体的,毒性,易燃,闪点不低于23℃	Organotin pesticide, liquid, toxic,flammable,flash point not less than 23℃	3019	131
有机锡农药,液体的,易燃,毒性,闪点低于23℃	Organotin pesticide, liquid, flammable,toxic,flash point less than 23℃	2787	131
有机颜料,自热的	Organic pigments, self-heating	3313	135
淤渣硫酸	Sludge acid	1906	153
鱼粉(鱼屑),未加稳定剂的	Fish meal(fish scrap),unstabilized	1374	133

续表

中文名称	英文名称	UN 号	指南号
鱼粉(鱼屑),稳定的	Fish meal(fish scrap),stabilized	2216	171
遇水反应固体,毒性,未另作规定的	Water-reactive solid, toxic, n. o. s.	3134	139
遇水反应固体,腐蚀性,未另作规定的	Water-reactive solid, corrosive, n. o. s.	3131	138
遇水反应固体,未另作规定的	Water-reactive solid, n. o. s.	2813	138
遇水反应固体,氧化性,未另作规定的	Water-reactive solid, oxidizing, n. o. s.	3133	138
遇水反应固体,易燃,未另作规定的	Water-reactive solid, flammable, n. o. s.	3132	138
遇水反应固体,自热的,未另作规定的	Water-reactive solid, self-heating, n. o. s.	3135	138
遇水反应液体,毒性,未另作规定的	Water-reactive liquid, toxic, n. o. s.	3130	139
遇水反应液体,腐蚀性,未另作规定的	Water-reactive liquid, corrosive, n. o. s.	3129	138
遇水反应液体,未另作规定的	Water-reactive liquid, n. o. s.	3148	138
原硅酸甲酯	Methyl orthosilicate	2606	155
原甲酸乙酯	Ethyl orthoformate	2524	129
原钛酸四丙酯	Tetrapropyl orthotitanate	2413	128
Z			
杂醇油	Fusel oil	1201	127
樟脑,合成的	Camphor, synthetic	2717	133
樟脑油	Camphor oil	1130	128

续表

中文名称	英文名称	UN 号	指南号
锗烷	Germane	2192	119
锗烷,吸附的	Germane,adsorbed	3523	173
正丙苯	*n*-Propylbenzene	2364	128
正丙醇	*n*-Propanol(propyl alcohol, normal)	1274	129
正丁胺	*n*-Butylamine	1125	132
N-正丁基咪唑	*N*(*n*-Butyl)-imidazole	2690	152
正庚醛	*n*-Heptaldehyde	3056	129
正庚烯	*n*-Heptene	2278	128
正癸烷	*n*-Decane	2247	128
正甲基戊基酮	*n*-Amyl methyl ketone	1110	127
织物废料,湿的	Textile waste,wet	1857	133
植物纤维,干的	Fibres,vegetable,dry	3360	133
酯类,未另作规定的	Esters,n. o. s.	3272	127
制冷机,含非易燃、无毒气体或氨溶液(UN2672)	Refrigerating machines,containing non-flammable,non-flammable,nontoxic,gases or ammonia solutions(UN2672)	2857	126
制冷机,装有易燃无毒液化气体	Refrigerating machines,containing flammable,non-toxic,liquefied gas	3358	115
制冷气体,未另作规定的	Refrigerant gas,n. o. s.	1078	126
制冷气体 R 404A	Refrigerant gas R 404A	3337	126
制冷气体 R 407A	Refrigerant gas R 407A	3338	126
制冷气体 R 407B	Refrigerant gas R 407B	3339	126
制冷气体 R 407C	Refrigerant gas R 407C	3340	126

续表

中文名称	英文名称	UN号	指南号
种子油饼，含油不大于1.5%，湿度不大于11%	Seed cake with not more than 1.5% oil and not more than 11% moisture	2217	135
种子油饼，含油大于1.5%，含水不大于11%	Seed cake with more than 1.5% oil and not more than 11% moisture	1386	135
仲甲醛	Paraformaldehyde	2213	133
仲乙醛(三聚乙醛)	Paraldehyde	1264	129
重铬酸铵	Ammonium dichromate	1439	141
装气体的小型贮器(蓄气筒)，无释放装置，不能再充气的	Receptacles, small, containing gas (gas cartridges) without a release device, non-refillable	2037	115
装在货运装置中的锂电池组(锂金属电池组)	Lithium batteries installed in cargo transport unit(lithium metal batteries)	3536	138
装在货运装置中的锂电池组(锂离子电池组)	Lithium batteries installed in cargo transport unit(lithium ion batteries)	3536	147
自热固体，毒性，无机的，未另作规定的	Self-heating solid, toxic, inorganic, n. o. s.	3191	136
自热固体，毒性，有机的，未另作规定的	Self-heating solid, toxic, organic, n. o. s.	3128	136
自热固体，腐蚀性，无机的，未另作规定的	Self-heating solid, corrosive, inorganic, n. o. s.	3192	136
自热固体，腐蚀性，有机的，未另作规定的	Self-heating solid, corrosive, organic, n. o. s.	3126	136
自热固体，无机的，未另作规定的	Self-heating solid, inorganic, n. o. s.	3190	135

续表

中文名称	英文名称	UN号	指南号
自热固体,氧化性,未另作规定的	Self-heating solid, oxidizing, n. o. s.	3127	135
自热固体,有机的,未另作规定的	Self-heating solid, organic, n. o. s.	3088	135
自热液体,毒性,无机的,未另作规定的	Self-heating liquid, toxic, inorganic, n. o. s.	3187	136
自热液体,毒性,有机的,未另作规定的	Self-heating liquid, toxic, organic, n. o. s.	3184	136
自热液体,腐蚀性,无机的,未另作规定的	Self-heating liquid, corrosive, inorganic, n. o. s.	3188	136
自热液体,腐蚀性,有机的,未另作规定的	Self-heating liquid, corrosive, organic, n. o. s.	3185	136
自热液体,无机的,未另作规定的	Self-heating liquid, inorganic, n. o. s.	3186	135
自热液体,有机的,未另作规定的	Self-heating liquid, organic, n. o. s.	3183	135

第三节 UN号索引表

UN号	中文名称	英文名称	指南号
—	1.1,1.2,1.3项或1.5项爆炸品	Explosives, division 1.1, 1.2, 1.3 or 1.5	112
—	1.4项或1.6项爆炸品	Explosives, division 1.4 or 1.6	114
1001	乙炔,溶解的	Acetylene, dissolved	116
1002	空气,压缩的	Air, compressed	122

续表

UN号	中文名称	英文名称	指南号
1003	空气,冷冻液体	Air,refrigerated liquid	122
1005	氨,无水的	Ammonia,anhydrous	125
1006	氩气,压缩的	Argon,compressed	120
1008	三氟化硼	Boron trifluoride	125
1009	溴三氟甲烷(制冷气体 R 13B1)	Bromotrifluoroethane(Refrigerant gas R 13B1)	126
1010	丁二烯,稳定的;或丁二烯和碳氢化合物的混合物,稳定的,含丁二烯40%以上	Butadienes, stabilized or butadienes and hydrocarbon mixture, stabilized, containing more than 40% butadienes	116P
1011	丁烷	Butane	115
1012	丁烯	Butylene	115
1013	二氧化碳	Carbon dioxide	120
1016	一氧化碳,压缩的	Carbon monoxide, compressed	119
1017	氯	Chlorine	124
1018	二氟氯甲烷(制冷气体 R 22)	Chlorodifluoromethane (Refrigerant gas R 22)	126
1020	五氟氯乙烷(制冷气体 R 115)	Chloropentafluoroethane (Refrigerant gas R 115)	126
1021	1-氯-1,2,2,2-四氟乙烷(制冷气体 R 124)	1-Chloro-1,2,2,2-tetrafluoroethane(Refrigerant gas R 124)	126
1022	三氟氯甲烷(制冷气体 R 13)	Chlorotrifluoromethane (Refrigerant gas R 13)	126
1023	煤气,压缩的	Coal gas,compressed	119

续表

UN 号	中文名称	英文名称	指南号
1026	氰	Cyanogen	119
1027	环丙烷	Cyclopropane	115
1028	二氯二氟甲烷(制冷气体R 12)	Dichlorodifluoromethane (Refrigerant gas R 12)	126
1029	二氯氟甲烷(制冷气体 R 21)	Dichlorofluoromethane (Refrigerant gas R 21)	126
1030	1,1-二氟乙烷(制冷气体R 152a)	1,1-Difluoroethane(Refrigerant gas R 152a)	115
1032	二甲胺,无水的	Dimethylamine,anhydrous	118
1033	二甲醚	Dimethyl ether	115
1035	乙烷	Ethane	115
1036	乙胺	Ethylamine	118
1037	乙基氯	Ethyl chloride	115
1038	乙烯,冷冻液体	Ethylene, refrigerated liquid	115
1039	甲乙醚	Ethyl methyl ether	115
1040	环氧乙烷,或含氮环氧乙烷,在50℃时最高总压力为1MPa(10bar)	Ethylene oxide, or ethylene oxide with nitrogen up to a total pressure of 1MPa(10bar)at 50℃	119P
1041	环氧乙烷和二氧化碳混合物,环氧乙烷的含量9%~87%	Ethylene oxide and carbon dioxide mixture with more than 9% but not more than 87% ethylene oxide	115
1043	充氨溶液化肥,含有游离氨	Fertilizer, ammoniating solution with free ammonia	125
1044	灭火器,装有压缩或液化气体	Fire extinguishers with compressed or liquefied gas	126

续表

UN 号	中文名称	英文名称	指南号
1045	氟气，压缩的	Fluorine，compressed	124
1046	氦气，压缩的	Helium，compressed	120
1048	溴化氢，无水的	Hydrogen bromide，anhydrous	125
1049	氢气，压缩的	Hydrogen，compressed	115
1050	氯化氢，无水的	Hydrogen chloride，anhydrous	125
1051	氰化氢，稳定的，含水低于3%	Hydrogen cyanide，stabilized containing less than 3% water	117P
1052	氟化氢，无水的	Hydrogen fluoride，anhydrous	125
1053	硫化氢	Hydrogen sulphide	117
1055	异丁烯	Isobutylene	115
1056	氪气，压缩的	Krypton，compressed	120
1057	打火机或打火机加油器，装有易燃气体	Lighters or lighter refills，containing flammable gas	115
1058	液化气体，非易燃，充有氮、二氧化碳或空气	Liquefied gases，non-flammable，charged with nitrogen，carbon dioxide or air	120
1060	甲基乙炔和丙二烯混合物，稳定的	Methylacetylene and propadiene mixture，stabilized	116P
1061	甲胺，无水的	Methylamine，anhydrous	118
1062	甲基溴，含有不超过2%的三氯硝基甲烷	Methyl bromide with not more than 2% chloropicrin	123
1063	甲基氯(制冷气体 R 40)	Methyl chloride(Refrigerant gas R 40)	115

续表

UN 号	中文名称	英文名称	指南号
1064	甲硫醇	Methyl mercaptan	117
1065	氖气,压缩的	Neon,compressed	120
1066	氮气,压缩的	Nitrogen,compressed	120
1067	四氧化二氮(二氧化氮)	Dinitrogen tetroxide (nitrogen dioxide)	124
1069	氯化亚硝酰	Nitrosyl chloride	125
1070	氧化亚氮	Nitrous oxide	122
1071	油气,压缩的	Oil gas,compressed	119
1072	氧气,压缩的	Oxygen,compressed	122
1073	氧气,冷冻液体	Oxygen,refrigerated liquid	122
1075	石油气,液化的	Petroleum gases,liquefied	115
1076	光气	Phosgene	125
1077	丙烯	Propylene	115
1078	制冷气体,未另作规定的	Refrigerant gas,n. o. s.	126
1079	二氧化硫	Sulphur dioxide	125
1080	六氟化硫	Sulphur hexafluoride	126
1081	四氟乙烯,稳定的	Tetrafluoroethylene, stabilized	116P
1082	三氟氯乙烯,稳定的(制冷气体 R 1113)	Trifluorochloroethylene, stabilized(Refrigerant gas R 1113)	119P
1083	三甲胺,无水的	Trimethylamine,anhydrous	118
1085	乙烯基溴,稳定的	Vinyl bromide,stabilized	116P
1086	乙烯基氯,稳定的	Vinyl chloride,stabilized	116P
1087	乙烯基甲基醚,稳定的	Vinyl methyl ether,stabilized	116P

续表

UN号	中文名称	英文名称	指南号
1088	乙缩醛	Acetal	127
1089	乙醛	Acetaldehyde	129P
1090	丙酮	Acetone	127
1091	丙酮油	Acetone oils	127
1092	丙烯醛,稳定的	Acrolein,stabilized	131P
1093	丙烯腈,稳定的	Acrylonitrile,stabilized	131P
1098	烯丙醇	Allyl alcohol	131
1099	烯丙基溴	Allyl bromide	131P
1100	烯丙基氯	Allyl chloride	131P
1104	乙酸戊酯	Amyl acetates	129
1105	戊醇	Pentanols	129
1106	戊胺	Amylamine	132
1107	戊基氯	Amyl chloride	129
1108	1-戊烯(正戊烯)	1-Pentene(*n*-amylene)	127
1109	甲酸戊酯	Amyl formates	129
1110	正甲基·戊基酮	*n*-Amyl Methyl ketone	127
1111	戊硫醇	Amyl mercaptan	130
1112	硝酸戊酯	Amyl nitrate	128
1113	亚硝酸戊酯	Amyl nitrite	129
1114	苯	Benzene	130
1120	丁醇	Butanols	129
1123	乙酸丁酯	Butyl acetates	129
1125	正丁胺	*n*-Butylamine	132
1126	1-溴丁烷	1-Bromobutane	130

续表

UN 号	中文名称	英文名称	指南号
1127	氯丁烷	Chlorobutanes	130
1128	甲酸正丁酯	*n*-Butyl formate	129
1129	丁醛	Butyraldehyde	129P
1130	樟脑油	Camphor oil	128
1131	二硫化碳	Carbon disulphide	131
1133	黏合剂,含易燃液体	Adhesives, containing flammable liquid	128
1134	氯苯	Chlorobenzene	130
1135	2-氯乙醇	Ethylene chlorohydrin	131
1136	煤焦油馏出物,易燃	Coal tar distillates, flammable	128
1139	涂料溶液(包括用于工业或其他用途的表面处理剂或涂料,例如车辆的底漆、圆桶或琵琶桶的面料)	Coating solution (includes surface treatments or coatings used for industrial or other purposes such as vehicle undercoating, drum or barrel lining)	127
1143	丁烯醛,或丁烯醛,稳定的	Crotonaldehyde, or crotonaldehyde, stabilized	131P
1144	巴豆炔	Crotonylene	128
1145	环已烷	Cyclohexane	128
1146	环戊烷	Cyclopentane	128
1147	十氢化萘	Decahydronaphthalene	130
1148	二丙酮醇	Diacetone alcohol	129
1149	二丁醚	Dibutyl ethers	128
1150	1,2-二氯乙烯	1,2-Dichloroethylene	130P

续表

UN号	中文名称	英文名称	指南号
1152	二氯戊烷	Dichloropentanes	130
1153	乙二醇二乙醚	Ethylene glycol diethylether	127
1154	二乙胺	Diethylamine	132
1155	二乙醚(乙醚)	Diethyl ether(ethyl ether)	127
1156	二乙酮	Diethyl ketone	127
1157	二异丁酮	Diisobutyl ketone	128
1158	二异丙胺	Diisopropylamine	132
1159	二异丙醚	Diisopropyl ether	127
1160	二甲胺水溶液	Dimethylamine aqueous solution	132
1161	碳酸二甲酯	Dimethyl carbonate	129
1162	二甲基二氯硅烷	Dimethyldichlorosilane	155
1163	不对称二甲肼	Dimethylhydrazine, unsymmetrical	131
1164	二甲硫	Dimethyl sulphide	130
1165	二噁烷	Dioxane	127
1166	二氧戊环	Dioxolane	127
1167	二乙烯基醚,稳定的	Divinyl ether,stabilized	128P
1169	萃取香料,液体的	Extracts,aromatic,liquid	127
1170	乙醇(酒精)或乙醇溶液(酒精溶液)	Ethanol(ethyl alcohol) or ethanol solution(ethyl alcohol solution)	127
1171	乙二醇一乙醚	Ethylene glycol monoethyl ether	127
1172	乙酸乙二醇一乙醚酯	Ethylene glycol monoethyl ether acetate	129

续表

UN号	中文名称	英文名称	指南号
1173	乙酸乙酯	Ethyl acetate	129
1175	乙苯	Ethylbenzene	130
1176	硼酸乙酯	Ethyl borate	129
1177	乙酸-2-乙基丁酯	2-Ethylbutyl acetate	130
1178	2-乙基丁醛	2-Ethylbutyraldehyde	130
1179	乙基丁基醚	Ethyl butyl ether	127
1180	丁酸乙酯	Ethyl butyrate	130
1181	氯乙酸乙酯	Ethyl chloroacetate	155
1182	氯甲酸乙酯	Ethyl chloroformate	155
1183	乙基二氯硅烷	Ethyldichlorosilane	139
1184	二氯化乙烯	Ethylene dichloride	131
1185	乙撑亚胺(亚乙基乙胺),稳定的	Ethyleneimine,stabilized	131P
1188	乙二醇一甲醚	Ethylene glycol monomethyl ether	127
1189	乙酸乙二醇一甲醚酯	Ethylene glycol monomethyl etheracetate	129
1190	甲酸乙酯	Ethyl formate	129
1191	辛醛	Octyl aldehydes	129
1192	乳酸乙酯	Ethyl lactate	129
1193	乙基甲基酮(甲乙酮)	Ethyl methyl ketone(methyl ethyl ketone)	127
1194	亚硝酸乙酯溶液	Ethyl nitrite,solution	131
1195	丙酸乙酯	Ethyl propionate	129
1196	乙基三氯硅烷	Ethyltrichlorosilane	155

续表

UN号	中文名称	英文名称	指南号
1197	萃取调味剂,液体的	Extracts,flavouring,liquid	127
1198	甲醛溶液,易燃	Formaldehyde solution, flammable	132
1199	糠醛	Furaldehydes	153P
1201	杂醇油	Fusel oil	127
1202	瓦斯油或柴油或轻质燃料油	Gas oil or diesel fuel or heating oil,light	128
1203	车用汽油或汽油	Motor spirit or gasoline or petrol	128
1204	硝化甘油乙醇溶液,含硝化甘油不大于1%	Nitroglycerin solution in alcohol with not more than 1% nitroglycerin	127
1206	庚烷	Heptanes	128
1207	己醛	Hexaldehyde	130
1208	己烷	Hexanes	128
1210	印刷油墨,易燃,或印刷油墨相关材料(包括印刷油墨稀释剂或还原剂),易燃	Printing ink,flammable or printing ink related material(including printing ink thinning or reducing compound),flammable	129
1212	异丁醇	Isobutanol(isobutyl alcohol)	129
1213	乙酸异丁酯	Isobutyl acetate	129
1214	异丁胺	Isobutylamine	132
1216	异辛烯	Isooctenes	128
1218	异戊二烯,稳定的	Isoprene,stabilized	130P
1219	异丙醇	Isopropanol(isopropyl alcohol)	129

续表

UN 号	中文名称	英文名称	指南号
1220	乙酸异丙酯	Isopropyl acetate	129
1221	异丙胺	Isopropylamine	132
1222	硝酸异丙酯	Isopropyl nitrate	130
1223	煤油	Kerosene	128
1224	酮类,液体的,未另作规定的	Ketones,liquid,n. o. s	127
1228	硫醇,液体的,易燃,毒性,未另作规定的;或硫醇混合物,液体的,易燃,毒性,未另作规定的	Mercaptans, liquid, flammable, toxic, n. o. s., or mercaptan mixture, liquid, flammable, toxic, n. o. s.	131
1229	亚异丙基丙酮	Mesityl oxide	129
1230	甲醇	Methanol	131
1231	乙酸甲酯	Methyl acetate	129
1233	乙酸甲基戊酯	Methylamyl acetate	130
1234	甲醛缩二甲醛(甲缩醛)	Methylal	127
1235	甲胺水溶液	Methylamine,aqueous solution	132
1237	丁酸甲酯	Methyl butyrate	129
1238	氯甲酸甲酯	Methyl chloroformate	155
1239	甲基氯甲基醚	Methyl chloromethyl ether	131
1242	甲基二氯硅烷	Methyl dichlorosilane	139
1243	甲酸甲酯	Methyl formate	129
1244	甲基肼	Methyl hydrazine	131
1245	甲基异丁基酮	Methyl isobutyl ketone	127

续表

UN号	中文名称	英文名称	指南号
1246	甲基异丙烯基酮，稳定的	Methyl isopropenyl ketone, stabilized	127P
1247	单体丙烯酸甲酯，稳定的	Methyl methacrylate monomer, stabilized	129P
1248	丙酸甲酯	Methyl propionate	129
1249	甲基丙基酮	Methyl propyl ketone	127
1250	甲基三氯硅烷	Methyl trichlorosilane	155
1251	甲基乙烯基酮，稳定的	Methyl vinyl ketone, stabilized	131P
1259	羰基镍	Nickel carbonyl	131
1261	硝基甲烷	Nitromethane	129
1262	辛烷	Octanes	128
1263	涂料（包括色漆、喷漆、瓷釉、着色剂、虫胶、清漆、抛光剂、液态填料和液态喷漆基料）或涂料的相关材料（包括涂料稀释剂或冲淡剂）	Paint(including paint, lacquer, enamel, stain, shellac, varnish, polish, liquid filler and liquid lacquer base) or paint related material (including paint thinning or reducing compound)	128
1264	仲乙醛（三聚乙醛）	Paraldehyde	129
1265	戊烷，液体的	Pentanes, liquid	128
1266	香料制品，含易燃溶剂	Perfumery products with flammable solvents	127
1267	石油原油	Petroleum crude oil	128
1268	石油馏出物，未另作规定的；或石油产品，未另作规定的	Petroleum distillates, n. o. s., or petroleum products, n. o. s.	128

第二部分 索引表

续表

UN 号	中文名称	英文名称	指南号
1272	松油	Pine oil	129
1274	正丙醇	*n*-Propanol (propyl alcohol,normal)	129
1275	丙醛	Propionaldehyde	129P
1276	乙酸正丙酯	*n*-Propyl acetate	129
1277	丙胺	Propylamine	132
1278	1-氯丙烷	1-Chloropropane	129
1279	1,2-二氯丙烷	1,2-Dichloropropane	130
1280	氧化丙烯	Propyleneoxide	127P
1281	甲酸丙酯	Propyl formates	129
1282	吡啶	Pyridine	129
1286	松香油	Rosin oil	127
1287	橡胶溶液	Rubber solution	127
1288	页岩油	Shale oil	128
1289	甲醇钠的乙醇溶液	Sodium methylate solution in alcohol	132
1292	硅酸四乙酯	Tetraethyl silicate	129
1293	药用酊剂	Tinctures,medicinal	127
1294	甲苯	Toluene	130
1295	三氯硅烷	Trichlorosilane	139
1296	三乙胺	Triethylamine	132
1297	三甲胺水溶液,按质量计含三乙胺不大于50%	Trimethylamine, aqueous solution, not more than 50% trimethylamine, by mass	132
1298	三甲基氯硅烷	Trimethylchlorosilane	155

续表

UN 号	中文名称	英文名称	指南号
1299	松节油	Turpentine	128
1300	松节油代用品	Turpentine substitute	128
1301	乙酸乙烯酯，稳定的	Vinyl acetate, stabilized	129P
1302	乙烯基乙基醚，稳定的	Vinyl ethyl ether, stabilized	127P
1303	乙烯叉二氯(亚乙烯基二氯)，稳定的	Vinylidene chloride, stabilized	130P
1304	乙烯基异丁基醚，稳定的	Vinyl isobutyl ether, stabilized	127P
1305	乙烯基三氯硅烷，稳定的	Vinyltrichlorosilane, stabilized	155P
1306	木材防腐剂，液体的	Wood preservatives, liquid	129
1307	二甲苯	Xylenes	130
1308	锆，悬浮在易燃液体中	Zirconium suspended in a flammable liquid	170
1309	铝粉，有涂层的	Aluminum powder, coated	170
1310	苦味酸铵，湿的，按质量计含水不低于 10%	Ammonium picrate, wetted with not less than 10% water, by mass	113
1312	冰片(龙脑)	Borneol	133
1313	树脂酸钙	Calcium resinate	133
1314	熔凝树脂酸钙	Calcium resinate, fused	133
1318	树脂酸钴，沉淀的	Cobalt resinate, precipitated	133
1320	二硝基苯酚，湿的，按质量计含水不低于 15%	Dinitrophenol, wetted with not less than 15% water, by mass	113

第二部分 索引表

续表

UN号	中文名称	英文名称	指南号
1321	二硝基苯酚盐,湿的,按质量计含水不低于15%	Dinitrophenolates, wetted with not less than 15% water, by mass	113
1322	二硝基间苯二酚,湿的,按质量计含水不低于15%	Dinitroresorcinol, wetted with not less than15% water, by mass	113
1323	铁铈合金	Ferrocerium	170
1324	胶片,以硝化纤维素为基料,涂有明胶的,碎胶片除外	Films, nitrocellulose base, gelatin coated, except scrap	133
1325	易燃固体,有机的,未另作规定的	Flammable solid, organic, n. o. s.	133
1326	铪粉,湿的,含水不低于25%(所含过量水应看得出来) (a)机械方法生产的,粒径小于53μm;(b)化学方法生产的,粒径小于840μm	Hafnium powder, wetted with not less than 25% water (a visible excess of water must be present) (a) mechanically produced, particle size less than 53 microns; (b) chemically produced, particle size less than 840 microns	170
1327	干草,禾秆或碎稻草和稻壳	Hay, Straw or Bhusa	133
1328	环六亚甲基四胺	Hexamethylenetetramine	133
1330	树脂酸锰	Manganese resinate	133
1331	火柴,"可随处划燃"	Matches, "strike anywhere"	133
1332	聚乙醛	Metaldehyde	133
1333	铈,板、锭或棒	Cerium, slabs, ingots or rods	170

续表

UN 号	中文名称	英文名称	指南号
1334	粗制萘或精制萘	Naphthalene, crude, or naphthalene, refined	133
1336	硝基胍(橄苦岩),湿的,按质量计含水不低于20%	Nitroguanidine (picrite), wetted with no less than 20% water, by mass	113
1337	硝化淀粉,湿的,按质量计含水量不低于20%	Nitrostarch, wetted with not less than 20% water, by mass	113
1338	非晶形磷	Phosphorus, amorphous	133
1339	七硫化四磷,不含黄磷和白磷	Phosphorus heptasulphide, free from yellow or white phosphorus	139
1340	五硫化二磷,不含黄磷和白磷	Phosphorus pentasulphide, free from yellow or white phosphorus	139
1341	三硫化四磷,不含黄磷和或白磷	Phosphorus sesquisulphide, free from yellow or white phosphorus	139
1343	三硫化二磷,不含黄磷和白磷	Phosphorus trisulphide, free from yellow or white phosphorus	139
1344	三硝基苯酚(苦味酸),湿的,按质量计含水不低于30%	Trinitrophenol (picric acid), wetted with not less than 30% water, by mass	113
1345	废橡胶或回收橡胶,粉末或颗粒,粒径不超过840μm,橡胶含量超过45%	Rubber scrap or Rubber shoddy, powdered or granulated, not exceeding 840 microns and rubber content exceeding 45%	133

第二部分 索引表

续表

UN号	中文名称	英文名称	指南号
1346	非晶形硅粉	Silicon powder,amorphous	170
1347	苦味酸银,湿的,按质量计含水不低于30%	Silver picrate,wetted with notless than 30% water,by mass	113
1348	二硝基邻甲苯酚钠,湿的,按质量计含水不低于15%	Sodium dinitro-*o*-cresolate,wetted with not less than 15% water,by mass	113
1349	苦氨酸钠,湿的,按质量计含水不低于20%	Sodium picramate,wetted with not less than 20% water,by mass	113
1350	硫	Sulphur	133
1352	钛粉,湿的,含水不低于25%(所含过量水应看得出来) (a)机械方法生产的,粒径小于53μm;(b)化学方法生产的,粒径小于840μm	Titanium powder,wetted with not less than 25% water(a visible excess of water must be present) (a) mechanically produced,particle size less than 53 microns;(b) chemically produced,particle size less than 840 microns	170
1353	纤维或纤维织品,浸过轻度硝化的硝化纤维素,未另作规定的	Fabrics or fabrics impregnated with weakly nitrated Nitrocellulose,n. o. s.	133
1354	三硝基苯,湿的,按质量计含水不低于30%	Trinitrobenzene, wetted with not less than 30% water,by mass	113
1355	三硝基苯甲酸,湿的,按质量计含水不低于30%	Trinitrobenzoic acid,wetted with not less than 30% water,by mass	113

UN 号	中文名称	英文名称	指南号
1356	三硝基甲苯(TNT),湿的,按质量计含水不低于30%	Trinitrotoluene (TNT), wetted with not less than 30% water, by mass	113
1357	硝酸脲,湿的,按质量计含水不低于20%	Urea nitrate, wetted with not lessthan 20% water, by mass	113
1358	锆粉,湿的,含水不低于25% (a)机械方法生产的,粒径小于53μm;(b)化学方法生产的,粒径小于840μm	Zirconium powder, wetted with not less than 25% water(a visible excess of water must be present) (a) mechanically produced, particle size less than 53 microns; (b) chemically produced, particle size less than 840 microns	170
1360	磷化钙	Calcium phosphide	139
1361	碳,来源于动物或植物	Carbon, animal or vegetable origin	133
1362	活性炭	Carbon, activated	133
1363	椰肉干	Copra	135
1364	含油废棉	Cotton waste, oily	133
1365	潮湿棉花	Cotton, wet	133
1369	对二硝基二甲基苯胺	*p*-Nitrosodimethylaniline	135
1372	动物纤维或植物纤维,烧过的,湿的或潮的	Fibers, animal or fibers, vegetable burnt, wet or damp	133
1373	动物或植物或合成的纤维或纤维织品,未另作规定的,含油	Fibres or fabrics, animal or vegetable or synthetic, n. o. s. with oil	133

续表

UN号	中文名称	英文名称	指南号
1374	鱼粉(鱼屑),未加稳定剂的	Fish meal(fish scrap),unstabilized	133
1376	废氧化铁或废海绵状铁,从提纯煤气获得的	Iron oxide, spent or Iron sponge, spent obtained from coal gas purification	135
1378	金属催化剂,湿的,含有可见过量液体	Metal catalyst, wetted with a visible excess of liquid	170
1379	不饱和油类处理的纸,未完全干的(包括复写纸)	Paper, unsaturated oil treated, incompletely dried (including carbon paper)	133
1380	戊硼烷	Pentaborane	135
1381	白磷或黄磷,干燥,或浸在水中或溶液中	Phosphorus, white or yellow, dry or under water or in solution	136
1382	硫化钾,无水的;或硫化钾,含结晶水低于30%	Potassium sulphide, anhydrous or potassium sulphide with less than 30% water of hydration	135
1383	发火金属,未另作规定;或发火合金,未另作规定的	Pyrophoric metal, n. o. s. or pyrophoric alloy, n. o. s.	135
1384	连二亚硫酸钠	Sodium dithionite (sodiumhydrosulphite)	135
1385	硫化钠,无水的;或硫化钠,含结晶水低于30%	Sodium sulphide, anhydrous, or sodium sulphide with less than 30% water of crystallization	135
1386	种子油饼,含油大于1.5%,含水不大于11%	Seed cake with more than 1.5% oil and not more than 11% moisture	135

续表

UN号	中文名称	英文名称	指南号
1387	羊毛废料，湿的	Wool waste, wet	133
1389	碱金属汞齐，液体的	Alkali metal amalgam, liquid	138
1390	氨基碱金属	Alkali metal amides	139
1391	碱金属分散体或碱土金属分散体	Alkaline metal dispersion or alkaline earth metal dispersion	138
1392	碱土金属汞齐，液体的	Alkaline earth metal amalgam, liquid	138
1393	碱土金属合金，未另作规定的	Alkaline earth metal alloy, n. o. s.	138
1394	碳化铝	Aluminum carbide	138
1395	硅铝铁合金粉	Aluminum ferrosilicon powder	139
1396	铝粉，无涂层的	Aluminum powder, uncoated	138
1397	磷化铝	Aluminum phosphide	139
1398	硅铝粉，无涂层的	Aluminum silicon powder, uncoated	138
1400	钡	Barium	138
1401	钙	Calcium	138
1402	碳化钙	Calcium carbide	138
1403	氰氨化钙，碳化钙含量高于0.1%	Calcium cyanamide with more than 0.1% calcium carbide	138
1404	氢化钙	Calcium hydride	138
1405	硅化钙	Calcium silicide	138

续表

UN 号	中文名称	英文名称	指南号
1407	铯	Cesium	138
1408	硅铁,含硅 30%～90%	Ferrosilicon with 30% or more but less than 90% silicon	139
1409	金属氢化物,遇水反应的,未另作规定的	Metal hydrides, water-reactive, n. o. s.	138
1410	氢化铝锂	Lithium aluminum hydride	138
1411	氢化铝锂的醚溶液	Lithium aluminum hydride, ethereal	138
1413	硼氢化锂	Lithium borohydride	138
1414	氢化锂	Lithium hydride	138
1415	锂	Lithium	138
1417	硅锂合金	Lithium silicon	138
1418	镁粉或镁合金粉	Magnesium powder or magnesium alloys powder	138
1419	磷化铝镁	Magnesium aluminum phosphide	139
1420	钾金属合金,液体的	Potassium, metal alloys, liquid	138
1421	碱金属合金,液体的,未另作规定的	Alkali metal alloy, liquid, n. o. s.	138
1422	钾钠合金,液体的	Potassium sodium alloys, liquid	138
1423	铷	Rubidium	138
1426	硼氢化钠	Sodium borohydride	138
1427	氢化钠	Sodium hydride	138

UN号	中文名称	英文名称	指南号
1428	钠	Sodium	138
1431	甲醇钠	Sodium methylate	138
1432	磷化钠	Sodium phosphide	139
1433	磷化锡	Stannic phosphides	139
1435	锌灰	Zinc ashes	138
1436	锌粉或锌粉尘	Zinc powder or zinc dust	138
1437	氢化锆	Zirconium hydride	138
1438	硝酸铝	Aluminum nitrate	140
1439	重铬酸铵	Ammonium dichromate	141
1442	高氯酸铵	Ammonium perchlorate	143
1444	过硫酸铵	Ammonium persulphate	140
1445	氯酸钡,固体的	Barium chlorate,solid	141
1446	硝酸钡	Barium nitrate	141
1447	高氯酸钡,固体的	Barium perchlorate,solid	141
1448	高锰酸钡	Barium permanganate	141
1449	过氧化钡	Barium peroxide	141
1450	溴酸盐,无机的,未另作规定的	Bromates,inorganic,n. o. s.	140
1451	硝酸铯	Caesium nitrate	140
1452	氯酸钙	Calcium chlorate	140
1453	亚氯酸钙	Calcium chlorite	140
1454	硝酸钙	Calcium nitrate	140
1455	高氯酸钙	Calcium perchlorate	140
1456	高锰酸钙	Calcium permanganate	140
1457	过氧化钙	Calcium peroxide	140

续表

UN 号	中文名称	英文名称	指南号
1458	氯酸盐和硼酸盐混合物	Chlorate and borate mixture	140
1459	氯酸盐和氯化镁混合物，固体的	Chlorate and magnesium chloride mixture, solid	140
1461	氯酸盐，无机的，未另作规定的	Chlorates, inorganic, n. o. s.	140
1462	亚氯酸盐，无机的，未另作规定的	Chlorites, inorganic, n. o. s.	143
1463	三氧化铬，无水的	Chromium trioxide, anhydrous	141
1465	硝酸钕镨	Didymium nitrate	140
1466	硝酸铁	Ferric nitrate	140
1467	硝酸胍	Guanidine nitrate	143
1469	硝酸铅	Lead nitrate	141
1470	高氯酸铅，固体的	Lead perchlorate, solid	141
1471	次氯酸锂，干的，或次氯酸锂混合物	Lithium hypochlorite, dry or lithiumhy pochlorite mixture	140
1472	过氧化锂	Lithium peroxide	143
1473	溴酸镁	Magnesium bromate	140
1474	硝酸镁	Magnesium nitrate	140
1475	高氯酸镁	Magnesium perchlorate	140
1476	过氧化镁	Magnesium peroxide	140
1477	硝酸盐，无机的，未另作规定的	Nitrates, inorganic, n. o. s.	140
1479	氧化性固体，未另作规定的	Oxidizing solid, n. o. s.	140

续表

UN号	中文名称	英文名称	指南号
1481	高氯酸盐,无机的,未另作规定的	Perchlorates, inorganic, n. o. s.	140
1482	高锰酸盐,无机的,未另作规定的	Permanganates, inorganic, n. o. s.	140
1483	过氧化物,无机的,未另作规定的	Peroxides, inorganic, n. o. s.	140
1484	溴酸钾	Potassium bromate	140
1485	氯酸钾	Potassium chlorate	140
1486	硝酸钾	Potassium nitrate	140
1487	硝酸钾和亚硝酸钠混合物	Potassium nitrate and sodium nitrite mixture	140
1488	亚硝酸钾	Potassium nitrite	140
1489	高氯酸钾	Potassium perchlorate	140
1490	高锰酸钾	Potassium permanganate	140
1491	过氧化钾	Potassium peroxide	144
1492	过硫酸钾	Potassium persulphate	140
1493	硝酸银	Silver nitrate	140
1494	溴酸钠	Sodium bromate	140
1495	氯酸钠	Sodium chlorate	140
1496	亚氯酸钠	Sodium chlorite	143
1498	硝酸钠	Sodium nitrate	140
1499	硝酸钠和硝酸钾混合物	Sodium nitrate and potassium nitrate mixture	140
1500	亚硝酸钠	Sodium nitrite	141
1502	高氯酸钠	Sodium perchlorate	140
1503	高锰酸钠	Sodium permanganate	140

续表

UN 号	中文名称	英文名称	指南号
1504	过氧化钠	Sodium peroxide	144
1505	过硫酸钠	Sodium persulphate	140
1506	氯酸锶	Strontium chlorate	143
1507	硝酸锶	Strontium nitrate	140
1508	高氯酸锶	Strontium perchlorate	140
1509	过氧化锶	Strontium peroxide	143
1510	四硝基甲烷	Tetranitromethane	143
1511	过氧化氢脲	Urea hydrogen peroxide	140
1512	亚硝酸锌铵	Zinc ammonium nitrite	140
1513	氯酸锌	Zinc chlorate	140
1514	硝酸锌	Zinc nitrate	140
1515	高锰酸锌	Zinc permanganate	140
1516	过氧化锌	Zinc peroxide	143
1517	苦氨酸锆,湿的,按质量计含水不低于20%	Zirconium picramate, wetted with not less than 20% water, by mass	113
1541	丙酮合氰化氢,稳定的	Acetone cyanohydrin, stabilized	156
1544	生物碱,固体的,未另作规定的;或生物碱盐类,固体的,未另作规定的	Alkaloids, solid, n. o. s., or alkaloid salts, solid, n. o. s.	151
1545	异硫氰酸烯丙酯,稳定的	Allyl isothiocyanate, stabilized	131
1546	砷酸铵	Ammonium arsenate	151
1547	苯胺	Aniline	153
1548	盐酸苯胺	Aniline hydrochloride	153

续表

UN号	中文名称	英文名称	指南号
1549	锑化合物，无机的，固体的，未另作规定的	Antimony compound, inorganic, solid, n. o. s.	157
1550	乳酸锑	Antimony lactate	151
1551	酒石酸氧锑钾	Antimony potassium tartrate	151
1553	砷酸，液体的	Arsenic acid, liquid	154
1554	砷酸，固体的	Arsenic acid, solid	154
1555	溴化砷	Arsenic bromide	151
1556	砷化合物，液体的，未另作规定的，无机的，包括：砷酸盐，未另作规定的；亚砷酸盐，未另作规定的；硫化砷，未另作规定的	Arseniccompound, liquid, n. o. s., inorganic, including: arsenates, n. o. s.; arsenites, n. o. s.; and arsenic sulphides, n. o. s.	152
1557	砷化合物，固体的，未另作规定的，无机的，包括：砷酸盐，未另作规定的；亚砷酸盐，未另作规定的；硫化砷，未另作规定的	Arsenic compound, solid, n. o. s., inorganic, including: arsenates, n. o. s.; arsenites, n. o. s.; and arsenic sulphides, n. o. s.	152
1558	砷	Arsenic	152
1559	五氧化二砷	Arsenic pentoxide	151
1560	三氯化砷	Arsenic trichloride	157
1561	三氧化二砷	Arsenic trioxide	151
1562	砷粉	Arsenical dust	152
1564	钡化合物，未另作规定的	Barium compound, n. o. s.	154
1565	氰化钡	Barium cyanide	157
1566	铍化合物，未另作规定的	Beryllium compound, n. o. s.	154

续表

UN 号	中文名称	英文名称	指南号
1567	铍粉	Beryllium powder	134
1569	溴丙酮	Bromoacetone	131
1570	二甲马钱子碱(番木鳖碱)	Brucine	151
1571	叠氮化钡,湿的,按质量计含水不低于 50%	Barium azide, wetted with not less than 50% water, by mass	113
1572	卡可基酸(二甲次砷酸)	Cacodylic acid	151
1573	砷酸钙	Calcium arsenate	151
1574	砷酸钙和亚砷酸钙混合物,固体的	Calcium arsenate and calcium arsenite mixture, solid	151
1575	氰化钙	Calcium cyanide	157
1577	二硝基氯苯,液体的	Chlorodinitrobenzenes, liquid	153
1578	硝基氯苯,固体的	Chloronitrobenzenes, solid	152
1579	盐酸盐对氯邻甲苯胺,固体的	4-Chloro-*o*-toluidine hydrochloride, solid	153
1580	三氯硝基甲烷(氯化苦)	Chloropicrin	154
1581	三氯硝基甲烷和甲基溴混合物,含三氯硝基甲烷高于 2%	Chloropicrin and methyl bromide mixture with more than 2% chloropicrin	123
1582	三氯硝基甲烷和甲基氯混合物	Chloropicrin and methyl chloride mixture	119
1583	三氯硝基甲烷混合物,未另作规定的	Chloropicrin mixture, n. o. s.	154
1585	乙酰亚砷酸铜	Copper acetoarsenite	151
1586	亚砷酸铜	Copper arsenite	151

续表

UN号	中文名称	英文名称	指南号
1587	氰化铜	Copper cyanide	151
1588	氰化物，无机的，固体的，未另作规定的	Cyanides, inorganic, solid, n. o. s.	157
1589	氯化氰，稳定的	Cyanogen chloride, stabilized	125
1590	二氯苯胺，液体的	Dichloroanilines, liquid	153
1591	邻二氯苯	*o*-Dichlorobenzene	152
1593	二氯甲烷	Dichloromethane	160
1594	硫酸二乙酯	Diethyl sulphate	152
1595	硫酸二甲酯	Dimethyl sulphate	156
1596	二硝基苯胺	Dinitroanilines	153
1597	二硝基苯，液体的	Dinitrobenzenes, liquid	152
1598	二硝基邻甲酚	Dinitro-*o*-cresol	153
1599	二硝基苯酚溶液	Dinitrophenol solution	153
1600	二硝基甲苯，熔融的	Dinitrotoluenes, molten	152
1601	消毒剂，固体的，毒性，未另作规定的	Disinfectant, solid, toxic, n. o. s.	151
1602	染料，液体的，毒性，未另作规定的；或染料中间体，液体的，毒性，未另作规定的	Dye, liquid, toxic, n. o. s., or dye intermediate, liquid, toxic, n. o. s.	151
1603	溴乙酸乙酯	Ethyl bromoacetate	155
1604	1,2-乙二胺（亚乙基二胺）	Ethylenediamine	132
1605	二溴化乙烯（亚乙基二溴）	Ethylene dibromide	154
1606	砷酸铁	Ferric arsenate	151
1607	亚砷酸铁	Ferric arsenite	151

续表

UN 号	中文名称	英文名称	指南号
1608	砷酸亚铁	Ferrous arsenate	151
1611	四磷酸六乙酯	Hexaethyl tetraphosphate	151
1612	四磷酸六乙酯和压缩气体混合物	Hexaethyl tetraphosphate and compressed gas mixture	123
1613	氢氰酸水溶液(氰化氢水溶液),含氰化氢不超过20%	Hydrocyanic acid, aqueous solution (hydrogen cyanide, aqueous solution), with not more than 20% Hydrogen cyanide	154
1614	氰化氢,稳定的,含水低于3%,被多孔惰性材料吸收	Hydrogen cyanide, stabilized, containing less than 3% water and absorbed in a porous inert material	152
1616	醋酸铅(乙酸铅)	Lead acetate	151
1617	砷酸铅	Lead arsenates	151
1618	亚砷酸铅	Lead arsenites	151
1620	氰化铅	Lead cyanide	151
1621	伦敦紫	London purple	151
1622	砷酸镁	Magnesium arsenate	151
1623	砷酸汞	Mercuric arsenate	151
1624	氯化汞	Mercuric chloride	154
1625	硝酸汞	Mercuric nitrate	141
1626	氰化汞钾	Mercuric potassium cyanide	157
1627	硝酸亚汞	Mercurous nitrate	141
1629	乙酸汞(醋酸汞)	Mercury acetate	151

续表

UN 号	中文名称	英文名称	指南号
1630	氯化汞铵	Mercury ammonium chloride	151
1631	苯甲酸汞	Mercury benzoate	154
1634	溴化汞	Mercury bromides	154
1636	氰化汞	Mercury cyanide	154
1637	葡萄糖酸汞	Mercury gluconate	151
1638	碘化汞	Mercury iodide	151
1639	核酸汞	Mercury nucleate	151
1640	油酸汞	Mercury oleate	151
1641	氧化汞	Mercury oxide	151
1642	氰氧化汞,减敏的	Mercuric oxycyanide, desensitized	151
1643	碘化汞钾	Mercury potassium iodide	151
1644	水杨酸汞	Mercury salicylate	151
1645	硫酸汞	Mercury sulphate	151
1646	硫氰酸汞	Mercury thiocyanate	151
1647	甲基溴和二溴化乙烯混合物,液体的	Methyl bromide and ethylene dibromide mixture, liquid	151
1648	乙腈	Acetonitrile	127
1649	发动机燃料抗爆剂混合物	Motor fuel anti-knock compound	152
1650	β-萘胺,固体的	Beta-naphthylamine, solid	153
1651	萘硫脲	Naphthylthiourea	153
1652	萘脲	Naphthylurea	153

续表

UN号	中文名称	英文名称	指南号
1653	氰化镍	Nickel cyanide	151
1654	烟碱	Nicotine	151
1655	烟碱化合物,固体的,未另作规定的;或烟碱制剂,固体的,未另作规定的	Nicotine compound, solid, n. o. s. , or nicotine preparation, solid, n. o. s.	151
1656	盐酸烟碱,液体的或盐酸烟碱溶液	Nicotine hydrochloride, liquid or solution	151
1657	水杨酸烟碱	Nicotine salicylate	151
1658	硫酸烟碱溶液	Nicotine sulphate solution	151
1659	酒石酸烟碱	Nicotine tartrate	151
1660	一氧化氮,压缩的	Nitric oxide, compressed	124
1661	硝基苯胺(邻、间、对)	Nitroanilines(*o*-, *m*-, *p*-)	153
1662	硝基苯	Nitrobenzene	152
1663	硝基苯酚(邻、间、对)	Nitrophenols(*o*-, *m*-, *p*-)	153
1664	硝基甲苯,液体的	Nitrotoluenes, liquid	152
1665	硝基二甲苯,液体的	Nitroxylenes, liquid	152
1669	五氯乙烷	Pentachloroethane	151
1670	全氯甲硫醇	Perchloromethyl mercaptan	157
1671	苯酚,固体的	Phenol, solid	153
1672	二氯化苯胩	Phenylcarbylamine chloride	151
1673	苯二胺(邻、间、对)	Phenylenediamines(*o*-, *m*-, *p*-)	153
1674	乙酸苯汞	Phenylmercuric acetate	151
1677	砷酸钾	Potassium arsenate	151

续表

UN 号	中文名称	英文名称	指南号
1678	亚砷酸钾	Potassium arsenite	154
1679	氰亚铜酸钾	Potassium cuprocyanide	157
1680	氰化钾，固体的	Potassium cyanide, solid	157
1683	亚砷酸银	Silver arsenite	151
1684	氰化银	Silver cyanide	151
1685	砷酸钠	Sodium arsenate	151
1686	亚砷酸钠水溶液	Sodium arsenite, aqueous solution	154
1687	叠氮化钠	Sodium azide	153
1688	卡可酸钠(二甲胂酸钠)	Sodium cacodylate	152
1689	氰化钠，固体的	Sodium cyanide, solid	157
1690	氟化钠，固体的	Sodium fluoride, solid	154
1691	亚砷酸锶	Strontium arsenite	151
1692	马钱子碱或马钱子碱盐	Strychnine or strychnine salts	151
1693	催泪性毒气物质，液体的，未另作规定的	Tear gas substance, liquid, n. o. s.	159
1694	溴苄基氰，液体的	Bromobenzyl cyanides, liquid	159
1695	氯丙酮，稳定的	Chloroacetone, stabilized	131
1697	氯乙酰苯，固体的	Chloroacetophenone, solid	153
1698	二苯胺氯胂	Diphenylamine chloroarsine	154
1699	二苯氯胂，液体的	Diphenylchloroarsine, liquid	151
1700	催泪性毒气筒	Tear gas candles	159

续表

UN号	中文名称	英文名称	指南号
1701	甲苄基溴(二甲苯基溴),液体的	Xylyl bromide, liquid	152
1702	1,1,2,2-四氯乙烷	1,1,2,2-Tetrachloroethane	151
1704	二硫代焦磷酸四乙酯	Tetraethyl dithiopyrophosphate	153
1707	铊化合物,未另作规定的	Thallium compound, n. o. s.	151
1708	甲苯胺,液体的	Toluidines, liquid	153
1709	2,4-甲苯二胺,固体的	2,4-Toluylenediamine, solid	151
1710	三氯乙烯	Trichloroethylene	160
1711	二甲基苯胺,液体的	Xylidines, liquid	153
1712	砷酸锌、亚砷酸锌或砷酸锌和亚砷酸锌混合物	Zinc arsenate, zinc arsenite, or zinc arsenate and zinc arsenite mixture	151
1713	氰化锌	Zinc cyanide	151
1714	磷化锌	Zinc phosphide	139
1715	乙酸酐	Acetic anhydride	137
1716	乙酰溴	Acetyl bromide	156
1717	乙酰氯	Acetyl chloride	155
1718	磷酸二氢丁酯	Butyl acid phosphate	153
1719	苛性碱,液态的,未另作规定的	Caustic alkali, liquid, n. o. s.	154
1722	氯甲酸烯丙酯	Allyl chloroformate	155
1723	烯丙基碘	Allyl iodide	132
1724	烯丙基三氯硅烷,稳定的	Allyltrichlorosilane, stabilized	155

续表

UN 号	中文名称	英文名称	指南号
1725	溴化铝,无水的	Aluminum bromide,anhydrous	137
1726	氯化铝,无水的	Aluminum chloride,anhydrous	137
1727	二氟化氢铵,固体的	Ammonium hydrogendifluoride,solid	154
1728	戊基三氯硅烷	Amyltrichlorosilane	156
1729	茴香酰氯	Anisoyl chloride	156
1730	五氯化锑,液体的	Antimony pentachloride,liquid	157
1731	五氯化锑溶液	Antimony pentachloride solution	157
1732	五氟化锑	Antimony pentafluoride	157
1733	三氯化锑	Antimony trichloride	157
1736	苯酰氯	Benzoyl chloride	137
1737	苄基溴	Benzyl bromide	156
1738	苄基氯	Benzyl chloride	156
1739	氯甲酸苄酯	Benzyl chloroformate	137
1740	二氟氢化物,固体的,未另作规定的	Hydrogendifluorides, solid,n. o. s.	154
1741	三氯化硼	Boron trichloride	125
1742	三氟化硼合乙酸,液体的	Boron trifluoride acetic acid complex,liquid	157
1743	三氟化硼合丙酸,液体的	Boron trifluoride propionic acid complex,liquid	157
1744	溴或溴溶液	Bromine or bromine solution	154

续表

UN号	中文名称	英文名称	指南号
1745	五氟化溴	Bromine pentafluoride	144
1746	三氟化溴	Bromine trifluoride	144
1747	丁基三氯硅烷	Butyltrichlorosilane	155
1748	次氯酸钙,干的;或次氯酸钙混合物,干的,含有效氯高于39%(有效氧8.8%)	Calcium hypochlorite, dry or calcium hypochlorite mixture, dry with more than 39% available chlorine(8.8% available oxygen)	140
1749	三氟化氯	Chlorite trifluoride	124
1750	氯乙酸溶液	Chloroacetic acid solution	153
1751	氯乙酸,固体的	Chloroacetic acid, solid	153
1752	氯乙酰氯	Chloroacetyl chlorid	156
1753	氯苯基三氯硅烷	Chlorophenyltrichlorosilane	156
1754	氯磺酸(含或不含三氧化硫)	Chlorosulphonic acid(with or without sulphur trioxide)	137
1755	铬酸溶液	Chromic acid solution	154
1756	氟化铬,固体的	Chromic fluoride, solid	154
1757	氟化铬溶液	Chromic fluoride solution	154
1758	氯氧化铬	Chromium oxychloride	137
1759	腐蚀性固体,未另作规定的	Corrosive solid, n. o. s.	154
1760	腐蚀性液体,未另作规定的	Corrosive liquid, n. o. s.	154
1761	铜乙二胺溶液	Cupriethylenediamine, solution	154

续表

UN号	中文名称	英文名称	指南号
1762	环己烯基三氯硅烷	Cyclohexenyltrichlorosilane	156
1763	环己基三氯硅烷	Cyclohexyltrichlorosilane	156
1764	二氯乙酸	Dichloroacetic acid	153
1765	二氯乙酰氯	Dichloroacetyl chloride	156
1766	二氯苯基三氯硅烷	Dichlorophenyltrichlorosilane	156
1767	二乙基二氯硅烷	Diethyldichlorosilane	155
1768	二氟磷酸,无水的	Difluorophosphosporic acid,anhydrous	154
1769	二苯基二氯硅烷	Diphenyldichlorosilane	156
1770	二苯甲基溴	Diphenylmetheyl bromide	153
1771	十二烷基三氯硅烷	Dodecyltrichlorosilane	156
1773	氯化铁,无水的	Ferric chloride,anhydrous	157
1774	灭火器启动剂,腐蚀性液体	Fire extinguisher charges, corrosive liquid	154
1775	氟硼酸	Fluoroboric acid	154
1776	氟磷酸	Fluorophosphoric acid	154
1777	氟磺酸	Fluorosulphonic acid	137
1778	氟硅酸	Fluorosilicic acid	154
1779	甲酸,按质量计含酸高于85%	Formic acid with more than 85% acid by mass	153
1780	反丁烯二酰氯(富马酰氯)	Fumaryl chloride	156
1781	十六烷基三氯硅烷	Hexadecyltrichlorosilane	156
1782	六氟磷酸	Hexafluorophosphoric acid	154

续表

UN号	中文名称	英文名称	指南号
1783	六亚甲基二胺溶液	Hexamethylenediamine solution	153
1784	己基三氯硅烷	Hexyltrichlorosilane	156
1786	氢氟酸和硫酸混合物	Hydrofluoric acid and sulphuric acid mixture	157
1787	氢碘酸	Hydriodic acid	154
1788	氢溴酸	Hydrobromic acid	154
1789	氢氯酸	Hydrochloric acid	157
1790	氢氟酸	Hydrofluoric acid	157
1791	次氯酸盐溶液	Hypochlorite solution	154
1792	一氯化碘，固体的	Iodine monochloride, solid	157
1793	酸式磷酸异丙酯	Isopropyl acid phosphate	153
1794	硫酸铅，含游离酸高于3%	Lead sulphate, with more than 3% free acid	154
1796	硝化酸混合物	Nitrating acid mixture	157
1798	王水	Nitrohydrochloric acid	157
1799	壬基三氯硅烷	Nonyltrichlorosilane	156
1800	十八烷基三氯硅烷	Octadecyltrichlorosilane	156
1801	辛基三氯硅烷	Octyltrichlorosilane	156
1802	高氯酸，按质量计含酸不超过50%	Perchloric acid with not more than 50% acid, by mass	157
1803	苯酚磺酸，液体的	Phenolsulphonic acid, liquid	153
1804	苯基三氯硅烷	Phenyltrichlorosilane	156
1805	磷酸溶液	Phosphoric acid, solution	154

续表

UN号	中文名称	英文名称	指南号
1806	五氯化磷	Phosphorus pentachloride	137
1807	五氧化二磷	Phosphorus pentoxide	137
1808	三溴化磷	Phosphorus tribromide	137
1809	三氯化磷	Phosphorus trichloride	137
1810	三氯氧磷(磷酰氯)	Phosphorus oxychloride	137
1811	二氟化氢钾,固体的	Potassium hydrogen difluoride solid	154
1812	氟化钾,固体的	Potassium fluoride,solid	154
1813	氢氧化钾,固体的	Potassium hydroxide,solid	154
1814	氢氧化钾溶液	Potassium hydroxide solution	154
1815	丙酰氯	Propionyl chloride	155
1816	丙基三氯硅烷	Propyltrichlorosilane	155
1817	焦硫酰二氯	Pyrosulphuryl chloride	137
1818	四氯化硅	Silicon tetrachloride	157
1819	铝酸钠溶液	Sodium aluminate solution	154
1823	氢氧化钠,固体的	Sodium hydroxide,solid	154
1824	氢氧化钠溶液	Sodium hydroxide solution	154
1825	氧化钠	Sodium monoxide	157
1826	硝化酸混合物,废的	Nitrating acid mixture, spent	157
1827	四氯化锡,无水的	Stannic chloride, anhydrous	137
1828	氯化硫	Sulphur chlorides	137
1829	三氧化硫,稳定的	Sulphur trioxide,stabilized	137

续表

UN号	中文名称	英文名称	指南号
1830	硫酸，含酸大于51%	Sulphuric acid with more than 51% acid	137
1831	发烟硫酸	Sulphuric acid, fuming	137
1832	硫酸废液	Sulphuric acid, spent	137
1833	亚硫酸	Sulphurous acid	154
1834	硫酰氯	Sulphuryl chloride	137
1835	氢氧化四甲铵溶液	Tetramethylammonium hydroxide solution	153
1836	亚硫酰氯	Thionyl chloride	137
1837	硫代磷酰氯	Thiophosphoryl chloride	157
1838	四氯化钛	Titanium tetrachloride	137
1839	三氯乙酸	Trichloroacetic acid	153
1840	氯化锌溶液	Zinc chloride solution	154
1841	乙醛合氨	Acetaldehyde ammonia	171
1843	二硝基邻甲酚铵，固体的	Ammoniumdinitro-*o*-cresolate, solid	141
1845	二氧化碳，固体的(干冰)	Carbon dioxide, solid (dry ice)	120
1846	四氯化碳	Carbon tetrachloride	151
1847	水合硫化钾，含结晶水不低于30%	Potassium sulphide, hydrated with not less than 30% water of crystallization	153
1848	丙酸，按质量计含酸10%~90%	Propionic acid with not less than 10% and less than 90% acid by mass	153

续表

UN号	中文名称	英文名称	指南号
1849	水合硫化钠，含水不低于30%	Sodium sulphide, hydrated with not less than 30% water	153
1851	医药，液体的，毒性，未另作规定的	Medicine, liquid, toxic, n. o. s.	151
1854	钡合金，发火的	Barium alloys, pyrophoric	135
1855	发火钙金属或发火钙合金	Calcium, pyrophoric or calcium alloys, pyrophoric	135
1856	含油碎布	Rags, oily	133
1857	织物废料，湿的	Textile waste, wet	133
1858	六氟丙烯（制冷气体R 1216）	Hexafluoropropylene (Refrigerant gas R 1216)	126
1859	四氟化硅	Silicon tetrafluoride	125
1860	乙烯基氟，稳定的	Vinyl fluoride, stabilized	116P
1862	丁烯酸乙酯	Ethyl crotonate	130
1863	航空燃料，涡轮发动机用	Fuel, aviation, turbine engine	128
1865	硝酸正丙酯	*n*-Propyl nitrate	128
1866	树脂溶液，易燃	Resin solution, flammable	128
1868	癸硼烷（十硼烷）	Decaborane	134
1869	镁金属或镁合金，丸状、旋屑或带状，含镁大于50%	Magnesium or magnesium alloys with more than 50% magnesium in pellets, turning or ribbons	138
1870	硼氢化钾	Potassium borohydride	138
1871	氢化钛	Titanium hydride	170
1872	二氧化铅	Lead dioxide	140

续表

UN号	中文名称	英文名称	指南号
1873	高氯酸，按质量计含酸50%～72%	Perchlorates acid with more than 50% but not more than 72% acid, by mass	143
1884	氧化钡	Barium oxide	157
1885	联苯胺	Benzidine	153
1886	二氯甲基苯	Benzylidene chloride	156
1887	溴氯甲烷	Bromochloromethane	160
1888	氯仿(三氯甲烷)	Chloroform	151
1889	溴化氰	Cyanogen bromide	157
1891	乙基溴	Ethyl bromide	131
1892	乙基二氯胂	Ethyldichloroarsine	151
1894	氢氧化苯汞	Phenylmercuric hydroxide	151
1895	硝酸苯汞	Phenylmercuric nitrate	151
1897	四氯乙烯	Tetrachloroethylene	160
1898	乙酰碘	Acetyl iodide	156
1902	酸式磷酸二异辛酯	Diisooctyl acid phosphate	153
1903	消毒剂，液体的，腐蚀性的，未另作规定的	Disinfectant, liquid, corrosive, n. o. s.	153
1905	硒酸	Selenic acid	154
1906	淤渣硫酸	Sludge acid	153
1907	碱石灰，含氢氧化钠大于4%	Soda lime with more than 4% sodium hydroxide	154
1908	亚氯酸盐溶液	Chlorite solution	154
1910	氧化钙	Calcium oxide	157
1911	乙硼烷	Diborane	119

续表

UN号	中文名称	英文名称	指南号
1912	甲基氯和二氯甲烷混合物	Methyl chloride and methylene chloride mixture	115
1913	氖,冷冻液体	Neon,refrigerated liquid	120
1914	丙酸丁酯	Butyl propionates	130
1915	环己酮	Cyclohexanone	127
1916	2,2′-二氯二乙醚	2,2′-Dichlorodiethyl ether	152
1917	丙烯酸乙酯,稳定的	Ethyl acrylate,stabilized	129P
1918	异丙基苯	Isopropylbenzene	130
1919	丙烯酸甲酯,稳定的	Methyl acrylate,stabilized	129P
1920	壬烷	Nonanes	128
1921	丙烯亚胺,稳定的	Propyleneimine,stabilized	131P
1922	吡咯烷	Pyrrolidine	132
1923	连二亚硫酸钙(亚硫酸氢钙)	Calcium dithionite (calcium hydrosulphite)	135
1928	溴化甲基镁的乙醚溶液	Methyl magnesium bromide in ethyl ether	138
1929	连二亚硫酸钾(亚硫酸氢钾)	Potassium dithionite (potassium hydrosulphite)	135
1931	连二亚硫酸锌(亚硫酸氢锌)	Zinc dithionite (zinc hydrosulphite)	171
1932	锆金属碎屑	Zirconium scrap	135
1935	氰化物溶液,未另作规定的	Cyanide solution,n. o. s.	157
1938	溴乙酸溶液	Bromoacetic acid solution	156
1939	三溴氧化磷	Phosphorus oxybromide	137
1940	巯基乙酸	Thioglycolic acid	153

续表

UN 号	中文名称	英文名称	指南号
1941	二溴二氟甲烷	Dibromodifluoromethane	171
1942	硝酸铵,含可燃物质总量不大于 0.2%,包括以碳计算的任何有机物质,但不包括任何其他添加物质	Ammonium nitrate with not more than 0.2% combustible substances, including any organic substance calculated as carbon, to the exclusion of any other added substance	140
1944	安全火柴(册式、卡式或盒上划燃)	Matches, safety (book, card or strike on box)	133
1945	"维斯塔"蜡火柴(涂蜡火柴)	Matches, wax "Vesta"	133
1950	烟雾剂	Aerosols	126
1951	氩,冷冻液体	Argon, refrigerated liquid	120
1952	环氧乙烷和二氧化碳混合物,含环氧乙烷不大于 9%	Ethylene oxide and carbon dioxide mixture withnot more than 9% Ethylene oxide	126
1953	压缩气体,毒性,易燃,未另作规定的	Compressed gas, toxic, flammable, n. o. s.	119
1954	压缩气体,易燃,未另作规定的	Compressed gas, flammable, n. o. s.	115
1955	压缩气体,毒性,未另作规定的	Compressed gas, toxic, n. o. s.	123
1956	压缩气体,未另作规定的	Compressed gas, n. o. s.	126
1957	氘(重氢),压缩的	Deuterium, compressed	115
1958	1,2-二氯-1,1,2,2-四氟乙烷(制冷气体 R 114)	1,2-Dichloro-1,1,2,2-tetrafluoroethane (Refrigerant gas R 114)	126

续表

UN 号	中文名称	英文名称	指南号
1959	1,1-二氟乙烯(制冷气体 R 1132a)	1,1-Difluoroethylene (Refrigerant gas R 1132a)	116P
1961	乙烷,冷冻液体	Ethane, refrigerated liquid	115
1962	乙烯	Ethylene	116P
1963	氦,冷冻液体	Helium, refrigerated liquid	120
1964	烃类气体混合物,压缩的,未另作规定的	Hydrocarbon gas mixture, compressed, n. o. s.	115
1965	液化烃类气体混合物,未另作规定的	Hydrocarbon gas mixture, liquefied, n. o. s.	115
1966	氢,冷冻液体	Hydrogen, refrigerated liquid	115
1967	气态杀虫剂,毒性,未另作规定的	Insecticide gas, toxic, n. o. s.	123
1968	气态杀虫剂,未另作规定的	Insecticide gas, n. o. s.	126
1969	异丁烷	Isobutane	115
1970	氪,冷冻液体	Krypton, refrigerated liquid	120
1971	甲烷,压缩的或甲烷含量高的压缩天然气	Methane, compressed or natural gas, compressed with high methane content	115
1972	甲烷,冷冻液体或甲烷含量高的冷冻液态天然气	Methane, refrigerated liquid or natural gas, refrigerated liquid with high methane content	115
1973	二氟氯甲烷和五氟氯乙烷混合物,有固定沸点,前者约占 49%(制冷气体 R 502)	Chlorodifluoromethane and chloropentafluoroethane mixture with fixed boiling point, with approximately 49% chlorodifluoromethane (Refrigerant gas R 502)	126

续表

UN 号	中文名称	英文名称	指南号
1974	二氟氯溴甲烷(制冷气体R 12B1)	Chlorodifluorobromomethane (Refrigerant gas R 12B1)	126
1975	一氧化氮和四氧化二氮混合物(一氧化氮和二氧化氮混合物)	Nitricoxide and dinitrogen tetroxide mixture (Nitric oxide and Nitrogen dioxide mixture)	124
1976	八氟环丁烷(制冷气体 RC 318)	Octafluorocyclobutane (Refrigerant gas RC 318)	126
1977	氮,冷冻液体	Nitrogen, refrigerated liquid	120
1978	丙烷	Propane	115
1982	四氟甲烷(制冷气体 R 14)	Tetrafluoromethane (Refrigerant gas R 14)	126
1983	1-氯-2,2,2-三氟乙烷(制冷气体 R 133a)	1-Chloro-2, 2, 2-trifluoroethane (Refrigerant gas R 133a)	126
1984	三氟甲烷(制冷气体 R 23)	Trifluoromethane (Refrigerant gas R 23)	126
1986	醇类,易燃,毒性,未另作规定的	Alcohols, flammable, toxic, n. o. s.	131
1987	醇类,未另作规定的	Alcohols, n. o. s.	127
1988	醛类,易燃,毒性,未另作规定的	Aldehydes, flammable, toxic, n. o. s.	131P
1989	醛类,未另作规定的	Aldehydes, n. o. s.	129P
1990	苯甲醛	Benzaldehyde	171
1991	氯丁二烯,稳定的	Chloroprene, stabilized	131P

续表

UN 号	中文名称	英文名称	指南号
1992	易燃液体，毒性，未另作规定的	Flammableliquid, toxic, n. o. s.	131
1993	易燃液体，未另作规定的	Flammable liquid, n. o. s.	128
1994	五羰铁	Iron pentacarbonyl	136
1999	焦油，液体的，包括铺路油，沥青和稀释沥青	Tars, liquid, including road oils, and cutback bitumens	130
2000	赛璐珞，块、棒、卷、片、管等，碎屑除外	Celluloid in block, rods, rolls, sheets, tubes etc., except scrap	133
2001	环烷酸钴粉	Cobaltnaphthenates, powder	133
2002	赛璐珞，碎屑	Celluloid, scrap	135
2004	二氨基镁	Magnesium diamide	135
2006	塑料，以硝化纤维素为基料，自热的，未另作规定的	Plastics, nitrocellulose-based, self-heating, n. o. s.	135
2008	干锆粉	Zirconium powder, dry	135
2009	锆金属，干的，精整薄板、带材或成卷线材	Zirconium, dry, finished sheets, strip or coiled wire	135
2010	二氢化镁	Magnesium hydride	138
2011	二磷化三镁	Magnesium phosphide	139
2012	磷化钾	Potassium phosphide	139
2013	磷化锶	Strontium phosphide	139
2014	过氧化氢水溶液，过氧化氢含量20%～60%（必要时加稳定剂）	Hydrogen peroxide, aqueous solution with not less than 20% but not more than 60% hydrogen peroxide(stabilized as necessary)	140

续表

UN号	中文名称	英文名称	指南号
2015	过氧化氢,稳定的,或过氧化氢水溶液,稳定的,过氧化氢含量大于60%	Hydrogen peroxide, stabilized or hydrogen peroxide, aqueous solution, stabilized with more than 60% hydrogen peroxide	143
2016	弹药,毒性,非爆炸性,不带起爆药或发射药,没有引信	Ammunition, toxic, non-explosive without burster or expelling charge, non-fuzed	151
2017	催泪弹药,非爆炸性,不带起爆药或发射药,没有引信	Ammunition, tear-producing, non-explosive without burster or expelling charge, non-fuzed	159
2018	氯苯胺,固体的	Chloroanilines, solid	152
2019	氯苯胺,液体的	Chloroanilines, liquid	152
2020	氯苯酚,固体的	Chlorophenols, solid	153
2021	氯苯酚,液体的	Chlorophenols, liquid	153
2022	甲苯基酸(甲苯酚)	Cresylic acid	153
2023	3-氯-1,2-环氧丙烷(表氯醇)	Epichlorohydrin	131P
2024	汞化合物,液体的,未另作规定的	Mercury compound, liquid, n. o. s.	151
2025	汞化合物,固体的,未另作规定的	Mercury compound, solid, n. o. s.	151
2026	苯汞化合物,未另作规定的	Phenylmercuric compound, n. o. s.	151
2027	亚砷酸钠,固体的	Sodium arsenite, solid	151

续表

UN号	中文名称	英文名称	指南号
2028	烟幕弹，非爆炸性，含腐蚀性液体，不带引爆装置	Bombs, smoke, non-explosive with corrosive liquid, without initiating device	153
2029	肼，无水的	Hydrazine, anhydrous	132
2030	肼水溶液，按质量计含肼超过37%	Hydrazine aqueous solution with more than 37% hydrazine, by mass	153
2031	硝酸，发红烟的除外	Nitric acid, other than red fuming	157
2032	硝酸，发红烟的	Nitric acid, red fuming	157
2033	氧化钾	Potassium monoxide	154
2034	氢和甲烷混合物，压缩的	Hydrogen and methane mixture, compressed	115
2035	1,1,1-三氟乙烷（制冷气体R 143a）	1,1,1-Trifluoroethane (Refrigerant gas R143a)	115
2036	氙	Xenon	120
2037	装气体的小型贮器（蓄气筒），无释放装置，不能再充气的	Receptacles, small, containing gas (gas cartridges) without a release device, non-refillable	115
2038	二硝基甲苯，液体的	Dinitrotoluenes, liquid	152
2044	2,2-二甲基丙烷	2,2-Dimethylpropane	115
2045	异丁醛	Isobutyraldehyde (isobutyl aldehyde)	130
2046	伞花烃	Cymenes	130
2047	二氯丙烯	Dichloropropenes	129
2048	二聚环戊二烯（双茂）	Dicyclopentadiene	130P

续表

UN 号	中文名称	英文名称	指南号
2049	二乙基苯	Diethylbenzene	130
2050	二聚异丁烯异构物	Diisobutylene, isomeric, compounds	128
2051	2-二甲氨基乙醇	2-Dimethylaminoethanol	132
2052	二聚戊烯	Dipentene	128
2053	甲基异丁基甲醇	Methyl isobutyl carbinol	129
2054	吗啉	Morpholine	132
2055	单体苯乙烯，稳定的	Styrene monomer, stabilized	128P
2056	四氢呋喃	Tetrahydrofuran	127
2057	三聚丙烯	Tripropylene	128
2058	戊醛	Valeraldehyde	129
2059	硝化纤维素溶液，易燃，按干重计含氮不大于12.6%，含硝化纤维素不大于55%	Nitrocellulose solution, flammable with not more than 12.6% nitrogen, by dry mass, and not more than 55% nitrocellulose	127
2067	硝酸铵基化肥	Ammonium nitrate based fertilizers	140
2071	硝酸铵基化肥	Ammonium nitrate based fertilizers	140
2073	氨溶液，水溶液在15℃时的相对密度小于0.880，含氨量35%～50%	Ammonia solution, relative density less than 0.880 at 15℃ in water, with more than 35% but not more than 50% ammonia	125
2074	丙烯酰胺，固体的	Acrylamide, solid	153P

续表

UN 号	中文名称	英文名称	指南号
2075	氯醛,无水的,稳定的	Chloral, anhydrous, stabilized	153
2076	甲酚,液体的	Cresols, liquid	153
2077	α-萘胺	Alpha-naphthylamine	153
2078	甲苯二异氰酸酯	Toluene diisocyanate	156
2079	二乙撑三胺(二亚乙基三胺)	Diethylenetriamine	154
2186	冷冻液态氯化氢	Hydrogen chloride, refrigerated liquid	125
2187	二氧化碳,冷冻液体	Carbon dioxide, refrigerated liquid	120
2188	胂	Arsine	119
2189	二氯硅烷	Dichlorosilane	119
2190	二氟化氧,压缩的	Oxygen difluoride, compressed	124
2191	硫酰氟	Sulphuryl fluoride	123
2192	锗烷	Germane	119
2193	六氟乙烷(制冷气体 R 116)	Hexafluoroethane(Refrigerant gas R 116)	126
2194	六氟化硒	Selenium hexafluoride	125
2195	六氟化碲	Tellurium hexafluoride	125
2196	六氟化钨	Tungsten hexafluoride	125
2197	碘化氢,无水的	Hydrogen iodide, anhydrous	125
2198	五氟化磷	Phosphorus pentafluoride	125
2199	磷化氢(膦)	Phosphine	119

续表

UN号	中文名称	英文名称	指南号
2200	丙二烯，稳定的	Propadiene, stabilized	116P
2201	氧化亚氮，冷冻液体	Nitrous oxide, refrigerated liquid	122
2202	硒化氢，无水的	Hydrogen selenide, anhydrous	117
2203	硅烷	Silane	116
2204	硫化羰	Carbonyl sulphide	119
2205	己二腈	Adiponitrile	153
2206	异氰酸盐(酯)，毒性，未另作规定的；或异氰酸盐(酯)溶液，毒性，未另作规定的	Isocyanates, toxic, n. o. s. or isocyanate solution, toxic, n. o. s.	156
2208	次氯酸钙混合物，干的，含有效氯10%～39%	Calcium hypochlorite mixture, dry with more than 10% but not more than 39% available chlorine	140
2209	甲醛溶液，甲醛含量不低于25%	Formaldehyde solutions with not less than 25% formaldehyde	153
2210	代森锰或代森锰制剂，代森锰含量不低于60%	Maneb or maneb preparation with not less than 60% maneb	135
2211	聚苯乙烯珠粒料，可膨胀，会放出易燃气体	Polymeric beads, expandable, evolving flammable vapour	171
2212	石棉，闪石(铁石棉、透闪石、阳起石、直闪石、青石棉)	Asbestos, amphibole (amosite, tremolite, actinolite, anthophyllite, crocidolite)	171
2213	仲甲醛	Paraformaldehyde	133

续表

UN号	中文名称	英文名称	指南号
2214	邻苯二甲酸酐，含马来酸酐大于0.05%	Phthalic anhydride with more than 0.05% of maleic anhydride	156
2215	马来酸酐	Maleic anhydride	156
2216	鱼粉(鱼屑)，稳定的	Fish meal (fish scrap), stabilized	171
2217	种子油饼，含油不大于1.5%，湿度不大于11%	Seed cake with not more than 1.5% oil and not more than 11% moisture	135
2218	丙烯酸，稳定的	Acrylic acid, stabilized	132P
2219	烯丙基缩水甘油醚	Allyl glycidyl ether	129
2222	茴香醚	Anisole	128
2224	苄腈	Benzonitrile	152
2225	苯磺酰氯	Benzenesulphonyl chloride	156
2226	三氯甲苯	Benzotrichloride	156
2227	甲基丙烯酸正丁酯，稳定的	*n*-Butyl methacrylate, stabilized	130P
2232	2-氯乙醛	2-Chloroethanal	153
2233	氯代茴香胺	Chloroanisidines	152
2234	三氟甲基氯苯	Chlorobenzotrifluorides	130
2235	氯苯甲基氯，液体的	Chlorobenzyl chlorides, liquid	153
2236	异氰酸3-氯-4-甲基苯酯，液体的	3-Chloro-4-methylphenyl isocyanate, liquid	156
2237	硝基氯苯胺	Chloronitroanilines	153
2238	氯甲苯	Chlorotoluenes	129

续表

UN 号	中文名称	英文名称	指南号
2239	甲基氯苯胺,固体的	Chlorotoluidines,solid	153
2240	铬硫酸	Chromosulphuric acid	154
2241	环庚烷	Cycloheptane	128
2242	环庚烯	Cycloheptene	128
2243	乙酸环己酯	Cyclohexyl acetate	130
2244	环戊醇	Cyclopentanol	129
2245	环戊酮	Cyclopentanone	128
2246	环戊烯	Cyclopentene	128
2247	正癸烷	*n*-Decane	128
2248	二正丁胺	Di-*n*-butylamine	132
2249	对称二氯二甲醚	Dichlorodimethyl ether, symmetrical	131
2250	异氰酸二氯苯酯	Dichlorophenyl isocyanates	156
2251	二环 2.2.1-庚-2,5-二烯,稳定的(2,5-降冰片二烯,稳定的)	Bicyclo [2.2.1]-hepta-2, 5-diene, stabilized (2, 5-norbornadiene,stabilized)	128P
2252	1,2-二甲氧基乙烷	1,2-Dimethoxyethane	127
2253	*N*,*N*-二甲基苯胺	*N*,*N*-dimethylaniline	153
2254	耐风火柴	Matches,fusee	133
2256	环己烯	Cyclohexene	130
2257	钾	Potassium	138
2258	丙邻二胺(1,2-二氨基丙烷)	1,2-Propylenediamine	132
2259	三亚乙基四胺	Triethylenetetramine	153
2260	三丙胺	Tripropylamine	132

续表

UN 号	中文名称	英文名称	指南号
2261	二甲苯酚,固体的	Xylenols,solid	153
2262	二甲氨基甲酰氯	Dimethylcarbamoyl chloride	156
2263	二甲基环己烷	Dimethylcyclohexanes	128
2264	*N*,*N*-二甲基环己胺	*N*,*N*-Dimethylcyclohexylamine	132
2265	*N*,*N*-二甲基甲酰胺	*N*,*N*-Dimethylformamide	129
2266	*N*-二甲基丙胺	Dimethyl-*N*-propylamine	132
2267	二甲基硫代磷酰氯	Dimethyl thiophosphoryl chloride	156
2269	3,3′-亚氨基二丙胺(三丙撑三胺)	3,3′-Iminodipropylamine	153
2270	乙胺水溶液,乙胺含量50%～70%	Ethylamine,aqueous solution with not less than 50% but not more than 70% Ethylamine	132
2271	乙基戊基酮(乙戊酮)	Ethyl amyl ketone	128
2272	*N*-乙基苯胺	*N*-Ethylaniline	153
2273	2-乙基苯胺	2-Ethylaniline	153
2274	*N*-乙基-*N*-苄基苯胺	*N*-Ethyl-*N*-benzylaniline	153
2275	2-乙基丁醇	2-Ethylbutanol	129
2276	2-乙基己胺	2-Ethylhexylamine	132
2277	甲基丙烯酸乙酯,稳定的	Ethyl methacrylate,stabilized	130P
2278	正庚烯	*n*-Heptene	128
2279	六氯丁二烯	Hexachlorobutadiene	151

续表

UN号	中文名称	英文名称	指南号
2280	六亚甲基二胺（己撑二胺），固体的	Hexamethylenediamine, solid	153
2281	1,6-二异氰酸正己酯（己撑二异氰酸酯）	Hexamethylene-diisocyanate	156
2282	己醇	Hexanols	129
2283	甲基丙烯酸异丁酯，稳定的	Isobutyl methacrylate, stabilized	130P
2284	异丁腈	Isobutyronitrile	131
2285	异氰酸三氟甲基苯酯	Isocyanatobenzotrifluorides	155
2286	五甲基庚烷	Pentamethylheptane	128
2287	异庚烯	Isoheptenes	128
2288	异己烯	Isohexenes	128
2289	异佛尔酮二胺	Isophoronediamine	153
2290	二异氰酸异佛尔酮酯	Isophorone diisocyanate	156
2291	可溶铅化合物，未另作规定的	Lead compound, soluble, n. o. s.	151
2293	4-甲氧基-4-甲基-2-戊酮	4-Methoxy-4-methylpentan-2-one	128
2294	*N*-甲基苯胺	*N*-Methylaniline	153
2295	氯乙酸甲酯	Methyl chloroacetate	131
2296	甲基环己烷	Methylcyclohexane	128
2297	甲基环己酮	Methylcyclohexanone	128
2298	甲基环戊烷	Methylcyclopentane	128
2299	二氯乙酸甲酯	Methyl dichloroacetate	156
2300	2-甲基-5-乙基吡啶	2-Methyl-5-ethylpyridine	153

续表

UN 号	中文名称	英文名称	指南号
2301	2-甲基呋喃	2-Methylfuran	128
2302	5-甲基-2-己酮	5-Methylhexan-2-one	127
2303	异丙烯基苯	Isopropenylbenzene	128
2304	萘,熔融的	Naphthalene,molten	133
2305	硝基苯磺酸	Nitrobenzenesulphonic acid	153
2306	硝基三氟甲苯,液体的	Nitrobenzotrifluorides,liquid	152
2307	3-硝基-4-氯三氟甲基苯	3-Nitro-4-chlorobenzotrifluoride	152
2308	亚硝基硫酸,液体的	Nitrosylsulphuric acid,liquid	157
2309	辛二烯	Octadiene	128P
2310	2,4-戊二酮	Pentane-2,4-dione	131
2311	氨基苯乙醚	Phenetidines	153
2312	苯酚,熔融的	Phenol,molten	153
2313	甲基吡啶(皮考啉)	Picolines	129
2315	多氯联苯,液体的	Polychlorinated biphenyls,liquid	171
2316	氰亚铜酸钠,固体的	Sodium cuprocyanide, solid	157
2317	氰亚铜酸钠溶液	Sodium cuprocyanide solution	157
2318	氢硫化钠,含结晶水低于25%	Sodium hydrosulphide with lessthan 25% water of crystallization	135
2319	萜烃,未另作规定的	Terpene hydrocarbons, n. o. s.	128

续表

UN 号	中文名称	英文名称	指南号
2320	四亚乙基五胺	Tetraethylenepentamine	153
2321	三氯苯,液体的	Trichlorobenzenes,liquid	153
2322	三氯丁烯	Trichlorobutene	152
2323	亚磷酸三乙酯	Triethyl phosphite	130
2324	三聚异丁烯	Triisobutylene	128
2325	1,3,5-三甲基苯	1,3,5-Trimethylbenzene	129
2326	三甲基环己胺	Trimethylcyclohexylamine	153
2327	三甲基六亚甲基二胺	Trimethyl hexamethylenediamines	153
2328	三甲基六亚甲基二异氰酸酯	Trimethylhexamethylene diisocyanate	156
2329	亚磷酸三甲酯	Trimethyl phosphite	130
2330	十一烷	Undecane	128
2331	氯化锌,无水的	Zinc chloride,anhydrous	154
2332	乙醛肟	Acetaldehyde oxime	129
2333	乙酸烯丙酯	Allyl acetate	131
2334	烯丙胺	Allylamine	131
2335	烯丙基乙基醚	Allyl ethyl ether	131
2336	甲酸烯丙酯	Allyl formate	131
2337	苯硫酚	Phenyl mercaptan	131
2338	三氟甲苯	Benzotrifluoride	127
2339	2-溴丁烷	2-Bromobutane	130
2340	2-溴乙基乙基醚	2-Bromoethyl ethyl ether	130
2341	1-溴-3-甲基丁烷	1-Bromo-3-methylbutane	130
2342	溴甲基丙烷	Bromomethylpropanes	130

续表

UN号	中文名称	英文名称	指南号
2343	2-溴戊烷	2-Bromopentane	130
2344	溴丙烷	Bromopropanes	129
2345	3-溴丙炔	3-Bromopropyne	130
2346	丁二酮	Butanedione	127
2347	丁硫醇	Butyl mercaptan	130
2348	丙烯酸丁酯，稳定的	Butyl acrylates, stabilized	129P
2350	甲基丁基醚(甲丁醚)	Butyl methyl ether	127
2351	亚硝酸丁酯	Butyl nitrites	129
2352	乙烯基丁基醚，稳定的	Butyl vinyl ether, stabilized	127P
2353	丁酰氯	Butyl chloride	155
2354	氯甲基乙基醚	Chloromethyl ethyl ether	131
2356	2-氯丙烷	2-Chloropropane	129
2357	环己胺	Cyclohexylamine	132
2358	环辛四烯	Cyclooctatetraene	128P
2359	二烯丙基胺	Diallylamine	132
2360	二烯丙基醚	Diallyl ether	131P
2361	二异丁胺	Diisobutylamine	132
2362	1,1-二氯乙烷	1,1-Dichloroethane	130
2363	乙硫醇	Ethyl mercaptan	129
2364	正丙苯	*n*-Propylbenzene	128
2366	碳酸二乙酯	Diethyl carbonate	128
2367	α-甲基戊醛	Alpha-methylvaleraldehyde	130
2368	α-蒎烯	Alpha-pinene	128

续表

UN 号	中文名称	英文名称	指南号
2370	1-己烯	1-Hexene	128
2371	异戊烯	Isopentenes	128
2372	1,2-二-(二甲氨基)乙烷	1,2-Di-(dimethylamino) ethane	129
2373	二乙氧基甲烷	Diethoxymethane	127
2374	3,3-二乙氧基丙烯	3,3-Diethoxypropene	127
2375	二乙硫醚(二乙硫)	Diethyl sulphide	129
2376	2,3-二氢吡喃	2,3-Dihydropyran	127
2377	1,1-二甲氧基乙烷	1,1-Dimethoxyethane	127
2378	2-二甲氨基乙腈	2-Dimethylaminoacetonitrile	131
2379	1,3-二甲基丁胺	1,3-Dimethylbutylamine	132
2380	二甲基二乙氧基硅烷	Dimethyldiethoxysilane	127
2381	二甲二硫	Dimethyl disulphide	131
2382	对称二甲肼	Dimethylhydrazine, symmetrical	131
2383	二丙胺	Dipropylamine	132
2384	二正丙醚	Di-*n*-propyl ether	127
2385	异丁酸乙酯	Ethyl isobutyrate	129
2386	1-乙基哌啶	1-Ethylpiperidine	132
2387	氟苯	Fluorobenzene	130
2388	氟代甲苯	Fluorotoluenes	130
2389	呋喃	Furan	128
2390	2-碘丁烷	2-Iodobutane	129
2391	碘甲基丙烷	Iodomethylpropanes	129

续表

UN号	中文名称	英文名称	指南号
2392	碘丙烷	Iodopropanes	129
2393	甲酸异丁酯	Isobutyl formate	129
2394	丙酸异丁酯	Isobutyl propionate	129
2395	异丁酰氯	Isobutyryl chloride	155
2396	甲基丙烯醛，稳定的	Methacrylaldehyde，stabilized	131P
2397	3-甲基-2-丁酮	3-Methylbutan-2-one	127
2398	甲基叔丁基醚	Methyl *tert*-butyl ether	127
2399	1-甲基哌啶	1-Methylpiperidine	132
2400	异戊酸甲酯	Methyl isovalerate	130
2401	哌啶	Piperidine	132
2402	丙硫醇	Propanethiols	130
2403	乙酸异丙烯酯	Isopropenyl acetate	129P
2404	丙腈	Propionitrile	131
2405	丁酸异丙酯	Isopropyl butyrate	129
2406	异丁酸异丙酯	Isopropyl isobutyrate	127
2407	氯甲酸异丙酯	Isopropyl chloroformate	155
2409	丙酸异丙酯	Isopropyl propionate	129
2410	1,2,3,6-四氢吡啶	1，2，3，6-Tetrahydropyridine	129
2411	丁腈	Butyronitrile	131
2412	四氢噻吩	Tetrahydrothiophene	130
2413	原钛酸四丙酯	Tetrapropyl orthotitanate	128
2414	噻吩	Thiophene	130
2416	硼酸三甲酯	Trimethyl borate	129

续表

UN号	中文名称	英文名称	指南号
2417	碳酰氟	Carbonyl fluoride	125
2418	四氟化硫	Sulphur tetrafluoride	125
2419	溴三氟乙烯	Bromotrifluoroethylene	116
2420	六氟丙酮	Hexafluoroacetone	125
2421	三氧化二氮	Nitrogen trioxide	124
2422	八氟-2-丁烯(制冷气体R 1318)	Octafluorobut-2-ene (Refrigerant gas R 1318)	126
2424	八氟丙烷(制冷气体R 218)	Octafluoropropane (Refrigerant gas R 218)	126
2426	硝酸铵,液体的(热浓溶液)	Ammonium nitrate, liquid (hot concentrated solution)	140
2427	氯酸钾水溶液	Potassium chlorate, aqueous solution	140
2428	氯酸钠水溶液	Sodium chlorate, aqueous solution	140
2429	氯酸钙水溶液	Calcium chlorate, aqueous solution	140
2430	烷基苯酚,固体的,未另作规定的(包括$C_2\sim C_{12}$的同系物)	Alkylphenols, solid, n.o.s. (including $C_2\sim C_{12}$, homologues)	153
2431	茴香胺	Anisidines	153
2432	*N*,*N*-二乙基苯胺	*N*,*N*-Diethylaniline	153
2433	硝基氯甲苯,液体的	Chloronitrotoluenes, liquid	152
2434	二苄基二氯硅烷	Dibenzyldichlorosilane	156
2435	乙基苯基二氯硅烷	Ethylphenyldichlorosilane	156
2436	硫代乙酸	Thioacetic acid	129

续表

UN 号	中文名称	英文名称	指南号
2437	甲基苯基二氯硅烷	Methylpenyldichlorosilane	156
2438	三甲基乙酰氯	Trimethylacetyl chloride	131
2439	二氟化氢钠	Sodium hydrogendifluoride	154
2440	五水合四氯化锡	Stannic chloride, pentahydrate	154
2441	三氯化钛,发火的;或三氯化钛混合物,发火的	Titanium trichloride, pyrophoric or titanium trichloride mixture, pyrophoric	135
2442	三氯乙酰氯	Trichloroacetyl chloride	156
2443	三氯氧化钒	Vanadium oxytrichloride	137
2444	四氯化钒	Vanadium tetrachloride	137
2446	硝基甲苯酚,固体的	Nitrocresols, solid	153
2447	白磷,熔融的	Phosphorus, white, molten	136
2448	硫黄,熔融的	Sulphur, molten	133
2451	三氟化氮	Nitrogen trifluoride	122
2452	乙基乙炔,稳定的	Ethylacetylene, stabilized	116P
2453	乙基氟(制冷气体 R 161)	Ethyl fluoride(Refrigerant gas R 161)	115
2454	甲基氟(制冷气体 R 41)	Methyl fluoride(Refrigerant gas R 41)	115
2455	亚硝酸甲酯	Methyl nitrite	116
2456	2-氯丙烯	2-Chloropropene	130P
2457	2,3-二甲基丁烷	2,3-Dimethylbutane	128
2458	己二烯	Hexadiene	130
2459	2-甲基-1-丁烯	2-Methyl-1-butene	128

第二部分 索引表

续表

UN号	中文名称	英文名称	指南号
2460	2-甲基-2-丁烯	2-Methyl-2-butene	128
2461	甲基戊二烯	Methylpentadiene	128
2463	氢化铝	Aluminium hydride	138
2464	硝酸铍	Beryllium nitrate	141
2465	二氯异氰尿酸，干的，或二氯异氰尿酸盐	Dichloroisocyanuric acid, dry or dichloroisocyanuric acid salts	140
2466	超氧化钾	Potassium superoxide	143
2468	三氯异氰脲酸，干的	Trichloroisocyanuric acid, dry	140
2469	溴酸锌	Zinc bromate	140
2470	苯基乙腈，液体的	Phenylacetonitrile, liquid	152
2471	四氧化锇	Osmium tetroxide	154
2473	对氨苯基胂酸钠	Sodium arsanilate	154
2474	硫光气	Thiophosgene	156
2475	三氯化钒	Vanadium trichloride	157
2477	异硫氰酸甲酯	Methyl isothiocyanate	131
2478	异氰酸酯，易燃，毒性，未另作规定的；或异氰酸酯溶液，易燃，毒性，未另作规定的	Isocyanates, flammable, toxic, n. o. s. or isocyanate solution, flammable, toxic, n. o. s.	155
2480	异氰酸甲酯	Methyl isocyanate	155P
2481	异氰酸乙酯	Ethyl isocyanate	155
2482	异氰酸正丙酯	*n*-Propyl isocyanate	155P
2483	异氰酸异丙酯	Isopropyl isocyanate	155P
2484	异氰酸叔丁酯	*Tert*-butyl isocyanate	155

续表

UN 号	中文名称	英文名称	指南号
2485	异氰酸正丁酯	*n*-Butyl isocyanate	155P
2486	异氰酸异丁酯	Isobutyl isocyanate	155P
2487	异氰酸苯酯	Phenyl isocyanate	155
2488	异氰酸环己酯	Cyclohexyl isocyanate	155
2490	二氯异丙醚	Dichloroisopropyl ether	153
2491	乙醇胺或乙醇胺溶液	Ethanolamine, or ethanolamine solution	153
2493	六亚甲基亚胺	Hexamethyleneimine	132
2495	五氟化碘	Iodine pentafluoride	144
2496	丙酸酐	Propionic anhydride	156
2498	1,2,3,6-四氢化苯甲醛	1,2,3,6-Tetrahydro-benzaldehyde	129
2501	氧化三-(1-氮丙啶基)膦溶液	Tris-(1-aziridinyl) phosphine oxide solution	152
2502	戊酰氯	Valeryl chloride	132
2503	四氯化锆	Zirconium tetrachloride	137
2504	四溴乙烷	Tetrabromoethane	159
2505	氟化铵	Ammonium fluoride	154
2506	硫酸氢铵	Ammonium hydrogen sulphate	154
2507	氯铂酸,固体的	Chloroplatinic acid, solid	154
2508	五氯化钼	Molybdenum pentachloride	156
2509	硫酸氢钾	Potassium hydrogen sulphate	154
2511	2-氯丙酸	2-Chloropropionic acid	153
2512	氨基苯酚(邻、间、对)	Aminophenols(*o*-, *m*-, *p*-)	152

续表

UN 号	中文名称	英文名称	指南号
2513	溴乙酰溴	Bromoacetyl bromide	156
2514	溴苯	Bromobenzene	130
2515	溴仿	Bromoform	159
2516	四溴化碳	Carbon tetrabromide	151
2517	1-氯-1,1-二氟乙烷(制冷气体 R 142b)	1-Chloro-1,1-difluoroethane (Refrigerant gas R 142b)	115
2518	1,5,9-环十二碳三烯	1,5,9-Cyclododecatriene	153
2520	环辛二烯	Cyclooctadienes	130P
2521	双烯酮,稳定的	Diketene,stabilized	131P
2522	2-二甲氨基甲基丙烯酸乙酯,稳定的	2-Dimethylaminoethyl methacrylate,stabilized	153P
2524	原甲酸乙酯	Ethyl orthoformate	129
2525	草酸乙酯	Ethyl oxalate	156
2526	糠胺	Furfurylamine	132
2527	丙烯酸异丁酯,稳定的	Isobutyl acrylate, stabilized	129P
2528	异丁酸异丁酯	Isobutyl isobutyrate	130
2529	异丁酸	Isobutyric acid	132
2531	甲基丙烯酸,稳定的	Methacrylic acid,stabilized	153P
2533	三氯乙酸甲酯	Methyl trichloroacetate	156
2534	甲基氯硅烷	Methylchlorosilane	119
2535	4-甲基吗啉(*N*-甲基吗啉)	4-Methylmorpholine (*N*-methylmorpholine)	132
2536	甲基四氢呋喃	Methyltetrahydrofuran	127
2538	硝基萘	Nitronaphthalene	133

续表

UN 号	中文名称	英文名称	指南号
2541	萜品油烯	Terpinolene	128
2542	三丁胺	Tributylamine	153
2545	铪粉,干的	Hafnium powder,dry	135
2546	钛粉,干的	Titanium powder,dry	135
2547	超氧化钠	Sodium superoxide	143
2548	五氟化氯	Chlorine pentafluoride	124
2552	水合六氟丙酮,液体的	Hexafluoroacetone hydrate, liquid	151
2554	甲基烯丙基氯	Methylallyl chloride	130P
2555	含水硝化纤维素(按质量计含水不低于25%)	Nitrocellulose with water (not less than 25% water,by mass)	113
2556	含乙醇硝化纤维素(按质量计含酒精不低于25%,按干重含氮不超过12.6%)	Nitrocellulose with alcohol (not less than 25% alcohol, by mass, and not more than 12.6% nitrogen,by dry mass)	113
2557	硝化纤维素,按干重计含氮不超过12.6%,含或不含增塑剂、含或不含颜料混合物	Nitrocellulose, with not more than 12.6% nitrogen, by drymass, mixture with or without plasticizer, with or without pigment	133
2558	表溴醇	Epibromohydrin	131
2560	2-甲基-2-戊醇	2-Methylpentan-2-ol	129
2561	3-甲基-1-丁烯	3-Methyl-1-butene	128
2564	三氯乙酸溶液	Trichloroacetic acid solution	153

续表

UN 号	中文名称	英文名称	指南号
2565	二环己胺	Dicyclohexylamine	153
2567	五氯苯酚钠	Sodium pentachlorophenate	154
2570	镉化合物	Cadmium compound	154
2571	烷基硫酸	Alkylsulphuric acids	156
2572	苯肼	Phenylhydrazine	153
2573	氯酸铊	Thallium chlorate	141
2574	磷酸三甲苯酯，含邻位异构物大于3%	Tricresyl phosphate with more than 3% ortho isomer	151
2576	三溴氧化磷，熔融的	Phosphorus oxybromide, molten	137
2577	苯乙酰氯	Phenylacetyl chloride	156
2578	三氧化二磷	Phosphorus trioxide	157
2579	哌嗪	Piperazine	153
2580	溴化铝溶液	Aluminium bromide solution	154
2581	氯化铝溶液	Aluminium chloride solution	154
2582	氯化铁溶液	Ferricchloride solution	154
2583	烷基磺酸，固体的；或芳基磺酸，固体的，含游离硫酸大于5%	Alkylsulphonic acids, solid or arylsulphonic acids, solid with more than 5% free sulphuric acid	153
2584	烷基磺酸，液体的；或芳基磺酸，液体的，含游离硫酸大于5%	Alkylsulphonic acids, liquid or arylsulphonic acids, liquid withmore than 5% free sulphuric acid	153

续表

UN 号	中文名称	英文名称	指南号
2585	烷基磺酸,固体的;或芳基磺酸,固体的,含游离硫酸不大于 5%	Alkyl sulphonic acids, solid or arylsulphonic acids, solid with not more than 5% free sulphuric acid	153
2586	烷基磺酸,液体的;或芳基磺酸,液体的,含游离硫酸不大于 5%	Alkylsulphonic acids, liquid orarylsulphonic acids, liquid with not more than 5% free sulphuric acid	153
2587	苯醌	Benzoquinone	153
2588	农药,固体的,毒性,未另作规定的	Pesticide, solid, toxic, n. o. s.	151
2589	氯乙酸乙烯酯	Vinyl chloroacetate	155
2590	白石棉,温石棉	Asbestos, chrysotile	171
2591	氙,冷冻液体	Xenon, refrigerated liquid	120
2599	三氟氯甲烷和三氟甲烷的共沸混合液,含三氟氯甲烷约 60%(制冷气体 R 503)	Chlorotrifluoromethane and trifluoromethane azeotropic mixture with approximately 60% chlorotrifluoromethane (Refrigerant gas R 503)	126
2601	环丁烷	Cyclobutane	115
2602	二氯二氟甲烷和二氟乙烷的共沸混合物,含二氯二氟甲烷约 74%(制冷气体 R 500)	Dichlorodifluoromethane and difluoroethane azeotropic mixture with approximately 74% dichlorodifluoromethane (Refrigerant gas R 500)	126
2603	环庚三烯	Cycloheptatriene	131
2604	三氟化硼合二乙醚	Boron trifluoride diethyl etherate	132

续表

UN号	中文名称	英文名称	指南号
2605	异氰酸甲氧基甲酯	Methoxymethyl isocyanate	155
2606	原硅酸甲酯	Methyl orthosilicate	155
2607	二聚丙烯醛，稳定的	Acrolein dimer, stabilized	129P
2608	硝基丙烷	Nitropropanes	129
2609	硼酸三烯丙酯	Triallyl borate	156
2610	三烯丙胺	Triallylamine	132
2611	丙氯醇	Propylene chlorohydrin	131
2612	甲基丙基醚（甲丙醚）	Methyl propyl ether	127
2614	甲代烯丙醇	Methallyl alcohol	129
2615	乙基丙基醚（乙丙醚）	Ethyl propyl ether	127
2616	硼酸三异丙酯	Triisopropyl borate	129
2617	甲基环己醇，易燃	Methylcyclohexanols, flammable	129
2618	乙烯基甲苯，稳定的	Vinyltoluenes, stabilized	130P
2619	苄基二甲胺	Benzyldimethylamine	132
2620	丁酸戊酯	Amyl butyrates	130
2621	乙酰甲基甲醇	Acetyl methyl carbinol	127
2622	缩水甘油醛	Glycidaldehyde	131P
2623	点火剂，固体的，含易燃液体	Firelighters, solid with flammable liquid	133
2624	硅化镁	Magnesium silicide	138
2626	氯酸水溶液，含氯酸不大于10%	Chloric acid, aqueous solution with not more than 10% chloric acid	140

续表

UN 号	中文名称	英文名称	指南号
2627	亚硝酸盐，无机的，未另作规定的	Nitrites, inorganic, n. o. s.	140
2628	氟乙酸钾	Potassium fluoroacetate	151
2629	氟乙酸钠	Sodium fluoroacetate	151
2630	硒酸盐或亚硒酸盐	Selenates or selenites	151
2642	氟乙酸	Fluoroacetic acid	154
2643	溴乙酸甲酯	Methyl bromoacetate	153
2644	甲基碘	Methyl iodide	151
2645	苯酰甲基溴	Phenacyl bromide	153
2646	六氯环戊二烯	Hexachlorocyclopentadiene	151
2647	丙二腈	Malononitrile	153
2648	1,2-二溴-3-丁酮	1,2-Dibromobutan-3-one	154
2649	1,3-二氯丙酮	1,3-Dichloroacetone	153
2650	1,1-二氯-1-硝基乙烷	1,1-Dichloro-1-nitroethane	153
2651	4,4′-二氨基二苯基甲烷	4,4′-Diaminodiphenylmethane	153
2653	苄基碘	Benzyl iodide	156
2655	氟硅酸钾	Potassium fluorosilicate	151
2656	喹啉	Quinoline	154
2657	二硫化硒	Selenium disulphide	153
2659	氯乙酸钠	Sodium chloracetate	151
2660	一硝基甲苯胺	Nitrotoluidines(mono)	153
2661	六氯丙酮	Hexachloroacetone	153

第二部分 索引表

续表

UN号	中文名称	英文名称	指南号
2664	二溴甲烷	Dibromomethane	160
2667	丁基甲苯	Butyltoluenes	152
2668	氯乙腈	Chloroacetonitrile	131
2669	氯甲酚溶液	Chlorocresols solution	152
2670	氰尿酰氯	Cyanuric chloride	157
2671	氨基吡啶(邻、间、对)	Aminopyridines (*o*-, *m*-, *p*-)	153
2672	氨溶液,水溶液在15℃时的相对密度为0.880～0.975,含氨量10%～35%	Ammonia solution, relative density between 0.880 and 0.957 at 15℃ in water, with more than 10% but not more than 35% Ammonia	154
2673	2-氨基-4-氯苯酚	2-Amino-4-chlorophenol	151
2674	氟硅酸钠	Sodium fluorosilicate	154
2676	锑化氢	Stibine	119
2677	氢氧化铷溶液	Rubidium hydroxide solution	154
2678	氢氧化铷	Rubidium hydroxide	154
2679	氢氧化锂溶液	Lithium hydroxide solution	154
2680	氢氧化锂	Lithium hydroxide	154
2681	氢氧化铯溶液	Caesium hydroxide solution	154
2682	氢氧化铯	Caesium hydroxide	157
2683	硫化铵溶液	Ammonium sulphide solution	132

续表

UN 号	中文名称	英文名称	指南号
2684	3-二乙氨基丙胺	3-Diethylaminopropylamine	132
2685	*N*,*N*-二乙基亚乙基二胺	*N*, *N*-Diethylethylenediamine	132
2686	2-二乙氨基乙醇	2-Diethylaminoethanol	132
2687	亚硝酸二环己胺	Dicyclohexylammonium nitrite	133
2688	1-溴-3-氯丙烷	1-Bromo-3-chloropropropane	159
2689	3-氯-1,2-丙三醇	Glycerol alpha-monochlorohydrin	153
2690	*N*-正丁基咪唑	*N*(*n*-Butyl)-imidazole	152
2691	五溴化磷	Phosphorus pentabromide	137
2692	三溴化硼	Borontribromide	157
2693	酸式亚硫酸盐水溶液,未另作规定的	Bisulphites, aqueous solution, n. o. s.	154
2698	四氢化邻苯二甲酸酐,含马来酐大于 0.05%	Tetrahydrophthalic anhydrides with more than 0.05% of maleic anhydride	156
2699	三氟乙酸	Trifluoroacetic acid	154
2705	1-戊醇	1-Pentol	153P
2707	二甲基二噁烷	Dimethyldioxanes	127
2709	丁基苯	Butylbenzenes	128
2710	二丙酮	Dipropyl ketone	128
2713	吖啶	Acridine	153
2714	树脂酸锌	Zinc resinate	133

续表

UN号	中文名称	英文名称	指南号
2715	树脂酸铝	Aluminum resinate	133
2716	1,4-丁炔二醇	1,4-Butynediol	153
2717	樟脑,合成的	Camphor,synthetic	133
2719	溴酸钡	Barium bromate	141
2720	硝酸铬	Chromium nitrate	141
2721	氯酸铜	Copper chlorate	140
2722	硝酸锂	Lithium nitrate	140
2723	氯酸镁	Magnesium chlorate	140
2724	硝酸锰	Manganese nitrate	140
2725	硝酸镍	Nickel nitrate	140
2726	亚硝酸镍	Nickel nitrite	140
2727	硝酸铊	Thallium nitrate	141
2728	硝酸锆	Zirconium nitrate	140
2729	六氯苯	Hexachlorobenzene	152
2730	硝基茴香醚,液体的	Nitroanisoles,liquid	152
2732	硝基苯溴,液体的	Nitrobromobenzenes, liquid	152
2733	胺,易燃,腐蚀性的,未另作规定的;或聚胺,易燃,腐蚀性的,未另作规定的	Amines,flammable,corrosive,n. o. s. or polyamines,flammable,corrosive,n. o. s.	132
2734	胺,液体的,腐蚀性的,易燃,未另作规定的;或聚胺,液体的,腐蚀性的,易燃,未另作规定的	Amines,liquid,corrosive,flammable,n. o. s. or polyamines,liquid,corrosive,flammable,n. o. s.	132

续表

UN 号	中文名称	英文名称	指南号
2735	胺,液体的,腐蚀性的,未另作规定的;或聚胺,液体的,腐蚀性的,未另作规定的	Amines, liquid, corrosive, n. o. s. or polyamines, liquid, corrosive, n. o. s.	153
2738	*N*-丁基苯胺	*N*-Butylaniline	153
2739	丁酸酐	Butyric anhydride	156
2740	氯甲酸正丙酯	*n*-Propyl chloroformate	155
2741	次氯酸钡,含有效氯大于22%	Barium hypochlorite with more than 22% available chlorine	141
2742	氯甲酸酯,毒性,腐蚀性的,易燃,未另作规定的	Chlorocarbonates, toxic, corrosive, flammable, n. o. s.	155
2743	氯甲酸正丁酯	*n*-Butyl chloroformate	155
2744	氯甲酸环丁酯	Cyclobutyl chloroformate	155
2745	氯甲酸氯甲酯	Chloromethyl chloroformate	157
2746	氯甲酸苯酯	Phenyl chloroformate	156
2747	氯甲酸叔丁基环己酯	*Tert*-butylcyclohexyl chloroformate	156
2748	氯甲酸-2-乙基己酯	2-Ethylhexyl chloroformate	156
2749	四甲基硅烷	Tetramethylsilane	130
2750	1,3-二氯-2-丙醇	1,3-Dichloropropanol-2	153
2751	二乙基硫代磷酰氯	Diethylthiophosphoryl chloride	156
2752	1,2-环氧-3-乙氧基丙烷	1,2-Epoxy-3-ethoxypropane	127
2753	*N*-乙苄基甲苯胺,液体的	*N*-Ethylbenzyltoluidines, liquid	153

续表

UN 号	中文名称	英文名称	指南号
2754	*N*-乙基甲苯胺	*N*-Ethyltoluidines	153
2757	氨基甲酸酯农药,固体的,毒性	Carbamate pesticide, solid, toxic	151
2758	氨基甲酸酯农药,液体的,易燃,毒性,闪点低于23℃	Carbamate pesticide, liquid, flammable, toxic, flash point less than 23℃	131
2759	含砷农药,固体的,毒性	Arsenical pesticide, solid, toxic	151
2760	含砷农药,液体的,易燃,毒性,闪点低于23℃	Arsenical pesticide, liquid, flammable, toxic, flash point less than 23℃	131
2761	有机氯农药,固体的,毒性	Organochlorine pesticide, solid, toxic	151
2762	有机氯农药,液体的,易燃,毒性,闪点低于23℃	Organochlorine pesticide, liquid, flammable, toxic, flash point less than 23℃	131
2763	三嗪农药,固体的,毒性	Triazine pesticide, solid, toxic	151
2764	三嗪农药,液体的,易燃,毒性,闪点低于23℃	Triazine pesticide, liquid, flammable, toxic, flash point less than 23℃	131
2771	硫代氨基甲酸酯农药,固体的,毒性	Thiocarbamate pesticide, solid, toxic	151
2772	硫代氨基甲酸酯农药,液体的,易燃,毒性,闪点低于23℃	Thiocarbamate pesticide, liquid, flammable, toxic, flash point less than 23℃	131
2775	铜基农药,固体的,毒性	Copper based pesticide, solid, toxic	151

UN号	中文名称	英文名称	指南号
2776	铜基农药,液体的,易燃,毒性,闪点低于23℃	Copper based pesticide, liquid, flammable, toxic, flash point less than 23℃	131
2777	汞基农药,固体的,毒性	Mercury based pesticide, solid, toxic	151
2778	汞基农药,液体的,易燃,毒性,闪点低于23℃	Mercury based pesticide, liquid, flammable, toxic, flash point less than 23℃	131
2779	取代硝基苯酚农药,固体的,毒性	Substituted nitrophenol pesticide, solid, toxic	153
2780	取代硝基苯酚农药,液体的,易燃,毒性,闪点低于23℃	Substituted nitrophenol pesticide, liquid, flammable, toxic, flash point less than 23℃	131
2781	联吡啶农药,固体的,毒性	Bipyridilium pesticide, solid, toxic	151
2782	联吡啶农药,液体的,易燃,毒性,闪点低于23℃	Bipyridilium pesticide, liquid, flammable, toxic, flash point less than 23℃	131
2783	有机磷农药,固体的,毒性	Organophosphorus pesticide, solid, toxic	152
2784	有机磷农药,液体的,易燃,毒性,闪点低于23℃	Organophosphorus pesticide, liquid, flammable, toxic, flash point less than 23℃	131
2785	4-硫杂戊醛	4-Thiapentanal	152
2786	有机锡农药,固体的,毒性	Organotin pesticide, solid, toxic	153

续表

UN号	中文名称	英文名称	指南号
2787	有机锡农药，液体的，易燃，毒性，闪点低于23℃	Organotin pesticide, liquid, flammable, toxic, flash point less than 23℃	131
2788	有机锡化合物，液体的，未另作规定的	Organotin compound, liquid, n. o. s.	153
2789	冰醋酸，或乙酸溶液，按质量计含酸大于80%	Acetic acid, glacial, or acetic acid solution, more than 80% acid, by mass	132
2790	乙酸溶液，按质量计含酸10%～80%	Acetic acid solution, more than 10% but not more than 80% acid, by mass	153
2793	黑色金属的镗屑、刨屑、旋屑或切屑，易自热	Ferrous metal borings, shavings, turnings or cuttings in a form liable to self-heating	170
2794	蓄电池组，湿的，装有酸液	Batteries, wet, filled with acid, electric storage	154
2795	蓄电池组，湿的，装有碱液	Batteries, wet, filled with alkali, electric storage	154
2796	硫酸，含酸不超过51%，或酸性电池液	Sulphuric acid, with not more than 51% acid, or battery fluid, acid	157
2797	碱性电池液	Battery fluid, alkali	154
2798	苯基二氯化磷	Phenylphosphorus dichloride	137
2799	苯基硫代磷酰二氯	Phenylphosphorus thiodichloride	137
2800	蓄电池组，湿的，密封的	Batteries, wet, non-spillable, electric storage	154

续表

UN号	中文名称	英文名称	指南号
2801	染料，液体的，腐蚀性的，未另作规定的；或染料中间产品，液体的，腐蚀性的，未另作规定的	Dye, liquid, corrosive, n. o. s, or dye intermediate, liquid, corrosive, n. o. s.	154
2802	氯化铜	Copper chloride	154
2803	镓	Gallium	172
2805	氢化锂，熔凝固态	Lithium hydride, fused solid	138
2806	氮化锂	Lithium nitride	139
2807	磁化材料	Magnetized material	171
2809	汞	Mercury	172
2810	毒性液体，有机的，未另作规定的	Toxic liquid, organic, n. o. s.	153
2811	毒性固体，有机的，未另作规定的	Toxic solid, organic, n. o. s.	154
2812	铝酸钠，固体的	Sodium aluminate, solid	154
2813	遇水反应固体，未另作规定的	Water-reactive solid, n. o. s.	138
2814	感染性物质，对人感染	Infectious substance, affecting humans	158
2815	*N*-氨乙基哌嗪	*N*-Aminoethylpiperazine	153
2817	二氟化氢铵溶液	Ammonium hydrogendifluoride solution	154
2818	多硫化铵溶液	Ammonium polysulphide solution	154
2819	酸式磷酸戊酯	Amyl acid phosphate	153
2820	丁酸	Butyric acid	153

续表

UN号	中文名称	英文名称	指南号
2821	苯酚溶液	Phenol solution	153
2822	2-氯吡啶	2-Chloropyridene	153
2823	丁烯酸,固体的	Crotonic acid, solid	153
2826	氯硫代甲酸乙酯	Ethyl chlorothioformate	155
2829	己酸	Caproic acid	153
2830	锂硅铁	Lithium ferrosilicon	139
2831	1,1,1-三氯乙烷	1,1,1-Trichloroethane	160
2834	亚磷酸	Phosphorus acid	154
2835	氢化铝钠	Sodium aluminum hydride	138
2837	硫酸氢盐水溶液	Bisulphates, aqueous solution	154
2838	丁酸乙烯酯,稳定的	Vinyl butyrate, stabilized	129P
2839	丁间醇醛	Aldol	153
2840	丁醛肟	Butyraldoxime	129
2841	二正戊胺	Di-*n*-amylamine	131
2842	硝基乙烷	Nitroethane	129
2844	钙锰硅合金	Calcium manganese silicon	138
2845	发火液体,有机的,未另作规定的	Pyrophoric liquid, organic, n. o. s.	135
2846	发火固体,有机的,未另作规定的	Pyrophoric solid, organic, n. o. s.	135
2849	3-氯-1-丙醇	3-Chloro-propanol-1	153
2850	四聚丙烯	Propylene tetramer	128
2851	三氟化硼合二水合物	Boron trifluoride dihydrate	157
2852	二苦硫(六硝基二苯硫),湿的,按质量计含水不低于10%	Dipicryl sulphide, wetted, with not less than 10% water, by mass	113

续表

UN号	中文名称	英文名称	指南号
2853	氟硅酸镁	Magnesium fluorosilicate	151
2854	氟硅酸铵	Ammonium fluorosilicate	151
2855	氟硅酸锌	Zinc fluorosilicate	151
2856	氟硅酸盐(酯),未另作规定的	Fluorosilicates, n. o. s.	151
2857	制冷机,含非易燃、无毒气体或氨溶液(UN2672)	Refrigerating machines, containingnon-flammable, non-flammable, nontoxic, gases or ammonia solutions(UN2672)	126
2858	锆金属,干的,成卷线材,精整金属薄板、带材(厚度18～254μm)	Zirconium, dry, coiled wire, finished metal sheets or strip(thinner than 254 microns but not thinner than 18 microns)	170
2859	偏钒酸铵	Ammonium metavanadate	154
2861	多钒酸铵	Ammonium polyvanadate	151
2862	五氧化二钒,非熔凝状态	Vanadium pentoxide, non-fused form	151
2863	钒酸铵钠	Sodium ammonium vanadate	154
2864	偏钒酸钾	Potassium metavanadate	151
2865	硫酸胲(硫酸羟胺)	Hydroxylamine sulphate	154
2869	三氯化钛混合物	Titanium trichloride mixture	157
2870	氢硼化铝,或装置中的氢硼化铝	Aluminum borohydride, or aluminum borohydride in devices	135

续表

UN号	中文名称	英文名称	指南号
2871	锑粉	Antimony powder	170
2872	二溴氯丙烷	Dibromochloropropanes	159
2873	二丁氨基乙醇	Dibutylaminoethanol	153
2874	糠醇	Furfuryl alcohol	153
2875	六氯酚	Hexachlorophene	151
2876	间苯二酚	Resorcinol	153
2878	颗粒状海绵钛或海绵钛粉末	Titanium sponge granules or titanium sponge powders	170
2879	二氯氧化硒	Selenium oxychloride	157
2880	水合次氯酸钙,或水合次氯酸钙混合物,含水5.5%～16%	Calcium hypochlorite, hydrated, or Calcium hypochlorite, hydrated mixture, with not less than 5.5% but not more than 16 % water	140
2881	金属催化剂,干的	Metal catalyst,dry	135
2900	感染性物质,只对动物感染	Infectious substance, affecting animals only	158
2901	氯化溴	Bromine chloride	124
2902	农药,液体的,毒性,未另作规定的	Pesticide, liquid, toxic, n. o. s.	151
2903	农药,液体的,毒性,易燃,未另作规定的,闪点不低于23℃	Pesticide, liquid, toxic, flammable, n. o. s. , flash point not less than 23℃	131
2904	氯苯酚盐,液体的;或苯酚盐,液体的	Chlorophenolates, liquid, or phenolates,liquid	154

续表

UN号	中文名称	英文名称	指南号
2905	氯苯酚盐，固体的；或苯酚盐，固体的	Chlorophenolates, solid, or phenolates, solid	154
2907	异山梨醇二硝酸酯混合物，含有不小于60%的乳糖、甘露糖、淀粉或磷酸氢钙	Isosorbide dinitrate mixture, with not less than 60% lactose, mannose, starch or calcium hydrogen phosphate	133
2908	放射性材料，例外包装件——空包装	Radioactive material, excepted package—empty packaging	161
2909	放射性材料，例外包装件——天然铀、贫化铀或天然钍制造的物品	Radioactive material, excepted package-articles manufactured from natural uranium or depleted uranium or natural thorium	161
2910	放射性材料，例外包装件——物质数量有限	Radioactive material, excepted package-limited quantity of material	161
2911	放射性材料，例外包装件——仪器或物品	Radioactive material, excepted package-instruments or articles	161
2912	放射性材料，低比活度（LSA-Ⅰ），不裂变或例外的易裂变	Radioactive material, low specific activity (LSA-Ⅰ) non fissile or fissile-excepted	162
2913	放射性材料，表面污染物体（SCO-Ⅰ或SCO-Ⅱ），不裂变或例外的易裂变	Radioactive material, surface contaminated objects (SCO-Ⅰ or SCO-Ⅱ) non fissile or fissile-excepted	162

第二部分 索引表

续表

UN号	中文名称	英文名称	指南号
2915	放射性材料,A型包装件,非特殊形式,不裂变或例外的易裂变	Radioactive material, type A package, non-special form, non fissile orfissile-excepted	163
2916	放射性材料,B(U)型包装件,不裂变或例外的易裂变	Radioactive material, type B(U) package, non fissile or fissile-excepted	163
2917	放射性材料,B(M)型包装件,不裂变或例外的易裂变	Radioactive material, type B(M) package non-special form, non fissile or fissile-excepted	163
2919	放射性材料,按特殊安排运输,不裂变或例外的易裂变	Radioactive material, transported under special arrangement, non fissile or fissile-excepted	163
2920	腐蚀性液体,易燃,未另作规定的	Corrosive liquid, flammable, n. o. s.	132
2921	腐蚀性固体,易燃,未另作规定的	Corrosive solid, flammable, n. o. s.	134
2922	腐蚀性液体,毒性,未另作规定的	Corrosive liquid, toxic, n. o. s.	154
2923	腐蚀性固体,毒性,未另作规定的	Corrosive solid, toxic, n. o. s.	154
2924	易燃液体,腐蚀性的,未另作规定的	Flammable liquid, corrosive, n. o. s.	132
2925	易燃固体,腐蚀性的,有机的,未另作规定的	Flammable solid, corrosive, organic, n. o. s.	134
2926	易燃固体,毒性,有机的,未另作规定的	Flammable solid, toxic, organic, n. o. s.	134

续表

UN号	中文名称	英文名称	指南号
2927	毒性液体，腐蚀性的，有机的，未另作规定的	Toxic liquid, corrosive, organic, n. o. s.	154
2928	毒性固体，腐蚀性的，有机的，未另作规定的	Toxic solid, corrosive, organic, n. o. s.	154
2929	毒性液体，易燃，有机的，未另作规定的	Toxic liquid, flammable, organic, n. o. s.	131
2930	毒性固体，易燃，有机的，未另作规定的	Toxic solid, flammable, organic, n. o. s.	134
2931	硫酸氧钒	Vanadyl sulphate	151
2933	2-氯丙酸甲酯	Methyl 2-chloropropionate	129
2934	2-氯丙酸异丙酯	Isopropyl 2-chloropropionate	129
2935	2-氯丙酸乙酯	Ethyl 2-chloropropionate	129
2936	硫代乳酸	Thiolactic acid	153
2937	α-甲基苄基醇，液体的	Alpha-methylbenzyl alcohol, liquid	153
2940	9-磷杂二环壬烷(环辛二烯膦)	9-Phosphabicyclononanes (cyclooctadiene phosphines)	135
2941	氟苯胺	Fluoroanilines	153
2942	2-三氟甲基苯胺	2-Trifluoromethylaniline	153
2943	四氢化糠胺	Tetrahydrofurfurylamine	129
2945	*N*-甲基丁胺	*N*-Methylbutylamine	132
2946	2-氨基-5-二乙氨基戊烷	2-Amino-5-diethylaminopentane	153
2947	氯乙酸异丙酯	Isopropyl chloroacetate	127
2948	3-三氟甲基苯胺	3-Trifluoromethylaniline	153

续表

UN 号	中文名称	英文名称	指南号
2949	氢硫化钠，含结晶水不低于 25%	Sodium hydrosulphide, hydrated with not less than 25% water of crystallization	154
2950	镁粒，涂层的，粒径不小于 149μm	Magnesium granules, coated, particle size not less than 149 microns	138
2956	5-叔丁基-2,4,6-三硝基间二甲苯(二甲苯麝香)	5-*Tert*-butyl-2, 4, 6-triitro-*m*-xylene(musk xylene)	149
2965	三氟化硼合二甲醚	Boron trifluoride dimethyl etherate	139
2966	硫甘醇	Thioglycol	153
2967	氨基磺酸	Sulphamic acid	154
2968	代森锰，稳定的，或代森锰制剂，加防自热稳定剂	Maneb, stabilized, or maneb preparation, stabilized against self-heating	135
2969	蓖麻籽或蓖麻粉或蓖麻油渣或蓖麻片	Castor beans or castor meal or castor pomace or castor flake	171
2977	放射性材料，六氟化铀，易裂变	Radioactive material, uranium hexafluoride, fissile	166
2978	放射性材料，六氟化铀，不裂变或例外的易裂变	Radioactive material, uranium hexafluoride, non fissile or fissile-excepted	166
2983	环氧乙烷和氧化丙烯混合物，含环氧乙烷不大于 30%	Ethylene oxide and propylene oxide mixture, not more than 30% ethylene oxide	131P

续表

UN号	中文名称	英文名称	指南号
2984	过氧化氢水溶液，过氧化氢含量8%～20%（必要时加稳定剂）	Hydrogen peroxide, aqueous solution, with not less than 8% but less than 20% hydrogen peroxide (stabilized as necessary)	140
2985	氯硅烷，易燃，腐蚀性，未另作规定的	Chlorosilanes, flammable, corrosive, n. o. s.	155
2986	氯硅烷，腐蚀性，易燃，未另作规定的	Chlorosilanes, corrosive, flammable, n. o. s.	155
2987	氯硅烷，腐蚀性，未另作规定的	Chlorosilanes, corrosive, n. o. s.	156
2988	氯硅烷，遇水反应的，易燃，腐蚀性，未另作规定的	Chlorosilanes, water-reactive, flammable, corrosive, n. o. s.	139
2989	亚磷酸二氢铅	Lead phosphite, dibasic	133
2990	救生设备，自动膨胀式	Life-saving appliances, self-inflating	171
2991	氨基甲酸酯农药，液体的，毒性，易燃，闪点不低于23℃	Carbamate pesticide, liquid, toxic, flammable, flash point not less than 23℃	131
2992	氨基甲酸酯农药，液体的，毒性	Carbamate pesticide, liquid, toxic	151
2993	含砷农药，液体的，毒性，易燃，闪点不低于23℃	Arsenical pesticide, liquid, toxic, flammable, flash point not less than 23℃	131
2994	含砷农药，液体的，毒性	Arsenical pesticide, liquid, toxic	151

续表

UN号	中文名称	英文名称	指南号
2995	有机氯农药,液体的,毒性,易燃,闪点不低于23℃	Organochlorine pesticide, liquid, toxic, flammable, flash point not less than 23℃	131
2996	有机氯农药,液体的,毒性	Organochlorine pesticide, liquid,toxic	151
2997	三嗪农药,液体的,毒性,易燃,闪点不低于23℃	Triazine pesticide, liquid, toxic, flammable, flash point not less than 23℃	131
2998	三嗪农药,液体的,毒性	Triazine pesticide, liquid, toxic	151
3005	硫代氨基甲酸酯农药,液体的,毒性,易燃,闪点不低于23℃	Thiocarbamate pesticide, liquid, toxic, flammable, flash point not less than 23℃	131
3006	硫代氨基甲酸酯农药,液体的,毒性	Thiocarbamate pesticide, liquid,toxic	151
3009	铜基农药,液体的,毒性,易燃,闪点不低于23℃	Copper based pesticide, liquid, toxic, flammable, flash point not less than 23℃	131
3010	铜基农药,液体的,毒性	Copper based pesticide, liquid,toxic	151
3011	汞基农药,液体的,毒性,易燃,闪点不低于23℃	Mercury based pesticide, liquid, toxic, flammable, flash point not less than 23℃	131
3012	汞基农药,液体的,毒性	Mercury based pesticide, liquid,toxic	151

续表

UN号	中文名称	英文名称	指南号
3013	取代硝基苯酚农药，液体的，毒性，易燃，闪点不低于23℃	Substituted nitrophenol pesticide, liquid, toxic, flammable, flash point not less than 23℃	131
3014	取代硝基苯酚农药，液体的，毒性	Substituted nitrophenol pesticide, liquid, toxic	153
3015	联吡啶农药，液体的，毒性，易燃，闪点不低于23℃	Bipyridilium pesticide, liquid, toxic, flammable, flash point not less than 23℃	131
3016	联吡啶农药，液体的，毒性	Bipyridilium pesticide, liquid, toxic	151
3017	有机磷农药，液体的，毒性，易燃，闪点不低于23℃	Organophosphorus pesticide, liquid, toxic, flammable, flash point not less than 23℃	131
3018	有机磷农药，液体的，毒性	Organophosphorus pesticide, liquid, toxic	152
3019	有机锡农药，液体的，毒性，易燃，闪点不低于23℃	Organotin pesticide, liquid, toxic, flammable, flash point not less than 23℃	131
3020	有机锡农药，液体的，毒性	Organotin pesticide, liquid, toxic	153
3021	农药，液体的，易燃，毒性，未另作规定的，闪点低于23℃	Pesticide, liquid, flammable, toxic, n. o. s., flash point less than 23℃	131
3022	1,2-丁撑氧（环氧丁烷），稳定的	1,2-Butene oxide, stabilized	127P

第二部分　索引表

续表

UN号	中文名称	英文名称	指南号
3023	2-甲基-2-庚硫醇	2-Methyl-2-heptanethiol	131
3024	香豆素衍生物农药,液体的,毒性,易燃,闪点低于23℃	Coumarin derivative pesticide, liquid, flammable, toxic, flash point less than 23℃	131
3025	香豆素衍生物农药,液体的,毒性,易燃,闪点不低于23℃	Coumarin derivative pesticide, liquid, toxic, flammable, flash point not less than 23℃	131
3026	香豆素衍生物农药,液体的,毒性	Coumarin derivative pesticide, liquid, toxic	151
3027	香豆素衍生物农药,固体的,毒性	Coumarin derivative pesticide, solid, toxic	151
3028	蓄电电池组,干的,含有固体氢氧化钾	Batteries, dry, containing potassium hydroxide, solid, electric storage	154
3048	磷化铝农药	Aluminum phosphide pesticide	157
3054	环己硫醇	Cyclohexyl mercaptan	129
3055	2-(2-氨基乙氧基)乙醇	2-(2-Aminoethoxy) ethanol	154
3056	正庚醛	*n*-Heptaldehyde	129
3057	三氟乙酰氯	Trifluoroacetyl chloride	125
3064	硝化甘油酒精溶液,含硝化甘油1%~5%	Nitroglycerin, solution in alcohol with more than 1% but not more than 5% nitroglycerin	127
3065	酒精饮料,按体积计含乙醇大于24%	Alcoholic beverages, with more than 24% by volume	127

续表

UN 号	中文名称	英文名称	指南号
3066	涂料(包括色漆、喷漆、瓷釉、着色剂、虫胶、清漆、抛光剂、液态填料和液态喷漆基料)或涂料的相关材料(包括涂料稀释剂或冲淡剂)	Paint(including paint, lacquer, enamel, stain, shellac, varnish, polish, liquid filler and liquid lacquer base) or paint related material (including paint thinning or reducing compound)	153
3070	环氧乙烷和二氯二氟甲烷混合物,含环氧乙烷不大于12.5%	Ethylene oxide and dichlorotdifluoromethane mixture, with not more than 12.5% ethylene oxide	126
3071	硫醇,液体的,毒性,易燃,未另作规定的;或液态硫醇混合物,毒性,易燃,未另作规定的	Mercaptans, liquid, toxic, flammable, n. o. s. or mercaptan mixture, liquid, toxic, flammable, n. o. s.	131
3072	非自动膨胀式救生装置,装备中含有危险物品	Life-saving appliances, not self-inflating containing dangerous goods as equipment	171
3073	乙烯基吡啶,稳定的	Vinyl pyridines, stabilized	131P
3077	对环境有危害的物质,固体的,未另作规定的	Environmentally hazardous substances, solid, n. o. s.	171
3078	铈,切屑或粗粉	Cerium, turnings or gritty powder	138
3079	甲基丙烯腈,稳定的	Methacrylonitrile, stabilized	131P

续表

UN号	中文名称	英文名称	指南号
3080	异氰酸酯,毒性,易燃,未另作规定的;或异氰酸酯溶液,毒性,易燃,未另作规定的	Isocyanates, toxic, flammable, n. o. s. or isocyanate solution, toxic, flammable, n. o. s.	155
3082	对环境有危害的物质,液体的,未另作规定的	Environmentally hazardous substances, liquid, n. o. s.	171
3083	氟化高氯酰(高氯酰氟)	Perchloryl fluoride	124
3084	腐蚀性固体,氧化性,未另作规定的	Corrosive solid, oxidizing, n. o. s.	157
3085	氧化性固体,腐蚀性的,未另作规定的	Oxidizing solid, corrosive, n. o. s.	140
3086	毒性固体,氧化性,未另作规定的	Toxicsolid, oxidizing, n. o. s.	141
3087	氧化性固体,毒性,未另作规定的	Oxidizing solid, toxic, n. o. s.	141
3088	自热固体,有机的,未另作规定的	Self-heating solid, organic, n. o. s.	135
3089	金属粉,易燃,未另作规定的	Metal powder, flammable, n. o. s.	170
3090	锂金属电池组(包括锂合金电池组)	Lithium metalbatteries (including lithium alloy batteries)	138
3091	包含在设备中的锂金属电池组或同设备打包在一起的锂电池组(包含锂合金电池组)	Lithium batteries contained in equipment or lithium batteries packed with equipment (including lithium alloy batteries)	138
3092	1-甲氧基-2-丙醇	1-Methoxy-2-propanol	129

续表

UN 号	中文名称	英文名称	指南号
3093	腐蚀性液体,氧化性,未另作规定的	Corrosive liquid, oxidizing, n. o. s.	157
3094	腐蚀性液体,遇水反应的,未另作规定的	Corrosive liquid, water-reactive, n. o. s.	138
3095	腐蚀性固体,自热的,未另作规定的	Corrosive solid, self-heating, n. o. s.	136
3096	腐蚀性固体,遇水反应的,未另作规定的	Corrosive solid, water-reactive, n. o. s.	138
3097	易燃固体,氧化性,未另作规定的	Flammable solid, oxidizing, n. o. s.	140
3098	氧化性液体,腐蚀性的,未另作规定的	Oxidizing liquid, corrosive, n. o. s.	140
3099	氧化性液体,毒性,未另作规定的	Oxidizing liquid, toxic, n. o. s.	142
3100	氧化性固体,自热的,未另作规定的	Oxidizing solid, self-heating, n. o. s.	135
3101	B 型有机过氧化物,液体的	Organic peroxide type B, liquid	146
3102	B 型有机过氧化物,固体的	Organic peroxide type B, solid	146
3103	C 型有机过氧化物,液体的	Organic peroxide type C, liquid	146
3104	C 型有机过氧化物,固体的	Organic peroxide type C, solid	146
3105	D 型有机过氧化物,液体的	Organic peroxide type D, liquid	145
3106	D 型有机过氧化物,固体的	Organic peroxide type D, solid	145

续表

UN号	中文名称	英文名称	指南号
3107	E型有机过氧化物,液体的	Organic peroxide type E, liquid	145
3108	E型有机过氧化物,固体的	Organic peroxide type E, solid	145
3109	F型有机过氧化物,液体的	Organic peroxide type F, liquid	145
3110	F型有机过氧化物,固体的	Organic peroxide type F, solid	145
3111	B型有机过氧化物,液体的,控制温度的	Organic peroxide type B, liquid, temperature controlled	148
3112	B型有机过氧化物,固体的,控制温度的	Organic peroxide type B, solid, temperature controlled	148
3113	C型有机过氧化物,液体的,控制温度的	Organic peroxide type C, liquid, temperature controlled	148
3114	C型有机过氧化物,固体的,控制温度的	Organic peroxide type C, solid, temperature controlled	148
3115	D型有机过氧化物,液体的,控制温度的	Organic peroxide type D, liquid, temperature controlled	148
3116	D型有机过氧化物,固体的,控制温度的	Organic peroxide type D, solid, temperature controlled	148
3117	E型有机过氧化物,液体的,控制温度的	Organic peroxide type E, liquid, temperature controlled	148

续表

UN号	中文名称	英文名称	指南号
3118	E型有机过氧化物，固体的，控制温度的	Organic peroxide type E, solid, temperature controlled	148
3119	F型有机过氧化物，液体的，控制温度的	Organic peroxide type F, liquid, temperature controlled	148
3120	F型有机过氧化物，固体的，控制温度的	Organic peroxide type F, solid, temperature controlled	148
3121	氧化性固体，遇水反应的，未另作规定的	Oxidizing solid, water-reactive, n. o. s.	144
3122	毒性液体，氧化性，未另作规定的	Toxic liquid, oxidizing, n. o. s.	142
3123	毒性液体，遇水反应的，未另作规定的	Toxic liquid, water-reactive, n. o. s.	139
3124	毒性固体，自热的，未另作规定的	Toxic solid, self-heating, n. o. s.	136
3125	毒性固体，遇水反应的，未另作规定的	Toxic solid, water-reactive, n. o. s.	139
3126	自热固体，腐蚀性的，有机的，未另作规定的	Self-heating solid, corrosive, organic, n. o. s.	136
3127	自热固体，氧化性，未另作规定的	Self-heating solid, oxidizing, n. o. s.	135
3128	自热固体，毒性，有机的，未另作规定的	Self-heating solid, toxic, organic, n. o. s.	136
3129	遇水反应液体，腐蚀性的，未另作规定的	Water-reactive liquid, corrosive, n. o. s.	138
3130	遇水反应液体，毒性，未另作规定的	Water-reactive liquid, toxic, n. o. s.	139

续表

UN号	中文名称	英文名称	指南号
3131	遇水反应固体,腐蚀性,未另作规定的	Water-reactive solid, corrosive, n. o. s.	138
3132	遇水反应固体,易燃,未另作规定的	Water-reactive solid, flammable, n. o. s.	138
3133	遇水反应固体,氧化性,未另作规定的	Water-reactive solid, oxidizing, n. o. s.	138
3134	遇水反应固体,毒性,未另作规定的	Water-reactive solid, toxic, n. o. s.	139
3135	遇水反应固体,自热的,未另作规定的	Water-reactive solid, self-heating, n. o. s.	138
3136	三氟甲烷,冷冻液体	Trifluoromethane, refrigerated liquid	120
3137	氧化性固体,易燃,未另作规定的	Oxidizing solid, flammable, n. o. s.	140
3138	乙烯、乙炔和丙烯混合物,冷冻液体,含乙烯至少71.5%,乙炔不多于22.5%,丙烯不多于6%	Ethylene, acetylene and propylene in mixture, refrigerated liquid containing at least 71.5% ethylene with not more than 22.5% acetylene and not more than 6% propylene	115
3139	氧化性液体,未另作规定的	Oxidizing liquid, n. o. s.	140
3140	生物碱,液体的,未另作规定的;或生物碱盐类,液体的,未另作规定的	Alkaloids, liquid, n. o. s. or alkaloids salts, liquid, n. o. s.	151
3141	锑化合物,无机的,液体的,未另作规定的	Antimony compound, inorganic, liquid, n. o. s.	157
3142	消毒剂,液体的,毒性,未另作规定的	Disinfectant, liquid, toxic, n. o. s.	151

续表

UN 号	中文名称	英文名称	指南号
3143	染料，固体的，毒性，未另作规定的；或染料中间产品，固体的，毒性，未另作规定的	Dye, solid, toxic, n. o. s. or dye intermediate, solid, toxic, n. o. s.	151
3144	烟碱化合物，液体的，未另作规定的；或液态烟碱制剂，未另作规定的	Nicotine compound, liquid, n. o. s., or nicotine preparation, liquid, n. o. s.	151
3145	烷基苯酚，液体的，未另作规定的（包括 $C_2 \sim C_{12}$ 的同系物）	Alkyl phenols, liquid, n. o. s. (including $C_2 \sim C_{12}$ homologues)	153
3146	有机锡化合物，固体的，未另作规定的	Organotin compound, solid, n. o. s.	153
3147	染料，固体的，腐蚀性，未另作规定的；或染料中间产品，固体的，腐蚀性，未另作规定的	Dye, solid, corrosive, n. o. s., or dye intermediate, solid, corrosive, n. o. s.	154
3148	遇水反应液体，未另作规定的	Water-reactive liquid, n. o. s.	138
3149	过氧化氢和过氧乙酸混合物，含酸(类)、水和不超过5%的过氧乙酸，稳定的	Hydrogen peroxide and peroxyacetic acid mixture with acid (s), water and not more than 5% peroxyacetic acid, stabilized	140
3150	以烃类气体作能源的小型装置或小型装置的烃类气体充气罐，带有释放装置	Devices, small, hydrocarbon gas powered or hydrocarbon gas refills for small devices with release device	115

续表

UN 号	中文名称	英文名称	指南号
3151	多卤联苯,液体的;或单甲基卤化二苯基甲烷,液体的,或多卤三联苯,液体的	Polychlorinated biphenyls, liquid orhalogenated monomethyldiphenylmethanes, liquid or polyhalogenated terphenyls, liquid	171
3152	多卤联苯,固体的;或单甲基卤化二苯基甲烷,固体的,或多卤三联苯,固体的	Polychlorinated biphenyls, solid or halogenated monomethyldiphenylmethanes, solid or Polyhalogenated terphenyls, solid	171
3153	全氟(甲基乙烯基醚)	Perfluoro (methyl vinyl ether)	115
3154	全氟(乙基乙烯基醚)	Perfluoro (ethyl vinyl ether)	115
3155	五氯酚	Pentachlorophenol	154
3156	压缩气体,氧化性,未另作规定的	Compressed gas, oxidizing, n. o. s.	122
3157	液化气体,氧化性,未另作规定的	Liquefied gas, oxidizing, n. o. s.	122
3158	气体,冷冻液体,未另作规定的	Gas, refrigerated liquid, n. o. s.	120
3159	1,1,1,2-四氟乙烷(制冷气体 R 134a)	1, 1, 1, 2-Tetrafluoroethane (Refrigerant gas R 134a)	126
3160	液化气体,毒性,易燃,未另作规定的	Liquefied gas, toxic, flammable, n. o. s.	119
3161	液化气体,易燃,未另作规定的	Liquefied gas, flammable, n. o. s.	115

续表

UN号	中文名称	英文名称	指南号
3162	液化气体，毒性，未另作规定的	Liquefied gas，toxic，n. o. s.	123
3163	液化气体，未另作规定的	Liquefied gas，n. o. s.	126
3164	气压或液压物品（含有非易燃气体）	Articles， pressurized， pneumatic or hydraulic（containing non-flammable gas）	126
3165	飞行器液压动力装置燃料箱（装有无水肼和甲肼混合液）（M86号燃料）	Aircraft hydraulic power unit fuel tank（containing a mixture of anhydrous hydrazine and methylhydrazine）（M86 fuel）	131
3166	易燃气体动力车辆，或易燃气体燃料电池动力车辆	Vehicle， flammable gas powered or vehicle， fuel cell， flammable gas powered	115
3166	易燃液体动力车辆，或易燃液体燃料电池动力车辆	Vehicle， flammable liquid powered or vehicle， fuel cell， flammable liquid powered	128
3167	未压缩气体样品，易燃，未另作规定的，非冷冻液体	Gas sample， non-pressurized， flammable， n. o. s.， not refrigerated liquid	115
3168	未压缩气体样品，毒性，易燃，未另作规定的，非冷冻液体	Gas sample， non-pressurized， toxic， flammable， n. o. s.， not refrigerated liquid	119
3169	未压缩气体样品，毒性，未另作规定的，非冷冻液体	Gas sample， non-pressurized，toxic，n. o. s.，not refrigerated liquid	123

第二部分 索引表

续表

UN 号	中文名称	英文名称	指南号
3170	铝熔炼副产品，或铝再熔副产品	Aluminum smelting by-products, or aluminum remelting by-products	138
3171	电池供电车辆(钠电池)或电池供电设备(金属锂电池或钠电池)	Battery-powered vehicle (with sodium batteries) or battery-powered equipment (with lithium metal batteries or with sodium batteries)	138
3171	电池供电车辆(锂离子电池)或电池供电设备(锂离子电池)	Battery-powered vehicle (with lithium ion batteries) or battery-powered equipment (with lithium ion batteries)	147
3171	电池供电车辆(湿电池)或电池供电设备(湿电池)	Battery-powered vehicle (wet battery) or battery-powered equipment (wet battery)	154
3172	毒素，从生物体提取的，液体的，未另作规定的	Toxins, extracted from living sources, liquid, n. o. s.	152
3174	二硫化钛	Titanium disulphide	135
3175	含易燃性液体的固体，未另作规定的	Solid containing flammable liquid, n. o. s.	133
3176	易燃固体，有机的，熔融的，未另作规定的	Flammable solid, organic, molten, n. o. s.	133
3178	易燃固体，无机的，未另作规定的	Flammable solid, inorganic, n. o. s.	133
3179	易燃固体，毒性，无机的，未另作规定的	Flammable solid, toxic, inorganic, n. o. s.	134

续表

UN号	中文名称	英文名称	指南号
3180	易燃固体，腐蚀性，无机的，未另作规定的	Flammable solid, corrosive, inorganic, n. o. s.	134
3181	有机化合物的金属盐，易燃，未另作规定的	Metal salts of organic compounds, flammable, n. o. s.	133
3182	金属氢化物，易燃，未另作规定的	Metal hydrides, flammable, n. o. s.	170
3183	自热液体，有机的，未另作规定的	Self-heating liquid, organic, n. o. s.	135
3184	自热液体，毒性，有机的，未另作规定的	Self-heating liquid, toxic, organic, n. o. s.	136
3185	自热液体，腐蚀性，有机的，未另作规定的	Self-heating liquid, corrosive, organic, n. o. s.	136
3186	自热液体，无机的，未另作规定的	Self-heating liquid, inorganic, n. o. s.	135
3187	自热液体，毒性，无机的，未另作规定的	Self-heating liquid, toxic, inorganic, n. o. s.	136
3188	自热液体，腐蚀性，无机的，未另作规定的	Self-heating liquid, corrosive, inorganic, n. o. s.	136
3189	金属粉，自热的，未另作规定的	Metal powder, self-heating, n. o. s.	135
3190	自热固体，无机的，未另作规定的	Self-heating solid, inorganic, n. o. s.	135
3191	自热固体，毒性，无机的，未另作规定的	Self-heating solid, toxic, inorganic, n. o. s.	136
3192	自热固体，腐蚀性，无机的，未另作规定的	Self-heating solid, corrosive, inorganic, n. o. s.	136
3194	发火液体，无机的，未另作规定的	Pyrophoric liquid, inorganic, n. o. s.	135

续表

UN 号	中文名称	英文名称	指南号
3200	发火固体,无机的,未另作规定的	Pyrophoric solid, inorganic, n. o. s.	135
3205	碱土金属醇化物,未另作规定的	Alkaline earth metal alcoholates, n. o. s.	135
3206	碱土金属醇化物,自热的,腐蚀性,未另作规定的	Alkali metal alcoholates, self-heating, corrosive, n. o. s.	136
3208	金属物质,遇水反应的,未另作规定的	Metallic substance, water-reactive, n. o. s.	138
3209	金属物质,遇水反应的,自热的,未另作规定的	Metallic substance, water-reactive, self-heating, n. o. s.	138
3210	氯酸盐,无机的,水溶液,未另作规定的	Chlorates, inorganic, aqueous solution, n. o. s.	140
3211	高氯酸盐,无机的,水溶液,未另作规定的	Perchlorates, inorganic, aqueous solution, n. o. s.	140
3212	次氯酸盐,无机的,未另作规定的	Hypochlorites, inorganic, n. o. s.	140
3213	溴酸盐,无机的,水溶液,未另作规定的	Bromates, inorganic, aqueous solution, n. o. s.	140
3214	高锰酸盐,无机的,水溶液,未另作规定的	Permanganates, inorganic, aqueous solution, n. o. s.	140
3215	过硫酸盐,无机的,未另作规定的	Persulphates, inorganic, n. o. s.	140
3216	过硫酸盐,无机的,水溶液,未另作规定的	Persulphates, inorganic, aqueous solution, n. o. s.	140
3218	硝酸盐,无机的,水溶液,未另作规定的	Nitrates, inorganic, aqueous solution, n. o. s.	140

续表

UN号	中文名称	英文名称	指南号
3219	亚硝酸盐，无机的，水溶液，未另作规定的	Nitrites, inorganic, aqueous solution, n. o. s.	140
3220	五氟乙烷（制冷气体R 125）	Pentafluoroethane(Refrigerant gas R 125)	126
3221	B型自反应液体	Self-reactive liquid, type B	149
3222	B型自反应固体	Self-reactive solid, type B	149
3223	C型自反应液体	Self-reactive liquid, type C	149
3224	C型自反应固体	Self-reactive solid, type C	149
3225	D型自反应液体	Self-reactive liquid, type D	149
3226	D型自反应固体	Self-reactive solid, type D	149
3227	E型自反应液体	Self-reactive liquid, type E	149
3228	E型自反应固体	Self-reactive solid, type E	149
3229	F型自反应液体	Self-reactive liquid, type F	149
3230	F型自反应固体	Self-reactive solid, type F	149
3231	B型自反应液体，控制温度的	Self-reactive liquid, type B, temperature controlled	150
3232	B型自反应固体，控制温度的	Self-reactive solid, type B, temperature controlled	150
3233	C型自反应液体，控制温度的	Self-reactive liquid, type C, temperature controlled	150
3234	C型自反应固体，控制温度的	Self-reactive solid, type C, temperature controlled	150
3235	D型自反应液体，控制温度的	Self-reactive liquid, type D, temperature controlled	150
3236	D型自反应固体，控制温度的	Self-reactive solid, type D, temperature controlled	150

续表

UN 号	中文名称	英文名称	指南号
3237	E 型自反应液体，控制温度的	Self-reactive liquid, type E, temperature controlled	150
3238	E 型自反应固体，控制温度的	Self-reactive solid, type E, temperature controlled	150
3239	F 型自反应液体，控制温度的	Self-reactive liquid, type F, temperature controlled	150
3240	F 型自反应固体，控制温度的	Self-reactive solid, type F, temperature controlled	150
3241	2-溴-2-硝基丙烷-1,3-二醇	2-Bromo-2-nitropropane-1,3-diol	133
3242	偶氮甲酰胺	Azodicarbonamide	149
3243	含有毒性液体的固体，未另作规定的	Solids containing toxic liquid, n. o. s.	151
3244	含腐蚀性液体的固体，未另作规定的	Solids containing corrosive liquid, n. o. s.	154
3245	基因改变的微生物或基因改变的生物体	Genetically modified microorganisms or genetically modified organisms	171
3246	甲磺酰氯	Methanesulphonyl chloride	156
3247	过硼酸钠，无水的	Sodium peroxoborate, anhydrous	140
3248	药品，液体的，易燃，毒性，未另作规定的	Medicine, liquid, flammable, toxic, n. o. s.	131
3249	药品，固体的，毒性，未另作规定的	Medicine, solid, toxic, n. o. s.	151
3250	氯乙酸，熔融的	Chloroacetic acid, molten	153
3251	异山梨醇-5-一硝酸酯	Isosorbide-5-mononitrate	133

续表

UN 号	中文名称	英文名称	指南号
3252	二氟甲烷(制冷气体 R 32)	Difluoromethane (Refrigerant gas R 32)	115
3253	三氧硅酸二钠	Disodium trioxosilicate	154
3254	三丁基膦	Tributylphosphane	135
3255	次氯酸叔丁酯	*Tert*-butyl hypochlorite	135
3256	高温液体,易燃,未另作规定的,闪点高于 60℃,温度等于或高于其闪点	Elevated temperature liquid, flammable, n. o. s. with flash point above 60℃, at or above its flash point	128
3257	高温液体,未另作规定的,温度等于或高于 100℃但低于其闪点(包括熔融金属、熔融盐类等)	Elevated temperature liquid, n. o. s., at or above 100℃ and below its flash point (including molten metals, molten salts, etc.)	171
3258	高温固体,未另作规定的,温度等于或高于 240℃	Elevated temperature solid, n. o. s., at or above 240℃	171
3259	胺,固体的,腐蚀性,未另作规定的;或聚胺,固体的,腐蚀性的,未另作规定的	Amines, solid, corrosive, n. o. s., or polyamines, solid, corrosive, n. o. s.	154
3260	腐蚀性固体,酸性的,无机的,未另作规定的	Corrosive solid, acidic, inorganic, n. o. s.	154
3261	腐蚀性固体,酸性的,有机的,未另作规定的	Corrosive solid, acidic, organic, n. o. s.	154
3262	腐蚀性固体,碱性的,无机的,未另作规定的	Corrosive solid, basic, inorganic, n. o. s.	154
3263	腐蚀性固体,碱性的,有机的,未另作规定的	Corrosive solid, basic, organic, n. o. s.	154

续表

UN 号	中文名称	英文名称	指南号
3264	腐蚀性液体,酸性的,无机的,未另作规定的	Corrosive liquid, acidic, inorganic, n. o. s.	154
3265	腐蚀性液体,酸性的,有机的,未另作规定的	Corrosive liquid, acidic, organic, n. o. s.	153
3266	腐蚀性液体,碱性的,无机的,未另作规定的	Corrosive liquid, basic, inorganic, n. o. s.	154
3267	腐蚀性液体,碱性的,有机的,未另作规定的	Corrosive liquid, basic, organic, n. o. s.	153
3268	安全装置,电启动	Safety devices, electrically initiated	171
3269	聚酯树脂器材,液基材料	Polyester resin kit, liquid base material	128
3270	硝化纤维素滤膜,按干重计含氮不大于 12.6%	Nitrocellulose membrane filters, with not more than 12.6% nitrogen, by dry mass	133
3271	醚类,未另作规定的	Ethers, n. o. s.	127
3272	酯类,未另作规定的	Esters, n. o. s.	127
3273	腈类,易燃,毒性,未另作规定的	Nitriles, flammable, toxic, n. o. s.	131
3274	醇化物乙醇溶液,未另作规定的	Alcoholates solution, n. o. s., in alcohol	132
3275	腈类,毒性,易燃,未另作规定的	Nitriles, toxic, flammable, n. o. s.	131
3276	腈类,毒性,液体的,未另作规定的	Nitriles, toxic, liquid, n. o. s.	151
3277	氯甲酸酯,毒性,腐蚀性,未另作规定的	Chloroformates, toxic, corrosive, n. o. s.	154

续表

UN号	中文名称	英文名称	指南号
3278	有机磷化合物，毒性，液体的，未另作规定的	Organophosphorus compound, toxic, liquid, n. o. s.	151
3279	有机磷化合物，毒性，易燃，未另作规定的	Organophosphorus compound, toxic, flammable, n. o. s.	131
3280	有机砷化合物，液体的，未另作规定的	Organoarsenic compound, liquid, n. o. s.	151
3281	羰基金属，液体的，未另作规定的	Metal carbonyls, liquid, n. o. s.	151
3282	有机金属化合物，液体的，毒性，未另作规定的	Organometallic compound, liquid, toxic, n. o. s.	151
3283	硒化合物，固体的，未另作规定的	Selenium compound, solid, n. o. s.	151
3284	碲化合物，未另作规定的	Tellurium compound, n. o. s.	151
3285	钒化合物，未另作规定的	Vanadium compound, n. o. s.	151
3286	易燃液体，毒性，腐蚀性，未另作规定的	Flammable liquid, toxic, corrosive, n. o. s.	131
3287	毒性液体，无机的，未另作规定的	Toxic liquid, inorganic, n. o. s.	151
3288	毒性固体，无机的，未另作规定的	Toxic solid, inorganic, n. o. s.	151
3289	毒性液体，腐蚀性，无机的，未另作规定的	Toxic liquid, corrosive, inorganic, n. o. s.	154
3290	毒性固体，腐蚀性，无机的，未另作规定的	Toxic solid, corrosive, inorganic, n. o. s.	154

续表

UN 号	中文名称	英文名称	指南号
3291	医院诊所废弃物,未具体说明的,未另作规定的;或(生物)医学废弃物,未另作规定的;或管制的医学废弃物,未另作规定的	Clinical waste, unspecified, n. o. s. , or (bio) medical waste, n. o. s. , or regulated medical waste, n. o. s.	158
3292	含钠电池组或含钠电池	Batteries, containing sodium, or cells, containing sodium	138
3293	肼水溶液,按质量含肼不超过37%	Hydrazine, aqueous solution with not more than 37% hydrazine, by mass	153
3294	氰化氢乙醇溶液,含氰化氢不超过45%	Hydrogen cyanide, solution in alcohol with not more than 45% hydrogen cyanide	131
3295	烃类,液体的,未另作规定的	Hydrocarbons, liquid, n. o. s.	128
3296	七氟丙烷(制冷气体R 227)	Heptafluoropropane (Refrigerant gas R 227)	126
3297	环氧乙烷和四氟氯乙烷混合物,含环氧乙烷不超过8.8%	Ethylene oxide and chlorotetrafluoroethane mixture with not more than 8.8% ethylene oxide	126
3298	环氧乙烷和五氟乙烷混合物,含环氧乙烷不超过7.9%	Ethylene oxide andpentafluoroethane mixture with not more than 7.9% ethylene oxide	126
3299	环氧乙烷和四氟乙烷混合物,含环氧乙烷不超过5.6%	Ethylene oxide and tetrafluoroethane mixture with not more than 5.6% ethylene oxide	126

续表

UN号	中文名称	英文名称	指南号
3300	环氧乙烷和二氧化碳混合物，含环氧乙烷超过87%	Ethylene oxide and carbon dioxide mixture with more than 87% ethylene oxide	119P
3301	腐蚀性液体，自热的，未另作规定的	Corrosive liquid, self-heating, n. o. s.	136
3302	2-丙烯酸二甲氨基乙酯，稳定的	2-Dimethylaminoethyl acrylate, stabilized	152P
3303	压缩气体，毒性，氧化性，未另作规定的	Compressed gas, toxic, oxidizing, n. o. s.	124
3304	压缩气体，毒性，腐蚀性，未另作规定的	Compressed gas, toxic, corrosive, n. o. s.	125
3305	压缩气体，毒性，易燃的，腐蚀性，未另作规定的	Compressed gas, toxic, flammable, corrosive, n. o. s.	119
3306	压缩气体，毒性，氧化性，腐蚀性，未另作规定的	Compressed gas, toxic, oxidizing, corrosive, n. o. s.	124
3307	液化气体，毒性，氧化性，未另作规定的	Liquefied gas, toxic, oxidizing, n. o. s.	124
3308	液化气体，毒性，腐蚀性，未另作规定的	Liquefied gas, toxic, corrosive, n. o. s.	125
3309	液化气体，毒性，易燃，腐蚀性，未另作规定的	Liquefied gas, toxic, flammable, corrosive, n. o. s.	119
3310	液化气体，毒性，氧化性，腐蚀性，未另作规定的	Liquefied gas, toxic, oxidizing, corrosive, n. o. s.	124
3311	气体，冷冻液体，氧化性，未另作规定的	Gas, refrigerated liquid, oxidizing, n. o. s.	122
3312	气体，冷冻液体，易燃，未另作规定的	Gas, refrigerated liquid, flammable, n. o. s.	115

续表

UN号	中文名称	英文名称	指南号
3313	有机颜料,自热的	Organic pigments, self-heating	135
3314	塑料成型化合物,呈揉塑团、薄片或挤压出的绳索状,会放出易燃蒸气	Plastics moulding compound in dough, sheet or extruded rope form evolving flammable vapour	171
3315	化学样品,毒性	Chemical sample,toxic	151
3316	化学品箱或急救箱	Chemical kit or first aid kit	171
3317	2-氨基-4,6-二硝基酚,湿的,按质量计含水不少于20%	2-Amino-4,6-dinitrophenol, wetted, with not less than 20% water,by mass	113
3318	氨溶液,水溶液在15℃时相对密度小于0.880,含氨量大于50%	Ammonia solution, relative-density less than 0.880 at 15℃ in water, with more than 50% ammonia	125
3319	硝化甘油混合物,减敏的,固体的,未另作规定的,按质量计含硝化甘油2%~10%	Nitroglycerin mixture, desensitized, solid, n. o. s., with more than 2% but not more than 10% nitroglycerin, by mass	113
3320	硼氢化钠和氢氧化钠溶液,按质量计含硼氢化钠不大于12%、含氢氧化钠不大于40%	Sodium borohydride and sodium hydroxide solution, with not more than 12% sodium borohydride and not more than 40% sodium hydroxide by mass	157
3321	放射性材料,低比活度(LSA-Ⅱ),不裂变或例外的易裂变	Radioactive material, low specific activity(LSA-Ⅱ) non fissile or fissile-excepted	162

续表

UN 号	中文名称	英文名称	指南号
3322	放射性材料，低比活度(LSA-Ⅲ)，不裂变或例外的易裂变	Radioactive material, low specific activity (LSA-Ⅲ) non fissile or fissile-excepted	162
3323	放射性材料，C 型包装件，不裂变或例外的易裂变	Radioactive material, type C package, non fissile or fissile-excepted	163
3324	放射性材料，低比活度(LSA-Ⅱ)，易裂变	Radioactive material, low-specific activity(LSA-Ⅱ), fissile	165
3325	放射性材料，低比活度(LSA-Ⅲ)，易裂变	Radioactive material, low specific activity(LSA-Ⅲ), fissile	165
3326	放射性材料，表面污染物体(SCO-Ⅰ或SCO-Ⅱ)，易裂变	Radioactive material, surface contaminated objects(SCO-Ⅰ or SCO-Ⅱ), fissile	165
3327	放射性材料，A 型包装件，易裂变，非特殊形式	Radioactive material, type A package, fissile, non-special form	165
3328	放射性材料，B(U)型包装件，易裂变	Radioactive material, type B(U) package, fissile	165
3329	放射性材料，B(M)型包装件，易裂变	Radioactive material, type B(M) package, fissile	165
3330	放射性材料，C 型包装件，易裂变	Radioactive material, type C package, fissile	165
3331	放射性材料，按特殊安排运输，易裂变	Radioactive material, transported under special arrangement, fissile	165

续表

UN 号	中文名称	英文名称	指南号
3332	放射性材料,A型包装件,特殊形式,不裂变或例外的易裂变	Radioactive material, type A package, special form, non fissile or fissile-excepted	164
3333	放射性材料,A型包装件,特殊形式,易裂变	Radioactive material, type A package, special form, fissile	165
3334	空运受管制的液体,未另作规定的	Aviation regulated liquid, n. o. s.	171
3335	空运受管制的固体,未另作规定的	Aviation regulated solid, n. o. s.	171
3336	硫醇,液体的,易燃,未另作规定的,或硫醇混合物,液体的,易燃,未另作规定的	Mercaptans, liquid, flammable, n. o. s. , or mercaptan mixture, liquid, flammable, n. o. s.	130
3337	制冷气体 R 404A	Refrigerant gas R 404A	126
3338	制冷气体 R 407A	Refrigerant gas R 407A	126
3339	制冷气体 R 407B	Refrigerant gas R 407B	126
3340	制冷气体 R 407C	Refrigerant gas R 407C	126
3341	二氧化硫脲	Thiourea dioxide	135
3342	黄原酸盐	Xanthates	135
3343	硝化甘油混合物,减敏的,液体的,易燃,未另作规定的,按质量计含硝化甘油含量不超过30%	Nitroglycerin mixture, desensitized, liquid, flammable, n. o. s. with not more than 30% nitroglycerin, by mass	113

续表

UN号	中文名称	英文名称	指南号
3344	季戊四醇四硝酸酯(季戊四醇四硝酸酯季戊炸药)混合物,减敏的,固体的,未另作规定的,按质量计含季戊四醇四硝酸酯10%~20%	Pentaerythrite tetranitrate mixture, desensitized, solid, n. o. s. with more than 10% but not more than 20% PETN, by mass	113
3345	苯氧基乙酸衍生物农药,固体的,毒性	Phenoxyacetic acid derivative pesticide, solid, toxic	153
3346	苯氧基乙酸衍生物农药,液体的,易燃,毒性,闪点低于23℃	Phenoxyacetic acid derivative pesticide, liquid, flammable, toxic, flash point less than 23℃	131
3347	苯氧基乙酸衍生物农药,液体的,毒性,易燃,闪点不低于23℃	Phenoxyacetic acid derivative pesticide, liquid, toxic, flammable, flash point not less than 23℃	131
3348	苯氧基乙酸衍生物农药,液体的,毒性	Phenoxyacetic acid derivative pesticide, liquid, toxic	153
3349	拟除虫菊酯农药,固体的,毒性	Pyrethroid pesticide, solid, toxic	151
3350	拟除虫菊酯农药,液体的,易燃,毒性,闪点低于23℃	Pyrethroid pesticide, liquid, flammable, toxic, flash point less than 23℃	131
3351	拟除虫菊酯农药,液体的,毒性,易燃,闪点不低于23℃	Pyrethroid pesticide, liquid, toxic, flammable, flash point not less than 23℃	131
3352	拟除虫菊酯农药,液体的,毒性	Pyrethroid pesticide, liquid, toxic	151

续表

UN号	中文名称	英文名称	指南号
3354	气体杀虫剂,易燃,未另作规定的	Insecticide gas, flammable,n. o. s.	115
3355	气体杀虫剂,毒性,易燃,未另作规定的	Insecticide gas, toxic, flammable,n. o. s.	119
3356	化学氧气发生器	Oxygen generator, chemical	140
3357	硝化甘油混合物,减敏的,液体的,未另作规定的,按质量计硝化甘油不大于30%	Nitroglycerin mixture, desensitized, liquid, n. o. s. with not more than 30% nitroglycerin, by mass	113
3358	制冷机,装有易燃无毒液化气体	Refrigerating machines, containing flammable, non-toxic, liquefied gas	115
3359	熏蒸过的货物运输单元	Fumigated cargo transport unit	171
3360	植物纤维,干的	Fibres, vegetable, dry	133
3361	氯硅烷,毒性,腐蚀性,未另作规定的	Chlorosilanes, toxic, corrosive, n. o. s.	156
3362	氯硅烷,毒性,腐蚀性,易燃,未另作规定的	Chlorosilanes, toxic, corrosive, flammable, n. o. s.	155
3363	物品中的危险货物,或机器中的危险货物或仪器中的危险货物	Dangerous goods in articles or dangerous goods in machinery or dangerous goods in apparatus	171
3364	三硝基苯酚(苦味酸),湿的,按质量计含水不低于10%	Trinitrophenol (picric acid), wetted, with not less than 10% water by mass	113

续表

UN 号	中文名称	英文名称	指南号
3365	三硝基氯苯(苦基氯),湿的,按质量计含水不低于10%	Trinitrochlorobenzene (picryl chloride), wetted, with not less than 10% water by mass	113
3366	三硝基甲苯(TNT),湿的,按质量计含水不低于10%	Trinitrotoluene (TNT), wetted, with not less than 10% water by mass	113
3367	三硝基苯,湿的,按质量计含水不低于10%	Trinitrobenzene, wetted, with not less than 10% water by mass	113
3368	三硝基苯甲酸,湿的,按质量计含水不低于10%	Trinitrobenzoic acid, wetted, with not less than 10% water by mass	113
3369	二硝基邻甲苯酚钠,湿的,按质量计含水不低于10%	Sodium dinitro-*o*-cresolate, wetted, with not less than 10% water by mass	113
3370	硝酸脲,湿的,按质量含水不低于10%	Urea nitrate, wetted, with not less than 10% water by mass	113
3371	2-甲基丁醛	2-Methylbutanal	129
3373	生物物质,B类	Biological substance, category B	158
3374	乙炔,无溶剂	Acetylene, solvent free	116
3375	硝酸铵乳胶、悬浮体或凝胶,爆破炸药的中间体	Ammonium nitrate emulsion or suspension or gel, intermediate for blasting explosives	140
3376	4-硝基苯肼,按质量计含水不小于30%	4-Nitrophenylhydrazine, with not less than 30% water, by mass	113

续表

UN号	中文名称	英文名称	指南号
3377	过硼酸钠一水合物	Sodium perborate monohydrate	140
3378	过氧化碳酸钠水合物	Sodium carbonate peroxyhydrate	140
3379	减敏爆炸物,液体的,未另作规定的	Desensitized explosive, liquid, n. o. s.	113
3380	减敏爆炸物,固体的,未另作规定的	Desensitized explosive, solid, n. o. s.	113
3381	吸入毒性危害液体,未另作规定的,LC_{50} 低于或等于 200mL/m^3,且饱和蒸气浓度大于或等于 500LC_{50}	Toxic by inhalation liquid, n. o. s., with an LC_{50} lower than or equal to 200mL/m^3 and saturated vapour concentration greater than or equal to 500 LC_{50}	151
3382	吸入毒性危害液体,未另作规定的,LC_{50} 低于或等于 1000mL/m^3,且饱和蒸气浓度大于或等于 10LC_{50}	Toxic by inhalation liquid, n. o. s., with an LC_{50} lower than or equal to 1000mL/m^3 and saturated vapour concentration greater than or equal to 10 LC_{50}	151
3383	吸入毒性危害液体,易燃,未另作规定的,LC_{50} 低于或等于 200mL/m^3,且饱和蒸气浓度大于或等于 500LC_{50}	Toxic by inhalation liquid, flammable, n. o. s., with an LC_{50} lower than or equal to 200mL/m^3 and saturated vapour concentration greater than or equal to 500 LC_{50}	131

续表

UN号	中文名称	英文名称	指南号
3384	吸入毒性危害液体，易燃，未另作规定的，LC_{50} 低于或等于 1000mL/m^3，且饱和蒸气浓度大于或等于 10LC_{50}	Toxic by inhalation liquid, flammable, n. o. s., with an LC_{50} lower than or equal to 1000mL/m^3 and saturated vapour concentration greater than or equal to 10LC_{50}	131
3385	吸入毒性危害液体，遇水反应的，未另作规定的，LC_{50} 低于或等于 200mL/m^3，且饱和蒸气浓度大于或等于 500LC_{50}	Toxic by inhalation liquid, water-reactive, n. o. s., with an LC_{50} lower than or equal to 200mL/m^3 and saturated vapour concentration greater than or equal to 500LC_{50}	139
3386	吸入毒性危害液体，遇水反应的，未另作规定的，LC_{50} 低于或等于 1000mL/m^3，且饱和蒸气浓度大于或等于 10LC_{50}	Toxic by inhalation liquid, water-reactive, n. o. s., with an LC_{50} lower than or equal to 1000mL/m^3 and saturated vapour concentration greater than or equal to 10LC_{50}	139
3387	吸入毒性危害液体，氧化性，未另作规定的，LC_{50} 低于或等于 200mL/m^3，且饱和蒸气浓度大于或等于 500LC_{50}	Toxic by inhalation liquid, oxidizing, n. o. s., with an LC_{50} lower than or equal to 200mL/m^3 and saturated vapour concentration greater than or equal to 500LC_{50}	142

续表

UN 号	中文名称	英文名称	指南号
3388	吸入毒性危害液体，氧化性，未另作规定的，LC_{50} 低于或等于 1000mL/m^3，且饱和蒸气浓度大于或等于 $10LC_{50}$	Toxic by inhalation liquid, oxidizing, n. o. s., with an LC_{50} lower than or equal to 1000mL/m^3 and saturated vapour concentration greater than or equal to 10 LC_{50}	142
3389	吸入毒性危害液体，腐蚀性，未另作规定的，LC_{50} 低于或等于 200mL/m^3，且饱和蒸气浓度大于或等于 $500LC_{50}$	Toxic by inhalation liquid, corrosive, n. o. s., with an LC_{50} lower than or equal to 200mL/m^3 and saturated vapour concentration greater than or equal to $500LC_{50}$	154
3390	吸入毒性危害液体，腐蚀性，未另作规定的，LC_{50} 低于或等于 1000mL/m^3，且饱和蒸气浓度大于或等于 $10LC_{50}$	Toxic by inhalation liquid, corrosive, n. o. s., with an LC_{50} lower than or equal to 1000mL/m^3 and saturated vapour concentration greater than or equal to $10LC_{50}$	154
3391	有机金属物质，固体的，发火的	Organometallic substance, solid, pyrophoric	135
3392	有机金属物质，液体的，发火的	Organometallic substance, liquid, pyrophoric	135
3393	有机金属物质，固体的，发火的，遇水反应的	Organometallic substance, solid, pyrophoric, water-reactive	135
3394	有机金属物质，液体的，发火的，遇水反应的	Organometallic substance, liquid, pyrophoric, water-reactive	135

续表

UN号	中文名称	英文名称	指南号
3395	有机金属物质，固体的，遇水反应的	Organometalli substance, solid, water-reactive	135
3396	有机金属物质，固体的，遇水反应的，易燃	Organometallic substance, solid, water-reactive, flammable	138
3397	有机金属物质，固体的，遇水反应的，自热的	Organometallic substance, solid, water-reactive, self-heating	138
3398	有机金属物质，液体的，遇水反应的	Organometallic substance, liquid, water-reactive	135
3399	有机金属物质，液体的，遇水反应的，易燃	Organometallic substance, liquid, water-reactive, flammable	138
3400	有机金属物质，固体的，自热的	Organometallic substance, solid, self-heating	138
3401	碱金属汞齐，固体的	Alkali metal amalgam, solid	138
3402	碱土金属汞齐，固体的	Alkaline earth metal amalgam, solid	138
3403	钾金属合金，固体的	Potassium, metal alloys, solid	138
3404	钾钠合金，固体的	Potassium sodium alloys, solid	138
3405	氯酸钡溶液	Barium chlorate solution	141
3406	高氯酸钡溶液	Barium perchlorate solution	141
3407	氯酸盐和氯化镁混合物溶液	Chlorate and magnesium chloride mixture solution	140
3408	高氯酸铅溶液	Lead perchlorate solution	141

续表

UN号	中文名称	英文名称	指南号
3409	硝基氯苯,液体的	Chloronitrobenzenes, liquid	152
3410	盐酸盐对氯邻甲苯胺溶液	4-Chloro-*o*-toluidine hydrochloride solution	153
3411	*β*-萘胺溶液	Beta-naphthylamine solution	153
3412	甲酸,按质量计含酸5%~85%	Formic acid with not less than 5% but not more than 85% acid by mass	153
3413	氰化钾溶液	Potassium cyanide solution	157
3414	氰化钠溶液	Sodium cyanide solution	157
3415	氟化钠溶液	Sodium fluoride solution	154
3416	氯乙酰苯,液体的	Chloroacetophenone, liquid	153
3417	甲苄基溴(二甲苯基溴),固体的	Xylyl bromide, solid	152
3418	2,4-甲苯二胺溶液	2,4-Toluylenediamine solution	151
3419	三氟化硼合乙酸,固体的	Boron trifluoride acetic acid complex, solid	157
3420	三氟化硼合丙酸,固体的	Boron trifluoride propionic acid complex, solid	157
3421	二氟化氢钾溶液	Potassium hydrogen difluoride solution	154
3422	氟化钾溶液	Potassium fluoride solution	154

续表

UN 号	中文名称	英文名称	指南号
3423	氢氧化四甲铵,固体的	Tetramethylammonium hydroxide,solid	153
3424	二硝基邻甲酚铵溶液	Ammonium dinitro-*o*-cresolate solution	141
3425	溴乙酸,固体的	Bromoacetic acid,solid	156
3426	丙烯酰胺溶液	Acrylamide solution	153P
3427	氯苯甲基氯,固体的	Chlorobenzyl chlorides, solid	153
3428	异氰酸 3-氯-4-甲基苯酯,固体的	3-Chloro-4-methylphenyl isocyanate,solid	156
3429	甲基氯苯胺,液体的	Chlorotoluidines,liquid	153
3430	二甲苯酚,液体的	Xylenols,liquid	153
3431	硝基三氟甲苯,固体的	Nitrobenzotrifluorides, solid	152
3432	多氯联苯,固体的	Polychlorinated biphenyls, solid	171
3434	硝基甲苯酚,液体的	Nitrocresols,liquid	153
3436	水合六氟丙酮,固体的	Hexafluoroacetone hydrate, solid	151
3437	氯甲酚,固体的	Chlorocresols,solid	152
3438	α-甲基苄基醇,固体的	alpha-Methylbenzyl alcohol,solid	153
3439	腈类,毒性,固体的,未另作规定的	Nitriles,toxic,solid,n. o. s.	151
3440	硒化合物,液体的,未另作规定的	Selenium compound, liquid,n. o. s.	151

续表

UN 号	中文名称	英文名称	指南号
3441	二硝基氯苯,固体的	Chlorodinitrobenzenes, solid	153
3442	二氯苯胺,固体的	Dichloroanilines, solid	153
3443	二硝基苯,固体的	Dinitrobenzenes, solid	152
3444	盐酸烟碱,固体的	Nicotine hydrochloride, solid	151
3445	硫酸烟碱,固体的	Nicotine sulphate, solid	151
3446	硝基甲苯,固体的	Nitrotoluenes, solid	152
3447	硝基二甲苯,固体的	Nitroxylenes, solid	152
3448	催泪性毒气物质,固体的,未另作规定的	Tear gas substance, solid, n. o. s.	159
3449	溴苄基氰,固体的	Bromobenzyl cyanides, solid	159
3450	二苯氯胂,固体的	Diphenylchloroarsine, solid	151
3451	甲苯胺,固体的	Toluidines, solid	153
3452	二甲基苯胺,固体的	Xylidines, solid	153
3453	磷酸,固体的	Phosphoric acid, solid	154
3454	二硝基甲苯,固体的	Dinitrotoluenes, solid	152
3455	甲酚,固体的	Cresols, solid	153
3456	亚硝基硫酸,固体的	Nitrosylsulphuric acid, solid	157
3457	硝基氯甲苯,固体的	Chloronitrotoluenes, solid	152
3458	硝基茴香醚,固体的	Nitroanisoles, solid	152
3459	硝基苯溴,固体的	Nitrobromobenzenes, solid	152

续表

UN号	中文名称	英文名称	指南号
3460	N-乙苄基甲苯胺,固体的	N-Ethylbenzyltoluidines, solid	153
3462	毒素,从生物体提取的,固体的,未另作规定的	Toxins, extracted from living sources, solid, n. o. s.	152
3463	丙酸,按质量计含酸不小于90%	Propionic acid, with not less than 90% acid by mass	153
3464	有机磷化合物,毒性,固体的,未另作规定的	Organophosphorus compound, toxic, solid, n. o. s.	151
3465	有机砷化合物,固体的,未另作规定的	Organoarsenic compound, solid, n. o. s.	151
3466	羰基金属,固体的,未另作规定的	Metal carbonyls, solid, n. o. s.	151
3467	有机金属化合物,毒性,固体的,未另作规定的	Organometallic compound, toxic, solid, n. o. s.	151
3468	金属氢化物储存系统中的氢;或设备中包含的金属氢化物储存系统中的氢;或与设备打包在一起的金属氢化物储存系统中的氢	Hydrogen in a metal hydride storage system or hydrogen in a metal hydride storage system contained in equipment or hydrogen in a metal hydride storage system packed with equipment	115
3469	涂料,易燃,腐蚀性(包括色漆、喷漆、瓷釉、着色剂、虫胶、清漆、抛光剂、液态填料和液态喷漆基料);或涂料的相关材料,易燃,腐蚀性(包括涂料稀释剂或冲淡剂)	Paint, flammable, corrosive (including paint, lacquer, enamel, stain, shellac, varnish, polish, liquid filler and liquid lacquer base) or paint related material, flammable, corrosive (including paint thinning or reducing compound)	132

第二部分 索引表

续表

UN 号	中文名称	英文名称	指南号
3470	涂料，腐蚀性，易燃(包括色漆、喷漆、瓷釉、着色剂、虫胶、清漆、抛光剂、液态填料和液态喷漆基料)；或涂料的相关材料，腐蚀性，易燃(包括涂料稀释剂或冲淡剂)	Paint, corrosive, flammable (including paint, lacquer, enamel, stain, shellac, varnish, polish, liquid filler and liquid lacquer base), or paint related material, corrosive, flammable (including paint thinning or reducing compound)	132
3471	二氟氢化物溶液，未另作规定的	Hydrogendifluorides solution, n. o. s.	154
3472	丁烯酸，液体的	Crotonic acid, liquid	153
3473	燃料电池盒或包含在设备中的燃料电池盒，或与设备打包在一起的燃料电池盒，含易燃液体	Fuel cell cartridges or fuel cell cartridges contained in equipment or fuel cell cartridges packed with equipment, containing flammable liquids	128
3474	1-羟基苯并三唑水合物	1-Hydroxybenzotriazole, monohydrate	113
3475	乙醇和汽油混合物，乙醇含量大于10%	Ethanol and gasoline mixture, with more than 10% ethanol	127
3476	燃料电池盒或包含在设备中的燃料电池盒，或与设备打包在一起的燃料电池盒，含遇水反应物质	Fuel cell cartridges or fuel cell cartridges contained in equipment or fuel cell cartridges packed with equipment, containing water-reactive substances	138

续表

UN 号	中文名称	英文名称	指南号
3477	燃料电池盒或包含在设备中的燃料电池盒，或与设备打包在一起的燃料电池盒，含腐蚀性物质	Fuel cell cartridges or fuel cell cartridges contained in equipment or fuel cell cartridges packed with equipment, containing corrosive substances	153
3478	燃料电池盒或包含在设备中的燃料电池盒，或与设备打包在一起的燃料电池盒，含液化可燃气体	Fuel cell cartridges or fuel cell cartridges contained in equipment or fuel cell cartridges packed with equipment, containing liquefied flammable gas	115
3479	燃料电池盒或包含在设备中的燃料电池盒，或与设备打包在一起的燃料电池盒，含在金属中储存的氢	Fuel cell cartridges or fuel cell cartridges contained in equipment or fuel cell cartridges packed with equipment, containing hydrogen in metal hydride	115
3480	锂离子电池组（包括锂离子聚合物电池）	Lithium ion batteries (including lithium ion polymer batteries)	147
3481	包含在设备中的锂离子电池组或同设备打包在一起的锂离子电池组（包括锂离子聚合物电池）	Lithium ion batteries contained in equipment or lithium ion batteries packed with equipment (including lithium ion polymer batteries)	147
3482	碱金属分散体，易燃；或碱土金属分散体，易燃	Alkali meal dispersion, flammable or alkaline earth metal dispersion, flammable	138

第二部分 索引表

续表

UN 号	中文名称	英文名称	指南号
3483	发动机燃料抗爆剂，易燃	Motor fuel anti-knock mixture，flammable	131
3484	肼水溶液，易燃，按质量含肼超过 37%	Hydrazine aqueous solution，flammable with more than 37% hydrazine，by mass	132
3485	次氯酸钙，干的，腐蚀性；或次氯酸钙混合物，干的，腐蚀性，含有效氯大于 39%（有效氧 8.8%）	Calcium hypochlorite，dry，corrosive or calcium hypochlorite mixture，dry，corrosive with more than 39% avaible chlorine（8.8% avaible oxygen）	140
3486	次氯酸钙混合物，干的，腐蚀性，含有效氯 10%～39%	Calcium hypochlorite mixture，dry，corrosive with more than 10% but not more than 39% avaible chlorine	140
3487	水合次氯酸钙，腐蚀性；或水合次氯酸钙混合物，腐蚀性，含水不低于 5.5% 但不超过 16%	Calcium hypochlorite，hydrated，corrosive or calcium hypochlorite，hydrated mixture，corrosive with not less than 5.5% but not more than 16% water	140
3488	吸入毒性危害液体，易燃，腐蚀性，未另作规定的，LC_{50} 低于或等于 200mL/m^3，且饱和蒸气浓度大于或等于 $500LC_{50}$	Toxic by inhalation liquid，flammable，corrosive，n. o. s. with an LC_{50} lower than or equal to 200mL/m^3 and saturated vapour concentration greater than or equal to $500LC_{50}$	131

危险货物运输应急救援指南（2024版）

续表

UN 号	中文名称	英文名称	指南号
3489	吸入毒性危害液体，易燃，腐蚀性，未另作规定的，LC_{50} 低于或等于 1000mL/m^3，且饱和蒸气浓度大于或等于 $10LC_{50}$	Toxic by inhalation liquid, flammable, corrosive, n. o. s., with an LC_{50} lower than or equal to 1000mL/m^3 and saturated vapour concentration greater than or equal to $10LC_{50}$	131
3490	吸入毒性危害液体，遇水反应的，易燃，未另作规定的，LC_{50} 低于或等于 200mL/m^3，且饱和蒸气浓度大于或等于 $500LC_{50}$	Toxic by inhalation liquid, water-reactive, flammable n. o. s., with an LC_{50} lower than or equal to 200mL/m^3 and saturated vapour concentration greater than or equal to $500LC_{50}$	155
3491	吸入毒性危害液体，遇水反应的，易燃，未另作规定的，LC_{50} 低于或等于 1000mL/m^3，且饱和蒸气浓度大于或等于 $10LC_{50}$	Toxic by inhalation liquid, water-reactive, flammable, n. o. s., with an LC_{50} lower than or equal to 1000mL/m^3 and saturated vapour concentration greater than or equal to $10LC_{50}$	155
3494	含硫原油，易燃，毒性	Petroleum sour crude oil, flammable, toxic	131
3495	碘	Iodine	154
3496	镍/金属氢化物蓄电池组（镍氢电池组）	Batteries, nickel-metal hydride	171
3497	磷虾粉	Krill meal	133
3498	一氯化碘，液体的	Iodine monochloride, liquid	157

续表

UN 号	中文名称	英文名称	指南号
3499	双电层电容器(能量储存能力大于 0.3W·h)	Capacitor, electric double layer(with an energy storage capacity greater than 0.3W·h)	171
3500	加压化学品,未另作规定的	Chemical under pressure, n. o. s.	126
3501	加压化学品,易燃,未另作规定的	Chemical under pressure, flammable, n. o. s.	115
3502	加压化学品,毒性,未另作规定的	Chemical under pressure, toxic, n. o. s.	123
3503	加压化学品,腐蚀性,未另作规定的	Chemical under pressure, corrosive, n. o. s.	125
3504	加压化学品,易燃,毒性,未另作规定的	Chemical under pressure, flammable, toxic, n. o. s.	119
3505	加压化学品,易燃,腐蚀性,未另作规定的	Chemical under pressure, flammable, corrosive, n. o. s.	118
3506	含于制成品中的汞	Mercury contained in manufactured articles	172
3507	六氟化铀,放射性材料,例外包件,每个包件小于 0.1kg,不裂变或例外的易裂变	Uranium hexafluoride, radioactive material, excepted package, less than 0.1kg per package, non fissile or fissile-excepted	166
3508	非对称电容器(储能量大于 0.3W·h)	Capacitor, asymmetric(with an energy storage capacity greater than 0.3W·h)	171
3509	废弃空容器,未清洁	Packaging, discarded, empty, uncleaned	171

续表

UN号	中文名称	英文名称	指南号
3510	吸附气体,易燃,未另作规定的	Adsorbed gas, flammable, n. o. s.	174
3511	吸附气体,未另作规定的	Adsorbed gas, n. o. s.	174
3512	吸附气体,毒性,未另作规定的	Adsorbed gas, toxic, n. o. s.	173
3513	吸附气体,氧化性,未另作规定的	Adsorbed gas, oxidizing, n. o. s.	174
3514	吸附气体,毒性,易燃,未另作规定的	Adsorbed gas, toxic, flammable, n. o. s.	173
3515	吸附气体,毒性,氧化性,未另作规定的	Adsorbed gas, toxic, oxidizing, n. o. s.	173
3516	吸附气体,毒性,腐蚀性,未另作规定的	Adsorbed gas, toxic, corrosive, n. o. s.	173
3517	吸附气体,毒性,易燃,腐蚀性,未另作规定的	Adsorbed gas, toxic, flammable, corrosive, n. o. s.	173
3518	吸附气体,毒性,氧化性,腐蚀性,未另作规定的	Adsorbed gas, toxic, oxidizing, corrosive, n. o. s.	173
3519	三氟化硼,吸附的	Boron trifluoride, adsorbed	173
3520	氯,吸附的	Chlorine, adsorbed	173
3521	四氟化硅,吸附的	Silicon tetrafluoride, adsorbed	173
3522	胂,吸附的	Arsine, adsorbed	173
3523	锗烷,吸附的	Germane, adsorbed	173
3524	五氟化磷,吸附的	Phosphorus pentafluoride, adsorbed	173
3525	磷化氢,吸附的	Phosphine, adsorbed	173

续表

UN 号	中文名称	英文名称	指南号
3526	硒化氢,吸附的	Hydrogen selenide,adsorbed	173
3527	聚酯树脂试剂盒,固体基材	Polyester resin kit, solid base material	128P
3528	内燃机,易燃液体动力,或燃料电池易燃液体动力发动机,或易燃液体动力内燃机机械,或燃料电池易燃液体动力机械	Engine, internal combustion, flammable liquid powered or engine, fuel cell, flammable liquid powered or machinery, internal combustion, flammable liquid powered or machinery, fuel cell, flammable liquid powered	128
3529	内燃机,易燃气体动力,或燃料电池易燃气体动力发动机,或易燃气体动力内燃机机械,或燃料电池易燃气体动力机械	Engine, internal combustion, flammable gas powered or engine, fuel cell, flammable gas powered or machinery, internal combustion, flammable gas powered or machinery, fuel cell, flammable gas powered	115
3530	内燃机或内燃机械	Engine, internal combustion or machinery, internal combustion	171
3531	聚合物质,固体的,稳定的,未另作规定的	Polymerizing substance, solid, stabilized, n. o. s.	149P
3532	聚合物质,液体的,稳定的,未另作规定的	Polymerizing substance, liquid, stabilized, n. o. s.	149P
3533	聚合物质,固体的,温度控制的,未另作规定的	Polymerizing substance, solid, temperature controlled, n. o. s.	150P

续表

UN 号	中文名称	英文名称	指南号
3534	聚合物质，液体的，温度控制的，未另作规定的	Polymerizing substance, liquid, temperature controlled, n. o. s.	150P
3535	毒性固体，易燃，无机的，未另作规定的	Toxic solid, flammable, inorganic, n. o. s.	134
3536	装在货运装置中的锂电池组(锂金属电池组)	Lithium batteries installed in cargo transport unit (lithium metal batteries)	138
3536	装在货运装置中的锂电池组(锂离子电池组)	Lithium batteries installed in cargo transport unit (lithium ion batteries)	147
3537	含有易燃气体的物品，未另作规定的	Articles containing flammable gas, n. o. s.	115
3538	含有非易燃、非毒性气体的物品，未另作规定的	Articles containing non-flammable, non toxic gas, n. o. s.	120
3539	含有毒性气体的物品，未另作规定的	Articles containing toxic gas, n. o. s.	123
3540	含有易燃液体的物品，未另作规定的	Articles containing flammable liquid, n. o. s.	127
3541	含有易燃固体的物品，未另作规定的	Articles containing flammable solid, n. o. s.	133
3542	含有易于自燃固体的物品，未另作规定的	Articles containing a substance liable to spontaneous combustion solid, n. o. s.	135
3543	含有遇水放出易燃气体的物品，未另作规定的	Articles containing a substance which in contact with water emits flammable gases, n. o. s.	138

续表

UN号	中文名称	英文名称	指南号
3544	含有氧化性物质的物品，未另作规定的	Articles containing oxidizing substance, n. o. s.	140
3545	含有有机过氧化物的物品，未另作规定的	Articles containing organic peroxide, n. o. s.	145
3546	含有毒性物质的物品，未另作规定的	Articles containing toxic substance, n. o. s.	151
3547	含有腐蚀性物质的物品，未另作规定的	Articles containing corrosive substance, n. o. s.	154
3548	含有杂项危险货物的物品，未另作规定的	Articles containing miscellaneous dangerous goods, n. o. s.	171
3549	医疗废弃物，类别A，对人感染，固体的；或医疗废弃物，类别A，只对动物感染，固体的	Medical waste, category A, affecting humans, solid or medical waste, category A, affecting animals only, solid	158
3550	氢氧化钴粉末，含有不少于10%的可吸入颗粒	Cobalt dihydroxide powder, containing not less than 10% respirable particles	147
3551	有机电解质钠离子电池组	Sodium ion batteries with organic lectrolyte	147
3552	包含在设备中的有机电解质钠离子电池组或与设备包装在一起的有机电解质钠离子电池组	Sodium ion batteries contained in equipment or Sodium ion batteries packed with equipment, with organic electrolyte	147
3553	乙硅烷	Disilane	116

续表

UN号	中文名称	英文名称	指南号
3554	含于制成品中的镓	Gallium contained in manufactured articles	172
3555	三氟甲基四唑钠盐的丙酮溶液,按质量计丙酮不少于68%	Trifluoromethyltetrazole-sodium salt in acetone, with not less than 68% acetone, by mass	113
3556	以锂离子电池组为动力的车辆	Vehicle, lithium ion battery powered	147
3557	以锂金属电池组为动力的车辆	Vehicle, lithium metal battery powered	138
3558	以钠离子电池组为动力的车辆	Vehicle, sodium ion battery powered	147
3559	灭火剂散布装置	Fire suppressant dispersing devices	171
3560	四甲基氢氧化铵水溶液含不低于25%的四甲基氢氧化铵	Tetramethylammonium hydroxide aqueous solution with not less than 25% tetramethylammonium hydroxide	153

第三部分

应急指南卡

第一节　应急指南卡使用说明

建议：只有经过适当训练和配有装备的人员才能实施以下操作。

1. 指南号和标题

标题涉及与本指南号中危险品相关的一般性危害。

2. 潜在危险：指可能存在的危险或风险，尚未发生但有可能造成伤害或损害的情况。

应急救援人员应首先查阅本章节！

- 从火灾或爆炸以及接触后对健康的影响等方面描述物质的危害。
- 首先列出主要潜在危害。
- 允许应急救援人员做决定，以保护应急救援团队和周围人群。

3. 公共安全：指保护社会公众免受危险、伤害或犯罪行为的安全状态。

本节分为三个小节：

〉一般信息：描述第一个到达现场的人员应采取的初步预防措施。

〉防护用品：提供包括呼吸防护等个人防护用品要求的一般性指导。这是关于防护用品的基本要求，如何做出正确选择，必须充分考虑危险品的物理和化学特性、天气条件、泄漏与火灾、地形等情况。

〉疏散：针对少量泄漏和大量泄漏情况，给出必须立即采取预防性措施的保护距离建议，以及应对已经发生或可能发生的火灾（潜在的爆裂危险）情况的指导。

—术语“隔离区”指的是一个禁止以下人员进入的区域，这些人员包括：没有经过适当训练、配有防护设备和准备缓解事故的应急救援人员以及公众。

—术语“疏散”的意思是通过将人们从隔离区撤离来保护尽可能多的人。如果撤离风险太大，也可以考虑在隔离区就地躲避。

索引表中涂有灰色标记的危险品条目请参考表 4-1（初始隔离和防护距离表），该表详细说明了吸入毒性物质和遇水反应产生毒性物质（涂有灰色标记的危险品条目）的特定应对距离。

4. 应急响应，指公共安全人员和市民为减轻事件对人类生命和财产的影响所做的努力。

本节分为三个小节：

〉火灾：提供扑救轻微火灾、重大火灾以及储罐或载货汽车和拖车失火时的灭火程序。

〉溢出或泄漏：包括一般性的建议以及发生少量泄漏和大量泄漏时的应对程序。

〉急救指导：包括急救指导通用要求以及使用特定物品开展急救和在危险品事故急救指导通用要求之外需要采取的特殊处理要求。急救指导通用要求列于本部分内容之后。

第二节　应急指南卡急救指导通用要求

- 拨打 119 或紧急医疗服务。

• 确保医务人员了解所涉及的危险品，采取预防措施保护自己并避免污染。

• 如果安全的话，将受害者转移到空气新鲜的地方。

• 呼吸困难时给氧。

• 如果受害者没有呼吸：

--不要进行人工呼吸；受害者可能已经吞食或吸入了这种物质。

--如果有设备并检测到脉搏，请清洗面部和口腔，然后使用适当的呼吸医疗设备（袋装面罩、配有单向阀的口罩或其他设备）进行人工呼吸。

--如果没有检测到脉搏或没有可用的呼吸医疗设备，请持续按压。每两分钟检查一次脉搏或监测有无自主呼吸的迹象。

• 脱掉并隔离被污染的衣服和鞋子。

• 对于轻微的皮肤接触，避免有害物质扩散到未受影响的皮肤上。

• 如果接触到有害物质，请立即用自来水冲洗皮肤或眼睛至少 20 分钟。

• 对于严重烧伤，需要立即就医。

• 暴露于有害物质（吸入、吞食或皮肤接触）的影响可能会延迟。

• 让受害者保持冷静和温暖。

• 继续观察受害者。

如需进一步帮助，请联系当地中毒控制中心。

• 注意：基本生命支持（BLS）和高级生命支持（ALS）应由训练有素的专业人员进行。

第三节　具体应急指南卡

指南 111　混装货物或不明货物

潜在危险

火灾或爆炸

- 可能因受热、震动、摩擦或污染引起爆炸。
- 在接触空气、水或泡沫时可能发生剧烈或爆炸性反应。
- 可能被高温、火花或明火点燃。
- 蒸气扩散到火源处会回火。
- 容器遇热可能引起爆炸。
- 破裂的气瓶可能会爆炸。

健康

- 吸入、吞食或接触此类物质，可引起严重伤害、感染、疾病甚至死亡。
- 高浓度气体可在无先兆情况下引起窒息。
- 接触会灼伤皮肤和眼睛。
- 燃烧或与水接触后会产生刺激性、有毒和/或腐蚀性气体。
- 排放的消防用水或稀释用水可能导致环境污染。

公众安全

- 首先拨打 119，然后拨打货运单上的应急电话。如果

货运单上无电话号码或电话无人接听，可以拨打本指南第五部分附录一中有关应急救援机构的救援电话。

- 让无关人员远离。
- 停留在上风向、上坡和/或上游地区。

防护用品

- 穿戴正压自给式呼吸器（SCBA）。
- 一般的消防员防护服主要提供隔热防护，仅能提供有限的化学防护。

疏散

紧急预防措施

- 物质溢出或泄漏区域四周隔离距离至少 100m。

火灾

- 如果槽罐、有轨车辆或公路罐车着火，应与四周保持 800m 的初始隔离距离；同时考虑从隔离区向四周初步撤离 800m。

应急响应

火灾

注意：物质可能与灭火剂发生反应。

轻微火灾

- 使用干粉灭火剂、二氧化碳灭火剂、普通泡沫灭火剂或喷水。

重大火灾

- 喷水、喷水雾或普通泡沫灭火剂。
- 在没有危险的情况下，将未损坏的容器搬离火灾现场。

槽罐着火

- 用大量水冷却容器，直到火被完全扑灭。
- 防止水流入容器内。
- 发现槽罐变色或排气安全阀发出的声响增大时应立刻撤离。
- 一定要远离被火吞没的容器。

溢出或泄漏

- 不要接触泄漏物或在泄漏物上行走。
- 消除泄漏区域内所有火源（禁止吸烟、闪光、火花或其他明火）。
- 处置物品时使用的所有设备必须接地。
- 将易燃物（木材、纸张、油类等）远离泄漏物。
- 通过喷水降低蒸气浓度或改变蒸气云的流向。避免让排放水流接触泄漏物。
- 防止溢出物或泄漏物进入河道、下水道、地下室或封闭区域。

少量泄漏

- 用沙子或其他不燃吸附材料吸收后放入容器，以便后续处理。

大量泄漏

- 在泄漏液体外围构筑堤坝以便后续处理。

急救

- 参阅“急救指导通用要求”。

指南 112　爆炸品*——1.1 项、1.2 项、1.3 项或 1.5 项

潜在危险

火灾或爆炸

- 如果火焰烧到货物，有可能发生爆炸且爆炸碎片能飞散至 1600m 以外。
- * 关于“配装组”的含义，请参考本指南第五部分附录三名词术语解释。

健康

- 火灾可能会产生刺激性、腐蚀性和/或毒性气体。

公众安全

- 首先拨打 119，然后拨打货运单上的应急电话。如果货运单上无电话号码或电话无人接听，可以拨打本指南第五部分附录一中有关应急救援机构的救援电话。
- 让人群远离现场并远离窗户。
- 让无关人员远离。
- 停留在上风向、上坡和/或上游地区。
- 进入密闭空间前必须通风，并经过适当的培训，配有合适的装备。

防护用品

- 穿戴正压自给式呼吸器（SCBA）。
- 一般的消防员防护服主要提供隔热防护，仅能提供

有限的化学防护。

疏散

紧急预防措施

- 立即对物质溢出或泄漏区域进行隔离，四周隔离距离至少500m。

大量泄漏

- 考虑从隔离区向四周初步撤离800m。

火灾

- 如果有轨车辆或挂车着火，应与四周保持1600m的隔离距离；同时，对包括应急响应人员在内所有人员，考虑向四周疏散1600m。

应急响应

火灾

货物着火

- 当货物着火时请勿扑灭！因为货物可能爆炸！
- 停止事故区域方圆1600m范围内所有交通并彻底清场，让货物自行燃烧。
- 当货物被暴露在高温下时请不要移动货物或车辆。

轮胎或车辆着火

- 用大量的水扑灭！如果没有水可用，用二氧化碳灭火剂、干粉灭火剂或泥土。
- 如果可能，且在没有风险的情况下，在最大距离外使用遥控水炮或远控水炮，防止火灾蔓延到货物上。
- 特别注意轮胎着火，因为可能会发生复燃。在安全距离内严阵以待，并准备好灭火器以防复燃。

溢出或泄漏

• 消除泄漏区域内所有火源（禁止吸烟、闪光、火花或其他明火）。

• 处置物品时使用的所有设备必须接地。

• 不要接触泄漏物或在泄漏物上行走。

• 在存有电雷管场所周围 100m 之内不要使用无线电设备。

• 应在有关专家指导下清理或处理现场。

急救

• 参阅急救指导通用要求。

指南 113　易燃物质（潮湿/减敏爆炸品）

潜在危险

火灾或爆炸

• 易燃/可燃物质。

• 可能被高温、火花或明火点燃。

• 干燥状态暴露于热源、明火、摩擦或撞击情况下可能发生爆炸，应按爆炸品处理（指南 112）。

• 用水浸湿货物并保持湿润状态，或按爆炸品处理（指南 112）。

• 排放至下水道可能发生火灾或爆炸危险。

健康

• 有些物质具有毒性，如果吸入、吞食或经皮吸收可能致命。例如，“二硝基苯酚，湿的”（UN1320）、“二硝基苯酚盐，湿的”（UN1321）、“二硝基邻甲苯酚钠，湿的”（UN1348）和“叠氮化钡，湿的”（UN1571）都是毒性的。

- 接触会灼伤皮肤和眼睛。
- 火灾可能会产生刺激性、腐蚀性和/或毒性气体。
- 消防用水或稀释用水的排放可能导致环境污染。

公众安全

- 首先拨打119，然后拨打货运单上的应急电话。如果货运单上无电话号码或电话无人接听，可以拨打本指南第五部分附录一中有关应急救援机构的救援电话。
- 让无关人员远离。
- 停留在上风向、上坡和/或上游地区。
- 进入密闭空间前必须通风，并经过适当的培训，配有合适的装备。

防护用品

- 穿戴正压自给式呼吸器（SCBA）。
- 一般的消防员防护服主要提供隔热防护，仅能提供有限的化学防护。

疏散

紧急预防措施

- 立即对物质溢出或泄漏区域进行隔离，四周隔离距离至少100m。

大量泄漏

- 考虑从隔离区向四周初步撤离500m。

火灾

- 如果槽罐、有轨车辆或公路罐车着火，应与四周保持 800m 的初始隔离距离；同时考虑从隔离区向四周初步撤离 800m。

应急响应

火灾

货物着火

- 当货物着火时请勿扑灭！因为货物可能爆炸！
- 停止事故区域方圆 1600m 范围内所有交通并彻底清场，让货物自行燃烧。
- 当货物被暴露在高温下时请不要移动货物或车辆。

轮胎或车辆着火

- 用大量的水扑灭！如果没有水可用，用二氧化碳灭火剂、干粉灭火剂或泥土。
- 如果可能，且在没有风险的情况下，在最大距离外使用遥控水炮或远控水炮，防止火灾蔓延到货物上。
- 特别注意轮胎着火，因为可能会发生复燃。在安全距离内严阵以待，并准备好灭火器以防复燃。

溢出或泄漏

- 消除泄漏区域内所有火源（禁止吸烟、闪光、火花或其他明火）。
- 处置物品时使用的所有设备必须接地。
- 不要接触泄漏物或在泄漏物上行走。

少量泄漏

- 用大量水冲洗泄漏区域。

大量泄漏

- 用水浸湿泄漏物并构筑堤坝以便后续处理。

• 慢慢加入大量的水，使“浸湿”货物保持湿润。

急救

• 参阅急救指导通用要求。

指南 114 爆炸品*——1.4 项或 1.6 项

潜在危险

火灾或爆炸

• 如果火焰烧到货物，有可能发生爆炸且爆炸碎片能飞散至 800m 以外。

• * 关于“配装组”的含义，请参考本指南第五部分附录三名词术语解释。

健康

• 火灾可能会产生刺激性、腐蚀性和/或毒性气体。

公众安全

• 首先拨打 119，然后拨打货运单上的应急电话。如果货运单上无电话号码或电话无人接听，可以拨打本指南第五部分附录一中有关应急救援机构的救援电话。

• 让人群远离现场并远离窗户。

• 让无关人员远离。

• 停留在上风向、上坡和/或上游地区。

• 进入密闭空间前必须通风，并经过适当的培训，配有合适的装备。

防护用品

• 穿戴正压自给式呼吸器（SCBA）。

• 一般的消防员防护服主要提供隔热防护，仅能提供有限的化学防护。

疏散

紧急预防措施

• 立即对物质溢出或泄漏区域进行隔离，四周隔离距离至少 100m。

大量泄漏

• 考虑从隔离区向四周初步撤离 250m。

火灾

• 如果有轨车辆或挂车着火，应与四周保持 800m 的隔离距离；同时，对包括应急响应人员在内所有人员，考虑向四周初步疏散 800m。

• 如果火灾威胁到包含贴有 1.4S 标签包装件的货物区域或装有分类为 1.4S 项物质的包装件，应考虑进行隔离，四周隔离距离至少 15m。

应急响应

火灾

货物着火

• 当货物着火时请勿扑灭！因为货物可能爆炸！

• 停止事故区域方圆 800m 范围内所有交通并彻底清场，让货物自行燃烧。

• 当货物被暴露在高温下时请不要移动货物或车辆。

轮胎或车辆着火

• 用大量的水扑灭！如果没有水可用，用二氧化碳灭火剂、干粉灭火剂或泥土。

• 如果可能，且在没有风险的情况下，在最大距离外使用遥控水炮或远控水炮，防止火灾蔓延到货物上。

• 特别注意轮胎着火，因为可能会发生复燃。在安全距离内严阵以待，并准备好灭火器以防复燃。

1.4S 项火灾

• 贴有 1.4S 标签的包装件或者含有 1.4S 项物质的包装件（按盛装 1.4S 项物质要求进行设计和包装）遭遇火灾时，可能发生剧烈燃烧并伴随局部爆炸和碎片飞散。

• 影响通常仅限于包装件附近。

• 在合理的距离内用正常的预防措施灭火。

溢出或泄漏

• 消除泄漏区域内所有火源（禁止吸烟、闪光、火花或其他明火）。

• 处置物品时使用的所有设备必须接地。

• 不要接触泄漏物或在泄漏物上行走。

• 在存有电雷管场所周围 100m 之内不要使用无线电设备。

• 应在有关专家指导下清理或处理现场。

急救

• 参阅急救指导通用要求。

指南 115 气体——易燃性（包括冷冻液体）

潜在危险

火灾或爆炸

• 极其易燃。

- 遇热、火花或明火会非常容易被点燃。
- 蒸气可与空气形成爆炸性混合物。
- 液化气体产生的蒸气初期比空气重并沿地面扩散。

注意：“压缩氢”（UN1049）、“压缩氘（重氢）”（UN1957）、“冷冻液态氢”（UN1966）、“压缩甲烷或甲烷含量高的压缩天然气”（UN1971）和“压缩氢和甲烷混合物”（UN2034）比空气轻且会飘浮上升。由于氢和重氢燃烧火焰不明显，故其着火时难以被察觉。可采用一种替代方法进行检测（热感摄像仪、扫把柄等）。

- 蒸气扩散到火源处会回火。
- 暴露在火中的气瓶可能会通过泄压装置发泄并释放可燃气体。
- 容器遇热可能引起爆炸。
- 破裂的气瓶可能爆炸。

注意：当LNG—液化天然气（UN1972）在水面或水面附近释放，可能发生爆炸性蒸发。

健康

- 蒸气可在毫无征兆情况下导致头晕或窒息，尤其是在封闭情况下。
- 吸入某些较高浓度气体时可能产生刺激性。
- 与气体、液化气体或低温气体接触可能导致灼伤、严重伤害和/或冻伤。

公众安全

- 首先拨打货运单上的应急电话。如果货运单上无电话号码或电话无人接听，可以拨打本指南第五部分附录一中有关应急救援机构的救援电话。

- 让无关人员远离。
- 停留在上风向、上坡和/或上游地区。
- 很多气体比空气重，会沿着地面扩散，并在低洼地区或封闭区域（下水道、地下室、槽罐）聚集。

防护用品

- 穿戴正压自给式呼吸器（SCBA）。
- 一般的消防员防护服主要提供隔热防护，仅能提供有限的化学防护。
- 当操作冷冻/低温液体时切记穿着保温服。

疏散

紧急预防措施

- 物质溢出或泄漏区域四周隔离距离至少 100m。

大量泄漏

- 考虑下风向情况初始疏散距离至少 800m。

火灾

- 如果槽罐、有轨车辆或公路罐车着火，应与四周保持 1600m 的隔离距离；同时考虑从隔离区向四周初步撤离 1600m。
- 如果火灾涉及“石油气，液化的”（UN1075）、丁烷（UN1011）、丁烯（UN1012）、异丁烯（UN1055）、丙烯（UN1077）、异丁烷（UN1969）和丙烷（UN1978），请参阅本指南第四部分第七节关于沸腾液体膨胀蒸气爆炸（BLEVE）及安全防范措施相关内容。

应急响应

火灾

- 除非可以阻止气体泄漏，否则请勿扑灭泄漏气体火灾。

注意："压缩氢"（UN1049）、"压缩氘（重氢）"（UN1957）、"冷冻液态氢"（UN1966）和"压缩氢和甲烷混合物"（UN2034）燃烧时火焰可能不明显。可采用一种替代方法进行检测（热感摄像仪、扫把柄等）。

轻微火灾

- 用干粉灭火剂或二氧化碳灭火剂灭火。

重大火灾

- 喷水或喷水雾。
- 在没有危险的情况下，将未损坏的容器搬离火灾现场。

注意：对于液化天然气（LNG）（UN1972）的灭火，不要用水。使用干粉灭火器或高膨胀泡沫灭火器。

槽罐着火

- 在最大距离外灭火或使用遥控水炮或远控水炮。
- 用大量水冷却容器，直到火被完全扑灭。
- 不要将水淋向泄漏口或安全装置，以防结冰。
- 发现槽罐变色或排气安全阀发出的声响增大时应立刻撤离。
- 一定要远离被火吞没的容器。
- 在遇到特大火势时，使用遥控水炮或远控水炮；如果不可行，撤离火灾区域让其自行燃烧。

溢出或泄漏

- 消除泄漏区域内所有火源（禁止吸烟、闪光、火花或其他明火）。
- 处置物品时使用的所有设备必须接地。
- 不要接触泄漏物或在泄漏物上行走。
- 在确保安全前提下，终止泄漏。
- 如果可能，转动泄漏的容器，让气体而不是液体溢出。
- 通过喷水降低蒸气浓度或改变蒸气云的流向。避免让排放水流接触泄漏物。
- 请勿将水直接洒到溢出口或泄漏源。

注意：对于液化天然气（UN1972），请勿在泄漏物上直接使用水、普通泡沫或抗溶性泡沫。如有可能，请使用高膨胀泡沫以减少蒸气。

- 防止蒸气通过下水道、通风系统和密闭区域扩散。
- 隔离区域直到气体完全扩散。

注意：当接触冷冻/低温液体时，很多材料在毫无征兆情况下变脆并可能破碎。

急救

- 参阅“急救指导通用要求”。

急救指导特殊要求：

- 被冻在皮肤上的衣服在脱下之前应先解冻。
- 如果接触到液化气，只能由医务人员试着解冻被冻伤部位。
- 如果发生烧伤，立即用冷水尽可能长时间地冷却受影响皮肤。如果衣服粘在皮肤上，不要脱掉。

指南116 气体——易燃性（不稳定）

潜在危险

火灾或爆炸

- 极其易燃。
- 遇热、火花或明火会非常容易被点燃。
- 蒸气可与空气形成爆炸性混合物。乙炔（UN1001，UN3374）即使在没有空气的情况下也可能发生爆炸性反应。
- 乙硅烷（UN3553）和硅烷（UN2203）会在空气中自燃并可能重燃。
- 标有“P”的物质在遇热或处于火灾中可能发生爆炸性聚合反应。
- 液化气体产生的蒸气初期比空气重并沿地面扩散。
- 蒸气扩散到火源处会反射回来。
- 暴露在火中的气瓶可能会通过泄压装置发泄并释放易燃气体。
- 容器遇热可能引起爆炸。
- 破裂的气瓶可能爆炸。

健康

- 蒸气可在毫无征兆情况下导致头晕或窒息，尤其是在封闭情况下。
- 当吸入某些较高浓度气体时可能中毒。
- 与气体或液化气体接触可能导致灼伤、严重伤害和/或冻伤。
- 火灾可能产生刺激性和/或毒性气体。

公众安全

- 首先拨打119，然后拨打货运单上的应急电话。如果货运单上无电话号码或电话无人接听，可以拨打本指南第五部分附录一中有关应急救援机构的救援电话。
- 让无关人员远离。
- 停留在上风向、上坡和/或上游地区。
- 很多气体比空气重，会沿着地面扩散，并在低洼地区或封闭区域（下水道、地下室、槽罐）聚集。

防护用品

- 穿戴正压自给式呼吸器（SCBA）。
- 一般的消防员防护服主要提供隔热防护，仅能提供有限的化学防护。

疏散

紧急预防措施

- 物质溢出或泄漏区域四周隔离距离至少100m。

大量泄漏

- 考虑下风向情况初始疏散距离至少800m。

火灾

- 如果槽罐、有轨车辆或公路罐车着火，应与四周保持1600m的隔离距离；同时考虑从隔离区向四周初步撤离1600m。

应急响应

火灾

- 除非可以阻止气体泄漏，否则请勿扑灭泄漏气体火灾。

轻微火灾

- 用干粉灭火剂或二氧化碳灭火剂灭火。

重大火灾

- 喷水或喷水雾。
- 在没有危险的情况下，将未损坏的容器搬离火灾现场。

槽罐着火

- 在最大距离外灭火或使用遥控水炮或远控水炮。
- 用大量水冷却容器，直到火被完全扑灭。
- 不要将水淋向泄漏口或安全装置，以防结冰。
- 发现槽罐变色或排气安全阀发出的声响增大时应立刻撤离。
- 一定要远离被火吞没的容器。
- 在遇到特大火势时，使用遥控水炮或远控水炮；如果不可行，撤离火灾区域让其自行燃烧。

溢出或泄漏

- 消除泄漏区域内所有火源（禁止吸烟、闪光、火花或其他明火）。
- 处置物品时使用的所有设备必须接地。
- 在确保安全前提下，终止泄漏。
- 不要接触泄漏物或在泄漏物上行走。
- 请勿将水直接洒到溢出口或泄漏源。
- 通过喷水降低蒸气浓度或改变蒸气云的流向。避免让排放水流接触泄漏物。
- 如果可能，转动泄漏的容器，让气体而不是液体溢出。

- 防止溢出物或泄漏物进入河道、下水道、地下室或封闭区域。
- 隔离区域直到气体完全扩散。

急救

- 参阅“急救指导通用要求”。

急救指导特殊要求：

- 被冻在皮肤上的衣服在脱下之前应先解冻。
- 如果接触到液化气，只能由医务人员试着解冻被冻伤部位。
- 如果发生烧伤，立即用冷水尽可能长时间地冷却受影响皮肤。如果衣服粘在皮肤上，不要脱掉。

指南 117 气体——毒性——易燃性（极度危险）

潜在危险

健康

- 有毒；危害性极大。
- 如果吸入或经皮肤吸收可能致命。
- 最初可能产生刺激性或腐烂气味并且会严重损害嗅觉。
- 与气体或液化气接触可能导致灼伤、严重伤害和/或冻伤。
- 火灾会产生刺激性、腐蚀性和/或毒性气体。
- 排放的消防用水或稀释用水可能导致环境污染。

火灾或爆炸

- 此类气体极度易燃。
- 可与空气形成爆炸性混合物。
- 可能被高温、火花或明火点燃。
- 液化气体产生的蒸气初期比空气重并沿地面扩散。
- 蒸气扩散到火源处会反射回来。
- 标有“P”的物质在遇热或处于火灾中可能发生爆炸性聚合反应。
- 排放可能产生火灾或爆炸危险。
- 处于火灾中的气瓶可能通过泄压装置发泄和释放有毒易燃气体。
- 容器遇热可能引起爆炸。
- 破裂的气瓶可能爆炸。

公众安全

- 首先拨打119，然后拨打货运单上的应急电话。如果货运单上无电话号码或电话无人接听，可以拨打本指南第五部分附录一中有关应急救援机构的救援电话。
- 让无关人员远离。
- 停留在上风向、上坡和/或上游地区。
- 很多气体比空气重，会沿着地面扩散，并在低洼地区或封闭区域（下水道、地下室、槽罐）聚集。
- 进入密闭空间前必须通风，并经过适当的培训，配有合适的装备。

防护用品

- 穿戴正压自给式呼吸器（SCBA）。

• 没有火灾危险时，穿戴制造商专门推荐的化学防护服。

• 一般的消防员防护服主要提供隔热防护，仅能提供有限的化学防护。

疏散

紧急预防措施

• 物质溢出或泄漏区域四周隔离距离至少 100m。

泄漏

• 见表 4-1 初始隔离距离和防护距离。

火灾

• 如果槽罐、有轨车辆或公路罐车着火，应与四周保持 1600m 的隔离距离；同时考虑从隔离区向四周初步撤离 1600m。

应急响应

火灾

• 除非可以阻止气体泄漏，否则请勿扑灭泄漏气体火灾。

轻微火灾

• 使用干粉灭火剂、二氧化碳灭火剂、普通泡沫灭火剂或喷水。

重大火灾

• 喷水、喷水雾或普通泡沫灭火剂。

• 在没有危险的情况下，将未损坏的容器搬离火灾现场。

• 破损的容器仅能由专业人员处理。

槽罐着火

• 在最大距离外灭火或使用遥控水炮或远控水炮。

• 用大量水冷却容器，直到火被完全扑灭。

• 不要将水淋向泄漏口或安全装置，以防结冰。

• 发现槽罐变色或排气安全阀发出的声响增大时应立刻撤离。

• 一定要远离被火吞没的容器。

溢出或泄漏

• 消除泄漏区域内所有火源（禁止吸烟、闪光、火花或其他明火）。

• 处置物品时使用的所有设备必须接地。

• 不要接触泄漏物或在泄漏物上行走。

• 在确保安全前提下，终止泄漏。

• 通过喷水降低蒸气浓度或改变蒸气云的流向。避免让排放水流接触泄漏物。

• 请勿将水直接洒到溢出处或泄漏源。

• 如果可能，转动泄漏的容器，让气体而不是液体溢出。

• 防止溢出物或泄漏物进入河道、下水道、地下室或封闭区域。

• 隔离区域直到气体完全扩散。

• 考虑点燃溢出或泄漏的气体，以消除有毒气体隐患。

急救

• 参阅“急救指导通用要求”。

急救指导特殊要求：

• 如果接触到液化气，只能由医务人员试着解冻被冻伤部位。

• 如果发生烧伤，立即用冷水尽可能长时间地冷却受影响的皮肤。如果衣服粘在皮肤上，不要脱掉。

指南 118 气体——易燃性——腐蚀性

潜在危险

火灾或爆炸

• 极其易燃。

• 可能被高温、火花或明火点燃。

• 可与空气形成爆炸性混合物。

• 液化气体产生的蒸气初期比空气重并沿地面扩散。

• 蒸气扩散到火源处会反射回来。

• 其中一些物质遇水可能会发生剧烈反应。

• 暴露在火中的气瓶可能会通过泄压装置发泄并释放可燃气体。

• 容器遇热可能引起爆炸。

• 破裂的气瓶可能爆炸。

健康

• 气体吸入后可能导致中毒反应。

• 蒸气具有极强的刺激性。

• 与气体或液化气体接触可能导致灼伤、严重伤害和/或冻伤。

• 火灾会产生刺激性、腐蚀性和/或毒性气体。

• 排放的消防用水或稀释用水可能导致环境污染。

• 首先拨打119，然后拨打货运单上的应急电话。如果货运单上无电话号码或电话无人接听，可以拨打本指南第五部分附录一中有关应急救援机构的救援电话。

• 让无关人员远离。

• 停留在上风向、上坡和/或上游地区。

• 很多气体比空气重，会沿着地面扩散，并在低洼地区或封闭区域（下水道、地下室、槽罐等）聚集。

• 进入密闭空间前必须通风，并经过适当的培训，配有合适的装备。

防护用品

• 穿戴正压自给式呼吸器（SCBA）。

• 没有火灾危险时，穿戴制造商专门推荐的化学防护服。

• 一般的消防员防护服主要提供隔热防护，仅能提供有限的化学防护。

疏散

紧急预防措施

• 物质溢出或泄漏区域四周隔离距离至少100m。

泄漏

• 对于吸入毒性危害物质：见表4-1初始隔离距离和防护距离。

• 对于非吸入毒性危害物质：根据需要，在下风向增加紧急预防措施的隔离距离。

火灾

• 如果槽罐、有轨车辆或公路罐车着火，应与四周保持1600m的隔离距离；同时考虑从隔离区向四周初步撤离1600m。

应急响应

火灾

- 除非可以阻止气体泄漏，否则请勿扑灭泄漏气体火灾。

轻微火灾

- 用干粉灭火剂或二氧化碳灭火剂灭火。

重大火灾

- 喷水、喷水雾或普通泡沫灭火剂。
- 在没有危险的情况下，将未损坏的容器搬离火灾现场。
- 破损的容器仅能由专业人员处理。

槽罐着火

- 在最大距离外灭火或使用遥控水炮或远控水炮。
- 用大量水冷却容器，直到火被完全扑灭。
- 不要将水淋向泄漏口或安全装置，以防结冰。
- 发现槽罐变色或排气安全阀发出的声响增大时应立刻撤离。
- 一定要远离被火吞没的容器。

溢出或泄漏

- 消除泄漏区域内所有火源（禁止吸烟、闪光、火花或其他明火）。
- 处置物品时使用的所有设备必须接地。
- 不要接触泄漏物或在泄漏物上行走。

• 在确保安全前提下，终止泄漏。

• 如果可能，转动泄漏的容器，让气体而不是液体溢出。

• 通过喷水降低蒸气浓度或改变蒸气云的流向。避免让排放水流接触泄漏物。

• 请勿将水直接洒到溢出口或泄漏源。

• 隔离区域直到气体完全扩散。

急救

• 参阅“急救指导通用要求”。

急救指导特殊要求：

• 如果接触到液化气，只能由医务人员试着解冻被冻伤部位。

• 如果发生烧伤，立即用冷水尽可能长时间地冷却受影响的皮肤。如果衣服粘在皮肤上，不要脱掉。

指南119 气体——毒性——易燃性

潜在危险

健康

• 有毒；如果吸入或经皮肤吸收可能致命。有些可能会导致严重的皮肤灼伤和眼睛损伤。

• 与气体或液化气体接触可能导致灼伤、严重伤害和/或冻伤。

• 火灾会产生刺激性、腐蚀性和/或毒性气体。

• 排放的消防用水或稀释用水可能导致环境污染。

火灾或爆炸

- 易燃；可能被高温、火花或明火点燃。
- 可与空气形成爆炸性混合物。环氧乙烷（UN1040）甚至在没有空气的情况下也可能发生爆炸性反应。
- 标有“P”的物质在遇热或处于火灾中可能发生爆炸性聚合反应。
- 液化气体产生的蒸气初期比空气重并沿地面扩散。
- 蒸气扩散到火源处会反射回来。
- 其中一些物质遇水可能会发生剧烈反应。
- 处于火灾中的气瓶可能通过泄压装置发泄和释放有毒易燃气体。
- 容器遇热可能引起爆炸。
- 破裂的气瓶可能爆炸。
- 排放可能产生火灾或爆炸危险。

公众安全

- 首先拨打119，然后拨打货运单上的应急电话。如果货运单上无电话号码或电话无人接听，可以拨打本指南第五部分附录一中有关应急救援机构的救援电话。
- 让无关人员远离。
- 停留在上风向、上坡和/或上游地区。
- 很多气体比空气重，会沿着地面扩散，并在低洼地区或封闭区域（下水道、地下室、槽罐等）聚集。
- 进入密闭空间前必须通风，并经过适当的培训，配有合适的装备。

防护用品

- 穿戴正压自给式呼吸器（SCBA）。
- 没有火灾危险时，穿戴制造商专门推荐的化学防护服。
- 一般的消防员防护服主要提供隔热防护，仅能提供有限的化学防护。

疏散

紧急预防措施

- 物质溢出或泄漏区域四周隔离距离至少 100m。

泄漏

- 对于吸入毒性危害物质：见表 4-1 初始隔离距离和防护距离。
- 对于非吸入毒性危害物质：根据需要，在下风向增加紧急预防措施的隔离距离。

火灾

- 如果槽罐、有轨车辆或公路罐车着火，应与四周保持 1600m 的隔离距离；同时考虑从隔离区向四周初步撤离 1600m。

应急响应

火灾

- 除非可以阻止气体泄漏，否则请勿扑灭泄漏气体火灾。

轻微火灾

- 用干粉灭火剂、二氧化碳灭火剂、抗溶泡沫灭火剂或喷水灭火。

重大火灾

- 用喷水、喷水雾或抗溶泡沫灭火剂灭火。
- 对氯硅烷不要用水；用抗溶泡沫灭火剂。
- 在没有危险的情况下，将未损坏的容器搬离火灾现场。
- 破损的容器仅能由专业人员处理。

槽罐着火

- 在最大距离外灭火或使用遥控水炮或远控水炮。
- 用大量水冷却容器，直到火被完全扑灭。
- 不要将水淋向泄漏口或安全装置，以防结冰。
- 发现槽罐变色或排气安全阀发出的声响增大时应立刻撤离。
- 一定要远离被火吞没的容器。

溢出或泄漏

- 消除泄漏区域内所有火源（禁止吸烟、闪光、火花或其他明火）。
- 处置物品时使用的所有设备必须接地。
- 不要接触泄漏物或在泄漏物上行走。
- 在确保安全前提下，终止泄漏。
- 请勿将水直接洒到溢出口或泄漏源。
- 通过喷水降低蒸气浓度或改变蒸气云的流向。避免让排放水流接触泄漏物。
- 对氯硅烷，用抗溶性泡沫灭火剂减少蒸气。
- 如果可能，转动泄漏的容器，让气体而不是液体溢出。
- 防止溢出物或泄漏物进入河道、下水道、地下室或

封闭区域。

• 隔离区域直到气体完全扩散。

急救

• 参阅“急救指导通用要求”。

急救指导特殊要求：

• 如果接触到液化气，只能由医务人员试着解冻被冻伤部位。

• 如果发生烧伤，立即用冷水尽可能长时间地冷却受影响的皮肤。如果衣服粘在皮肤上，不要脱掉。

指南 120　气体——惰性（包括冷冻液体）

潜在危险

健康

• 蒸气可在毫无征兆情况下导致头晕或窒息。

• 液化气体产生的蒸气初期比空气重并沿地面扩散。

• 与气体或液化气接触可能导致灼伤、严重伤害和/或冻伤。

火灾或爆炸

• 非易燃气体。

• 容器遇热可能引起爆炸。

• 破裂的气瓶可能爆炸。

公众安全

• 首先拨打 119，然后拨打货运单上的应急电话。如果货运单上无电话号码或电话无人接听，可以拨打本指南第五部分附录一中有关应急救援机构的救援电话。

- 让无关人员远离。
- 停留在上风向、上坡和/或上游地区。
- 很多气体比空气重，会沿着地面扩散，并在低洼地区或封闭区域（下水道、地下室、槽罐等）聚集。
- 进入密闭空间前必须通风，并经过适当的培训，配有合适的装备。

防护用品

- 穿戴正压自给式呼吸器（SCBA）。
- 一般的消防员防护服主要提供隔热防护，仅能提供有限的化学防护。
- 当处理冷冻/低温液体或固体时切记穿着保温服。

疏散

紧急预防措施

- 物质溢出或泄漏区域四周隔离距离至少 100m。

大量泄漏

- 考虑下风向至少 100m 的初始疏散距离。

火灾

- 如果槽罐、有轨车辆或公路罐车着火，应与四周保持 800m 的初始隔离距离；同时考虑从隔离区向四周初步撤离 800m。

应急响应

火灾

- 使用适合周围火灾类型的灭火剂。

- 在没有危险的情况下，将未损坏的容器搬离火灾现场。
- 破损的容器仅能由专业人员处理。

槽罐着火

- 在最大距离外灭火或使用遥控水炮或远控水炮。
- 用大量水冷却容器，直到火被完全扑灭。
- 不要将水淋向泄漏口或安全装置，以防结冰。
- 发现槽罐变色或排气安全阀发出的声响增大时应立刻撤离。
- 一定要远离被火吞没的容器。

溢出或泄漏

- 不要接触泄漏物或在泄漏物上行走。
- 在确保安全前提下，终止泄漏。
- 通过喷水降低蒸气浓度或改变蒸气云的流向。避免让排放水流接触泄漏物。
- 请勿将水直接洒到溢出口或泄漏源。
- 如果可能，转动泄漏的容器，让气体而不是液体溢出。
- 防止溢出物或泄漏物进入河道、下水道、地下室或封闭区域。
- 让物质蒸发。
- 为该区域通风。

注意：当接触冷冻/低温液体时，很多材料在毫无征兆情况下变脆并可能破碎。

急救

- 参阅“急救指导通用要求”。

急救指导特殊要求：

- 冻在皮肤上的衣服在脱下之前应该先解冻。
- 如果接触液化气体，只能由医务人员试着解冻被冻伤部位。

指南 121　预留空白页

本指南卡暂无可资参考的资料。

指南 122　气体——氧化性（包括冷冻液体）

潜在危险

火灾或爆炸

- 物质不燃但可以助燃。
- 有些可能与燃料发生爆炸性反应。
- 可能点燃可燃物（木材、纸张、油类、衣物等）。
- 液化气体产生的蒸气初期比空气重并沿地面扩散。
- 排放可能产生火灾或爆炸危险。
- 容器遇热可能引起爆炸。
- 破裂的气瓶可能爆炸。

健康

- 蒸气可在毫无征兆情况下导致头晕或窒息，尤其是在封闭情况下。
- 与气体、液化气体或低温液体接触可能导致灼伤、严重伤害和/或冻伤。

- 火灾可能产生刺激性和/或毒性气体。

公众安全

- 首先拨打119，然后拨打货运单上的应急电话。如果货运单上无电话号码或电话无人接听，可以拨打本指南第五部分附录一中有关应急救援机构的救援电话。
- 让无关人员远离。
- 停留在上风向、上坡和/或上游地区。
- 很多气体比空气重，会沿着地面扩散，并在低洼地区或封闭区域（下水道、地下室、槽罐等）聚集。
- 进入密闭空间前必须通风，并经过适当的培训，配有合适的装备。

防护用品

- 穿戴正压自给式呼吸器（SCBA）。
- 没有火灾危险时，穿戴制造商专门推荐的化学防护服。
- 一般的消防员防护服主要提供隔热防护，仅能提供有限的化学防护。
- 当操作冷冻/低温液体时切记穿着保温服。

疏散

紧急预防措施

- 物质溢出或泄漏区域四周隔离距离至少100m。

大量泄漏

- 考虑下风向至少500m的初始疏散距离。

火灾

- 如果槽罐、有轨车辆或公路罐车着火，应与四周保持 800m 的初始隔离距离；同时考虑从隔离区向四周初步撤离 800m。

应急响应

火灾

- 使用适合周围火灾类型的灭火剂。

轻微火灾

- 用干粉灭火剂或二氧化碳灭火剂灭火。

重大火灾

- 喷水、喷水雾或普通泡沫灭火剂。
- 在没有危险的情况下，将未损坏的容器搬离火灾现场。
- 破损的容器仅能由专业人员处理。

槽罐着火

- 在最大距离外灭火或使用遥控水炮或远控水炮。
- 用大量水冷却容器，直到火被完全扑灭。
- 不要将水淋向泄漏口或安全装置，以防结冰。
- 发现槽罐变色或排气安全阀发出的声响增大时应立刻撤离。
- 一定要远离被火吞没的容器。
- 在遇到特大火势时，使用遥控水炮或远控水炮；如果不可行，撤离火灾区域让其自行燃烧。

溢出或泄漏

- 将易燃物（木材、纸张、油类等）远离泄漏物。
- 不要接触泄漏物或在泄漏物上行走。
- 在确保安全前提下，终止泄漏。

• 如果可能，转动泄漏的容器，让气体而不是液体溢出。

• 请勿将水直接洒到溢出口或泄漏源。

• 通过喷水降低蒸气浓度或改变蒸气云的流向。避免让排放水流接触泄漏物。

• 防止溢出物或泄漏物进入河道、下水道、地下室或封闭区域。

• 让物质蒸发。

• 隔离区域直到气体完全扩散。

注意：当接触冷冻/低温液体时，很多材料在毫无征兆情况下变脆并可能破碎。

急救

• 参阅“急救指导通用要求”。

急救指导特殊要求：

• 冻在皮肤上的衣服在脱下之前应该先解冻。

• 如果接触液化气体，只能由医务人员试着解冻被冻伤部位。

指南 123 气体——毒性

潜在危险

健康

• 有毒；如果吸入或经皮肤吸收可能致命。

• 蒸气可能具有刺激性和/或腐蚀性。

• 与气体或液化气体接触可能导致灼伤、严重伤害和/或冻伤。

• 火灾会产生刺激性、腐蚀性和/或毒性气体。

• 排放的消防用水或稀释用水可能导致环境污染。

火灾或爆炸

• 有些物质能够燃烧但都不易点燃。

• 液化气体产生的蒸气初期比空气重并沿地面扩散。

• 暴露在火中的气瓶可能会通过泄压装置发泄并释放有毒和/或腐蚀性气体。

• 容器遇热可能引起爆炸。

• 破裂的气瓶可能爆炸。

公众安全

• 首先拨打119，然后拨打货运单上的应急电话。如果货运单上无电话号码或电话无人接听，可以拨打本指南第五部分附录一中有关应急救援机构的救援电话。

• 让无关人员远离。

• 停留在上风向、上坡和/或上游地区。

• 很多气体比空气重，会沿着地面扩散，并在低洼地区或封闭区域（下水道、地下室、槽罐等）聚集。

• 进入密闭空间前必须通风，并经过适当的培训，配有合适的装备。

防护用品

• 穿戴正压自给式呼吸器（SCBA）。

• 没有火灾危险时，穿戴制造商专门推荐的化学防护服。

• 一般的消防员防护服主要提供隔热防护，仅能提供有限的化学防护。

疏散

紧急预防措施

- 物质溢出或泄漏区域四周隔离距离至少 100m。

泄漏

- 对于吸入毒性危害物质：见表 4-1 初始隔离距离和防护距离。
- 对于非吸入毒性危害物质：根据需要，在下风向增加紧急预防措施的隔离距离。

火灾

- 如果槽罐、有轨车辆或公路罐车着火，应与四周保持 800m 的初始隔离距离；同时考虑从隔离区向四周初步撤离 800m。

应急响应

火灾

轻微火灾

- 用干粉灭火剂或二氧化碳灭火剂灭火。

重大火灾

- 喷水、喷水雾或普通泡沫灭火剂。
- 防止水流入容器内。
- 在没有危险的情况下，将未损坏的容器搬离火灾现场。
- 破损的容器仅能由专业人员处理。

槽罐着火

- 在最大距离外灭火或使用遥控水炮或远控水炮。
- 用大量水冷却容器，直到火被完全扑灭。

- 不要将水淋向泄漏口或安全装置，以防结冰。
- 发现槽罐变色或排气安全阀发出的声响增大时应立刻撤离。
- 一定要远离被火吞没的容器。

溢出或泄漏

- 不要接触泄漏物或在泄漏物上行走。
- 在确保安全前提下，终止泄漏。
- 如果可能，转动泄漏的容器，让气体而不是液体溢出。
- 防止溢出物或泄漏物进入河道、下水道、地下室或封闭区域。
- 通过喷水降低蒸气浓度或改变蒸气云的流向。避免让排放水流接触泄漏物。
- 请勿将水直接洒到溢出口或泄漏源。
- 隔离区域直到气体完全扩散。

急救

- 参阅“急救指导通用要求”。

急救指导特殊要求：

- 如果接触液化气体，只能由医务人员试着解冻被冻伤部位。

指南 124 气体——毒性和/或腐蚀性——氧化性

潜在危险

健康

- 毒性和/或腐蚀性；如果吸入或经皮肤吸收可能

致命。

- 火灾会产生刺激性、腐蚀性和/或毒性气体。

- 与气体或液化气体接触可能导致灼伤、严重伤害和/或冻伤。

- 排放的消防用水或稀释用水可能导致环境污染。

火灾或爆炸

- 物质不燃但可以助燃。

- 液化气体产生的蒸气初期比空气重并沿地面扩散。

- 这类物质是强氧化剂，能与包括燃料在内很多材料发生剧烈或爆炸性反应。

- 可能点燃可燃物（木材、纸张、油类、衣物等）。

- 某些物质会与空气、湿气和/或水发生剧烈反应。

- 暴露在火中的气瓶可能会通过泄压装置发泄并释放有毒和/或腐蚀性气体。

- 容器遇热可能引起爆炸。

- 破裂的气瓶可能爆炸。

公众安全

- 首先拨打119，然后拨打货运单上的应急电话。如果货运单上无电话号码或电话无人接听，可以拨打本指南第五部分附录一中有关应急救援机构的救援电话。

- 让无关人员远离。

- 停留在上风向、上坡和/或上游地区。

- 很多气体比空气重，会沿着地面扩散，并在低洼地区或封闭区域（下水道、地下室、槽罐等）聚集。

- 进入密闭空间前必须通风。进入人员经过适当的培训，并配有合适的装备。

防护用品

- 穿戴正压自给式呼吸器（SCBA）。
- 没有火灾危险时，穿戴制造商专门推荐的化学防护服。
- 一般的消防员防护服主要提供隔热防护，仅能提供有限的化学防护。

疏散

紧急预防措施

- 物质溢出或泄漏区域四周隔离距离至少100m。

泄漏

- 见表4-1初始隔离距离和防护距离。

火灾

- 如果槽罐、有轨车辆或公路罐车着火，应与四周保持800m的初始隔离距离；同时考虑从隔离区向四周初步撤离800m。

应急响应

火灾

注意：这类物质不燃烧但会助燃。有些物质遇水会起剧烈反应。

轻微火灾

- 控制火势，让其燃烧。如果必须灭火，建议喷水或喷水雾灭火。
- 只能用水，不能用干粉灭火剂、二氧化碳灭火剂或卤代烷（哈龙）灭火剂。

- 防止水流入容器内。
- 在没有危险的情况下，将未损坏的容器搬离火灾现场。
- 破损的容器仅能由专业人员处理。

槽罐着火

- 在最大距离外灭火或使用遥控水炮或远控水炮。
- 用大量水冷却容器，直到火被完全扑灭。
- 不要将水淋向泄漏口或安全装置，以防结冰。
- 发现槽罐变色或排气安全阀发出的声响增大时应立刻撤离。
- 一定要远离被火吞没的容器。
- 在遇到特大火势时，使用遥控水炮或远控水炮；如果不可行，撤离火灾区域让其自行燃烧。

溢出或泄漏

- 不要接触泄漏物或在泄漏物上行走。
- 将易燃物（木材、纸张、油类等）远离泄漏物。
- 在确保安全前提下，终止泄漏。
- 通过喷水降低蒸气浓度或改变蒸气云的流向。避免让排放水流接触泄漏物。
- 请勿将水直接洒到溢出口或泄漏源。
- 如果可能，转动泄漏的容器，让气体而不是液体溢出。
- 防止溢出物或泄漏物进入河道、下水道、地下室或封闭区域。
- 隔离区域直到气体完全扩散。
- 为该区域通风。

急救

- 参阅“急救指导通用要求”。

急救指导通用要求：

- 冻在皮肤上的衣服脱下之前必须先解冻。

指南 125 气体——毒性和/或腐蚀性

潜在危险

健康

- 毒性和/或腐蚀性；如果吸入、吞食或经皮吸收可能致命。
- 蒸气具有极强的刺激性和腐蚀性。
- 与气体或液化气体接触可能导致灼伤、严重伤害和/或冻伤。
- 火灾会产生刺激性、腐蚀性和/或毒性气体。
- 排放的消防用水或稀释用水可能导致环境污染。

火灾或爆炸

- 有些物质能够燃烧但都不易点燃。
- 液化气体产生的蒸气初期比空气重并沿地面扩散。
- 其中一些物质遇水可能会发生剧烈反应。
- 暴露在火中的气瓶可能会通过泄压装置发泄并释放有毒和/或腐蚀性气体。
- 容器遇热可能引起爆炸。
- 破裂的气瓶可能爆炸。
- 对于密闭空间中高浓度的无水氨（UN1005），如果引入火源则存在可燃性风险。

公众安全

- 首先拨打 119，然后拨打货运单上的应急电话。如果货运单上无电话号码或电话无人接听，可以拨打本指南第五部分附录一中有关应急救援机构的救援电话。
- 让无关人员远离。
- 停留在上风向、上坡和/或上游地区。
- 很多气体比空气重，会沿着地面扩散，并在低洼地区或封闭区域（下水道、地下室、槽罐等）聚集。
- 进入密闭空间前必须通风，并经过适当的培训，配有合适的装备。

防护用品

- 穿戴正压自给式呼吸器（SCBA）。
- 没有火灾危险时，穿戴制造商专门推荐的化学防护服。
- 一般的消防员防护服主要提供隔热防护，仅能提供有限的化学防护。

疏散

紧急预防措施

- 物质溢出或泄漏区域四周隔离距离至少 100m。

泄漏

- 对于吸入毒性危害物质：见表 4-1 初始隔离距离和防护距离。
- 对于非吸入毒性危害物质：根据需要，在下风向增加紧急预防措施的隔离距离。

火灾

• 如果槽罐、有轨车辆或公路罐车着火，应与四周保持1600m的隔离距离；同时考虑从隔离区向四周初步撤离1600m。

应急响应

火灾

轻微火灾

• 用干粉灭火剂或二氧化碳灭火剂灭火。

重大火灾

• 喷水、喷水雾或普通泡沫灭火剂。

• 在没有危险的情况下，将未损坏的容器搬离火灾现场。

• 防止水流入容器内。

• 破损的容器仅能由专业人员处理。

槽罐着火

• 在最大距离外灭火或使用遥控水炮或远控水炮。

• 用大量水冷却容器，直到火被完全扑灭。

• 不要将水淋向泄漏口或安全装置，以防结冰。

• 发现槽罐变色或排气安全阀发出的声响增大时应立刻撤离。

• 一定要远离被火吞没的容器。

溢出或泄漏

• 不要接触泄漏物或在泄漏物上行走。

• 在确保安全前提下，终止泄漏。

• 如果可能，转动泄漏的容器，让气体而不是液体溢出。

• 防止溢出物或泄漏物进入河道、下水道、地下室或封闭区域。

• 请勿将水直接洒到溢出口或泄漏源。

• 通过喷水降低蒸气浓度或改变蒸气云的流向。避免让排放水流接触泄漏物。

• 隔离区域直到气体完全扩散。

急救

• 参阅“急救指导通用要求”。

急救指导特殊要求：

• 如果接触到液化气体，只能由医务人员试着解冻被冻伤部位。

• 如果皮肤接触无水氟化氢（UN1052），在备有葡萄糖酸钙凝胶情况下，冲洗5分钟然后涂抹凝胶。否则，继续冲洗到可以进行医疗处理为止。

指南126 气体——压缩或液化（包括制冷气体）

潜在危险

火灾或爆炸

• 有些物质能够燃烧但都不易点燃。
• 容器遇热可能引起爆炸。
• 破裂的气瓶可能爆炸。

注意：气雾剂（UN1950）可能包含易燃推进剂。

健康

• 蒸气可在毫无征兆情况下导致头晕或窒息，尤其是在封闭情况下。

- 液化气体产生的蒸气初期比空气重并沿地面扩散。
- 与气体或液化气接触可能导致灼伤、严重伤害和/或冻伤。
- 火灾可能会产生刺激性、腐蚀性和/或毒性气体。

公众安全

- 首先拨打119，然后拨打货运单上的应急电话。如果货运单上无电话号码或电话无人接听，可以拨打本指南第五部分附录一中有关应急救援机构的救援电话。
- 让无关人员远离。
- 停留在上风向、上坡和/或上游地区。
- 很多气体比空气重，会沿着地面扩散，并在低洼地区或封闭区域（下水道、地下室、槽罐等）聚集。
- 进入密闭空间前必须通风，并经过适当的培训，配有合适的装备。

防护用品

- 穿戴正压自给式呼吸器（SCBA）。
- 没有火灾危险时，穿戴制造商专门推荐的化学防护服。
- 一般的消防员防护服主要提供隔热防护，仅能提供有限的化学防护。

疏散

紧急预防措施

- 物质溢出或泄漏区域四周隔离距离至少100m。

大量泄漏

- 考虑下风向至少500m的初始疏散距离。

火灾

● 如果槽罐、有轨车辆或公路罐车着火，应与四周保持 800m 的初始隔离距离；同时考虑从隔离区向四周初步撤离 800m。

应急响应

火灾

● 使用适合周围火灾类型的灭火剂。

轻微火灾

● 用干粉灭火剂或二氧化碳灭火剂灭火。

重大火灾

● 喷水、喷水雾或普通泡沫灭火剂。

● 在没有危险的情况下，将未损坏的容器搬离火灾现场。

● 破损的容器仅能由专业人员处理。

槽罐着火

● 在最大距离外灭火或使用遥控水炮或远控水炮。

● 用大量水冷却容器，直到火被完全扑灭。

● 不要将水淋向泄漏口或安全装置，以防结冰。

● 发现槽罐变色或排气安全阀发出的声响增大时应立刻撤离。

● 一定要远离被火吞没的容器。

● 一些物质如果泄漏，可能挥发并且留下易燃残渣。

溢出或泄漏

● 不要接触泄漏物或在泄漏物上行走。

● 在确保安全前提下，终止泄漏。

• 请勿将水直接洒到溢出口或泄漏源。

• 通过喷水降低蒸气浓度或改变蒸气云的流向。避免让排放水流接触泄漏物。

• 如果可能，转动泄漏的容器，让气体而不是液体溢出。

• 防止溢出物或泄漏物进入河道、下水道、地下室或封闭区域。

• 让物质蒸发。

• 为该区域通风。

急救

• 参阅“急救指导通用要求”。

急救指导特殊要求：

• 如果接触到液化气体，只能由医务人员试着解冻被冻伤部位。

指南 127 易燃液体（与水混溶）

潜在危险

火灾或爆炸

• 高度易燃：遇热、火花或明火会非常容易被点燃。

注意：乙醇（UN1170）会在无形的火焰中燃烧。采用一种替代方法进行检测（热感摄像仪、扫把柄等）。

• 蒸气可与空气形成爆炸性混合物。

• 蒸气扩散到火源处会反射回来。

• 大多数蒸气比空气重。会沿着地表扩散，并在低洼或狭窄地区（下水道、地下室和槽罐等）聚集。

• 在室内、室外或下水道中有蒸气爆炸危险。

• 标有“P”的物质在遇热或处于火灾中可能发生爆炸性聚合反应。

• 排放至下水道可能发生火灾或爆炸危险。

• 容器遇热可能引起爆炸。

• 许多液体会漂浮在水上。

健康

• 吸入或接触此类物质可能会刺激或灼伤皮肤和眼睛。

• 火灾可能会产生刺激性、腐蚀性和/或毒性气体。

• 蒸气可能导致头晕或窒息，尤其是在封闭环境下。

• 排放的消防用水或稀释用水可能导致环境污染。

公众安全

• 首先拨打119，然后拨打货运单上的应急电话。如果货运单上无电话号码或电话无人接听，可以拨打本指南第五部分附录一中有关应急救援机构的救援电话。

• 让无关人员远离。

• 停留在上风向、上坡和/或上游地区。

• 进入密闭空间前必须通风。进入人员经过适当的培训，并配有合适的装备。

防护用品

• 穿戴正压自给式呼吸器（SCBA）。

• 一般的消防员防护服主要提供隔热防护，仅能提供有限的化学防护。

疏散

紧急预防措施

• 物质溢出或泄漏区域四周隔离距离至少50m。

大量泄漏

- 考虑下风向至少 300m 的初始疏散距离。

火灾

- 如果槽罐、有轨车辆或公路罐车着火，应与四周保持 800m 的初始隔离距离；同时考虑从隔离区向四周初步撤离 800m。

应急响应

火灾

注意：大多数此类产品的闪点都很低。采用喷水法灭火可能无效。

注意：对于涉及 UN1170、UN1987 或 UN3475 的火灾，应使用抗溶泡沫灭火剂灭火。

注意：乙醇（UN1170）会在无形的火焰中燃烧。可采用一种替代方法进行检测（热感摄像仪、扫把柄等）。

轻微火灾

- 用干粉灭火剂、二氧化碳灭火剂、抗溶泡沫灭火剂或喷水灭火。

重大火灾

- 用喷水、喷水雾或抗溶泡沫灭火剂灭火。
- 避免将强劲水流直接对准着火物体。
- 在没有危险的情况下，将未损坏的容器搬离火灾现场。

槽罐、卡车或拖车货物着火

- 在最大距离外灭火或使用遥控水炮或远控水炮。
- 用大量水冷却容器，直到火被完全扑灭。

- 发现槽罐变色或排气安全阀发出的声响增大时应立刻撤离。
- 一定要远离被火吞没的容器。
- 在遇到特大火势时，使用遥控水炮或远控水炮；如果不可行，撤离火灾区域让其自行燃烧。

溢出或泄漏

- 消除泄漏区域内所有火源（禁止吸烟、闪光、火花或其他明火）。
- 处置物品时使用的所有设备必须接地。
- 不要接触泄漏物，或在泄漏物上行走。
- 在确保安全前提下，终止泄漏。
- 防止溢出物或泄漏物进入河道、下水道、地下室或封闭区域。
- 可以使用蒸气抑制泡沫剂来减少蒸气。
- 用干土、沙子或其他不燃材料吸收或覆盖，然后转移到容器里。
- 使用干净、不产生火花的器具收集吸附的物质。

大量泄漏

- 在泄漏液体外围构筑堤坝以便后续处理。
- 水喷雾可减少蒸气，但不能防止封闭区域着火。

急救

- 参阅“急救指导通用要求”。

急救指导特殊要求：

- 用肥皂和水清洗皮肤。
- 如果发生烧伤，立即用冷水尽可能长时间地冷却受影响的皮肤。如果衣服粘在皮肤上，不要脱掉。

指南 128　易燃液体（与水不混溶）

潜在危险

火灾或爆炸

- 高度易燃：遇热、火花或明火会非常容易被点燃。
- 蒸气可与空气形成爆炸性混合物。
- 蒸气扩散到火源处会反射回来。
- 大多数蒸气比空气重。会沿着地表扩散，并在低洼或狭窄地区（下水道、地下室和槽罐等）聚集。
- 在室内、室外或下水道中有蒸气爆炸危险。
- 标有“P”的物质在遇热或处于火灾中可能发生爆炸性聚合反应。
- 排放至下水道可能发生火灾或爆炸危险。
- 容器遇热可能引起爆炸。
- 许多液体会漂浮在水上。
- 物质可能传热。
- 对于混合动力汽车，还应参考指南 147（锂离子或钠离子电池）或指南 138（钠硫电池）。
- 如果涉及熔融铝，参考指南 169。

健康

注意：石油原油（UN1267）可能包含有硫化氢毒性气体。

- 吸入或接触此类物质可能会刺激或灼伤皮肤和眼睛。
- 火灾可能会产生刺激性、腐蚀性和/或毒性气体。
- 蒸气可能导致头晕或窒息，尤其是在封闭情况下。
- 排放的消防用水或稀释用水可能导致环境污染。

公众安全

• 首先拨打119，然后拨打货运单上的应急电话。如果货运单上无电话号码或电话无人接听，可以拨打本指南第五部分附录一中有关应急救援机构的救援电话。

• 让无关人员远离。

• 停留在上风向、上坡和/或上游地区。

• 进入密闭空间前必须通风；进入人员经过适当的培训，并配有合适的装备。

防护用品

• 穿戴正压自给式呼吸器（SCBA）。

• 一般的消防员防护服主要提供隔热防护，仅能提供有限的化学防护。

疏散

紧急预防措施

• 物质溢出或泄漏区域四周隔离距离至少50m。

大量泄漏

• 考虑下风向至少300m的初始疏散距离。

火灾

• 如果槽罐、有轨车辆或公路罐车着火，应与四周保持800m的初始隔离距离；同时考虑从隔离区向四周初步撤离800m。

应急响应

火灾

注意：大多数此类产品的闪点都很低。采用喷水法灭火

可能无效。

注意：对于含有乙醇或极性溶剂的混合物，抗溶泡沫灭火剂可能更有效。

轻微火灾

- 使用干粉灭火剂、二氧化碳灭火剂、普通泡沫灭火剂或喷水。
- 如果普通泡沫灭火剂无效或不可用，请使用抗溶泡沫灭火剂。

重大火灾

- 喷水、喷水雾或普通泡沫灭火剂。
- 避免将强劲水流直接对准着火物体。
- 在没有危险的情况下，将未损坏的容器搬离火灾现场。

槽罐、卡车或拖车货物着火

- 在最大距离外灭火或使用遥控水炮或远控水炮。
- 用大量水冷却容器，直到火被完全扑灭。
- 对于石油原油，请勿直接向破损的槽罐车喷水。这可能导致产生沸溢危险。
- 发现槽罐变色或排气安全阀发出的声响增大时应立刻撤离。
- 一定要远离被火吞没的容器。
- 在遇到特大火势时，使用遥控水炮或远控水炮；如果不可行，撤离火灾区域让其自行燃烧。

溢出或泄漏

- 消除泄漏区域内所有火源（禁止吸烟、闪光、火花或其他明火）。

- 处置物品时使用的所有设备必须接地。
- 不要接触泄漏物或在泄漏物上行走。
- 在确保安全前提下，终止泄漏。
- 防止溢出物或泄漏物进入河道、下水道、地下室或封闭区域。
- 可以使用蒸气抑制泡沫剂来减少蒸气。
- 用干土、沙子或其他不燃材料吸收或覆盖，然后转移到容器里。
- 使用干净、不产生火花的器具收集吸附的物质。

大量泄漏

- 在泄漏液体外围构筑堤坝以便后续处理。
- 喷水可减少蒸气，但不能防止封闭区域着火。

急救

- 参阅“急救指导通用要求”。

急救指导特殊要求：

- 用肥皂和水清洗皮肤。
- 如果发生烧伤，立即用冷水尽可能长时间地冷却受影响的皮肤。如果衣服粘在皮肤上，不要脱掉。

指南 129 易燃液体（与水混溶/毒性）

潜在危险

火灾或爆炸

- 高度易燃：遇热、火花或明火会非常容易被点燃。
- 蒸气可与空气形成爆炸性混合物。

- 蒸气扩散到火源处会反射回来。
- 大多数蒸气比空气重。会沿着地表扩散，并在低洼或狭窄地区（下水道、地下室和槽罐等）聚集。
- 在室内、室外或下水道中有蒸气爆炸危险。
- 标有“P”的物质在遇热或处于火灾中可能发生爆炸性聚合反应。
- 排放至下水道可能发生火灾或爆炸危险。
- 容器遇热可能引起爆炸。
- 许多液体会漂浮在水上。

健康

- 如果吸入或通过皮肤吸收可能导致中毒。
- 吸入或接触此类物质可能会刺激或灼伤皮肤和眼睛。
- 火灾会产生刺激性、腐蚀性和/或毒性气体。
- 蒸气可能导致头晕或窒息，尤其是在封闭情况下。
- 排放的消防用水或稀释用水可能导致环境污染。

公众安全

- 首先拨打119，然后拨打货运单上的应急电话。如果货运单上无电话号码或电话无人接听，可以拨打本指南第五部分附录一中有关应急救援机构的救援电话。
- 让无关人员远离。
- 停留在上风向、上坡和/或上游地区。
- 进入密闭空间前必须通风；进入人员经过适当的培训，并配有合适的装备。

防护用品

- 穿戴正压自给式呼吸器（SCBA）。

• 一般的消防员防护服主要提供隔热防护，仅能提供有限的化学防护。

疏散

紧急预防措施

• 物质溢出或泄漏区域四周隔离距离至少 50m。

大量泄漏

• 考虑下风向至少 300m 的初始疏散距离。

火灾

• 如果槽罐、有轨车辆或公路罐车着火，应与四周保持 800m 的初始隔离距离；同时考虑从隔离区向四周初步撤离 800m。

应急响应

火灾

注意：大多数此类产品的闪点都很低。采用喷水法灭火可能无效。

轻微火灾

• 用干粉灭火剂、二氧化碳灭火剂、抗溶泡沫灭火剂或喷水灭火。

• 不要用干粉灭火器来控制硝基甲烷（UN1261）或硝基乙烷（UN2842）的火势。

重大火灾

• 用喷水、喷水雾或抗溶泡沫灭火剂灭火。

• 避免将强劲水流直接对准着火物体。

• 在没有危险的情况下，将未损坏的容器搬离火灾现场。

槽罐、卡车或拖车货物着火

- 在最大距离外灭火或使用遥控水炮或远控水炮。
- 用大量水冷却容器，直到火被完全扑灭。
- 发现槽罐变色或排气安全阀发出的声响增大时应立刻撤离。
- 一定要远离被火吞没的容器。
- 在遇到特大火势时，使用遥控水炮或远控水炮；如果不可行，撤离火灾区域让其自行燃烧。

溢出或泄漏

- 消除泄漏区域内所有火源（禁止吸烟、闪光、火花或其他明火）。
- 处置物品时使用的所有设备必须接地。
- 不要接触泄漏物或在泄漏物上行走。
- 在确保安全前提下，终止泄漏。
- 防止溢出物或泄漏物进入河道、下水道、地下室或封闭区域。
- 可以使用蒸气抑制泡沫剂来减少蒸气。
- 用干土、沙子或其他不燃材料吸收或覆盖然后转移到容器里。
- 使用干净、不产生火花的器具收集吸附的物质。

大量泄漏

- 在泄漏液体外围构筑堤坝以便后续处理。
- 喷水可减少蒸气，但不能防止封闭区域着火。

急救

- 参阅“急救指导通用要求”。

急救指导特殊要求：

- 用肥皂和水清洗皮肤。
- 如果发生烧伤，立即用冷水尽可能长时间地冷却受影响的皮肤。如果衣服粘在皮肤上，不要脱掉。

指南 130 易燃液体（与水不混溶/毒性）

潜在危险

火灾或爆炸

- 高度易燃：遇热、火花或明火会非常容易被点燃。
- 蒸气可与空气形成爆炸性混合物。
- 蒸气扩散到火源处会反射回来。
- 大多数蒸气比空气重。会沿着地表扩散，并在低洼或狭窄地区（下水道、地下室和槽罐等）聚集。
- 在室内、室外或下水道中有蒸气爆炸危险。
- 标有“P”的物质在遇热或处于火灾中可能发生爆炸性聚合反应。
- 排放至下水道可能发生火灾或爆炸危险。
- 容器遇热可能引起爆炸。
- 许多液体会漂浮在水上。

健康

- 如果吸入或通过皮肤吸收可能导致中毒。
- 吸入或接触此类物质可能会刺激或灼伤皮肤和眼睛。
- 火灾会产生刺激性、腐蚀性和/或毒性气体。
- 蒸气可能导致头晕或窒息，尤其是在封闭情况下。
- 排放的消防用水或稀释用水可能导致环境污染。

公众安全

• 首先拨打119，然后拨打货运单上的应急电话。如果货运单上无电话号码或电话无人接听，可以拨打本指南第五部分附录一中有关应急救援机构的救援电话。

• 让无关人员远离。

• 停留在上风向、上坡和/或上游地区。

• 进入密闭空间前必须通风；进入人员经过适当的培训，并配有合适的装备。

防护用品

• 穿戴正压自给式呼吸器（SCBA）。

• 一般的消防员防护服主要提供隔热防护，仅能提供有限的化学防护。

疏散

紧急预防措施

• 物质溢出或泄漏区域四周隔离距离至少50m。

大量泄漏

• 考虑下风向至少300m的初始疏散距离。

火灾

• 如果槽罐、有轨车辆或公路罐车着火，应与四周保持800m的初始隔离距离；同时考虑从隔离区向四周初步撤离800m。

应急响应

火灾

注意：大多数此类产品的闪点都很低。采用喷水法灭火

可能无效。

轻微火灾

- 使用干粉灭火剂、二氧化碳灭火剂、普通泡沫灭火剂或喷水。
- 如果普通泡沫灭火剂无效或不可用，请使用抗溶泡沫灭火剂。

重大火灾

- 喷水、喷水雾或普通泡沫灭火剂。
- 避免将强劲水流直接对准着火物体。
- 在没有危险的情况下，将未损坏的容器搬离火灾现场。

槽罐、铁路或公路罐车着火

- 在最大距离外灭火或使用遥控水炮或远控水炮。
- 用大量水冷却容器，直到火被完全扑灭。
- 发现槽罐变色或排气安全阀发出的声响增大时应立刻撤离。
- 一定要远离被火吞没的容器。
- 在遇到特大火势时，使用遥控水炮或远控水炮；如果不可行，撤离火灾区域让其自行燃烧。

溢出或泄漏

- 消除泄漏区域内所有火源（禁止吸烟、闪光、火花或其他明火）。
- 处置物品时使用的所有设备必须接地。
- 不要接触泄漏物或在泄漏物上行走。
- 在确保安全前提下，终止泄漏。
- 防止溢出物或泄漏物进入河道、下水道、地下室或

封闭区域。

- 可以使用蒸气抑制泡沫剂来减少蒸气。
- 用干土、沙子或其他不燃材料吸收或覆盖然后转移到容器里。
- 使用干净、不产生火花的器具收集吸附的物质。

大量泄漏

- 在泄漏液体外围构筑堤坝以便后续处理。
- 喷水可减少蒸气，但不能防止封闭区域着火。

急救

- 参阅“急救指导通用要求”。

急救指导特殊要求：

- 用肥皂和水清洗皮肤。
- 如果发生烧伤，立即用冷水尽可能长时间地冷却受影响的皮肤。如果衣服粘在皮肤上，不要脱掉。

指南 131　易燃液体——毒性

潜在危险

健康

- 有毒；如果吸入、吞食或经皮吸收可能致命。
- 吸入或接触部分此类物质会刺激或灼伤皮肤和眼睛。
- 氯乙酸甲酯（UN2295）是一种眼睛刺激物/催泪剂（导致流眼泪）。
- 火灾会产生刺激性、腐蚀性和/或毒性气体。
- 蒸气可能导致头晕或窒息，尤其是在封闭情况下。
- 排放的消防用水或稀释用水可能导致环境污染。

火灾或爆炸

• 高度易燃：遇热、火花或明火会非常容易被点燃。

注意：甲醇（UN1230）会在无形的火焰中燃烧。可采用一种可选择方法进行检测（热感摄像仪、扫把柄等）。

• 蒸气可与空气形成爆炸性混合物。

• 蒸气会扩散到火源处并反射回来。

• 大多数蒸气比空气重。会沿着地表扩散，并在低洼或狭窄地区（下水道、地下室和槽罐等）聚集。

• 在室内、室外或下水道内有蒸气爆炸和中毒危险。

• 标有“P”的物质在遇热或处于火灾中可能发生爆炸性聚合反应。

• 排放至下水道可能发生火灾或爆炸危险。

• 容器遇热可能引起爆炸。

• 许多液体会漂浮在水上。

公众安全

• 首先拨打119，然后拨打货运单上的应急电话。如果货运单上无电话号码或电话无人接听，可以拨打本指南第五部分附录一中有关应急救援机构的救援电话。

• 让无关人员远离。

• 停留在上风向、上坡和/或上游地区。

• 进入密闭空间前必须通风；进入人员经过适当的培训，并配有合适的装备。

防护用品

• 穿戴正压自给式呼吸器（SCBA）。

• 没有火灾危险时，穿戴制造商专门推荐的化学防护服。

• 一般的消防员防护服主要提供隔热防护，仅能提供有限的化学防护。

疏散

紧急预防措施

• 物质溢出或泄漏区域四周隔离距离至少 50m。

泄漏

• 对于吸入毒性危害物质：见表 4-1 初始隔离距离和防护距离。

• 对于非吸入毒性危害物质：根据需要，在下风向增加紧急预防措施的隔离距离。

火灾

• 如果槽罐、有轨车辆或公路罐车着火，应与四周保持 800m 的初始隔离距离；同时考虑从隔离区向四周初步撤离 800m。

应急响应

火灾

注意：大多数此类产品的闪点都很低。采用喷水法灭火可能无效。

注意：甲醇（UN1230）会在无形的火焰中燃烧。可采用一种可选择方法进行检测（热感摄像仪、扫把柄等）。

轻微火灾

• 用干粉灭火剂、二氧化碳灭火剂、抗溶泡沫灭火剂或喷水灭火。

重大火灾

• 用喷水、喷水雾或抗溶泡沫灭火剂灭火。

- 在没有危险的情况下，将未损坏的容器搬离火灾现场。
- 对消防控制产生的排放物构筑堤坝以便后续处理。
- 避免将强劲水流直接对准着火物体。

槽罐、卡车或拖车货物着火

- 在最大距离外灭火或使用遥控水炮或远控水炮。
- 用大量水冷却容器，直到火被完全扑灭。
- 发现槽罐变色或排气安全阀发出的声响增大时应立刻撤离。
- 一定要远离被火吞没的容器。
- 在遇到特大火势时，使用遥控水炮或远控水炮；如果不可行，撤离火灾区域让其自行燃烧。

溢出或泄漏

- 消除泄漏区域内所有火源（禁止吸烟、闪光、火花或其他明火）。
- 处置物品时使用的所有设备必须接地。
- 不要接触泄漏物或在泄漏物上行走。
- 在确保安全前提下，终止泄漏。
- 防止溢出物或泄漏物进入河道、下水道、地下室或封闭区域。
- 可以使用蒸气抑制泡沫剂来减少蒸气。

少量泄漏

- 用土、沙子或其他不可燃材料吸收并转移到容器中，以便后续处置。
- 使用干净、不产生火花的器具收集吸附的物质。

大量泄漏

- 在泄漏液体外围构筑堤坝以便后续处理。

• 喷水可减少蒸气，但不能防止封闭区域着火。

急救

• 参阅“急救指导通用要求”。

急救指导特殊要求：

• 用肥皂和水清洗皮肤。

• 如果发生烧伤，立即用冷水尽可能长时间地冷却受影响的皮肤。如果衣服粘在皮肤上，不要脱掉。

指南 132　易燃液体——腐蚀性

潜在危险

火灾或爆炸

• 易燃/可燃物质。

• 可能被高温、火花或明火点燃。

• 蒸气可与空气形成爆炸性混合物。

• 蒸气会扩散到火源处并反射回来。

• 大多数蒸气比空气重。会沿着地表扩散，并在低洼或狭窄地区（下水道、地下室和槽罐等）聚集。

• 在室内、室外或下水道中有蒸气爆炸危险。

• 标有“P”的物质在遇热或处于火灾中可能发生爆炸性聚合反应。

• 排放至下水道可能发生火灾或爆炸危险。

• 容器遇热可能引起爆炸。

• 许多液体会漂浮在水上。

健康

• 如果吸入或吞食可能导致中毒。

- 接触此类物质可能导致皮肤和眼睛严重灼伤。
- 火灾会产生刺激性、腐蚀性和/或毒性气体。
- 蒸气可能导致头晕或窒息，尤其是在封闭情况下
- 排放的消防用水或稀释用水可能导致环境污染。

公众安全

• 首先拨打 119，然后拨打货运单上的应急电话。如果货运单上无电话号码或电话无人接听，可以拨打本指南第五部分附录一中有关应急救援机构的救援电话。

• 让无关人员远离。

• 停留在上风向、上坡和/或上游地区。

• 进入密闭空间前必须通风；进入人员经过适当的培训，并配有合适的装备。

防护用品

• 穿戴正压自给式呼吸器（SCBA）。

• 没有火灾危险时，穿戴制造商专门推荐的化学防护服。

• 一般的消防员防护服主要提供隔热防护，仅能提供有限的化学防护。

疏散

紧急预防措施

• 物质溢出或泄漏区域四周隔离距离至少 50m。

泄漏

• 对于吸入毒性危害物质：见表 4-1 初始隔离距离和防护距离。

• 对于非吸入毒性危害物质：根据需要，在下风向增加紧急预防措施的隔离距离。

火灾

• 如果槽罐、有轨车辆或公路罐车着火，应与四周保持 800m 的初始隔离距离；同时考虑从隔离区向四周初步撤离 800m。

应急响应

火灾

• 其中一些物质遇水可能会发生剧烈反应。

轻微火灾

• 用干粉灭火剂、二氧化碳灭火剂、抗溶泡沫灭火剂或喷水灭火。

重大火灾

• 用喷水、喷水雾或抗溶泡沫灭火剂灭火。

• 在没有危险的情况下，将未损坏的容器搬离火灾现场。

• 对消防控制产生的排放物构筑堤坝以便后续处理。

• 防止水流入容器内。

槽罐、铁路或公路罐车着火

• 在最大距离外灭火或使用遥控水炮或远控水炮。

• 用大量水冷却容器，直到火被完全扑灭。

• 发现槽罐变色或排气安全阀发出的声响增大时应立刻撤离。

• 一定要远离被火吞没的容器。

• 在遇到特大火势时，使用遥控水炮或远控水炮；如果不可行，撤离火灾区域让其自行燃烧。

溢出或泄漏

- 消除泄漏区域内所有火源（禁止吸烟、闪光、火花或其他明火）。
- 处置物品时使用的所有设备必须接地。
- 不要接触泄漏物或在泄漏物上行走。
- 在确保安全前提下，终止泄漏。
- 防止溢出物或泄漏物进入河道、下水道、地下室或封闭区域。
- 可以使用抑制蒸气泡沫来减少蒸气。
- 用土、沙子或其他不燃材料吸附。
- 对于肼（UN2029、UN2030、UN3484），请用干沙或惰性吸收剂（蛭石或吸附剂垫）吸收。
- 使用干净、不产生火花的器具收集吸附的物质。

大量泄漏

- 在泄漏液体外围构筑堤坝以便后续处理。
- 喷水可减少蒸气，但不能防止封闭区域着火。

急救

- 参阅“急救指导通用要求”。

急救指导特殊要求：

- 一旦接触此类有腐蚀性的物质，立即用流动的水冲洗皮肤或眼睛至少 30 分钟。或许还要进行额外的冲洗。
- 万一发生灼伤，立即用冷水尽可能长时间地冷却受影响的皮肤。如果衣服粘附在皮肤上切勿脱掉。

指南133　易燃固体

潜在危险

火灾或爆炸

- 易燃/可燃物质。
- 可能被摩擦、热源、火花或明火点燃。
- 某些物质可能迅速燃烧并伴有火光。
- 粉末、粉尘、刨花，钻孔渣、车削末或切削末等可能发生爆炸或爆炸性剧烈燃烧。
- 物质可能在高于其闪点的温度下以熔融形式运输。
- 火灾扑灭后可能复燃。

健康

- 火灾可能产生刺激性和/或毒性气体。
- 接触会灼伤皮肤和眼睛。
- 接触熔融物质可能会严重灼伤皮肤和眼睛。
- 排放的消防用水或稀释用水可能导致环境污染。

公众安全

- 首先拨打119，然后拨打货运单上的应急电话。如果货运单上无电话号码或电话无人接听，可以拨打本指南第五部分附录一中有关应急救援机构的救援电话。
- 让无关人员远离。
- 停留在上风向、上坡和/或上游地区。

防护用品

- 穿戴正压自给式呼吸器（SCBA）。

• 一般的消防员防护服主要提供隔热防护，仅能提供有限的化学防护。

疏散

紧急预防措施

• 物质溢出或泄漏区域四周隔离距离至少 25m。

大量泄漏

• 考虑下风向至少 100m 的初始疏散距离。

火灾

• 如果槽罐、有轨车辆或公路罐车着火，应与四周保持 800m 的初始隔离距离；同时考虑从隔离区向四周初步撤离 800m。

应急响应

火灾

轻微火灾

• 使用干粉灭火剂、二氧化碳灭火剂、沙子、土、普通泡沫灭火剂或喷水灭火。

重大火灾

• 喷水、喷水雾或普通泡沫灭火剂。

• 在没有危险的情况下，将未损坏的容器搬离火灾现场。

涉及金属染料或浆料（如铝粉浆）的火灾

• 铝粉浆着火需要按照可燃金属火灾处理。用干沙、石墨粉、干式氯化钠灭火剂或 D 类灭火器。或参考指南 170。

槽罐、铁路或公路罐车着火

• 用大量水冷却容器，直到火被完全扑灭。

• 在遇到特大火势时，使用遥控水炮或远控水炮；如果不可行，撤离火灾区域让其自行燃烧。

- 发现槽罐变色或排气安全阀发出的声响增大时应立刻撤离。
- 一定要远离被火吞没的容器。

溢出或泄漏

- 消除泄漏区域内所有火源（禁止吸烟、闪光、火花或其他明火）。
- 不要接触泄漏物或在泄漏物上行走。

少量干散物质溢出

- 用干净的铲子将此类物质放入清洁、干燥的容器，不要盖紧；然后将容器移出溢出区。

大量溢出或泄漏

- 用水浸湿溢出物或泄漏物并构筑堤坝以便后续处理。
- 防止溢出物或泄漏物进入河道、下水道、地下室或封闭区域。

急救

- 参阅“急救指导通用要求”。

急救指导特殊要求：

- 需要医疗协助从皮肤上移除凝固的熔融物质。

指南 134 易燃固体——毒性和/或腐蚀性

潜在危险

火灾或爆炸

- 易燃/可燃物质。

- 可能被高温、火花或明火点燃。
- 遇热时蒸气可与空气形成爆炸性混合物：室内、室外和下水道都有爆炸危险。
- 与金属接触可能释放出易燃性氢气。
- 容器遇热可能引起爆炸。

健康

- 毒性和/或腐蚀性；吸入、吞食或皮肤接触此类物质可导致严重伤害或死亡。
- 火灾会产生刺激性、腐蚀性和/或毒性气体。
- 排放的消防用水或稀释用水可能具有腐蚀性和/或毒性，并导致环境污染。

公众安全

- 首先拨打119，然后拨打货运单上的应急电话。如果货运单上无电话号码或电话无人接听，可以拨打本指南第五部分附录一中有关应急救援机构的救援电话。
- 停留在上风向、上坡和/或上游地区。
- 让无关人员远离。
- 进入密闭空间前必须通风，并经过适当的培训，配有合适的装备。

防护用品

- 穿戴正压自给式呼吸器（SCBA）。
- 没有火灾危险时，穿戴制造商专门推荐的化学防护服。
- 一般的消防员防护服主要提供隔热防护，仅能提供有限的化学防护。

疏散

紧急预防措施

• 物质溢出或泄漏区域四周隔离距离至少25m。

大量溢出或泄漏

• 考虑下风向至少100m的初始疏散距离。

火灾

• 如果槽罐、有轨车辆或公路罐车着火，应与四周保持800m的初始隔离距离；同时考虑从隔离区向四周初步撤离800m。

应急响应

火灾

轻微火灾

• 用干粉灭火剂、二氧化碳灭火剂、抗溶泡沫灭火剂或喷水灭火。

重大火灾

• 用喷水、喷水雾或抗溶泡沫灭火剂灭火。

• 在没有危险的情况下，将未损坏的容器搬离火灾现场。

• 避免将强劲水流直接对准着火物体。

• 防止水流入容器内。

• 对消防控制产生的排放物构筑堤坝以便后续处理。

槽罐、铁路或公路罐车着火

• 在最大距离外灭火或使用遥控水炮或远控水炮。

• 用大量水冷却容器，直到火被完全扑灭。

• 发现槽罐变色或排气安全阀发出的声响增大时应立

刻撤离。

- 一定要远离被火吞没的容器。

溢出或泄漏

- 消除泄漏区域内所有火源（禁止吸烟、闪光、火花或其他明火）。

- 在确保安全前提下，终止泄漏。

- 除非穿戴适当的防护服，否则不要触碰损坏的容器或泄漏物质。

- 防止溢出物或泄漏物进入河道、下水道、地下室或封闭区域。

- 使用干净的、不产生火花的器具收集泄漏物，并放入封盖宽松的塑料容器，以便后续处置。

急救

- 参阅“急救指导通用要求”。

急救指导特殊要求：

- 一旦接触腐蚀性物质，立刻用流动水冲洗皮肤或眼睛至少 30min。可能需要进行额外的冲洗。

指南 135　自燃物质

潜在危险

火灾或爆炸

- 易燃/可燃物质。

- 此类物质接触潮湿空气或在潮湿环境中可能被点燃。

- 可能迅速燃烧并伴有火光。
- 某些物质遇水可能发生剧烈或爆炸性反应。
- 某些物质遇热或在火灾中可能发生爆炸分解。
- 火灾扑灭后可能复燃。
- 排放可能产生火灾或爆炸危险。
- 容器遇热可能引起爆炸。

健康

- 火灾会产生刺激性、腐蚀性和/或毒性气体。
- 吸入分解的产物可能导致严重伤害或死亡。
- 接触此类物质可能导致皮肤和眼睛严重灼伤。
- 排放的消防用水或稀释用水可能导致环境污染。

注意：戊硼烷（UN1380）有剧毒，如果吸入、吞食或经皮肤吸收可能致命。

公众安全

- 首先拨打119，然后拨打货运单上的应急电话。如果货运单上无电话号码或电话无人接听，可以拨打本指南第五部分附录一中有关应急救援机构的救援电话。
- 停留在上风向、上坡和/或上游地区。
- 让无关人员远离。

防护用品

- 穿戴正压自给式呼吸器（SCBA）。
- 没有火灾危险时，穿戴制造商专门推荐的化学防护服。
- 一般的消防员防护服主要提供隔热防护，仅能提供有限的化学防护。

疏散

紧急预防措施

• 液体物质泄漏区域四周隔离距离至少 50m，固体物质撒漏区域四周隔离距离至少 25m。

泄漏

• 对于吸入毒性危害物质：见表 4-1 初始隔离距离和防护距离。

• 对于非吸入毒性危害物质：根据需要，在下风向增加紧急预防措施的隔离距离。

火灾

• 如果槽罐、有轨车辆或公路罐车着火，应与四周保持 800m 的初始隔离距离；同时考虑从隔离区向四周初步撤离 800m。

应急响应

火灾

• 不要让物质接触水、二氧化碳或泡沫灭火剂。

• 其中一些物质遇水可能会发生剧烈反应。

注意：对黄原酸盐（UN3342）、连二亚硫酸钠（UN1384）、连二亚硫酸钙（UN1923）和连二亚硫酸钾（UN1929）产生的轻微火灾和重大火灾，都要用大量的水来灭火，以阻止其反应。隔绝空气对这些物质不起作用，它们的燃烧不需要空气。

轻微火灾

• 干粉灭火剂、苏打粉、石灰或干沙（UN1384、UN1923、UN1929、UN3342 除外）。

重大火灾

- 干沙、干粉灭火剂，苏打粉或石灰（UN1384、UN1923、UN1929、UN3342 除外），或撤离火灾区域让其自行燃烧。

注意：UN3342 被水淹没后会继续释放出易燃性二硫化碳气/二硫化碳蒸气。

- 在没有危险的情况下，将未损坏的容器搬离火灾现场。

槽罐、铁路或公路罐车着火

- 在最大距离外灭火或使用遥控水炮或远控水炮。
- 不要让水进入容器或接触此类物质。
- 用大量水冷却容器，直到火被完全扑灭。
- 发现槽罐变色或排气安全阀发出的声响增大时应立刻撤离。
- 一定要远离被火吞没的容器。

溢出或泄漏

- 消除泄漏区域内所有火源（禁止吸烟、闪光、火花或其他明火）。
- 不要接触泄漏物，或在泄漏物上行走。
- 在确保安全前提下，终止泄漏。

少量溢出或泄漏

注意：对于黄原酸盐（UN3342）、连二亚硫酸钠（UN1384）、连二亚硫酸钙（UN1923）和连二亚硫酸钾（UN1929）的溢出物，可用水按 1∶5 比例溶解，然后收集起来作适当处理。

注意：UN3342 被水淹没后会继续释放出易燃性二硫化

碳气/二硫化碳蒸气。

• 用干土、干沙或其他不燃材料覆盖，再加盖一层塑料布，以防止泄漏物扩散或与雨水接触。

• 使用干净的、不产生火花的器具收集泄漏物，并放入封盖宽松的塑料容器，以便后续处置。

• 防止溢出物或泄漏物进入河道、下水道、地下室或封闭区域。

急救

• 参阅“急救指导通用要求”。

指南 136　自燃物质——毒性和/或腐蚀性（与空气反应）

潜在危险

火灾或爆炸

• 极其易燃；暴露于空气中能自燃。
• 燃烧迅速，并释放稠密的、白色刺激性的烟雾。
• 此类物质可能以熔融形态进行运输。
• 火灾扑灭后可能复燃。
• 与金属接触的腐蚀性物质可能产生易燃性氢气。
• 容器遇热可能引起爆炸。

健康

• 火灾会产生刺激性、腐蚀性和/或毒性气体。

• 毒性和/或腐蚀性；吞食此类物质或吸入分解产物将导致严重伤害或死亡。

• 接触此类物质可能导致皮肤和眼睛严重灼伤。

• 有些不良反应可能是由皮肤吸收所引起。

• 排放的消防用水或稀释用水可能具有腐蚀性和/或毒性，并导致环境污染。

公众安全

• 首先拨打119，然后拨打货运单上的应急电话。如果货运单上无电话号码或电话无人接听，可以拨打本指南第五部分附录一中有关应急救援机构的救援电话。

• 停留在上风向、上坡和/或上游地区。

• 让无关人员远离。

防护用品

• 穿戴正压自给式呼吸器（SCBA）。

• 没有火灾危险时，穿戴制造商专门推荐的化学防护服。

• 一般的消防员防护服主要提供隔热防护，仅能提供有限的化学防护。

• 对于磷（UN1381）：当可能直接接触此类物质时，应穿戴特殊的镀铝防护服。

疏散

紧急预防措施

• 液体物质泄漏区域四周隔离距离至少 50m，固体物质撒漏区域四周隔离距离至少 25m。

溢出或泄漏

• 对于吸入性毒性危害物质：见表 4-1 初始隔离距离和防护距离。

• 对于非吸入性毒性危害物质：如有必要，在下风向增加紧急预防措施的隔离距离。

火灾

• 如果槽罐、有轨车辆或公路罐车着火，应与四周保持 800m 的初始隔离距离；同时考虑从隔离区向四周初步撤离 800m。

应急响应

火灾

轻微火灾

• 喷水、使用湿沙或湿土灭火。

重大火灾

• 喷水或喷水雾。

• 不要用高压水枪将泄漏物冲散。

• 在没有危险的情况下，将未损坏的容器搬离火灾现场。

槽罐、铁路或公路罐车着火

• 在最大距离外灭火或使用遥控水炮或远控水炮。

• 用大量水冷却容器，直到火被完全扑灭。

• 发现槽罐变色或排气安全阀发出的声响增大时应立刻撤离。

• 一定要远离被火吞没的容器。

溢出或泄漏

• 消除溢出或泄漏区域内所有火源（禁止吸烟、闪光、火花或其他明火）。

• 不要接触溢出物或泄漏物或在其上行走。

• 除非穿戴适当的防护服，否则不要触碰损坏的容器或漏出的物质。

• 在确保安全前提下，终止溢出或泄漏。

少量溢出

• 用水、沙或土覆盖。将吸附物装入金属容器，置其于水中。

大量溢出

• 构筑堤坝并用湿沙或泥土覆盖以便后续处理。

• 防止溢出物进入河道、下水道、地下室或封闭区域。

急救

• 参阅“急救指导通用要求”。

急救指导特殊要求：

• 如果接触到此类物质，让暴露的皮肤部位浸在水中或覆盖湿绷带直至获得医疗护理为止。

• 从皮肤上移除固化的熔融物质需要医疗协助。

• 在现场脱掉并隔离受污染的衣服和鞋袜，将其放进装有水的金属容器中。如果晾干则有火灾风险。

指南 137 遇水反应物质——腐蚀性

潜在危险

健康

• 腐蚀性和/或毒性；吸入、吞食或皮肤（或眼睛）接触此类物质及其蒸气或粉尘可能引起严重伤害、灼伤或死亡。

• 火灾会产生刺激性、腐蚀性和/或毒性气体。

- 遇水反应后会产生大量的热，可增加空气中烟雾浓度。
- 接触熔融物质可能会严重灼伤皮肤和眼睛。
- 排放的消防用水或稀释用水可能导致环境污染。

火灾或爆炸

- 除乙酸酐（UN1715）易燃外，其余物质有些可能燃烧，但不易被点燃。
- 可能点燃可燃物（木材、纸张、油类、衣物等）。
- 此类物质遇水可发生反应（有些剧烈反应），释放出腐蚀性和/或毒性气体和液体并排放。
- 易燃/有毒气体可能在密闭区域（地下室、槽罐、底卸式货车/槽罐车等）积聚。
- 与金属接触可能释放出易燃性氢气。
- 容器遇热或被水污染可能引起爆炸。
- 此类物质可能以熔融态进行运输。

公众安全

- 首先拨打119，然后拨打货运单上的应急电话。如果货运单上无电话号码或电话无人接听，可以拨打本指南第五部分附录一中有关应急救援机构的救援电话。
- 让无关人员远离。
- 停留在上风向、上坡和/或上游地区。
- 进入密闭空间前必须通风；进入人员经过适当的培训，并配有合适的装备。

防护用品

- 穿戴正压自给式呼吸器（SCBA）。

• 没有火灾危险时，穿戴制造商专门推荐的化学防护服。

• 一般的消防员防护服主要提供隔热防护，仅能提供有限的化学防护。

疏散

紧急预防措施

• 液体物质泄漏区域四周隔离距离至少 50m，固体物质撒漏区域四周隔离距离至少 25m。

溢出或泄漏

• 对于吸入毒性危害物质：见表 4-1 初始隔离距离和防护距离。

• 对于非吸入毒性危害物质：根据需要，在下风向增加紧急预防措施的隔离距离。

火灾

• 如果槽罐、有轨车辆或公路罐车着火，应与四周保持 800m 的初始隔离距离；同时考虑从隔离区向四周初步撤离 800m。

应急响应

火灾

• 此类物质没有着火时，勿让其沾水。

轻微火灾

• 用干粉灭火剂或二氧化碳灭火剂灭火。

• 在没有危险的情况下，将未损坏的容器搬离火灾现场。

重大火灾

• 用大量水灭火，同时喷水雾抑制蒸气产生；如果水量不足，应急响应人员应撤离。

槽罐、铁路或公路罐车着火

- 用大量水冷却容器，直到火被完全扑灭。
- 防止水流入容器内。
- 发现槽罐变色或排气安全阀发出的声响增大时应立刻撤离。
- 一定要远离被火吞没的容器。

溢出或泄漏

- 除非穿戴适当的防护服，否则不要触碰损坏的容器或溢出的物质。
- 在确保安全前提下，终止泄漏。
- 喷水抑制蒸气；禁止将水直接喷向溢出区、泄漏区或容器内。
- 将易燃物（木材、纸张、油类等）远离溢出物。

少量溢出

- 用干土、干沙或其他不燃材料覆盖，再加盖一层塑料布，以防止溢出物扩散或与雨水接触。
- 使用干净的、不产生火花的器具收集溢出物，并放入封盖宽松的塑料容器，以便后续处置。
- 防止溢出物或泄漏物进入河道、下水道、地下室或封闭区域。

急救

- 参阅“急救指导通用要求”。

急救指导特殊要求：

- 一旦接触此类物质，立刻用流动水冲洗皮肤或眼睛至少 30min。可能需要进行额外的冲洗。

- 从皮肤上移除固化的熔融物质需要医疗协助。

指南 138　遇水反应物质（放出易燃气体）

潜在危险

火灾或爆炸

- 遇水产生易燃气体。
- 遇水或潮湿空气可能被点燃。
- 某些物质遇水可能发生剧烈或爆炸性反应。
- 可能被高温、火花或明火点燃。
- 火灾扑灭后可能复燃。
- 某些物质以高度易燃液体进行运输。
- 排放可能产生火灾或爆炸危险。

健康

- 吸入或接触此类物质及其蒸气或分解物可引起严重伤害甚至死亡。
- 与水接触可能形成腐蚀性溶液。
- 火灾会产生刺激性、腐蚀性和/或毒性气体。
- 排放的消防用水或稀释用水可能导致环境污染。

公众安全

- 首先拨打119，然后拨打货运单上的应急电话。如果货运单上无电话号码或电话无人接听，可以拨打本指南第五部分附录一中有关应急救援机构的救援电话。
- 让无关人员远离。
- 停留在上风向、上坡和/或上游地区。

● 进入密闭空间前必须通风；进入人员经过适当的培训，并配有合适的装备。

防护用品

● 穿戴正压自给式呼吸器（SCBA）。

● 没有火灾危险时，穿戴制造商专门推荐的化学防护服。

● 一般的消防员防护服主要提供隔热防护，仅能提供有限的化学防护。

疏散

紧急预防措施

● 液体物质泄漏区域四周隔离距离至少 50m，固体物质撒漏区域四周隔离距离至少 25m。

大量溢出

● 考虑下风向至少 300m 初步疏散距离。

火灾

● 如果槽罐、有轨车辆或公路罐车着火，应与四周保持 800m 的初始隔离距离；同时考虑从隔离区向四周初步撤离 800m。

应急响应

火灾

● 不要用水或泡沫灭火剂灭火。

轻微火灾

● 用干粉灭火剂、苏打粉、石灰或沙子灭火。

重大火灾

● 用干沙、干粉灭火器、苏打粉或石灰灭火，或撤离火灾区域让其自行燃烧。

• 在没有危险的情况下，将未损坏的容器搬离火灾现场。

金属或粉末着火（铝、锂、镁等）

• 用干粉灭火剂、干沙、氯化钠粉、石墨粉或D类灭火器灭火。此外，对于锂着火，可以使用锂-X粉或铜粉灭火。也可以参考指南170。

槽罐、铁路或公路罐车着火

• 在最大距离外灭火或使用遥控水炮或远控水炮。

• 防止水流入容器内。

• 用大量水冷却容器，直到火被完全扑灭。

• 发现槽罐变色或排气安全阀发出的声响增大时应立刻撤离。

• 一定要远离被火吞没的容器。

溢出或泄漏

• 消除泄漏区域内所有火源（禁止吸烟、闪光、火花或其他明火）。

• 不要接触泄漏物或在泄漏物上行走。

• 在确保安全前提下，终止泄漏。

• 通过喷水降低蒸气浓度或改变蒸气云的流向。避免让排放水流接触溢出物。

• 不要让水接触溢出物或进入盛有此类物质的容器。

少量溢出

• 用干土、干沙或其他不燃材料覆盖，再加盖一层塑料布，以防止溢出物扩散或与雨水接触。

• 构筑堤坝以便后续处置；除非有指示，否则不要用水。

粉末溢出

- 用塑料布或防水布覆盖粉末溢出物，以最大限度减少扩散并保持粉末干燥。
- 应在有关专家指导下清理或处理现场。

急救

- 参阅“急救指导通用要求”。

急救指导特殊要求：

- 若接触到此类物质，应立即对皮肤进行擦拭；用流动水冲洗皮肤或眼睛至少 20min。

指南 139 遇水反应物质（放出易燃和有毒气体）

潜在危险

火灾或爆炸

- 遇水产生易燃有毒气体。
- 遇水或潮湿空气可能被点燃。
- 某些物质遇水可能发生剧烈或爆炸性反应。
- 可能被高温、火花或明火点燃。
- 火灾扑灭后可能复燃。
- 某些物质以高度易燃液体进行运输。
- 容器遇热可能引起爆炸。
- 排放可能产生火灾或爆炸危险。

健康

- 剧毒：遇水产生有毒气体，吸入后可能致命。

• 吸入或接触此类物质及其蒸气或分解物可引起严重伤害甚至死亡。

• 与水接触可能形成腐蚀性溶液。

• 火灾会产生刺激性、腐蚀性和/或毒性气体。

• 排放的消防用水或稀释用水可能导致环境污染。

公众安全

• 首先拨打119，然后拨打货运单上的应急电话。如果货运单上无电话号码或电话无人接听，可以拨打本指南第五部分附录一中有关应急救援机构的救援电话。

• 让无关人员远离。

• 停留在上风向、上坡和/或上游地区。

• 进入密闭空间前必须通风，并经过适当的培训，配有合适的装备。

防护用品

• 穿戴正压自给式呼吸器（SCBA）。

• 没有火灾危险时，穿戴制造商专门推荐的化学防护服。

• 一般的消防员防护服主要提供隔热防护，仅能提供有限的化学防护。

疏散

紧急预防措施

• 液体物质泄漏区域四周隔离距离至少50m，固体物质撒漏区域四周隔离距离至少25m。

溢出

• 对于吸入毒性危害物质：见表4-1初始隔离距离和

防护距离。

• 对于非吸入毒性危害物质：根据需要，在下风向增加紧急预防措施的隔离距离。

火灾

• 如果槽罐、铁路或公路罐车着火，应与四周保持800m的初始隔离距离；同时考虑从隔离区向四周初步撤离800m。

应急响应

火灾

• 不要用水或泡沫灭火剂灭火（氯硅烷可用泡沫灭火剂灭火，见下文）。

轻微火灾

• 用干粉灭火剂、苏打粉、石灰或沙子灭火。

重大火灾

• 用干沙、干粉灭火剂、苏打粉或石灰灭火，或撤离火灾区域让其自行燃烧。

• 对于氯硅烷，请不要用水；可用抗溶性泡沫灭火剂；对于氯硅烷火灾，无论火灾大小，禁用干粉灭火剂、苏打粉或石灰，因为这些材料会放出大量氢气并引起爆炸。

• 在没有危险的情况下，将未损坏的容器搬离火灾现场。

槽罐、铁路或公路罐车着火

• 在最大距离外灭火或使用遥控水炮或远控水炮。

• 用大量水冷却容器，直到火被完全扑灭。

• 防止水流入容器内。

• 发现槽罐变色或排气安全阀发出的声响增大时应立刻撤离。

• 一定要远离被火吞没的容器。

溢出或泄漏

• 消除泄漏区域内所有火源（禁止吸烟、闪光、火花或其他明火）。

• 不要接触泄漏物或在泄漏物上行走。

• 在确保安全前提下，终止泄漏。

• 不要让水接触溢出物或进入盛有此类物质的容器。

• 通过喷水降低蒸气浓度或改变蒸气云的流向。避免让排放水流接触泄漏物。

• 对氯硅烷，用抗溶性泡沫减少蒸气。

少量溢出

• 用干土、干沙或其他不燃材料覆盖，再加盖一层塑料布，以防止溢出物扩散或与雨水接触。

• 构筑堤坝以便后续处置；除非有特别要求，否则不要用水。

粉末泄漏

• 用塑料布或防水布覆盖粉末溢出物，以最大限度减少扩散并保持粉末干燥。

• 应在有关专家指导下清理或处理现场。

急救

• 参阅“急救指导通用要求”。

急救指导特殊要求：

• 若接触到此类物质，应立即对皮肤进行擦拭；用流动水冲洗皮肤或眼睛至少 20min。

指南 140　氧化剂

潜在危险

火灾或爆炸

注意：硝酸铵产品遇火或被碳氢化合物（燃料）、有机物和其他污染物污染或当热熔化和密封时可能发生爆炸。作为爆炸品对待（指南 112）。

- 此类物质涉及火灾时会加速燃烧。
- 某些物质遇热或在火灾中可能发生爆炸分解。
- 受热或污染可能引起爆炸。
- 某些物质遇碳氢化合物（燃料）会发生爆炸性反应。
- 可能点燃可燃物（木材、纸张、油类、衣物等）。
- 容器遇热可能引起爆炸。
- 排放可能产生火灾或爆炸危险。

健康

- 吸入、吞食或皮肤（眼睛）接触此类物质及其蒸气可能引起严重受伤、灼伤甚至死亡。
- 火灾可能会产生刺激性、腐蚀性和/或毒性气体。
- 排放的消防用水或稀释用水可能导致环境污染。

公众安全

- 首先拨打 119，然后拨打货运单上的应急电话。如果货运单上无电话号码或电话无人接听，可以拨打本指南第五部分附录一中有关应急救援机构的救援电话。
- 让无关人员远离。

• 停留在上风向、上坡和/或上游地区。

• 进入密闭空间前必须通风；进入人员经过适当的培训，并配有合适的装备。

防护用品

• 穿戴正压自给式呼吸器（SCBA）。

• 没有火灾危险时，穿戴制造商专门推荐的化学防护服。

• 一般的消防员防护服主要提供隔热防护，仅能提供有限的化学防护。

疏散

紧急预防措施

• 液体物质泄漏区域四周隔离距离至少 50m，固体物质撒漏区域四周隔离距离至少 25m。

大量溢出

• 考虑下风向至少 100m 的初始疏散距离。

火灾

• 如果槽罐、铁路或公路罐车着火，应与四周保持 800m 的初始隔离距离；同时考虑从隔离区向四周初步撤离 800m。

• 如果硝酸铵在槽罐、铁路或公路罐车中着火，应与四周隔离 1600m；此外，包括应急响应人员在内，应与四周初始疏散 1600m。

应急响应

火灾

轻微火灾

• 用水灭火。不得用干粉或泡沫灭火剂。二氧化碳或哈龙灭火剂灭火作用有限。

重大火灾

- 在远处用水淹没火灾区域。
- 当货物被暴露在高温下时请不要移动货物或车辆。
- 在没有危险的情况下，将未损坏的容器搬离火灾现场。

槽罐、铁路或公路罐车着火

- 对于**硝酸铵产品**：不要灭火。撤离、疏散隔离区域至少 1600m 距离。作为爆炸品对待（指南 112）。24 小时内或在未获得专家建议前不要进入该区域。
- 在最大距离外灭火或使用遥控水炮或远控水炮。
- 用大量水冷却容器，直到火被完全扑灭。
- 一定要远离被火吞没的容器。
- 在遇到特大火势时，使用遥控水炮或远控水炮；如果不可行，撤离火灾区域让其自行燃烧。

溢出或泄漏

- 将易燃物（木材、纸张、油类等）远离溢出物。
- 除非穿戴适当的防护服，否则不要触碰损坏的容器或溢出物质。
- 在确保安全前提下，终止泄漏。
- 防止水流入容器内。

少量干散物质溢出

- 用干净的铲子将此类物质放入清洁、干燥的容器，不要盖紧；然后将容器移出溢出区。

少量液体泄漏

- 使用如蛭石、沙子等不可燃物吸收泄漏物并转移到容器中，以便后续处理。

大量溢出或泄漏

- 在泄漏液体外围构筑堤坝以便后续处理。

急救

- 参阅“急救指导通用要求”。

急救指导特殊要求：

- 受污染的衣物晾干后可能存在火灾风险。

指南 141　氧化剂——毒性

潜在危险

火灾或爆炸

- 此类物质涉及火灾时会加速燃烧。
- 受热或污染可能引起爆炸。
- 某些物质可能燃烧迅速。
- 某些物质遇碳氢化合物（燃料）会发生爆炸性反应。
- 可能点燃可燃物（木材、纸张、油类、衣物等）。
- 容器遇热可能引起爆炸。
- 排放可能产生火灾或爆炸危险。

健康

- 吞食有毒。
- 吸入粉末有毒。
- 火灾可能会产生刺激性、腐蚀性和/或毒性气体。
- 接触此类物质可能导致皮肤和眼睛严重灼伤。
- 排放的消防用水或稀释用水可能导致环境污染。

• 首先拨打119，然后拨打货运单上的应急电话。如果货运单上无电话号码或电话无人接听，可以拨打本指南第五部分附录一中有关应急救援机构的救援电话。

• 让无关人员远离。

• 停留在上风向、上坡和/或上游地区。

• 进入密闭空间前必须通风；进入人员经过适当的培训，并配有合适的装备。

防护用品

• 穿戴正压自给式呼吸器（SCBA）。

• 没有火灾危险时，穿戴制造商专门推荐的化学防护服。

• 一般的消防员防护服主要提供隔热防护，仅能提供有限的化学防护。

疏散

紧急预防措施

• 液体物质泄漏区域四周隔离距离至少50m，固体物质撒漏区域四周隔离距离至少25m。

大量溢出

• 考虑下风向至少100m的初始疏散距离。

火灾

• 如果槽罐、铁路或公路罐车着火，应与四周保持800m的初始隔离距离；同时考虑从隔离区向四周初步撤离800m。

火灾

轻微火灾

• 用水灭火。不得用干粉或泡沫灭火剂。二氧化碳或哈龙灭火剂灭火作用有限。

重大火灾

• 在远处用水淹没火灾区域。

• 当货物被暴露在高温下时请不要移动货物或车辆。

• 在没有危险的情况下，将未损坏的容器搬离火灾现场。

槽罐、铁路或公路罐车着火

• 在最大距离外灭火或使用遥控水炮或远控水炮。

• 用大量水冷却容器，直到火被完全扑灭。

• 一定要远离被火吞没的容器。

• 在遇到特大火势时，使用遥控水炮或远控水炮；如果不可行，撤离火灾区域让其自行燃烧。

溢出或泄漏

• 将易燃物（木材、纸张、油类等）远离泄漏物。

• 除非穿戴适当的防护服，否则不要触碰损坏的容器或溢出物质。

• 在确保安全前提下，终止泄漏。

少量干散物质泄漏

• 用干净的铲子将此类物质放入清洁、干燥的容器，不要盖紧；然后将容器移出泄漏区。

大量溢出

• 在溢出物外围构筑堤坝以便后续处理。

急救

- 参阅“急救指导通用要求”。

急救指导特殊要求：

- 受污染的衣物晾干后可能存在火灾风险。

指南 142 氧化剂——毒性（液体）

潜在危险

火灾或爆炸

- 此类物质涉及火灾时会加速燃烧。
- 受热或污染可能引起爆炸。
- 某些物质遇碳氢化合物（燃料）会发生爆炸性反应。
- 可能点燃可燃物（木材、纸张、油类、衣物等）。
- 容器遇热可能引起爆炸。
- 排放可能产生火灾或爆炸危险。

健康

- 有毒；吸入、吞食或皮肤（眼睛）接触此类物质及其蒸气可能引起严重受伤、灼伤甚至死亡。
- 火灾可能会产生刺激性、腐蚀性和/或毒性气体。
- 有毒/易燃烟气可能在密闭区（地下室、槽罐、槽罐车等）积聚。
- 排放的消防用水或稀释用水可能导致环境污染。

公众安全

- 首先拨打 119，然后拨打货运单上的应急电话。如果

货运单上无电话号码或电话无人接听，可以拨打本指南第五部分附录一中有关应急救援机构的救援电话。

- 让无关人员远离。
- 停留在上风向、上坡和/或上游地区。
- 进入密闭空间前必须通风；进入人员经过适当的培训，并配有合适的装备。

防护用品

- 穿戴正压自给式呼吸器（SCBA）。
- 没有火灾危险时，穿戴制造商专门推荐的化学防护服。
- 一般的消防员防护服主要提供隔热防护，仅能提供有限的化学防护。

疏散

紧急预防措施

- 物质溢出或泄漏区域四周隔离距离至少 50m。

泄漏

- 对于吸入毒性危害物质：见表 4-1 初始隔离距离和防护距离。
- 对于非吸入毒性危害物质：根据需要，在下风向增加紧急预防措施的隔离距离。

火灾

- 如果槽罐、铁路或公路罐车着火，应与四周保持 800m 的初始隔离距离；同时考虑从隔离区向四周初步撤离 800m。

应急响应

火灾

轻微火灾

- 用水灭火。不得用干粉或泡沫灭火剂。二氧化碳或哈龙灭火剂灭火作用有限。

重大火灾

- 在远处用水淹没火灾区域。
- 当货物被暴露在高温下时请不要移动货物或车辆。
- 在没有危险的情况下，将未损坏的容器搬离火灾现场。

槽罐、铁路或公路罐车着火

- 在最大距离外灭火或使用遥控水炮或远控水炮。
- 用大量水冷却容器，直到火被完全扑灭。
- 一定要远离被火吞没的容器。
- 在遇到特大火势时，使用遥控水炮或远控水炮；如果不可行，撤离火灾区域让其自行燃烧。

溢出或泄漏

- 将易燃物（木材、纸张、油类等）远离泄漏物。
- 除非穿戴适当的防护服，否则不要触碰损坏的容器或泄漏物质。
- 在确保安全前提下，终止泄漏。
- 通过喷水降低蒸气浓度或改变蒸气云的流向。
- 防止水流入容器内。

少量液体泄漏

- 使用如蛭石、沙子等不可燃物吸收泄漏物并转移到容器中，以便后续处理。

大量泄漏

- 在泄漏液体外围构筑堤坝以便后续处理。

急救

- 参阅“急救指导通用要求”。

急救指导特殊要求：

- 受污染的衣物晾干后可能存在火灾风险。

指南 143 氧化剂（不稳定）

潜在危险

火灾或爆炸

- 摩擦、受热或被污染可能引起爆炸。
- 此类物质涉及火灾时会加速燃烧。
- 可能点燃可燃物（木材、纸张、油类、衣物等）。
- 某些物质遇碳氢化合物（燃料）会发生爆炸性反应。
- 容器遇热可能引起爆炸。
- 排放可能产生火灾或爆炸危险。

健康

- 有毒；吸入、吞食或皮肤（眼睛）接触此类物质及其蒸气或粉尘可能引起严重伤害、灼伤或死亡。
- 火灾可能产生刺激性和/或毒性气体。
- 有毒烟雾或粉尘可能在密闭区域（地下室、槽罐、底卸式货车/槽罐车等）积聚。
- 排放的消防用水或稀释用水可能导致环境污染。

• 首先拨打119，然后拨打货运单上的应急电话。如果货运单上无电话号码或电话无人接听，可以拨打本指南第五部分附录一中有关应急救援机构的救援电话。

• 让无关人员远离。

• 停留在上风向、上坡和/或上游地区。

• 进入密闭空间前必须通风；进入人员经过适当的培训，并配有合适的装备。

防护用品

• 穿戴正压自给式呼吸器（SCBA）。

• 没有火灾危险时，穿戴制造商专门推荐的化学防护服。

• 一般的消防员防护服主要提供隔热防护，仅能提供有限的化学防护。

疏散

紧急预防措施

• 液体物质泄漏区域四周隔离距离至少50m，固体物质撒漏区域四周隔离距离至少25m。

泄漏

• 对于吸入毒性危害物质：见表4-1初始隔离距离和防护距离。

• 对于非吸入毒性危害物质：根据需要，在下风向增加紧急预防措施的隔离距离。

火灾

• 如果槽罐、铁路或公路罐车着火，应与四周保持

800m 的初始隔离距离；同时考虑从隔离区向四周初步撤离 800m。

应急响应

火灾

轻微火灾

- 用水灭火。不得用干粉或泡沫灭火剂。二氧化碳或哈龙灭火剂灭火作用有限。

重大火灾

- 在远处用水淹没火灾区域。
- 当货物被暴露在高温下时请不要移动货物或车辆。
- 在没有危险的情况下，将未损坏的容器搬离火灾现场。
- 防止水流入容器内，否则可能会发生剧烈反应。

槽罐、铁路或公路罐车着火

- 用大量水冷却容器，直到火被完全扑灭。
- 对消防控制产生的排放物构筑堤坝以便后续处理。
- 一定要远离被火吞没的容器。
- 在遇到特大火势时，使用遥控水炮或远控水炮；如果不可行，撤离火灾区域让其自行燃烧。

溢出或泄漏

- 将易燃物（木材、纸张、油类等）远离泄漏物。
- 除非穿戴适当的防护服，否则不要触碰损坏的容器或泄漏物质。
- 通过喷水降低蒸气浓度或改变蒸气云的流向。
- 防止溢出物或泄漏物进入河道、下水道、地下室或

封闭区域。

少量泄漏

- 用大量水冲洗泄漏区域。

大量泄漏

- 应在有关专家指导下清理或处理现场。

急救

- 参阅“急救指导通用要求”。

急救指导特殊要求：

- 受污染的衣物晾干后可能存在火灾风险。

指南 144 氧化剂（遇水反应）

潜在危险

火灾或爆炸

- 可能点燃可燃物（木材、纸张、油类、衣物等）。
- 遇水发生剧烈和/或爆炸性反应。
- 遇水产生有毒和/或腐蚀性物质。
- 易燃/有毒气体可能在槽罐或底卸式货车中积聚。
- 某些物质与金属接触会生成易燃氢气。
- 容器遇热可能引起爆炸。
- 排放可能产生火灾或爆炸危险。

健康

- 有毒；吸入或接触此类物质、蒸气或其分解物可导致严重伤害或死亡。
- 火灾会产生刺激性、腐蚀性和/或毒性气体。

• 排放的消防用水或稀释用水可能导致环境污染。

公众安全

• 首先拨打 119，然后拨打货运单上的应急电话。如果货运单上无电话号码或电话无人接听，可以拨打本指南第五部分附录一中有关应急救援机构的救援电话。

• 让无关人员远离。

• 停留在上风向、上坡和/或上游地区。

• 进入密闭空间前必须通风；进入人员经过适当的培训，并配有合适的装备。

防护用品

• 穿戴正压自给式呼吸器（SCBA）。

• 没有火灾危险时，穿戴制造商专门推荐的化学防护服。

• 一般的消防员防护服主要提供隔热防护，仅能提供有限的化学防护。

疏散

紧急预防措施

• 液体物质泄漏区域四周隔离距离至少 50m，固体物质撒漏区域四周隔离距离至少 25m。

泄漏

• 对于吸入毒性危害物质：见表 4-1 初始隔离距离和防护距离。

• 对于非吸入毒性危害物质：根据需要，在下风向增加紧急预防措施的隔离距离。

火灾

• 如果槽罐、铁路或公路罐车着火，应与四周保持

800m 的初始隔离距离；同时考虑从隔离区向四周初步撤离 800m。

应急响应

火灾

- 不要用水或泡沫灭火剂灭火。

轻微火灾

- 用干粉灭火剂、苏打粉或石灰灭火。

重大火灾

- 用干沙、干粉灭火剂、苏打粉或石灰灭火，或撤离火灾区域让其自行燃烧。
- 当货物被暴露在高温下时请不要移动货物或车辆。
- 在没有危险的情况下，将未损坏的容器搬离火灾现场。

槽罐、铁路或公路罐车着火

- 在最大距离外灭火或使用遥控水炮或远控水炮。
- 用大量水冷却容器，直到火被完全扑灭。
- 发现槽罐变色或排气安全阀发出的声响增大时应立刻撤离。
- 一定要远离被火吞没的容器。

溢出或泄漏

- 消除泄漏区域内所有火源（禁止吸烟、闪光、火花或其他明火）。
- 除非穿戴适当的防护服，否则不要触碰损坏的容器或泄漏物质。
- 在确保安全前提下，终止泄漏。

- 通过喷水降低蒸气浓度或改变蒸气云的流向。避免让排放水流接触泄漏物。
- 不要让水接触泄漏物或进入盛有此类物质的容器。

少量泄漏

- 用干土、干沙或其他不燃材料覆盖，再加盖一层塑料布，以防止泄漏物扩散或与雨水接触。

大量泄漏

- 应在有关专家指导下清理或处理现场。

急救

- 参阅“急救指导通用要求”。

急救指导特殊要求：

- 受污染的衣物晾干后可能存在火灾风险。

指南 145 有机过氧化物（对热和污染敏感）

潜在危险

火灾或爆炸

- 受热或污染可能引起爆炸。
- 可能点燃可燃物（木材、纸张、油类、衣物等）。
- 可能被高温、火花或明火点燃。
- 可能迅速燃烧并伴有火光。
- 容器遇热可能引起爆炸。
- 排放可能产生火灾或爆炸危险。

健康

- 火灾可能会产生刺激性、腐蚀性和/或毒性气体。

• 吞食或皮肤（眼睛）接触此类物质可能引起严重伤害或灼伤。

• 排放的消防用水或稀释用水可能导致环境污染。

公众安全

• 首先拨打119，然后拨打货运单上的应急电话。如果货运单上无电话号码或电话无人接听，可以拨打本指南第五部分附录一中有关应急救援机构的救援电话。

• 让无关人员远离。

• 停留在上风向、上坡和/或上游地区。

防护用品

• 穿戴正压自给式呼吸器（SCBA）。

• 没有火灾危险时，穿戴制造商专门推荐的化学防护服。

• 一般的消防员防护服主要提供隔热防护，仅能提供有限的化学防护。

疏散

紧急预防措施

• 液体物质泄漏区域四周隔离距离至少50m，固体物质撒漏区域四周隔离距离至少25m。

大量泄漏

• 考虑泄漏区域四周向外至少250m的初始疏散。

火灾

• 如果槽罐、铁路或公路罐车着火，应与四周保持800m的初始隔离距离；同时考虑从隔离区向四周初步撤离800m。

火灾

轻微火灾

• 最好是喷水或喷水雾灭火；如果没有水，用干粉灭火剂、二氧化碳灭火剂或普通泡沫灭火剂。

重大火灾

• 在远处用水淹没火灾区域。

• 通过喷水或喷水雾灭火；避免将强劲水流直接对准着火物体。

• 当货物被暴露在高温下时请不要移动货物或车辆。

• 在没有危险的情况下，将未损坏的容器搬离火灾现场。

槽罐、铁路或公路罐车着火

• 在最大距离外灭火或使用遥控水炮或远控水炮。

• 用大量水冷却容器，直到火被完全扑灭。

• 一定要远离被火吞没的容器。

• 在遇到特大火势时，使用遥控水炮或远控水炮；如果不可行，撤离火灾区域让其自行燃烧。

溢出或泄漏

• 消除泄漏区域内所有火源（禁止吸烟、闪光、火花或其他明火）。

• 将易燃物（木材、纸张、油类等）远离泄漏物。

• 除非穿戴适当的防护服，否则不要触碰损坏的容器或泄漏物质。

• 喷水保持物质湿润。

- 在确保安全前提下，终止泄漏。

少量泄漏

- 用惰性、潮湿、不燃材料吸收泄漏物，再用清洁、不产生火花的器具收集，并放入封盖宽松的塑料容器，以便后续处置。

大量泄漏

- 用水浸湿泄漏物并构筑堤坝以便后续处理。
- 防止溢出物或泄漏物进入河道、下水道、地下室或封闭区域。
- 应在有关专家指导下清理或处理现场。

急救

- 参阅“急救指导通用要求”。

急救指导特殊要求：

- 受污染的衣物晾干后可能存在火灾风险。

指南 146 有机过氧化物（对热、污染和摩擦敏感）

潜在危险

火灾或爆炸

- 可能因受热、震动、摩擦或污染引起爆炸。
- 可能点燃可燃物（木材、纸张、油类、衣物等）。
- 可能被高温、火花或明火点燃。
- 可能迅速燃烧并伴有火光。
- 容器遇热可能引起爆炸。
- 排放可能产生火灾或爆炸危险。

健康

- 火灾可能会产生刺激性、腐蚀性和/或毒性气体。
- 吞食或皮肤（眼睛）接触此类物质可能引起严重伤害或灼伤。
- 排放的消防用水或稀释用水可能导致环境污染。

公众安全

- 首先拨打119，然后拨打货运单上的应急电话。如果货运单上无电话号码或电话无人接听，可以拨打本指南第五部分附录一中有关应急救援机构的救援电话。
- 让无关人员远离。
- 停留在上风向、上坡和/或上游地区。

防护用品

- 穿戴正压自给式呼吸器（SCBA）。
- 没有火灾危险时，穿戴制造商专门推荐的化学防护服。
- 一般的消防员防护服主要提供隔热防护，仅能提供有限的化学防护。

疏散

紧急预防措施

- 液体物质泄漏区域四周隔离距离至少50m，固体物质撒漏区域四周隔离距离至少25m。

大量泄漏

- 考虑泄漏区域四周向外至少250m的初始疏散。

火灾

- 如果槽罐、铁路或公路罐车着火，应与四周保持

800m 的初始隔离距离；同时考虑从隔离区向四周初步撤离 800m。

应急响应

火灾

轻微火灾

• 最好是喷水或喷水雾灭火；如果没有水，用干粉灭火剂、二氧化碳灭火剂或普通泡沫灭火剂。

重大火灾

• 在远处用水淹没火灾区域。

• 通过喷水或喷水雾灭火；避免将强劲水流直接对准着火物体。

• 当货物被暴露在高温下时请不要移动货物或车辆。

• 在没有危险的情况下，将未损坏的容器搬离火灾现场。

槽罐、铁路或公路罐车着火

• 在最大距离外灭火或使用遥控水炮或远控水炮。

• 用大量水冷却容器，直到火被完全扑灭。

• 一定要远离被火吞没的容器。

• 在遇到特大火势时，使用遥控水炮或远控水炮；如果不可行，撤离火灾区域让其自行燃烧。

溢出或泄漏

• 消除泄漏区域内所有火源（禁止吸烟、闪光、火花或其他明火）。

• 将易燃物（木材、纸张、油类等）远离泄漏物。

• 除非穿戴适当的防护服，否则不要触碰损坏的容器或泄漏物质。

- 喷水保持物质湿润。
- 在确保安全前提下，终止泄漏。

少量泄漏

- 用惰性、潮湿、不燃材料吸收泄漏物，再用清洁、不产生火花的器具收集，并放入封盖宽松的塑料容器，以便后续处置。

大量泄漏

- 用水浸湿泄漏物并构筑堤坝以便后续处理。
- 防止溢出物或泄漏物进入河道、下水道、地下室或封闭区域。
- 应在有关专家指导下清理或处理现场。

急救

- 参阅“急救指导通用要求”。

急救指导特殊要求：

- 受污染的衣物晾干后可能存在火灾风险。

指南 147　锂离子和钠离子电池

潜在危险

火灾或爆炸

- 当锂离子和钠离子电池遭受高温（>150℃）、损坏或滥用（例如机械损坏或过度充电）时，其所含易燃液体电解质可能会泄漏、着火或产生火花。
- 可能迅速燃烧并伴有火光。
- 可能会引燃邻近的其他电池。

健康

- 接触电池的电解质可能会刺激皮肤、眼睛和黏膜。
- 火灾会产生刺激性、腐蚀性和/或毒性气体。
- 电池燃烧可能产生毒性氟化氢气体（见指南 125）。
- 烟雾可能导致头晕或窒息。

公众安全

- 首先拨打 119，然后拨打货运单上的应急电话。如果货运单上无电话号码或电话无人接听，可以拨打本指南第五部分附录一中有关应急救援机构的救援电话。
- 让无关人员远离。
- 停留在上风向、上坡和/或上游地区。
- 进入密闭空间前必须通风，并经过适当的培训，配有合适的装备。

防护用品

- 穿戴正压自给式呼吸器（SCBA）。
- 一般的消防员防护服主要提供隔热防护，仅能提供有限的化学防护。

疏散

紧急预防措施

- 物质溢出或泄漏区域四周隔离距离至少 25m。

溢出

- 根据需要，在下风向增加采取紧急预防措施的距离。

火灾

- 如果有轨车辆或挂车着火，应与四周保持 500m 的隔离距离；同时，对包括应急响应人员在内所有人员，考虑向四周疏散500m。

应急响应

火灾

• 锂离子或钠离子电池火灾可能在最初被扑灭后长达数周的任何时点复燃。

• 如果可能，持续用热成像仪监测电池。

• 复燃过程伴随着白烟、电弧光或火花，这些明显是由火苗和火焰重新点燃的。

警告：不建议使用盐水灭火，因为它可能会增加氢气和氟化氢气体的产生。

车辆着火

• 如果电池未连接到车辆上，请参阅后面的“小型电池的轻微火灾或火灾”。

• 在试图禁用车辆之前，请查阅制造商的特别紧急响应指南。

• 在确保安全的情况下，关闭点火装置并断开12V电池。

• 严禁切断高压（HV）或中压（MV）电缆。

• 切勿触摸损坏或淹没在水中的高压或中压电缆或组件。

• 有条件的话，请使用大量的水来扑灭或抑制高压电池火灾。水量不足有可能释放有毒气体。

• 情况允许，可将水直接喷在电池上。

• 请勿为接触电池而刺穿、切割、撬开或拆卸车辆的任何结构。接触高压元器件可能会对人造成电击。

轻微火灾或涉及小型电池的火灾（例如用于个人电子设备、电动自行车等的电池）

- 只能大量喷水；不要使用干粉、二氧化碳或哈龙灭火剂。

重大火灾或涉及大电池或多个小电池的火灾

- 让着火电池自行燃烧并保护好周围环境。
- 从着火区域安全移走未损坏的容器。
- 向邻近的电池喷水，以控制危险蔓延。

溢出或泄漏

- 消除泄漏区域内所有火源（禁止吸烟、闪光、火花或其他明火）。
- 不要接触泄漏物，或在泄漏物上行走。
- 用土、沙子或其他不燃材料吸附。
- 泄漏的电池和被污染的吸附物应放入金属容器中。

急救

- 参阅“急救指导通用要求”。

指南 148　有机过氧化物（对热和污染敏感/温度控制）

潜在危险

火灾或爆炸

- 受热、被污染或失去温度控制都可能导致爆炸。
- 此类物质对温度上升尤其敏感。超过设定的“控制温度”即发生剧烈分解并起火。

- 可能点燃可燃物（木材、纸张、油类、衣物等）。
- 暴露在空气中可能会自燃。
- 可能被高温、火花或明火点燃。
- 可能迅速燃烧并伴有火光。
- 容器遇热可能引起爆炸。
- 排放可能产生火灾或爆炸危险。

健康

- 火灾可能会产生刺激性、腐蚀性和/或毒性气体。
- 吞食或皮肤（眼睛）接触此类物质可能引起严重伤害或灼伤。
- 排放的消防用水或稀释用水可能导致环境污染。

公众安全

- 首先拨打119，然后拨打货运单上的应急电话。如果货运单上无电话号码或电话无人接听，可以拨打本指南第五部分附录一中有关应急救援机构的救援电话。
- 让无关人员远离。
- 停留在上风向、上坡和/或上游地区。

防护用品

- 穿戴正压自给式呼吸器（SCBA）。
- 没有火灾危险时，穿戴制造商专门推荐的化学防护服。
- 一般的消防员防护服主要提供隔热防护，仅能提供有限的化学防护。

疏散

紧急预防措施

- 液体物质泄漏区域四周隔离距离至少50m，固体物质撒漏区域四周隔离距离至少 25m。

大量泄漏

- 考虑泄漏区域四周向外至少 250m 的初始疏散。

火灾

- 如果槽罐、铁路或公路罐车着火，应与四周保持 800m 的初始隔离距离；同时考虑从隔离区向四周初步撤离 800m。

应急响应

火灾

- 该物质的温度必须始终保持在“控制温度”或以下。

轻微火灾

- 最好是喷水或喷水雾灭火；如果没有水，用干粉灭火剂、二氧化碳灭火剂或普通泡沫灭火剂。

重大火灾

- 在远处用水淹没火灾区域。
- 通过喷水或喷水雾灭火；避免将强劲水流直接对准着火物体。
- 当货物被暴露在高温下时请不要移动货物或车辆。
- 在没有危险的情况下，将未损坏的容器搬离火灾现场。

槽罐、铁路或公路罐车着火

- 在最大距离外灭火或使用遥控水炮或远控水炮。
- 用大量水冷却容器，直到火被完全扑灭。
- **注意容器可能爆炸。**
- 一定要远离被火吞没的容器。

- 在遇到特大火势时，使用遥控水炮或远控水炮；如果不可行，撤离火灾区域让其自行燃烧。

溢出或泄漏

- **切勿让此类物质升温。应使用干冰或冰块等冷却剂降温（戴隔热手套）。如果无法做到或没有冷却剂，应立即撤离泄漏现场。**
- 消除泄漏区域内所有火源（禁止吸烟、闪光、火花或其他明火）。
- 将易燃物（木材、纸张、油类等）远离泄漏物。
- 不要接触泄漏物或在泄漏物上行走。
- 在确保安全前提下，终止泄漏。

少量泄漏

- 用惰性、潮湿、不燃材料吸收泄漏物，再用清洁、不产生火花的器具收集，并放入封盖宽松的塑料容器，以便后续处置。

大量泄漏

- 在泄漏液体外围构筑堤坝以便后续处理。
- 防止溢出物或泄漏物进入河道、下水道、地下室或封闭区域。
- **应在有关专家指导下清理或处理现场。**

急救

- 参阅“急救指导通用要求”。

急救指导特殊要求：

- 受污染的衣物晾干后可能存在火灾风险。

指南 149 自反应物质

潜在危险

火灾或爆炸

• 加热、化学反应、摩擦或撞击都可引起自分解、自聚合或自燃。

• 可能被高温、火花或明火点燃。

• 某些物质遇热或在火灾中可能发生爆炸分解。

• 标有“P”的物质在遇热或处于火灾中可能发生爆炸性聚合反应。

• 可能剧烈燃烧，分解或聚合可能自加速并产生大量气体。

• 蒸气或粉尘可能与空气形成爆炸性混合物。

健康

• 吸入或接触此类物质及其蒸气或分解物可引起严重伤害甚至死亡。

• 可能产生刺激性、有毒和/或腐蚀性气体。

• 排放的消防用水或稀释用水可能导致环境污染。

公众安全

• 首先拨打 119，然后拨打货运单上的应急电话。如果货运单上无电话号码或电话无人接听，可以拨打本指南第五部分附录一中有关应急救援机构的救援电话。

• 让无关人员远离。

• 停留在上风向、上坡和/或上游地区。

防护用品

- 穿戴正压自给式呼吸器（SCBA）。
- 没有火灾危险时，穿戴制造商专门推荐的化学防护服。
- 一般的消防员防护服主要提供隔热防护，仅能提供有限的化学防护。

疏散

紧急预防措施

- 液体物质泄漏区域四周隔离距离至少 50m，固体物质撒漏区域四周隔离距离至少 25m。

大量泄漏

- 考虑泄漏区域四周向外至少 250m 的初始疏散。

火灾

- 如果槽罐、铁路或公路罐车着火，应与四周保持 800m 的初始隔离距离；同时考虑从隔离区向四周初步撤离 800m。

应急响应

火灾

轻微火灾

- 使用干粉灭火剂、二氧化碳灭火剂、普通泡沫灭火剂或喷水。

重大火灾

- 在远处用水淹没火灾区域。
- 在没有危险的情况下，将未损坏的容器搬离火灾现场。

槽罐、铁路或公路罐车着火

- **注意容器可能爆炸。**
- 在最大距离外灭火或使用遥控水炮或远控水炮。
- 用大量水冷却容器，直到火被完全扑灭。
- 发现槽罐变色或排气安全阀发出的声响增大时应立刻撤离。
- 一定要远离被火吞没的容器。

溢出或泄漏

- 消除泄漏区域内所有火源（禁止吸烟、闪光、火花或其他明火）。
- 不要接触泄漏物，或在泄漏物上行走。
- 在确保安全前提下，终止泄漏。

少量泄漏

- 用惰性、潮湿、不燃材料吸收泄漏物，再用清洁、不产生火花的器具收集，并放入封盖宽松的塑料容器，以便后续处置。
- 防止溢出物或泄漏物进入河道、下水道、地下室或封闭区域。

急救

- 参阅“急救指导通用要求”。

指南 150　自反应物质（温度控制）

潜在危险

火灾或爆炸

- 加热、化学反应、摩擦或撞击都可引起自分解、自聚合或自燃。

- 如果没有维持特定的控制温度，可能发生自加速分解。
- 此类物质对温度上升尤其敏感。超过设定的“控制温度”即发生剧烈分解或聚合并起火。
- 可能被高温、火花或明火点燃。
- 标有“P”的物质在遇热或处于火灾中可能发生爆炸性聚合反应。
- 某些物质遇热或在火灾中可能发生爆炸分解。
- 可能剧烈燃烧，分解或聚合可能自加速并产生大量气体。
- 蒸气或粉尘可能与空气形成爆炸性混合物。

健康

- 吸入或接触此类物质及其蒸气或分解物可引起严重伤害甚至死亡。
- 可能产生刺激性、有毒和/或腐蚀性气体。
- 排放的消防用水或稀释用水可能导致环境污染。

公众安全

- 首先拨打119，然后拨打货运单上的应急电话。如果货运单上无电话号码或电话无人接听，可以拨打本指南第五部分附录一中有关应急救援机构的救援电话。
- 让无关人员远离。
- 停留在上风向、上坡和/或上游地区。

防护用品

- 穿戴正压自给式呼吸器（SCBA）。
- 没有火灾危险时，穿戴制造商专门推荐的化学防护服。

● 一般的消防员防护服主要提供隔热防护，仅能提供有限的化学防护。

疏散

紧急预防措施

● 液体物质泄漏区域四周隔离距离至少 50m，固体物质撒漏区域四周隔离距离至少 25m。

大量泄漏

● 考虑泄漏区域四周向外至少 250m 的初始疏散。

火灾

● 如果槽罐、铁路或公路罐车着火，应与四周保持 800m 的初始隔离距离；同时考虑从隔离区向四周初步撤离 800m。

应急响应

火灾

● **该物质的温度必须始终保持在“控制温度”或以下。**

轻微火灾

● 使用干粉灭火剂、二氧化碳灭火剂、普通泡沫灭火剂或喷水。

重大火灾

● 在远处用水淹没火灾区域。

● 在没有危险的情况下，将未损坏的容器搬离火灾现场。

槽罐、铁路或公路罐车着火

● **注意容器可能爆炸。**

● 在最大距离外灭火或使用遥控水炮或远控水炮。

● 用大量水冷却容器，直到火被完全扑灭。

- 发现槽罐变色或排气安全阀发出的声响增大时应立刻撤离。
- 一定要远离被火吞没的容器。

溢出或泄漏

- **切勿让此类物质升温。应使用干冰或冰块等冷却剂降温（戴隔热手套）。如果无法做到或没有冷却剂，应立即撤离泄漏现场。**
- 消除泄漏区域内所有火源（禁止吸烟、闪光、火花或其他明火）。
- 不要接触泄漏物，或在泄漏物上行走。
- 在确保安全前提下，终止泄漏。

少量泄漏

- 用惰性、潮湿、不燃材料吸收泄漏物，再用清洁、不产生火花的器具收集，并放入封盖宽松的塑料容器，以便后续处置。
- 防止溢出物或泄漏物进入河道、下水道、地下室或封闭区域。
- **应在有关专家指导下清理或处理现场。**

急救

- 参阅“急救指导通用要求”。

指南151　毒性物质（不可燃）

潜在危险

健康

- 剧毒；如果吸入、吞食或经皮吸收可能致命。

• 避免任何皮肤接触。

• 火灾可能会产生刺激性、腐蚀性和/或毒性气体。

• 排放的消防用水或稀释用水可能具有腐蚀性和/或毒性，并导致环境污染。

火灾或爆炸

• 不可燃；物质本身不会燃烧，但遇热可能分解并产生腐蚀性和/或有毒烟雾。

• 容器遇热可能引起爆炸。

• 排放可能污染水体。

公众安全

• 首先拨打119，然后拨打货运单上的应急电话。如果货运单上无电话号码或电话无人接听，可以拨打本指南第五部分附录一中有关应急救援机构的救援电话。

• 让无关人员远离。

• 停留在上风向、上坡和/或上游地区。

防护用品

• 穿戴正压自给式呼吸器（SCBA）。

• 没有火灾危险时，穿戴制造商专门推荐的化学防护服。

• 一般的消防员防护服主要提供隔热防护，仅能提供有限的化学防护。

疏散

紧急预防措施

• 液体物质泄漏区域四周隔离距离至少50m，固体物质撒漏区域四周隔离距离至少25m。

泄漏

- 对于吸入毒性危害物质：见表 4-1 初始隔离距离和防护距离。

- 对于非吸入毒性危害物质：根据需要，在下风向增加紧急预防措施的隔离距离。

火灾

- 如果槽罐、铁路或公路罐车着火，应与四周保持 800m 的初始隔离距离；同时考虑从隔离区向四周初步撤离 800m。

应急响应

火灾

轻微火灾

- 使用干粉灭火剂、二氧化碳灭火剂或喷水。

重大火灾

- 喷水、喷水雾或普通泡沫灭火剂。
- 在没有危险的情况下，将未损坏的容器搬离火灾现场。
- 对消防控制产生的排放物构筑堤坝以便后续处理。
- 避免将强劲水流直接对准着火物体。

槽罐、铁路或公路罐车着火

- 在最大距离外灭火或使用遥控水炮或远控水炮。
- 防止水流入容器内。
- 用大量水冷却容器，直到火被完全扑灭。
- 发现槽罐变色或排气安全阀发出的声响增大时应立刻撤离。
- 一定要远离被火吞没的容器。

• 在遇到特大火势时，使用遥控水炮或远控水炮；如果不可行，撤离火灾区域让其自行燃烧。

溢出或泄漏

• 除非穿戴适当的防护服，否则不要触碰损坏的容器或泄漏物质。

• 在确保安全前提下，终止泄漏。

• 防止溢出物或泄漏物进入河道、下水道、地下室或封闭区域。

• 盖上塑料布，防止扩散。

• 用干土、沙子或其他不燃材料吸收或覆盖然后转移到容器里。

• 防止水流入容器内。

• 对于固体物质，注意防范粉尘云的形成和粉尘吸入危害。

急救

• 参阅“急救指导通用要求”。

指南 152 毒性物质（可燃）

潜在危险

健康

• 剧毒；如果吸入、吞食或经皮吸收可能致命。

• 接触熔融物质可能会严重灼伤皮肤和眼睛。

• 避免任何皮肤接触。

• 火灾可能会产生刺激性、腐蚀性和/或毒性气体。

• 排放的消防用水或稀释用水可能具有腐蚀性和/或毒性，并导致环境污染。

火灾或爆炸

• 可燃物质；可燃但不容易被点燃。

• 容器遇热可能引起爆炸。

• 标有“P”的物质在遇热或处于火灾中可能发生爆炸性聚合反应。

• 排放可能污染水体。

• 此类物质可能以熔融形态进行运输。

公众安全

• 首先拨打119，然后拨打货运单上的应急电话。如果货运单上无电话号码或电话无人接听，可以拨打本指南第五部分附录一中有关应急救援机构的救援电话。

• 让无关人员远离。

• 停留在上风向、上坡和/或上游地区。

防护用品

• 穿戴正压自给式呼吸器（SCBA）。

• 没有火灾危险时，穿戴制造商专门推荐的化学防护服。

• 一般的消防员防护服主要提供隔热防护，仅能提供有限的化学防护。

疏散

紧急预防措施

• 液体物质泄漏区域四周隔离距离至少50m，固体物质撒漏区域四周隔离距离至少25m。

泄漏

- 对于吸入毒性危害物质：见表 4-1 初始隔离距离和防护距离。

- 对于非吸入毒性危害物质：根据需要，在下风向增加紧急预防措施的隔离距离。

火灾

- 如果槽罐、铁路或公路罐车着火，应与四周保持 800m 的初始隔离距离；同时考虑从隔离区向四周初步撤离 800m。

应急响应

火灾

轻微火灾

- 使用干粉灭火剂、二氧化碳灭火剂或喷水。

重大火灾

- 喷水、喷水雾或普通泡沫灭火剂。
- 在没有危险的情况下，将未损坏的容器搬离火灾现场。
- 对消防控制产生的排放物构筑堤坝以便后续处理。
- 避免将强劲水流直接对准着火物体。

槽罐、铁路或公路罐车着火

- 在最大距离外灭火或使用遥控水炮或远控水炮。
- 防止水流入容器内。
- 用大量水冷却容器，直到火被完全扑灭。
- 发现槽罐变色或排气安全阀发出的声响增大时应立刻撤离。
- 一定要远离被火吞没的容器。

● 在遇到特大火势时，使用遥控水炮或远控水炮；如果不可行，撤离火灾区域让其自行燃烧。

溢出或泄漏

● 消除泄漏区域内所有火源（禁止吸烟、闪光、火花或其他明火）。

● 除非穿戴适当的防护服，否则不要触碰损坏的容器或泄漏物质。

● 在确保安全前提下，终止泄漏。

● 防止溢出物或泄漏物进入河道、下水道、地下室或封闭区域。

● 盖上塑料布，防止扩散。

● 用干土、沙子或其他不燃材料吸收或覆盖然后转移到容器里。

● 防止水流入容器内。

急救

● 参阅“急救指导通用要求”。

急救指导特殊要求：

● 从皮肤上移除凝固的熔融物质需要医疗协助。

指南 153 毒性物质和/或腐蚀性物质（可燃）

潜在危险

健康

● 毒性和/或腐蚀性；吸入、吞食或皮肤接触此类物质可导致严重伤害或死亡。

• 溴乙酸甲酯（UN2643）是眼睛刺激物/催泪剂（引起眼泪流出）。

• 接触熔融物质可能会严重灼伤皮肤和眼睛。

• 避免任何皮肤接触。

• 火灾可能会产生刺激性、腐蚀性和/或毒性气体。

• 排放的消防用水或稀释用水可能具有腐蚀性和/或毒性，并导致环境污染。

火灾或爆炸

• 可燃物质；可燃但不容易被点燃。

• 遇热时蒸气可与空气形成爆炸性混合物：室内、室外和下水道都有爆炸危险。

• 标有“P”的物质在遇热或处于火灾中可能发生爆炸性聚合反应。

• 腐蚀性物质与金属接触可能释放出易燃性氢气。

• 容器遇热可能引起爆炸。

• 排放可能污染水体。

• 此类物质可以熔融形态进行运输。

公众安全

• 首先拨打119，然后拨打货运单上的应急电话。如果货运单上无电话号码或电话无人接听，可以拨打本指南第五部分附录一中有关应急救援机构的救援电话。

• 让无关人员远离。

• 停留在上风向、上坡和/或上游地区。

• 进入密闭空间前必须通风；进入人员经过适当的培训，并配有合适的装备。

防护用品

- 穿戴正压自给式呼吸器（SCBA）。
- 没有火灾危险时，穿戴制造商专门推荐的化学防护服。
- 一般的消防员防护服主要提供隔热防护，仅能提供有限的化学防护。

疏散

紧急预防措施

- 液体物质泄漏区域四周隔离距离至少 50m，固体物质撒漏区域四周隔离距离至少 25m。

泄漏

- 对于吸入毒性危害物质：见表 4-1 初始隔离距离和防护距离。
- 对于非吸入毒性危害物质：根据需要，在下风向增加紧急预防措施的隔离距离。

火灾

- 如果槽罐、铁路或公路罐车着火，应与四周保持 800m 的初始隔离距离；同时考虑从隔离区向四周初步撤离 800m。

应急响应

火灾

轻微火灾

- 使用干粉灭火剂、二氧化碳灭火剂或喷水。

重大火灾

- 使用干粉灭火剂、二氧化碳灭火剂、抗溶泡沫灭火剂或喷水灭火。

● 在没有危险的情况下，将未损坏的容器搬离火灾现场。

● 对消防控制产生的排放物构筑堤坝以便后续处理。

槽罐、铁路或公路罐车着火

● 在最大距离外灭火或使用遥控水炮或远控水炮。

● 防止水流入容器内。

● 用大量水冷却容器，直到火被完全扑灭。

● 发现槽罐变色或排气安全阀发出的声响增大时应立刻撤离。

● 一定要远离被火吞没的容器。

溢出或泄漏

● 消除泄漏区域内所有火源（禁止吸烟、闪光、火花或其他明火）。

● 除非穿戴适当的防护服，否则不要触碰损坏的容器或泄漏物质。

● 在确保安全前提下，终止泄漏。

● 防止溢出物或泄漏物进入河道、下水道、地下室或封闭区域。

● 用干土、沙子或其他不燃材料吸收或覆盖然后转移到容器里。

● 防止水流入容器内。

急救

● 参阅“急救指导通用要求”。

急救指导特殊要求：

● 对于腐蚀性物质，一旦接触，立即用流动的水冲洗皮肤或眼睛至少 30 分钟。可能需要进行额外的冲洗。

- 从皮肤上移除凝固的熔融物质需要医疗协助。

指南 154　毒性物质和/或腐蚀性物质（不可燃）

潜在危险

健康

- 毒性和/或腐蚀性；吸入、吞食或皮肤接触此类物质可导致严重伤害或死亡。
- 接触熔融物质可能会严重灼伤皮肤和眼睛。
- 避免任何皮肤接触。
- 火灾可能会产生刺激性、腐蚀性和/或毒性气体。
- 排放的消防用水或稀释用水可能具有腐蚀性和/或毒性，并导致环境污染。

火灾或爆炸

- 不可燃；物质本身不会燃烧，但遇热可能分解并产生腐蚀性和/或有毒烟雾。
- 某些物质是氧化剂，可点燃可燃物（木材、纸张、油类、衣物等）。
- 腐蚀性物质与金属接触可能释放出易燃性氢气。
- 容器遇热可能引起爆炸。
- 对于电动汽车或电动设备，还应参考指南 147（锂离子或钠离子电池）或指南 138（钠硫电池）。

公众安全

- 首先拨打 119，然后拨打货运单上的应急电话。如果

货运单上无电话号码或电话无人接听，可以拨打本指南第五部分附录一中有关应急救援机构的救援电话。

- 让无关人员远离。
- 停留在上风向、上坡和/或上游地区。
- 进入密闭空间前必须通风；进入人员经过适当的培训，并配有合适的装备。

防护用品

- 穿戴正压自给式呼吸器（SCBA）。
- 没有火灾危险时，穿戴制造商专门推荐的化学防护服。
- 一般的消防员防护服主要提供隔热防护，仅能提供有限的化学防护。

疏散

紧急预防措施

- 液体物质泄漏区域四周隔离距离至少 50m，固体物质撒漏区域四周隔离距离至少 25m。

泄漏

- 对于吸入毒性危害物质：见表 4-1 初始隔离距离和防护距离。
- 对于非吸入毒性危害物质：根据需要，在下风向增加紧急预防措施的隔离距离。

火灾

- 如果槽罐、铁路或公路罐车着火，应与四周保持 800m 的初始隔离距离；同时考虑从隔离区向四周初步撤离 800m。

火灾

轻微火灾

- 使用干粉灭火剂、二氧化碳灭火剂或喷水。

重大火灾

- 使用干粉灭火剂、二氧化碳灭火剂、抗溶泡沫灭火剂或喷水灭火。
- 在没有危险的情况下，将未损坏的容器搬离火灾现场。
- 对消防控制产生的排放物构筑堤坝以便后续处理。

槽罐、铁路或公路罐车着火

- 在最大距离外灭火或使用遥控水炮或远控水炮。
- 防止水流入容器内。
- 用大量水冷却容器，直到火被完全扑灭。
- 发现槽罐变色或排气安全阀发出的声响增大时应立刻撤离。
- 一定要远离被火吞没的容器。

溢出或泄漏

- 消除泄漏区域内所有火源（禁止吸烟、闪光、火花或其他明火）。
- 除非穿戴适当的防护服，否则不要触碰损坏的容器或泄漏物质。
- 在确保安全前提下，终止泄漏。
- 防止溢出物或泄漏物进入河道、下水道、地下室或封闭区域。

• 用干土、沙子或其他不燃材料吸收或覆盖然后转移到容器里。

• 防止水流入容器内。

急救

• 参阅“急救指导通用要求”。

急救指导特殊要求：

• 对于腐蚀性物质，一旦接触，立即用流动的水冲洗皮肤或眼睛至少 30 分钟。可能需要进行额外的冲洗。

指南 155 毒性物质和/或腐蚀性物质（易燃性/遇水反应）

潜在危险

火灾或爆炸

• 高度易燃：遇热、火花或明火会非常容易被点燃。

• 此类物质的蒸气与空气可形成爆炸性混合物：室内、室外和下水道都有爆炸危险。

• 大多数蒸气比空气重。会沿着地表扩散，并在低洼或狭窄地区（下水道、地下室和槽罐等）聚集。

• 蒸气会扩散到火源处并反射回来。

• 标有“P”的物质在遇热或处于火灾中可能发生爆炸性聚合反应。

• 物质遇水会发生反应（有时剧烈），释放或排放出易燃、有毒和/或腐蚀性气体。

• 与金属接触可能释放出易燃性氢气。

• 容器遇热或被水污染可能引起爆炸。

健康

• 毒性和/或腐蚀性物质；吸入、吞食或皮肤（眼睛）接触此类物质及其蒸气或粉尘可能引起严重伤害、灼伤或死亡。

• 溴乙酸盐和氯乙酸盐有强烈的刺激性和催泪效应。

• 遇水或湿空气可放出有毒、腐蚀性或易燃气体。

• 遇水反应后会产生大量的热，可增加空气中烟雾浓度。

• 火灾会产生刺激性、腐蚀性和/或毒性气体。

• 排放的消防用水或稀释用水可能具有腐蚀性和/或毒性，并导致环境污染。

公众安全

• 首先拨打119，然后拨打货运单上的应急电话。如果货运单上无电话号码或电话无人接听，可以拨打本指南第五部分附录一中有关应急救援机构的救援电话。

• 让无关人员远离。

• 停留在上风向、上坡和/或上游地区。

• 进入密闭空间前必须通风，并经过适当的培训，配有合适的装备。

防护用品

• 穿戴正压自给式呼吸器（SCBA）。

• 没有火灾危险时，穿戴制造商专门推荐的化学防护服。

• 一般的消防员防护服主要提供隔热防护，仅能提供有限的化学防护。

疏散

紧急预防措施

• 液体物质泄漏区域四周隔离距离至少 50m，固体物质撒漏区域四周隔离距离至少 25m。

泄漏

• 对于吸入毒性危害物质：见表 4-1 初始隔离距离和防护距离。

• 对于非吸入毒性危害物质：根据需要，在下风向增加紧急预防措施的隔离距离。

火灾

• 如果槽罐、铁路或公路罐车着火，应与四周保持 800m 的初始隔离距离；同时考虑从隔离区向四周初步撤离 800m。

应急响应

火灾

• 注意：多数泡沫会与此类物质反应并释放出腐蚀性/毒性气体。

注意：对于乙酰氯（UN1717），只能使用二氧化碳灭火剂或干粉灭火剂。

轻微火灾

• 使用二氧化碳灭火剂、干粉灭火剂、干沙或抗溶泡沫灭火剂灭火。

重大火灾

• 喷水、喷水雾或用抗溶泡沫灭火剂灭火。

- 对氯硅烷不要用水；用 AFFF 抗溶性泡沫灭火剂。
- 在没有危险的情况下，将未损坏的容器搬离火灾现场。
- 避免将强劲水流直接对准着火物体。

槽罐、铁路或公路罐车着火

- 在最大距离外灭火或使用遥控水炮或远控水炮。
- 防止水流入容器内。
- 用大量水冷却容器，直到火被完全扑灭。
- 发现槽罐变色或排气安全阀发出的声响增大时应立刻撤离。
- 一定要远离被火吞没的容器。

溢出或泄漏

- 消除泄漏区域内所有火源（禁止吸烟、闪光、火花或其他明火）。
- 处置物品时使用的所有设备必须接地。
- 除非穿戴适当的防护服，否则不要触碰损坏的容器或泄漏物质。
- 在确保安全前提下，终止泄漏。
- 可以使用蒸气抑制泡沫剂来减少蒸气。
- 对氯硅烷，用抗溶性泡沫减少蒸气。
- 不要让水接触泄漏物或进入盛有此类物质的容器。
- 通过喷水降低蒸气浓度或改变蒸气云的流向。避免让排放水流接触泄漏物。
- 防止溢出物或泄漏物进入河道、下水道、地下室或封闭区域。

少量泄漏

- 用干土、干沙或其他不燃材料覆盖，再加盖一层塑料布，以防止泄漏物扩散或与雨水接触。

• 使用干净的、不产生火花的器具收集泄漏物，并放入封盖宽松的塑料容器，以便后续处置。

急救

• 参阅“急救指导通用要求”。

急救指导特殊要求：

• 对于腐蚀性物质，一旦接触，立即用流动的水冲洗皮肤或眼睛至少 30 分钟。可能需要进行额外的冲洗。

指南 156　毒性物质和/或腐蚀性物质（可燃/遇水反应）

潜在危险

火灾或爆炸

• 可燃物质；可燃但不容易被点燃。

• 物质遇水会发生反应（有时剧烈），释放或排放出易燃、有毒和/或腐蚀性气体。

• 遇热时蒸气可与空气形成爆炸性混合物：室内、室外和下水道都有爆炸危险。

• 大多数蒸气比空气重。会沿着地表扩散，并在低洼或狭窄地区（下水道、地下室和槽罐等）聚集。

• 蒸气会扩散到火源处并反射回来。

• 与金属接触可能释放出易燃性氢气。

• 容器遇热或被水污染可能引起爆炸。

健康

● 毒性和/或腐蚀性物质；吸入、吞食或皮肤（眼睛）接触此类物质及其蒸气或粉尘可能引起严重伤害、灼伤或死亡。

● 接触熔融物质可能会严重灼伤皮肤和眼睛。

● 遇水或湿空气可放出有毒、腐蚀性或易燃气体。

● 遇水反应后会产生大量的热，可增加空气中烟雾浓度。

● 火灾会产生刺激性、腐蚀性和/或毒性气体。

● 排放的消防用水或稀释用水可能具有腐蚀性和/或毒性，并导致环境污染。

公众安全

● 首先拨打119，然后拨打货运单上的应急电话。如果货运单上无电话号码或电话无人接听，可以拨打本指南第五部分附录一中有关应急救援机构的救援电话。

● 让无关人员远离。

● 停留在上风向、上坡和/或上游地区。

● 进入密闭空间前必须通风；进入人员经过适当的培训，并配有合适的装备。

防护用品

● 穿戴正压自给式呼吸器（SCBA）。

● 没有火灾危险时，穿戴制造商专门推荐的化学防护服。

● 一般的消防员防护服主要提供隔热防护，仅能提供有限的化学防护。

疏散

紧急预防措施

• 液体物质泄漏区域四周隔离距离至少 50m，固体物质撒漏区域四周隔离距离至少 25m。

泄漏

• 对于吸入毒性危害物质：见表 4-1 初始隔离距离和防护距离。

• 对于非吸入毒性危害物质：根据需要，在下风向增加紧急预防措施的隔离距离。

火灾

• 如果槽罐、铁路或公路罐车着火，应与四周保持 800m 的初始隔离距离；同时考虑从隔离区向四周初步撤离 800m。

应急响应

火灾

• 注意：多数泡沫会与此类物质反应并释放出腐蚀性/毒性气体。

• **特别提示：对于乙酰溴（UN1716），只能使用二氧化碳或干粉灭火剂。**

轻微火灾

• 使用二氧化碳灭火剂、干粉灭火剂、干沙或抗溶泡沫灭火剂灭火。

重大火灾

• 喷水、喷水雾或用抗溶泡沫灭火剂灭火。

• 对氯硅烷不要用水；用抗溶性泡沫灭火剂。

• 在没有危险的情况下，将未损坏的容器搬离火灾现场。

• 避免将强劲水流直接对准着火物体。

槽罐、铁路或公路罐车着火

• 在最大距离外灭火或使用遥控水炮或远控水炮。

• 防止水流入容器内。

• 用大量水冷却容器，直到火被完全扑灭。

• 发现槽罐变色或排气安全阀发出的声响增大时应立刻撤离。

• 一定要远离被火吞没的容器。

溢出或泄漏

• 消除泄漏区域内所有火源（禁止吸烟、闪光、火花或其他明火）。

• 处置物品时使用的所有设备必须接地。

• 除非穿戴适当的防护服，否则不要触碰损坏的容器或泄漏物质。

• 在确保安全前提下，终止泄漏。

• 可以使用蒸气抑制泡沫剂来减少蒸气。

• 对氯硅烷，用抗溶性泡沫减少蒸气。

• 不要让水接触泄漏物或进入盛有此类物质的容器。

• 通过喷水降低蒸气浓度或改变蒸气云的流向。避免让排放水流接触泄漏物。

• 防止溢出物或泄漏物进入河道、下水道、地下室或封闭区域。

少量泄漏

• 用干土、干沙或其他不燃材料覆盖，再加盖一层塑料布，以防止泄漏物扩散或与雨水接触。

- 使用干净的、不产生火花的器具收集泄漏物，并放入封盖宽松的塑料容器，以便后续处置。

急救

- 参阅“急救指导通用要求”。

急救指导特殊要求：

- 对于腐蚀性物质，一旦接触，立即用流动的水冲洗皮肤或眼睛至少 30 分钟。可能需要进行额外的冲洗。
- 从皮肤上移除凝固的熔融物质需要医疗协助。

指南 157　毒性物质和/或腐蚀性物质（不可燃/遇水反应）

潜在危险

健康

- 毒性物质和/或腐蚀性物质；吸入、吞食或皮肤（眼睛）接触此类物质及其蒸气或粉尘可能引起严重伤害、灼伤或死亡。
- 遇水或湿空气可放出有毒、腐蚀性或易燃气体。
- 遇水反应后会产生大量的热，可增加空气中烟雾浓度。
- 火灾会产生刺激性、腐蚀性和/或毒性气体。
- 排放的消防用水或稀释用水可能具有腐蚀性和/或毒性，并导致环境污染。

火灾或爆炸

- 不可燃；物质本身不会燃烧，但遇热可能分解并产生腐蚀性和/或有毒烟雾。
- 对于浓度超过50%的UN1796，UN1802，UN1826，UN2032，UN3084和UN3093、浓度超过65%的UN2031，可作为氧化剂对待。请另参考指南140。
- 蒸气可能在封闭区域（地下室、槽罐、底卸式货车/槽罐车等）积聚。
- 物质遇水可能会发生反应（有时剧烈），并释放或排出腐蚀性和/或毒性气体。
- 与金属接触可能释放出易燃性氢气。
- 容器遇热或被水污染可能引起爆炸。

公众安全

- 首先拨打119，然后拨打货运单上的应急电话。如果货运单上无电话号码或电话无人接听，可以拨打本指南第五部分附录一中有关应急救援机构的救援电话。
- 让无关人员远离。
- 停留在上风向、上坡和/或上游地区。
- 进入密闭空间前必须通风；进入人员经过适当的培训，并配有合适的装备。

防护用品

- 穿戴正压自给式呼吸器（SCBA）。
- 没有火灾危险时，穿戴制造商专门推荐的化学防护服。
- 一般的消防员防护服主要提供隔热防护，仅能提供有限的化学防护。

疏散

紧急预防措施

• 液体物质泄漏区域四周隔离距离至少 50m，固体物质撒漏区域四周隔离距离至少 25m。

泄漏

• 对于吸入毒性危害物质：见表 4-1 初始隔离距离和防护距离。

• 对于非吸入毒性危害物质：根据需要，在下风向增加紧急预防措施的隔离距离。

火灾

• 如果槽罐、铁路或公路罐车着火，应与四周保持 800m 的初始隔离距离；同时考虑从隔离区向四周初步撤离 800m。

应急响应

火灾

• 注意：有些泡沫会与此类物质反应并释放出腐蚀性/有毒气体。

轻微火灾

• 使用二氧化碳灭火剂（氰化物除外）、干粉灭火剂、干沙或抗溶泡沫灭火剂灭火。

重大火灾

• 喷水、喷水雾或用抗溶泡沫灭火剂灭火。

• 在没有危险的情况下，将未损坏的容器搬离火灾现场。

• 避免将强劲水流直接对准着火物体。

- 对消防控制产生的排放物构筑堤坝以便后续处理。

槽罐、铁路或公路罐车着火

- 在最大距离外灭火或使用遥控水炮或远控炮。
- 防止水流入容器内。
- 用大量水冷却容器，直到火被完全扑灭。
- 发现槽罐变色或排气安全阀发出的声响增大时应立刻撤离。
- 一定要远离被火吞没的容器。

溢出或泄漏

- 消除泄漏区域内所有火源（禁止吸烟、闪光、火花或其他明火）。
- 处置物品时使用的所有设备必须接地。
- 除非穿戴适当的防护服，否则不要触碰损坏的容器或泄漏物质。
- 在确保安全前提下，终止泄漏。
- 可以使用蒸气抑制泡沫剂来减少蒸气。
- 防止水流入容器内。
- 通过喷水降低蒸气浓度或改变蒸气云的流向。避免让排放水流接触泄漏物。
- 防止溢出物或泄漏物进入河道、下水道、地下室或封闭区域。

少量泄漏

- 用干土、干沙或其他不燃材料覆盖，再加盖一层塑料布，以防止泄漏物扩散或与雨水接触。
- 使用干净的、不产生火花的器具收集泄漏物，并放入封盖宽松的塑料容器，以便后续处置。

急救

- 参阅“急救指导通用要求”。

急救指导特殊要求：

- 对于腐蚀性物质，一旦接触，立即用流动的水冲洗皮肤或眼睛至少 30 分钟。可能需要进行额外的冲洗。

- 如果皮肤接触到氢氟酸（UN1790），如果备有葡萄糖酸钙凝胶，请冲洗 5 分钟后涂抹凝胶。否则，继续冲洗到可以进行医疗处理时。

指南 158 感染性物质

潜在危险

健康

- 吸入或接触此类物质可导致感染、疾病或死亡。

- 相比运输 B 类生物物质（UN3373）或临床废物/医疗废弃物（UN3291），运输 A 类感染性物质（UN2814，UN2900 或 UN3549）则更危险或处于更加危险的状态。

- 排放的消防用水或稀释用水可能导致环境污染。

- 损坏的包含固态二氧化碳作为制冷剂的包装件，可能因空气凝结产生水或霜。请勿触摸此液体，因为它可能被包裹中的内含物污染。

- 与固体二氧化碳接触可能导致灼伤、严重伤害和/或冻伤。

火灾或爆炸

- 有些物质可能燃烧，但不易被点燃。

• 有些物质可能以易燃液体进行运输。

公众安全

• 首先拨打119，然后拨打货运单上的应急电话。如果货运单上无电话号码或电话无人接听，可以拨打本指南第五部分附录一中有关应急救援机构的救援电话。

• 让无关人员远离。

• 停留在上风向、上坡和/或上游地区。

• 查阅货运单以确定相关物质。

防护用品

• 根据泄漏量和可能接触的途径进行判断，选择合适的防护服。

• 穿戴合适的呼吸防护装置，例如经过国家相关机构认证的N95口罩（最低要求）、电动空气净化呼吸器（PAPR）或正压自给式呼吸器（SCBA）。

• 穿戴全身防护服（例如特卫强套装）、面罩和一次性防液体手套（例如乳胶或丁腈手套）。

• 穿着合适的防护鞋；为免受污染可以穿一次性鞋套。

• 如果现场存在尖锐物体（例如碎玻璃、针头），则应在防液体手套的基础上戴防穿刺和防割手套。

• 处理干冰（UN1845）时，在防液体手套的基础上戴隔热手套（例如低温手套）。

• 对防护服和个人防护设备，在使用后和清洗/处置前，使用兼容的化学消毒剂（如10%的漂白剂溶液，相当于0.5%的次氯酸钠）或通过有效的去污技术或过程（如高压灭菌器）进行洗消、净化。

• 一般的消防员防护服主要提供隔热防护，仅能提供有限的化学防护。

疏散

紧急预防措施

• 物质溢出或泄漏区域四周隔离距离至少25m。

应急响应

火灾

轻微火灾

• 用干粉灭火剂、苏打粉、石灰或沙子灭火。

重大火灾

• 使用适合周围火灾类型的灭火剂。

• 不要用高压水枪将泄漏物冲散。

• 在没有危险的情况下，将未损坏的容器搬离火灾现场。

溢出或泄漏

• 不要接触泄漏物或在泄漏物上行走。

• 除非穿戴适当的防护服，否则不要触碰损坏的容器或泄漏物质。

• 用土、沙子或其他不燃材料吸附。

• 用纸巾、毛巾或抹布等吸收性材料覆盖损坏的包装或泄漏物以吸收液体，从外边缘倒入液体漂白剂或其他化学消毒剂使其饱和；用液体漂白剂或其他消毒剂保持湿润。

• 应在有关专家指导下清理或处理现场。

急救

- 参阅“急救指导通用要求”。

急救指导通用要求：

- 在确保安全的前提下，将伤者转移到隔离区域。

注意：伤者可能就是一个污染源。

- 若接触到此类物质，应立即用流动水冲洗眼睛，并用肥皂和水彻底冲洗皮肤。注意不要弄破皮肤。
- 可能还需要进行额外的净化。
- 暴露（吸入、吞食、注射/接种或皮肤接触）于该物质所产生的不良反应可能滞后。伤者应咨询医学专家以获取有关症状和治疗的信息。

指南 159　刺激性物质

潜在危险

健康

- 吸入蒸气或粉尘具有强烈的刺激性。
- 可导致眼部灼伤和流泪。
- 可导致咳嗽、呼吸困难和恶心。
- 短暂接触所导致的不良反应只持续几分钟。
- 在封闭区域内接触此类物质可能非常有害。
- 火灾会产生刺激性、腐蚀性和/或毒性气体。
- 消防用水或稀释用水的排放可能导致环境污染。

火灾或爆炸

- 有些物质可能燃烧，但不易被点燃。

• 容器遇热可能引起爆炸。

公众安全

• 首先拨打 119，然后拨打货运单上的应急电话。如果货运单上无电话号码或电话无人接听，可以拨打本指南第五部分附录一中有关应急救援机构的救援电话。

• 让无关人员远离。

• 停留在上风向、上坡和/或上游地区。

• 进入密闭空间前必须通风；进入人员经过适当的培训，并配有合适的装备。

防护用品

• 穿戴正压自给式呼吸器（SCBA）。

• 没有火灾危险时，穿戴制造商专门推荐的化学防护服。

• 一般的消防员防护服主要提供隔热防护，仅能提供有限的化学防护。

疏散

紧急预防措施

• 液体物质泄漏区域四周隔离距离至少 50m，固体物质撒漏区域四周隔离距离至少 25m。

大量泄漏

• 考虑下风向至少 100m 的初始疏散距离。

火灾

• 如果槽罐、铁路或公路罐车着火，应与四周保持 800m 的初始隔离距离；同时考虑从隔离区向四周初步撤离 800m。

应急响应

火灾

轻微火灾

• 使用干粉灭火剂、二氧化碳灭火剂、普通泡沫灭火剂或喷水。

重大火灾

• 喷水、喷水雾或普通泡沫灭火剂。

• 在没有危险的情况下，将未损坏的容器搬离火灾现场。

• 对消防控制产生的排放物构筑堤坝以便后续处理。

槽罐、铁路或公路罐车着火

• 在最大距离外灭火或使用遥控水炮或远控水炮。

• 防止水流入容器内。

• 用大量水冷却容器，直到火被完全扑灭。

• 发现槽罐变色或排气安全阀发出的声响增大时应立刻撤离。

• 一定要远离被火吞没的容器。

• 在遇到特大火势时，使用遥控水炮或远控水炮；如果不可行，撤离火灾区域让其自行燃烧。

溢出或泄漏

• 不要接触泄漏物或在泄漏物上行走。

• 在确保安全前提下，终止泄漏。

少量泄漏

• 用沙子或其他不燃吸附材料吸收后放入容器，以便后续处理。

大量泄漏

- 在泄漏液体外围构筑堤坝以便后续处理。
- 防止溢出物或泄漏物进入河道、下水道、地下室或封闭区域。

急救

- 参阅“急救指导通用要求。”

指南 160　卤代烃类溶剂

潜在危险

健康

- 吞食有毒。
- 蒸气可能导致头晕或窒息，尤其是在封闭环境下。
- 在封闭区域内接触此类物质可能非常有害。
- 接触可能会刺激或灼伤皮肤和眼睛。
- 火灾可能产生刺激性和/或毒性气体。
- 消防用水或稀释用水的排放可能导致环境污染。

火灾或爆炸

- 有些物质可能燃烧，但不易被点燃。
- 大多数蒸气比空气重。
- 点燃空气/蒸气混合物可能导致爆炸。
- 容器在火中受热会爆炸。

公众安全

- 首先拨打119，然后拨打货运单上的应急电话。如果货运单上无电话号码或电话无人接听，可以拨打本指南第五部分附录一中有关应急救援机构的救援电话。

• 让无关人员远离。

• 停留在上风向、上坡和/或上游地区。

• 很多气体比空气重，会沿着地面扩散，并在低洼地区或封闭区域（下水道、地下室、槽罐等）聚集。

• 进入密闭空间前必须通风，并经过适当的培训，配有合适的装备。

防护用品

• 穿戴正压自给式呼吸器（SCBA）。

• 没有火灾危险时，穿戴制造商专门推荐的化学防护服。

• 一般的消防员防护服主要提供隔热防护，仅能提供有限的化学防护。

疏散

紧急预防措施

• 物质溢出或泄漏区域四周隔离距离至少 50m。

大量泄漏

• 考虑下风向至少 100m 的初始疏散距离。

火灾

• 如果槽罐、铁路或公路罐车着火，应与四周保持 800m 的初始隔离距离；同时考虑从隔离区向四周初步撤离 800m。

应急响应

火灾

轻微火灾

• 使用干粉灭火剂、二氧化碳灭火剂或喷水。

重大火灾

• 使用干粉灭火剂、二氧化碳灭火剂、抗溶泡沫灭火剂或喷水灭火。

• 在没有危险的情况下，将未损坏的容器搬离火灾现场。

• 对消防控制产生的排放物构筑堤坝以便后续处理。

槽罐、铁路或公路罐车着火

• 在最大距离外灭火或使用遥控水炮或远控水炮。

• 用大量水冷却容器，直到火被完全扑灭。

• 发现槽罐变色或排气安全阀发出的声响增大时应立刻撤离。

• 一定要远离被火吞没的容器。

溢出或泄漏

• 消除泄漏区域内所有火源（禁止吸烟、闪光、火花或其他明火）。

• 在确保安全前提下，终止泄漏。

少量液体泄漏

• 用沙子、土或其他不可燃吸附材料吸收。

大量泄漏

• 在泄漏液体外围构筑堤坝以便后续处理。

• 防止溢出物或泄漏物进入河道、下水道、地下室或封闭区域。

急救

• 参阅“急救指导通用要求”。

急救指导特殊要求：

• 用肥皂和水清洗皮肤。

指南 161　放射性物质（低水平辐射）

潜在危险

健康

• 发生运输事故期间，辐射对运输人员、应急救援人员和公众造成的危害比较小。放射性物质包装的牢固程度一般与内容物的潜在危害成正比。

• 低放射性物质和包装外低水平辐射量对人的危害很小。包装破损可能释放出一定量的放射性物质，但造成的危险可能较低。

• 通用检测器具检测不出某些放射性物质。

• 包装上没有放射性物质Ⅰ、Ⅱ或Ⅲ的标签，有的可能是空白标签，有的可能在包装标识上标有“放射性”字样。

火灾或爆炸

• 有些物质可能会燃烧，但多数不容易被点燃。

• 多数都有纸板外包装；内含物（体积或大或小）形状各异。

• 放射性不改变物质易燃性或其他特性。

公众安全

• 首先拨打119，然后拨打货运单上的应急电话。如果货运单上无电话号码或电话无人接听，可以拨打本指南第五部分附录一中有关应急救援机构的救援电话。

• 在事故现场，应当在测定放射性强度之前优先采取救援、救生、急救和灭火以及其他危害控制措施。

• 向辐射管理部门报告事故状况。事故可能引致的辐射后果和结束事故的紧急状态由辐射管理部门决定。

• 停留在上风向、上坡和/或上游地区。

• 让无关人员远离。

• 留滞和隔离可能受污染的未受伤人员和设备；应当按照辐射管理部门的指令对污染的设备和现场进行去污清理。

防护用品

• 正压自给式呼吸器（SCBA）和一般的消防员防护服可以提供足够的保护。

疏散

紧急预防措施

• 物质溢出或泄漏区域四周隔离距离至少25m。

大量泄漏

• 考虑下风向至少100m的初始疏散距离。

火灾

• 如果在大火中涉及大量此类货物，考虑从隔离区向四周初步疏散300m。

应急响应

火灾

• 放射性物质的存在不影响灭火过程，也不应影响灭火技术的选择。

• 在没有危险的情况下，将未损坏的容器搬离火灾现场。

- 不要移动破损的包装件；将未破损的包装件移出火灾区域。

轻微火灾

- 使用干粉灭火剂、二氧化碳灭火剂、普通泡沫灭火剂或喷水。

重大火灾

- 采用喷水或喷水雾灭火。

溢出或泄漏

- 不要触碰破损的包装件或泄漏物。
- 用沙子、土或其他不可燃吸附材料覆盖泄漏的液体。
- 用塑料布或防水布覆盖粉末溢出物以减少扩散。

急救

- 参阅“急救指导通用要求”。

急救指导特殊要求：

- 优先考虑医疗问题，再考虑辐射危害问题。
- 根据伤情的性质，采用急救处理。
- 不要耽误重伤员的护理和转移。
- 接触泄漏物而受污染的伤员不会对医护人员、仪器和设备产生严重危害。

指南 162　放射性物质（低至中等水平辐射）

潜在危险

健康

- 发生运输事故期间，辐射对运输人员、应急救援人员和公众造成的危害比较小。放射性物质包装的牢固程度一般与内容物的潜在危害成正比。

• 未破损的包装件是安全的。如果包装件破损，其中的放射性物质便会产生强烈的外辐射，而如果放射性物质泄漏，则可能既有外辐射又有内辐射。

• 此类物质放置在容器内时其辐射危害较小，如果物质从包装件或散装容器中泄漏，将会产生从低级到中级不同程度的危害。危害的大小程度取决于辐射类型和数量、包装件内放射性物质的种类和/或与包装件外表面的距离。

• 在中等危害程度事故中，有些物质可能从包装件中泄漏，但对周围人群不会造成太大的危害。

• 如果包装件破损，其所泄漏的放射性物质和被污染的物体通常均可见。

• 某些专业性散装和包装货物运输不会使用“放射性”标签，但在运输标牌、标识和货运单上会有关于放射性物质种类和特性的说明。

• 有些包装件可能有“放射性”标签和次要危险性标签，次要危险性通常大于放射性危险，因此，除按本指南卡要求实施外还应参照次要危险性所对应的指南卡。

• 通用检测器具检测不出某些放射性物质。

• 排放的消防用水可引起轻度污染。

火灾或爆炸

• 有些物质可能会燃烧，但多数不容易被点燃。

• 铀和钍的金属切屑遇空气可能自燃（见指南 136）。

• 硝酸盐是氧化剂，可能会引燃其他可燃物（见指南 141）。

• 首先拨打119，然后拨打货运单上的应急电话。如果货运单上无电话号码或电话无人接听，可以拨打本指南第五部分附录一中有关应急救援机构的救援电话。

• 在事故现场，应当在测定放射性强度之前优先采取救援、救生、急救和灭火以及其他危害控制措施。

• 向辐射管理部门报告事故状况。事故可能引致的辐射后果和结束事故的紧急状态由辐射管理部门决定。

• 停留在上风向、上坡和/或上游地区。

• 让无关人员远离。

• 留滞和隔离可能受污染的未受伤人员和设备；收到辐射管理部门的指令后对污染的设备和现场进行去污和清理工作。

防护用品

• 正压自给式呼吸器（SCBA）和一般的消防员防护服可以提供足够的保护。

疏散

紧急预防措施

• 物质溢出或泄漏区域四周隔离距离至少25m。

大量泄漏

• 考虑下风向至少100m的初始疏散距离。

火灾

• 如果在大火中涉及大量此类货物，考虑从隔离区向四周初步疏散300m。

应急响应

火灾

- 放射性物质的存在不影响灭火过程，也不应影响灭火技术的选择。
- 在没有危险的情况下，将未损坏的容器搬离火灾现场。
- 不要移动破损的包装件；将未破损的包装件移出火灾区域。

轻微火灾

- 使用干粉灭火剂、二氧化碳灭火剂、普通泡沫灭火剂或喷水。

重大火灾

- 采用喷水或喷水雾灭火。
- 对消防控制产生的排放物构筑堤坝以便后续处理。

溢出或泄漏

- 不要触碰破损的包装件或泄漏物。
- 用沙子、土或其他不可燃吸附材料覆盖泄漏的液体。
- 构筑堤坝收集大量的液体溢出物。
- 用塑料布或防水布覆盖粉末溢出物以减少扩散。

急救

- 参阅“急救指导通用要求”。

急救指导特殊要求：

- 优先考虑医疗问题，再考虑辐射危害问题。
- 根据伤情的性质进行急救处理。
- 不要耽误重伤员的护理和转移。

• 若接触到此类物质，应立即擦拭皮肤，并用流动水冲洗皮肤或眼睛至少 20 分钟。

• 接触泄漏物而受污染的伤员不会对医护人员、仪器和设备产生严重危害。

指南 163 放射性物质（低至高水平辐射）

潜在危险

健康

• 发生运输事故期间，辐射对运输人员、应急救援人员和公众造成的危害比较小。放射性物质包装件的牢固程度一般与内容物的潜在危害成正比。

• 未破损的包装件是安全的。如果包装件破损，其中的放射性物质便会产生强烈的外辐射，而如果放射性物质泄漏，则可能既有外辐射又有内辐射。

• A 型包件（纸盒、木箱、桶、物品等）是在其外包装或运输单证上印有“A 型”标识，此类物质的含量不会危及生命。在中等危害程度事故中，A 型包件有可能发生破损并导致部分泄漏。

• B 型包件和比较少见的 C 型包件（大、小包装通常由金属材料制成）含有最大辐射量，可通过包装标识和运输单证加以认定。只有在包装防护失败和内含物泄漏情况下才会出现危及生命的情况。由于包装经过严格的设计、评定和测试，只有在极其严重的事故中才有可能发生上述情况。

• A 型、B 型或 C 型包装件很少作为“特殊安排”装运。包装类型一般标示于包装件上，货运详细信息在货运单上。

• 如果包件上标有放射性物质标签“Ⅰ（白色）”的，表示一个单独的无损包装外表的辐射量很低（小于0.005mSv/h）。

• 如果包件上标有放射性物质标签“Ⅱ（黄色）”或“Ⅲ（黄色）”的，则表示该包件具有较大的辐射量。标签上的运输指数（TI）定出距离单个无损包装1m处的最大辐射量（mSv/h）。

• 有些放射性物质不能用常用的仪器检测到。

• 排放的消防用水可能会导致污染。

火灾或爆炸

• 有些物质可能会燃烧，但多数不容易被点燃。

• 放射性不改变物质易燃性或其他特性。

• B型包件是经过严格设计和评定的，并能在大火中耐受800℃的高温30min。

公众安全

• 首先拨打119，然后拨打货运单上的应急电话。如果货运单上无电话号码或电话无人接听，可以拨打本指南第五部分附录一中有关应急救援机构的救援电话。

• 在事故现场，应当在测定放射性强度之前优先采取救援、救生、急救和灭火以及其他危害控制措施。

• 向辐射管理部门报告事故状况。事故可能引致的辐射后果和结束事故的紧急状态由辐射管理部门决定。

• 停留在上风向、上坡和/或上游地区。

• 让无关人员远离。

• 留滞和隔离可能受污染的未受伤人员和设备；收到辐射管理部门的指令后对污染的设备和现场进行去污和清理工作。

防护用品

• 穿戴正压自给式呼吸器（SCBA）和一般消防防护服，防护服对内辐射能提供适当的防护作用，但对于外辐射无保护作用。

疏散

紧急预防措施

• 物质溢出或泄漏区域四周隔离距离至少 25m。

大量泄漏

• 考虑下风向至少 100m 的初始疏散距离。

火灾

• 如果在大火中涉及大量此类货物，考虑从隔离区向四周初步疏散 300m。

应急响应

火灾

• 放射性物质的存在不影响灭火过程，也不应影响灭火技术的选择。

• 在没有危险的情况下，将未损坏的容器搬离火灾现场。

• 不要移动破损的包装件；将未破损的包装件移出火灾区域。

轻微火灾

• 使用干粉灭火剂、二氧化碳灭火剂、普通泡沫灭火剂或喷水。

重大火灾

- 采用喷水或喷水雾灭火。
- 对消防控制产生的排放物构筑堤坝以便后续处理。

溢出或泄漏

- 不要触碰破损的包装件或泄漏物。
- 未破损或轻微破损包装表面出现潮湿并不说明包装已失效。大多数液体放射性物质的包装中有内容器和/或放入其中的吸附剂。
- 用沙子、土或其他不可燃吸附材料覆盖泄漏的液体。

急救

- 参阅“急救指导通用要求”。

急救指导特殊要求：

- 优先考虑医疗问题，再考虑辐射危害问题。
- 根据伤情的性质进行急救处理。
- 不要耽误重伤员的护理和转移。
- 接触泄漏物而受污染的伤员不会对医护人员、仪器和设备产生严重危害。

指南 164　放射性物质（特殊形态/低至高水平辐射）

潜在危险

健康

- 发生运输事故期间，辐射对运输人员、应急救援人员和公众造成的危害比较小。放射性物质包装的牢固程度一般与内容物的潜在危害成正比。

- 未破损的包装件是安全的。一旦包装破损其内容物可能会引起外照射，但如果内容物（密封容器）有泄漏，则会导致更高的外照射。

- 虽然不期望产生污染和内辐射危害，但并非不可能。

- A 型包件（纸盒、木箱、桶、物品等）是在其外包装或运输单证上印有“A 型”标识，此类物质的含量不会危及生命。在中级危害程度事故中，A 型包件有可能发生破损并导致部分泄漏。

- B 型包件和比较少见的 C 型包件（大、小包装通常由金属材料制成）含有最大辐射量，可通过包装标识和运输单证加以认定。只有在包装防护失败和内含物泄漏情况下才会出现危及生命的情况。由于包装经过严格的设计、评定和测试，只有在极其严重的事故中才有可能发生上述情况。

- 如果包件上标有放射性物质标签“Ⅰ（白色）”的，表示一个单独的无损包装外表的辐射量很低（小于 0.005mSv/h）。

- 如果包件上标有放射性物质标签“Ⅱ（黄色）”或“Ⅲ（黄色）”的，则表示该包件具有较大的辐射量。标签上的运输指数（TI）定出距离单个无损包装 1m 处的最大辐射量（mSv/h）。

- 大多数辐射仪器都能检测出包装内含物（通常在耐用的金属密封容器中）发出的辐射。

- 排放的消防用水可能会导致污染。

火灾或爆炸

- 包装即使被烧尽，密封容器中的内含物也不会发生丢失的风险。

• 放射性不改变物质易燃性或其他特性。

• 放射源的密封容器和B型包件是经过严格设计和评定的，并能在大火中耐受800℃的高温30min。

公众安全

• 首先拨打119，然后拨打货运单上的应急电话。如果货运单上无电话号码或电话无人接听，可以拨打本指南第五部分附录一中有关应急救援机构的救援电话。

• 在事故现场，应当在测定放射性强度之前优先采取救援、救生、急救和灭火以及其他危害控制措施。

• 向辐射管理部门报告事故状况。事故可能引致的辐射后果和结束事故的紧急状态由辐射管理部门决定。

• 停留在上风向、上坡和/或上游地区。

• 让无关人员远离。

• 应当按照辐射管理部门的指令对污染的设备和现场进行去污清理。

防护用品

• 穿戴正压自给式呼吸器（SCBA）和一般消防防护服，防护服对内辐射能提供适当的防护作用，但对于外辐射无保护作用。

疏散

紧急预防措施

• 物质溢出或泄漏区域四周隔离距离至少25m。

大量泄漏

• 考虑下风向至少100m的初始疏散距离。

火灾

• 如果在大火中涉及大量此类货物，考虑从隔离区向四周初步疏散 300m。

应急响应

火灾

• 放射性物质的存在不影响灭火过程，也不应影响灭火技术的选择。

• 在没有危险的情况下，将未损坏的容器搬离火灾现场。

• 不要移动破损的包装件；将未破损的包装件移出火灾区域。

轻微火灾

• 使用干粉灭火剂、二氧化碳灭火剂、普通泡沫灭火剂或喷水。

重大火灾

• 采用喷水或喷水雾（大水量）灭火。

溢出或泄漏

• 不要触碰破损的包装件或泄漏物。

• 未破损或轻微破损包装件表面出现潮湿并不说明包装已失效。内含物很少是液体。内含物通常是金属密封容器，如果从包装中泄漏出来很容易看到。

• 发现放射源密封容器漏出包装时，切勿触碰。远离并等待辐射管理部门的建议。

急救

• 参阅“急救指导通用要求”。

急救指导特殊要求：

- 优先考虑医疗问题，再考虑辐射危害问题。
- 根据伤情的性质，采用急救处理。
- 不要耽误重伤员的护理和转移。
- 暴露于特殊形态源的人员不太可能被放射性物质污染。
- 接触泄漏物而受污染的伤员不会对医护人员、仪器和设备产生严重危害。

指南165　放射性物质（易裂变的/低至高水平辐射）

潜在危险

健康

- 发生运输事故期间，辐射对运输人员、应急救援人员和公众造成的危害比较小。放射性物质包装的牢固程度一般与内容物的潜在危害成正比。
- 未破损的包装是安全的。如果包装破损，其中的放射性物质便会产生强烈的外辐射，而如果放射性物质泄漏，则可能既有外辐射又有内辐射。
- 带有AF或IF标志的包装件不含有危及生命数量的物质。其外辐射水平低，包装件的设计、评价和测试都为了控制泄漏，并防止在恶劣运输条件下产生连锁裂变反应。
- 带有B（U）F、B（M）F和CF标志的包件（可通过外包装和运输单证确认）含有对生命有潜在危害的一定数量的放射性物质。由于包装经过特别严格的设计、评定和测试，除重特大事故外，此类物质一般不会泄漏和产生连锁裂变反应。

- AF型、BF型和CF型包装件很少作为“特殊安排”装运。包装类型一般标示于包装件上，货运详细信息在货运单上。

- 标签或货运单上的运输指数（TI）可能并不表示距离单个独立无损包装1m处的放射水平，可能与运输过程中由于材料的裂变特性而需要的控制有关，也就是说，内装物的裂变性质通过裂变标签或运输单证上给出的临界安全指数（CSI）来表示。

- 通用检测器具检测不出某些放射性物质。

- 排放的消防用水可能会导致污染。

火灾或爆炸

- 此类物质几乎不易燃。包装件的设计是耐火的而不会损害内含物。

- 放射性不改变物质易燃性或其他特性。

- AF、IF、B（U）F、B（M）F型包件和CF型包件是经过严格设计和评定的，能耐受800℃高温30min。

公众安全

- 首先拨打119，然后拨打货运单上的应急电话。如果货运单上无电话号码或电话无人接听，可以拨打本指南第五部分附录一中有关应急救援机构的救援电话。

- 在事故现场，应当在测定放射性强度之前优先采取救援、救生、急救和灭火以及其他危害控制措施。

- 向辐射管理部门报告事故状况。事故可能引致的辐射后果和结束事故的紧急状态由辐射管理部门决定。
- 停留在上风向、上坡和/或上游地区。
- 让无关人员远离。
- 留滞和隔离可能受污染的未受伤人员和设备；收到辐射管理部门的指令后对污染的设备和现场进行去污和清理工作。

防护用品

- 穿戴正压自给式呼吸器（SCBA）和一般消防防护服，防护服对内辐射能提供适当的防护作用，但对于外辐射无保护作用。

疏散

紧急预防措施

- 物质溢出或泄漏区域四周隔离距离至少 25m。

大量泄漏

- 考虑下风向至少 100m 的初始疏散距离。

火灾

- 如果在大火中涉及大量此类货物，考虑从隔离区向四周初步疏散 300m。

应急响应

火灾

- 放射性物质的存在不影响灭火过程，也不应影响灭火技术的选择。
- 在没有危险的情况下，将未损坏的容器搬离火灾现场。

• 不要移动破损的包装件；将未破损的包装件移出火灾区域。

轻微火灾

• 使用干粉灭火剂、二氧化碳灭火剂、普通泡沫灭火剂或喷水。

重大火灾

• 采用喷水或喷水雾（大水量）灭火。

溢出或泄漏

• 不要触碰破损的包装件或泄漏物。

• 未破损或轻微破损包装件表面出现潮湿并不说明包装已失效。大多数液体的包装件中有内容器和/或内部吸附剂。

液体泄漏

• 包装件内含物很少是液体。如果出现任何由于液体泄漏所致的放射性污染，它可能是低水平的。

急救

• 参阅“急救指导通用要求”。

急救指导特殊要求：

• 优先考虑医疗问题，再考虑辐射危害问题。

• 根据伤情的性质，采用急救处理。

• 不要耽误重伤员的护理和转移。

• 接触泄漏物而受污染的伤员不会对医护人员、仪器和设备产生严重危害。

指南 166 放射性物质——腐蚀性（六氟化铀/遇水反应）

潜在危险

健康

• 发生运输事故期间，辐射对运输人员、应急救援人员和公众造成的危害比较小。放射性物质包装的牢固程度一般与内容物的潜在危害成正比。

• 对人体的辐射危害小，**化学危害远超过放射性危害**。

• 与水或空气中的水蒸气反应后形成毒性和腐蚀性氟化氢气体、氢氟酸以及极具刺激性和腐蚀性的白色水溶性残渣。

• 有毒，如吸入吞食或通过皮肤接触可致命。

• 直接接触会灼伤眼睛、皮肤和呼吸道。

• 排放的消防用水可引起轻度放射性污染。

火灾或爆炸

• 此类物质不可燃。

• 可与燃料发生剧烈反应。

• 可能分解并产生有毒和/或腐蚀性烟气。

• 盛放此类物质容器置于防护外包装（带有固定用短腿的卧式圆筒）中，并通过货运单或外包装上标明的“AF”“B（U）F”或“H（U）”等标识加以说明。这种容器经过严格的设计和评定，能经受各种恶劣条件包括被800℃高温火焰吞没30min。

• 装有六氟化铀（UN2978）的裸露钢瓶［也可能带有H（U）或H（M）标志］，在火灾中可能破裂，而裸露的空钢瓶（无残留物）则不会破裂。

• 放射性不改变物质易燃性或其他特性。

公众安全

• 首先拨打119，然后拨打货运单上的应急电话。如果货运单上无电话号码或电话无人接听，可以拨打本指南第五部分附录一中有关应急救援机构的救援电话。

• 在事故现场，应当在测定放射性强度之前优先采取救援、救生、急救和灭火以及其他危害控制措施。

• 向辐射管理部门报告事故状况。事故可能引致的辐射后果和结束事故的紧急状态由辐射管理部门决定。

• 停留在上风向、上坡和/或上游地区。

• 让无关人员远离。

• 留滞和隔离可能受污染的未受伤人员和设备；收到辐射管理部门的指令后对污染的设备和现场进行去污和清理工作。

防护用品

• 穿戴正压自给式呼吸器（SCBA）。

• 没有火灾危险时，穿戴制造商专门推荐的化学防护服。

• 一般的消防员防护服主要提供隔热防护，仅能提供有限的化学防护。

疏散

紧急预防措施

• 物质溢出或泄漏区域四周隔离距离至少25m。

泄漏

- 见表 4-1 初始隔离距离和防护距离。

火灾

- 如果在大火中涉及大量此类货物，考虑从隔离区向四周初步疏散 300m。

应急响应

火灾

- 不要让物质接触水或泡沫灭火剂。
- 在没有危险的情况下，将未损坏的容器搬离火灾现场。

轻微火灾

- 用干粉灭火剂或二氧化碳灭火剂灭火。

重大火灾

- 使用干粉、二氧化碳灭火剂灭火，或从该区域撤出，任其燃烧。
- 只有在包装完好的情况下才能用水灭火。
- 不要让水接触溢出物或进入容器内。
- 一定要远离被火吞没的容器。
- 在最大距离外灭火或使用遥控水炮或远控炮。

溢出或泄漏

- 不要触碰破损的包装件或泄漏物。
- 防止水接触溢出物或进入容器内。
- 在没有着火或冒烟情况下，通过在事故发生部位觉察到的蒸气和所形成的残留物作为判断泄漏的证据。
- 喷洒细水雾可减少蒸气的产生或改变蒸气云流向；不要让水流接触溢出物。

- 残留物的形成和集聚可自行封闭容器的细小泄漏部位。
- 在溢出物前方构筑堤坝以收集排放物。

急救

- 参阅“急救指导通用要求”。

急救指导特殊要求：

- 优先考虑医疗问题，再考虑辐射危害问题。
- 根据伤情的性质，采用急救处理。
- 当皮肤接触到氟化氢气体和/或氢氟酸时，如身边有葡萄糖酸钙凝胶，请用水冲洗 5 分钟，再涂上凝胶。否则继续冲洗直到获得医疗救治为止。
- 不要耽误重伤员的护理和转移。

指南 167　预留空白页

本指南卡暂无可资参考的资料。

指南 168　一氧化碳（冷冻液体）

潜 在 危 险

健康

- 有毒；危害性极大。
- 吸入极其危险；可能致命。
- 与气体、液化气体或低温液体接触可能导致灼伤、严重伤害和/或冻伤。
- 无气味，嗅觉感受不到。

火灾或爆炸

- 极其易燃。

注意：火焰看不见。可采用一种替代方法进行检测（热感摄像仪、扫把柄等）。

- 可能被高温、火花或明火点燃。
- 容器遇热可能引起爆炸。
- 在室内、室外或下水道内有蒸气爆炸和中毒危险。
- 液化气体产生的蒸气初期比空气重并沿地面扩散。
- 蒸气会扩散到火源处并反射回来。
- 排放可能产生火灾或爆炸危险。

公众安全

- 首先拨打119，然后拨打货运单上的应急电话。如果货运单上无电话号码或电话无人接听，可以拨打本指南第五部分附录一中有关应急救援机构的救援电话。
- 让无关人员远离。
- 停留在上风向、上坡和/或上游地区。
- 很多气体比空气重，会沿着地面扩散，并在低洼地区或封闭区域（下水道、地下室、槽罐等）聚集。
- 进入密闭空间前必须通风，并经过适当的培训，配有合适的装备。

防护用品

- 穿戴正压自给式呼吸器（SCBA）。
- 没有火灾危险时，穿戴制造商专门推荐的化学防护服。
- 一般的消防员防护服主要提供隔热防护，仅能提供有限的化学防护。

- 当操作冷冻/低温液体时切记穿着保温服。

疏散

紧急预防措施

- 物质溢出或泄漏区域四周隔离距离至少 100m。

泄漏

- 见表 4-1 初始隔离距离和防护距离。

火灾

- 如果槽罐、铁路或公路罐车着火，应与四周保持 800m 的初始隔离距离；同时考虑从隔离区向四周初步撤离 800m。

应急响应

火灾

注意：火焰看不见。可采用一种替代方法进行检测（热感摄像仪、扫把柄等）。

- 除非可以阻止气体泄漏，否则请勿扑灭泄漏气体火灾。

轻微火灾

- 使用干粉灭火剂、二氧化碳灭火剂或喷水。

重大火灾

- 喷水、喷水雾或普通泡沫灭火剂。
- 在没有危险的情况下，将未损坏的容器搬离火灾现场。

槽罐着火

- 在最大距离外灭火或使用遥控水炮或远控水炮。
- 用大量水冷却容器，直到火被完全扑灭。
- 不要将水淋向泄漏口或安全装置，以防结冰。
- 发现槽罐变色或排气安全阀发出的声响增大时应立

刻撤离。

- 一定要远离被火吞没的容器。

溢出或泄漏

- 消除泄漏区域内所有火源（禁止吸烟、闪光、火花或其他明火）。
- 处置物品时使用的所有设备必须接地。
- 不要接触泄漏物或在泄漏物上行走。
- 在确保安全前提下，终止泄漏。
- 通过喷水降低蒸气浓度或改变蒸气云的流向。避免让排放水流接触泄漏物。
- 请勿将水直接洒到溢出口或泄漏源。
- 如果可能，转动泄漏容器，让气体而不是液体溢出。
- 防止溢出物或泄漏物进入河道、下水道、地下室或封闭区域。
- 隔离区域直到气体完全扩散。

急救

- 参阅“急救指导通用要求”。

急救指导特殊要求：

- 如果接触液化气体，只能由医务人员试着解冻被冻伤部位。

指南 169　铝（熔融状态）

潜在危险

火灾或爆炸

- 此类物质在 705℃以上的熔融状态下运输。

• 遇水剧烈反应；接触可能引起爆炸或可能产生易燃气体。

• 能点燃可燃物品（木材、纸张、油类、碎屑等）。

• 与硝酸盐或其他氧化剂接触可能引起爆炸。

• 接触容器或其他材料，包括冷、湿或脏的工具，可能引起爆炸。

• 与混凝土接触会导致其剥落和产生小裂痕。

健康

• 皮肤或眼睛接触后可引起严重灼伤。

• 火灾可能产生刺激性和/或毒性气体。

公众安全

• 首先拨打119，然后拨打货运单上的应急电话。如果货运单上无电话号码或电话无人接听，可以拨打本指南第五部分附录一中有关应急救援机构的救援电话。

• 停留在上风向、上坡和/或上游地区。

• 让无关人员远离。

• 进入密闭空间前必须通风；进入人员经过适当的培训，并配有合适的装备。

防护用品

• 穿戴正压自给式呼吸器（SCBA）。

• 穿着一般阻燃型防护服，包括面罩、头盔、手套，这种防护服仅能提供有限的热防护。

疏散

紧急预防措施

• 物质溢出或泄漏区域四周隔离距离至少50m。

应急响应

火灾

- 除非在危及生命的情况下，才可以用水，而且只能喷细水。
- 不要使用卤代烃类灭火剂或泡沫灭火剂灭火。
- 如果可以，在没有危险的情况下将可燃物移出液体溢流的路径。
- 采用适合燃烧物的方法，扑灭由熔融物引发的火灾。使水、卤代烃类灭火剂和泡沫灭火剂远离熔融铝。

溢出或泄漏

- 不要接触泄漏物或在泄漏物上行走。
- 因为有爆炸危险，所以不要尝试去阻止泄漏。
- 将可燃物（木材、纸张、油类等）远离泄漏物。
- 该物质流动性强、扩散速度快，并且可能会飞溅，不要试图用铁锹或其他物体阻止其流动。
- 在泄漏物外围构筑堤坝；使用干沙遏制物质的流动。
- 如有可能，让熔融物质自然凝固。
- 即使材料凝固后也避免接触。熔融状态、加热的和冷的铝看起来都一样；除非你知道它被冷却，否则不要接触。
- 物质凝固后，在专家的监督下进行清理。

急救

- 参阅“急救指导通用要求”。

急救指导特殊要求：

- 从皮肤上移除固化的熔融物质需要医疗协助。

指南 170　金属（粉末、粉尘、刨花、钻粉、镟屑或切屑等）

潜在危险

火灾或爆炸

- 遇水可能发生剧烈或爆炸性反应。
- 有些物质以易燃液体进行运输。
- 可能被摩擦、热源、火花或明火点燃。
- 有些物质在高温下会燃烧。
- 粉尘或烟雾可能与空气形成爆炸性混合物。
- 容器遇热可能引起爆炸。
- 火灾扑灭后可能复燃。

健康

- 金属火灾产生的氧化物严重危害健康。
- 吸入或接触该类物质或其分解物可导致严重伤害或死亡。
- 火灾可能会产生刺激性、腐蚀性和/或毒性气体。
- 排放的消防用水或稀释用水可能导致环境污染。

公众安全

- 首先拨打119，然后拨打货运单上的应急电话。如果货运单上无电话号码或电话无人接听，可以拨打本指南第五部分附录一中有关应急救援机构的救援电话。
- 停留在上风向、上坡和/或上游地区。

• 让无关人员远离。

防护用品

• 穿戴正压自给式呼吸器（SCBA）。

• 一般的消防员防护服主要提供隔热防护，仅能提供有限的化学防护。

疏散

紧急预防措施

• 液体物质泄漏区域四周隔离距离至少 50m，固体物质撒漏区域四周隔离距离至少 25m。

大量泄漏

• 考虑下风向初始疏散距离至少 50m。

火灾

• 如果槽罐、铁路或公路罐车着火，应与四周保持 800m 的初始隔离距离；同时考虑从隔离区向四周初步撤离 800m。

应急响应

火灾

• 不要用水、泡沫灭火剂或二氧化碳灭火剂灭火。

• 用水扑灭金属火灾会产生氢气，这是一种危险性极大的爆炸性危害物，尤其当火灾发生在封闭空间（如建筑物、货舱等）时。

• 用干沙、石墨粉、干式氯化钠灭火器或 D 类灭火器灭火。

• 采用封闭和窒息法扑灭金属火灾比用水更好。

• 在没有危险的情况下，将未损坏的容器搬离火灾现场。

槽罐、铁路或公路罐车着火

- 如果无法扑灭火灾，应保护周围环境，并让火自行燃烧熄灭。

溢出或泄漏

- 消除泄漏区域内所有火源（禁止吸烟、闪光、火花或其他明火）。
- 不要接触泄漏物或在泄漏物上行走。
- 在确保安全前提下，终止泄漏。
- 防止溢出物或泄漏物进入河道、下水道、地下室或封闭区域。

急救

参阅“急救指导通用要求”。

指南 171　低至中等危害物质

潜在危险

火灾或爆炸

- 有些物质能够燃烧但都不易点燃。
- 容器遇热可能引起爆炸。
- 有些可能在炽热状态下运输。
- 非对称电容器（UN3508）是以带电状态运输，注意可能发生短路。
- 聚苯乙烯珠粒料（UN2211），会膨胀并可能释放出易燃蒸气。

健康

- 吸入此类物质有害。
- 接触会灼伤皮肤和眼睛。
- 吸入石棉粉尘可能对肺部造成伤害。
- 火灾可能会产生刺激性、腐蚀性和/或毒性气体。
- 有些液体产生的蒸气可能会导致眩晕或窒息。
- 消防用水或稀释用水的排放可能导致环境污染。

公众安全

- 首先拨打119，然后拨打货运单上的应急电话。如果货运单上无电话号码或电话无人接听，可以拨打本指南第五部分附录一中有关应急救援机构的救援电话。
- 让无关人员远离。
- 停留在上风向、上坡和/或上游地区。

防护用品

- 穿戴正压自给式呼吸器（SCBA）。
- 一般的消防员防护服主要提供隔热防护，仅能提供有限的化学防护。

疏散

紧急预防措施

- 液体物质泄漏区域四周隔离距离至少50m，固体物质撒漏区域四周隔离距离至少25m。

泄漏

- 对于吸入毒性危害物质：见表4-1初始隔离距离和防护距离。
- 对于非吸入毒性危害物质：根据需要，在下风向增加紧急预防措施的隔离距离。

火灾

- 如果槽罐、铁路或公路罐车着火，应与四周保持 800m 的初始隔离距离；同时考虑从隔离区向四周初步撤离 800m。

应急响应

火灾

注意：处于火灾中的安全装置（UN3268）和灭火剂分散装置（UN3559）可能会延迟启动并有抛射危险。在安全距离外灭火。

轻微火灾

- 使用干粉灭火剂、二氧化碳灭火剂、普通泡沫灭火剂或喷水。

重大火灾

- 喷水、喷水雾或普通泡沫灭火剂。
- 不要用高压水枪将泄漏物冲散。
- 在没有危险的情况下，将未损坏的容器搬离火灾现场。
- 对消防控制产生的排放物构筑堤坝以便后续处理。

槽罐着火

- 用大量水冷却容器，直到火被完全扑灭。
- 发现槽罐变色或排气安全阀发出的声响增大时应立刻撤离。
- 一定要远离被火吞没的容器。

溢出或泄漏

- 不要接触泄漏物或在泄漏物上行走。
- 在确保安全前提下，终止泄漏。

• 防止粉尘云团形成。

• 对于石棉，避免吸入粉尘。用塑料布或防水布覆盖溢出物，以减少扩散。应在有关专家指导下清理或处理现场。

少量干散物质洒漏

• 用干净的铲子将此类物质放入清洁、干燥的容器，不要盖紧；然后将容器移出洒漏区。

少量泄漏

• 用沙子或其他不燃吸附材料吸收后放入容器，以便后续处理。

大量泄漏

• 在泄漏液体外围构筑堤坝以便后续处理。

• 用塑料布或防水布覆盖粉末溢出物以减少扩散。

• 防止溢出物或泄漏物进入河道、下水道、地下室或封闭区域。

急救

参阅“急救指导通用要求”。

指南 172 镓和汞

潜在危险

健康

• 吸入蒸气或接触此类物质，可导致污染和潜在的有害反应。

• 火灾会产生刺激性、腐蚀性和/或毒性气体。

火灾或爆炸

• 不可燃；物质本身不会燃烧，但遇热可能反应产生腐蚀性和/或有毒烟雾。

- 排放可能污染水体。

公众安全

- 首先拨打119，然后拨打货运单上的应急电话。如果货运单上无电话号码或电话无人接听，可以拨打本指南第五部分附录一中有关应急救援机构的救援电话。
- 停留在上风向、上坡和/或上游地区。
- 让无关人员远离。

防护用品

- 穿戴正压自给式呼吸器（SCBA）。
- 一般的消防员防护服主要提供隔热防护，仅能提供有限的化学防护。

疏散

紧急预防措施

- 物质溢出或泄漏区域四周隔离距离至少50m。

大量泄漏

- 考虑下风向至少100m的初始疏散距离。

火灾

- 如果火灾中涉及大型容器，考虑从隔离区向四周初步撤离500m。

应急响应

火灾

- 使用适合周围火灾类型的灭火剂。
- 不要将水喷洒到已加热的金属表面。

溢出或泄漏

- 不要接触泄漏物或在泄漏物上行走。
- 除非穿戴适当的防护服，否则不要触碰损坏的容器或泄漏物质。
- 在确保安全前提下，终止泄漏。
- 防止溢出物或泄漏物进入河道、下水道、地下室或封闭区域。
- 不要使用钢制或铝制的工具或设备。
- 用泥土、沙子或其他不燃材料覆盖，再加盖一层塑料布，以防止泄漏物扩散或与雨水接触。
- 对于汞，使用汞泄漏套装。
- 在汞泄漏区域可用硫化钙或硫代硫酸钠清洗剂处理，以中和任何残留的汞。

急救

参阅“急救指导通用要求”。

指南 173 吸附气体——毒性❶

潜在危险

健康

- 有毒；如果吸入或经皮肤吸收可能致命。
- 蒸气可能具有刺激性。
- 与气体接触可能导致灼伤和伤害。

❶ 有些物质可能具有易燃性、腐蚀性和/或氧化性。

- 火灾会产生刺激性、腐蚀性和/或毒性气体。
- 排放的消防用水或稀释用水可能导致环境污染。

火灾或爆炸

- 有些气体可能燃烧，或被高温、火花或明火点燃。
- 可与空气形成爆炸性混合物。
- 氧化剂可点燃可燃物（木材、纸张、油类、衣物等），但由于运输压力低而不易被点燃。
- 蒸气会扩散到火源处并反射回来。
- 其中一些物质遇水可能会发生剧烈反应。
- 处于火灾中的气瓶可能通过泄压装置发泄和释放有毒易燃气体。
- 排放可能产生火灾危害。

公众安全

- 首先拨打119，然后拨打货运单上的应急电话。如果货运单上无电话号码或电话无人接听，可以拨打本指南第五部分附录一中有关应急救援机构的救援电话。
- 让无关人员远离。
- 停留在上风向、上坡和/或上游地区。
- 很多气体比空气重，会沿着地面扩散，并在低洼地区或封闭区域（下水道、地下室、槽罐）聚集。
- 进入密闭空间前必须通风，并经过适当的培训，配有合适的装备。

防护用品

- 穿戴正压自给式呼吸器（SCBA）。
- 没有火灾危险时，穿戴制造商专门推荐的化学防护服。

• 一般的消防员防护服主要提供隔热防护，仅能提供有限的化学防护。

疏散

紧急预防措施

• 物质溢出或泄漏区域四周隔离距离至少 100m。

泄漏

• 见表 4-1 初始隔离距离和防护距离。

火灾

• 如果有轨车辆或公路拖车上的一些小包装着火，应与四周保持 1600m 的隔离距离；同时考虑从隔离区向四周初步撤离 1600m。

应急响应

火灾

• 除非可以阻止气体泄漏，否则请勿扑灭泄漏气体火灾。

轻微火灾

• 用干粉灭火剂、二氧化碳灭火剂、抗溶泡沫灭火剂或喷水灭火。

• 对 UN3515、UN3518、UN3520，只能用水灭火；不能用干粉灭火剂、二氧化碳灭火剂或卤代烷（哈龙）灭火剂。

重大火灾

• 喷水、喷水雾或用抗溶泡沫灭火剂灭火。

• 防止水流入容器内。

• 在没有危险的情况下，将未损坏的容器搬离火灾现场。

• 破损的容器仅能由专业人员处理。

有轨车辆或公路拖车上的一些小包装着火

• 在最大距离外灭火或使用遥控水炮或远控水炮。

• 用大量水冷却容器，直到火被完全扑灭。

• 不要将水淋向泄漏口或安全装置。

• 发现槽罐变色或排气安全阀发出的声响增大时应立刻撤离。

• 一定要远离被火吞没的容器。

溢出或泄漏

• 有些气体可能具有易燃性。消除泄漏区域内所有火源（禁止吸烟、闪光、火花或其他明火）。

• 对于易燃气体，处置物品时使用的所有设备必须接地。

• 对于氧化性物质，将易燃物（木材、纸张、油类等）远离泄漏物。

• 不要接触泄漏物或在泄漏物上行走。

• 在确保安全前提下，终止泄漏。

• 请勿将水直接洒到溢出口或泄漏源。

• 通过喷水降低蒸气浓度或改变蒸气云的流向。避免让排放水流接触泄漏物。

• 防止溢出物或泄漏物进入河道、下水道、地下室或封闭区域。

• 隔离区域直到气体完全扩散。

急救

- 参阅“急救指导通用要求”。

急救指导特殊要求：

- 万一发生灼伤，请立即用冷水尽可能长时间地冷却受影响的皮肤。如果衣服粘附在皮肤上切勿脱下。

指南 174　吸附气体——易燃性或氧化性

潜在危险

火灾或爆炸

- 一些气体会被高温、火花或明火点燃。
- 物质不燃但可以助燃。
- 蒸气会扩散到火源处并反射回来。
- 暴露在火中的气瓶可能会通过泄压装置发泄并释放可燃气体。
- 容器长时间暴露在火焰中直接烘烤可能发生爆炸，尤其是在封闭情况下。

健康

- 蒸气可在毫无征兆情况下导致头晕或窒息。
- 吸入某些较高浓度气体时可能产生刺激性。
- 与气体接触可能导致灼伤和伤害。
- 火灾可能产生刺激性和/或毒性气体。

公众安全

- 首先拨打 119，然后拨打货运单上的应急电话。如果

货运单上无电话号码或电话无人接听，可以拨打本指南第五部分附录一中有关应急救援机构的救援电话。

- 让无关人员远离。
- 停留在上风向、上坡和/或上游地区。
- 很多气体比空气重，会沿着地面扩散，并在低洼地区或封闭区域（下水道、地下室、槽罐）聚集。
- 进入密闭空间前必须通风，并经过适当的培训，配有合适的装备。

防护用品

- 穿戴正压自给式呼吸器（SCBA）。
- 一般的消防员防护服主要提供隔热防护，仅能提供有限的化学防护。

疏散

紧急预防措施

- 物质溢出或泄漏区域四周隔离距离至少 100m。

大量泄漏

- 考虑下风向情况初始疏散距离至少 800m。

火灾

- 如果有轨车辆或公路拖车上的一些小包装着火，应与四周保持 1600m 的隔离距离；同时考虑从隔离区向四周初步撤离 1600m。

应急响应

火灾

- 除非可以阻止气体泄漏，否则请勿扑灭泄漏气体火灾。

• 使用适合周围火灾类型的灭火剂。

轻微火灾

• 用干粉灭火剂或二氧化碳灭火剂灭火。

重大火灾

• 喷水或喷水雾。

• 在没有危险的情况下，将未损坏的容器搬离火灾现场。

• 破损的容器仅能由专业人员处理。

有轨车辆或公路拖车上的一些小包装着火

• 在最大距离外灭火或使用遥控水炮或远控水炮。

• 用大量水冷却容器，直到火被完全扑灭。

• 不要将水淋向泄漏口或安全装置。

• 发现槽罐变色或排气安全阀发出的声响增大时应立刻撤离。

• 一定要远离被火吞没的容器。

• 在遇到特大火势时，使用遥控水炮或远控水炮；如果不可行，撤离火灾区域让其自行燃烧。

溢出或泄漏

• 对于易燃气体，消除泄漏区域内所有火源（禁止吸烟、闪光、火花或其他明火）。

• 对于氧化性物质，将易燃物（木材、纸张、油类等）远离泄漏物。

• 处置物品时使用的所有设备必须接地。

• 不要接触泄漏物或在泄漏物上行走。

• 在确保安全前提下，终止泄漏。

• 通过喷水降低蒸气浓度或改变蒸气云的流向。避免让排放水流接触泄漏物。

- 请勿将水直接洒到溢出口或泄漏源。
- 防止蒸气通过下水道、通风系统和密闭区域扩散。
- 为该区域通风。
- 隔离区域直到气体完全扩散。

急救

- 参阅“急救指导通用要求”。

急救指导特殊要求：

- 万一发生灼伤，请立即用冷水尽可能长时间地冷却受影响的皮肤。如果衣服粘附在皮肤上切勿脱下。

第四部分

吸入毒性危害物质及其他

第一节 初始隔离和防护距离表

表 4-1 初始隔离和防护距离表列出了推荐用于保护有关人员免受以下物质泄漏后产生的蒸气或气体伤害的距离。这些物质可分为：

① 吸入毒性危害物质；

② 与水反应产生毒性气体的物质；

吸入毒性物质（TIH）是在该物质扩散过程中，已知对人类有害并形成威胁健康的气体或挥发性液体；或虽对人类健康影响未知、但按实验结果其致病浓度达到 5000×10^{-6} 或以上，其毒性有可能对人类产生不利影响的物质。实际上，与水反应产生毒性气体的物质和化学毒剂都属于吸入毒性危害物质。

表 4-1 所列初始隔离和防护距离是在专业应急救援人员尚未到达事故现场情况下仅为最先到达事故现场应急救援人员提供的初步指导建议。对于上述每一种物质，应急救援人员可按如下区域获知距离：

- **初始隔离区**，是指发生事故后，在事故初始发生地上风向人员可能接触毒性气体和下风向人员生命受到威胁的区域。
- **防护区**，是指在事故发生地下风向，人员因丧失能力而不能采取保护行动，可能引起严重或不可逆健康危害的区域。

表 4-1 还分别列出事故涉及时态（白天或夜晚）、危险品泄漏量（少量泄漏或大量泄漏）等情况时所应获取的具体建议距离。

本指南不包含距离调整之类精准指导内容，只给出了一般性指导建议。初始隔离和防护距离的调整应由事故现场专业应急救援人员结合事故具体情况并根据诸多相关影响因素进行。

第二节　确定防护距离的主要因素

1. 火灾

本指南第三部分应急指南卡列有疏散和灭火条目。这两个条目都清楚地标示出为防止大型容器碎裂危险所需的疏散距离。在危险货物着火情况下，火灾或爆炸所造成的危害可能比毒性危害更为严重。在此情况下，应选用火灾危害情况下的距离作为隔离距离。表4-1应用来防护下风向人员对于残留物质的释放。

2. 最糟糕情况：恐怖主义、蓄意破坏或灾难性事故

本指南推荐的初始隔离距离和防护距离均源于历次发生事故的统计以及数学模型的计算。在最糟糕情况下，即如果发生诸如恐怖主义、蓄意破坏或灾难性事故情况，有可能造成整个包装全部内容物瞬时释放，此时的初始隔离距离和防护距离可加大。对于此类事件，在其他信息不明情况下，可将初始隔离距离和防护距离增大一倍。

3. 多个大包装发生泄漏

如果事故中有多个装有吸入毒性危害物质的铁路罐车、公路罐车、移动罐箱或大型气瓶发生泄漏，或许需要考虑按大量泄漏情况加大初始隔离距离和防护距离。

4. 需要加大防护距离的其他因素

① 凡表列危险货物防护距离大于11km的，在一定的气象条件下，其实际需要的防护距离可能更大。

② 如果危险货物的蒸气涡旋被局限在峡谷或在高层建

筑群间流动，由于此时的涡旋难以与大气接触混合，实际所需防护距离可能大于表列距离。

③ 如果泄漏发生在白天，在获知处于强烈逆温层气象、积雪地区或接近黄昏等情况下，由于大气污染物混合、扩散速度缓慢，而遇顺风情况则扩散距离更远，因此需要加大防护距离。在此情况下，选取夜晚防护距离可能更合适。

④ 如果泄漏液体温度或室外气温超过 30℃时，防护距离也可以加大。

5. 遇水反应的物质

表 4-1 初始隔离和防护距离表还列有遇水反应产生大量毒性气体的物质。注意：某些遇水反应物质还是吸入毒性物质（TIH 气体），当其泄漏到水中，会产生另一种吸入毒性危害物质［例如三氟化溴（UN1746）、亚硫酰氯（UN1836）等］。表 4-1 同时列出了此类物质泄漏在水中和陆地时的初始隔离距离和防护距离。如果不知道泄漏究竟是发生在水中还是陆地，或泄漏在水中和陆地都有可能发生，则选用较大的防护距离。

表 4-2 遇水反应产生毒性气体物质列出了泄漏到水中会产生大量 TIH 气体以及泄漏到水中产生毒性气体的物质。

注意：表 4-2 所列遇水反应所产生的 TIH 气体仅供参考。表 4-1 所列初始隔离距离和防护距离已经考虑了这些遇水反应产生吸入毒性危害气体物质的情况。当某一遇水反应产生吸入毒性危害气体的物质泄漏到河流或者溪流时，毒性气体的源流可能顺流而下漂流很远。

6. 6 种常见吸入毒性危害物质

表 4-3 常见吸入毒性危害物质初始隔离和防护距离表列出了以下 6 种常见的吸入毒性危害物质在不同类型运输容器

（不同容积）、不同时态（白天和夜晚）、不同风速（微风、和风、大风）并发生大量泄漏（泄漏量大于 208L）情况下的初始隔离距离和防护距离：

① UN1005 无水氨；

② UN1017 氯；

③ UN1040 环氧乙烷和 UN1040 含氮环氧乙烷；

④ UN1050 无水氯化氢和 UN2186 冷冻液态氯化氢；

⑤ UN1052 无水氟化氢；

⑥ UN1079 二氧化硫。

第三节　防护措施

1. 与防护措施有关的术语含义及要求

（1）防护措施　是指在发生危险货物/有害物质泄漏事故期间针对应急救援人员和公众健康所采取的保护性措施。

表 4-1 初始隔离和防护距离预设了受毒气云影响的区域范围。处于该区域的人员应当撤离或就地躲避在建筑物内。

（2）危害隔离区与禁止进入区　是指除直接参与应急救援人员外应予远离的区域。未采取防护措施的应急救援人员也应禁止进入该区域。

“隔离”是对这一区域实施控制的重要任务，也是所有防护措施的第一步。

（3）疏散　是指将所有人员从危险区域转移到安全区域。做好疏散工作，必须有充足的时间向人们报警，做准备并撤离该区域。如果时间充裕，疏散是一种最好的防护措施。要先疏散离事故发生地最近的人群和那些能直接看到事故现场的室外人群。随着更多救援力量的到来，可按本指南推荐范围将疏散地区扩大到下风向和交叉风向地区。即使人们已经被疏散到推荐距离外，并非意味着完全排除了危险。因此，在这样的距离条件下不允许人们聚集在一起，而应通过特殊途径将疏散人群送达某个足够远的地方，确保他们即使是在风向改变的情况下也无须再转移。

（4）就地躲避　是指人们应该在建筑物内寻找并利用庇护场所并一直躲避到危险结束。对于先期到达的应急救援人员来说，与就地躲避人员保持通讯联系非常重要，这样可使他们了解到室外不断变化的情况。就地躲避措施适合在公众疏散比就地躲避更危险和不能安全地实行疏散措施情况下实行。

就地躲避人员应被告知：①关闭所有门、窗；②关停所有通风、供暖和制冷系统；③远离窗户，防止火灾或爆炸产生的碎玻璃和金属碎片伤害到身体；④用胶带或湿布密封门、窗和通风口周围的裂缝；⑤收听当地媒体，待在室内直到应急救援人员告知可以安全离开；⑥用湿布呼吸，直到警报解除。

如果车窗及通风系统关闭，车辆可以在短时间内提供一些保护。在就地躲避保护方面，车辆远不如建筑物有效。

2. 防护措施的选择要素

防护措施的选择取决于许多因素。在某些情况下，疏散是最好的选择，在无法疏散的情况下，应先找个安全地方躲避。有时，可同时使用这两种措施。面临紧急情况，应急指挥人员应当及时告知公众。在对公众进行疏散或者就地躲避时，需要不断给出信息和指导。

对事故相关重要因素进行适当评估有利于提高所采取保护措施的有效性。一些因素重要与否因事故情形而定。如果应对某一具体事故，可能还需要查明和考虑其他一些因素。一般情况下做初始决定时需要考虑以下因素：

（1）关于危险货物/有害物质

① 对健康的危害程度；

② 理化性质；

③ 数量大小；

④ 释放量和可控制程度；

⑤ 气体扩散速度。

（2）关于事故危及人群

① 位置；

② 人数；

③ 可用来疏散或者就地躲避的时间；

④ 控制疏散或者就地躲避的能力；

⑤ 建筑物类型及可利用程度；

⑥ 特殊机构或群体（如救济机构、医院、监狱）情况。

（3）关于气象条件

① 对水汽和云雾扩散的影响；

② 变化的可能性；

③ 对疏散或就地躲避的影响。

注意： 所有危险货物/有害物质事故的情形都不尽相同。每个事故都有其自身特点和原因。应当审慎选择公众防护措施。本节内容对于如何采取公众防护措施可以提供初步帮助。有关监管部门及应急救援人员应当持续收集事故信息和监控现场形势，直到事故威胁彻底消除。

下表可帮助判断适合采取疏散措施还是就地躲避措施。

考虑疏散	考虑就地躲避
溢出的气体是易燃气体	溢出的气体是有毒气体 且人员在疏散过程中有可能中毒
建筑物不能密闭	通过关闭所有窗户和通风系统， 使建筑物能迅速密闭
气体持续溢出且积聚在地面 或溢出的气体在本区域消散需时很长	溢出的气体迅速在空中 上升或迅速消散
人员处于室外	人员处于室内
需要疏散的人数很少	对现有资源来说，需要疏散的人数很多
事故威胁看起来稳定且持久	情况变化太快，无法安全疏散

第四节　初始隔离和防护距离表的背景资料

本指南所列初始隔离和防护距离的选取，需要考虑危险货物泄漏是发生在白天还是夜晚、是大量泄漏还是少量泄漏等情况。这些内容就其本质来说属于统计性的，并根据最先进的大气污染物排放速率和扩散模型、美国运输部危险品信息系统（HMIS）数据库发布的统计数据以及美国、加拿大和墨西哥的120多个城市的气象观测资料和最新的毒理学暴露指南等分析、计算和归纳而成。

对于每一种化学品，通过对上千次假想泄漏情形建模，以计算出化学品释放量在不同大气条件下的统计差异。基于该统计分析样本，为表4-1所列每一化学品及相应类别选取了具有相对较高保护水平的防护距离。

以下简要介绍一下分析过程及相关情况。有关初始隔离距离和防护距离计算方法和数据采集的研究报告或资料可向美国运输部管道和危险品安全管理署索取。

1. 化学品在大气中**释放量和排放速率**的统计建模

主要基于以下条件：

① 美国运输部危险品信息系统（HMIS）数据库提供的数据；

② 美国联邦法典第 49 卷第 172. 101 节和 173 章关于容器类型和尺寸的规定；

③ 每一危险品的物理特性；

④ 来自历史数据库的大气数据。

对于可能瞬间形成蒸气/气溶胶混合物和蒸发池的液化气体，排放模型计算了以下一项或两项：

① 地面蒸发池蒸发释放出的蒸气；

② 直接从容器中释放出的蒸气。

排放模型还计算了遇水反应物质泄漏到水中所产生的副产品——毒性蒸气的排放量。

少量泄漏为 208L 或以下；大量泄漏超过 208L。

2. 对建模案例逐一估算了**蒸气下风向分散情形**

利用美国、加拿大和墨西哥 120 个城市的逐时气象数据数据库，选取了影响分散和排放速率的大气参数。分散计算同时考虑了以下因素：

① 从泄漏源头开始的随时间变化的排放速率；

② 蒸气羽流密度（即重气效应）。

由于夜间扩散的蒸气羽流与大气混合的效果比较差，故将白天和夜间扩散情况分开来考虑。在表 4-1 中，“白天”是指日出至日落之间的时段，而“夜间”则是指日落至日出之间的时段。

下风向距离主要是根据化学品毒理学短期暴露指南来确

定的。下风向距离的大小关系到人们是否丧失能力、能否采取保护措施或在经历或暴露于一次罕见的事故后其健康是否受到严重危害等。如果可能的话，毒理学暴露指南具体数值可从 AEGL-2（急性暴露指南水平 2）或 ERPG-2（应急响应计划指南 2）中选取，而 AEGL-2 数值为首选。对于缺少 AEGL-2 或 ERPG-2 数据的危险品来说，可根据动物研究中得出的致死浓度限值来估算应急响应指南数据。这个方法是由工业界和学术界的毒理学专家组成的独立小组推荐的。

第五节　如何使用表 4-1 确定初始隔离距离和防护距离

（1）应急救援人员须知：

① 按照 UN 号和危险货物名称确定危险货物（如果不知道 UN 号，可使用本指南中文名称索引表来寻找其 UN 号）；

② 对中文名称索引表（或 UN 号索引表）中带有灰色标记的危险货物（即吸入毒性危害物质）进行确认，否则，表 4-1 不适用；

③ 查询危险货物对应的 3 位数应急指南卡号码以便协调执行该指南卡和表 4-1 推荐的应急救援措施；

④ **注意风向。**

（2）在表 4-1 初始隔离和防护距离中查找事故所涉及危险货物的 UN 号和名称。对于那些一个 UN 号下有 2 个以上运输名称的危险货物，要查询其具体技术名称。如果不清楚危险货物运输名称，并且表 4-1 对同一个 UN 号列有多个名称时，可采用防护距离最大的条目。

（3）判定泄漏量的大小和事故发生时段（白天或夜晚）。

泄漏量在 208L 及以下的为少量泄漏，这种情况通常对应于单一小包装（如桶）和小气瓶的泄漏或大包装的少量泄漏。泄漏量大于 208L 的为大量泄漏，一般包括大包装的泄漏或多个小包装的多重泄漏。白天是指日出后至日落前之间的时段，夜晚则是指日落后至日出前之间的时段。

（4）查找初始隔离距离。这个距离是从泄漏中心点到初始隔离区边缘任一边界点的半径范围，如图 4-1 所示。在初始隔离区域需要穿戴防护服和使用呼吸保护器具。应按照表 4-1 规定的最小隔离距离并沿垂直于风向的方向（侧风向）疏散公众，使其远离泄漏物。

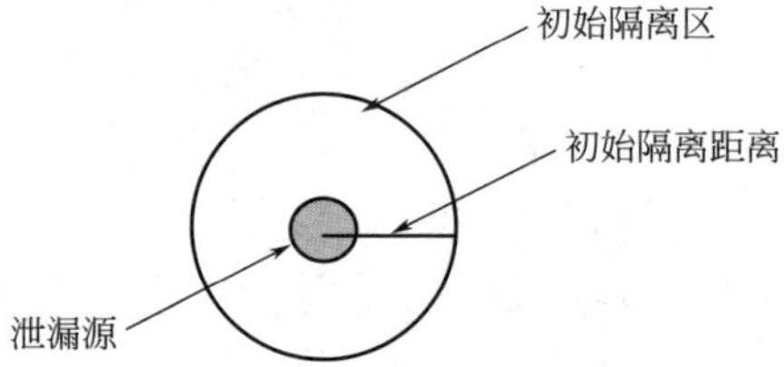

图 4-1　初始隔离区示意图

（5）查找表 4-1 中列出的防护距离。在已知危险货物名称和特性、泄漏程度和事故发生时段情况下，可从表 4-1 查出以公里为单位的需要从泄漏源开始考虑采取防护措施的下风向距离。实际上，需要采取防护措施的区域（也就是人们暴露于危险环境中的地方）是一个正方形区域，其边长与列在表 4-1 中的下风向距离是一样的。这些防护措施是用来保护应急救援人员和公众安全与健康所必须采取的步骤。在该区域的人们应予疏散或就地躲避。请参阅本指南第四部分第二节确定防护距离的主要因素和第三节防护措施有关内容。

（6）尽可能从最接近泄漏源地方采取防护措施，在下风向工作时要远离泄漏源。当某种遇水反应产生吸入毒性危害气体的物质泄漏并流入河流或溪流时，毒性气体的源头可能随水流而漂移或从泄漏点开始顺流而下并漂流很远。

应当采取防护措施的区域（即防护区）如图 4-2 所示。泄漏物质位于黑色圆圈中心。较大圆圈所包围的区域代表泄漏源周围的初始隔离区。正方形围成的区域是需要采取保护措施的防护区。

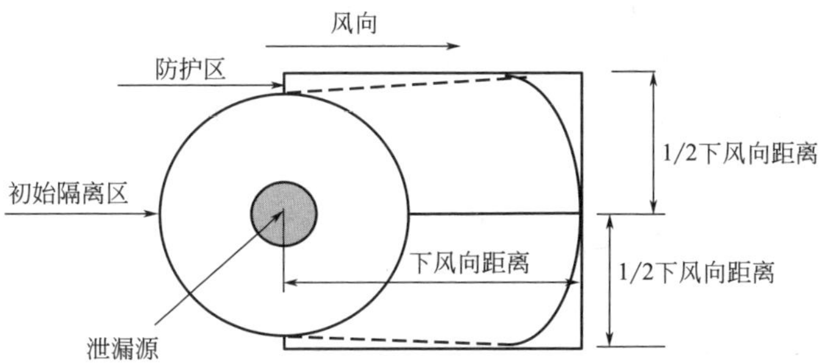

图 4-2　防护区示意图

如欲咨询和了解更多涉及事故危险货物的相关信息、安全措施和处置程序，应当尽快拨打货运单上的应急救援电话或者联系有关应急机构。

注：1. 涉及防护距离增大或减小的因素，可查阅“初始隔离和防护距离表”。

2. 对于表 4-1 注有“泄漏在水中”的物质，可参阅表 4-2（遇水反应产生有毒气体物质）。表 4-2 所列吸入毒性危害气体仅供参考。

3. 如果发生诸如恐怖主义、蓄意破坏或灾难性事故情况，有可能造成整个包装全部内装物瞬间释放，此时的初始隔离距离和防护距离应增大一倍。

表 4-1　初始隔离和防护距离表

UN号	指南号	中文名称	英文名称	少量泄漏			大量泄漏		
				初始隔离距离（向四周）/m	人员防护距离（下风向）/km		初始隔离距离（向四周）/m	人员防护距离（下风向）/km	
					白天	夜晚		白天	夜晚
1005	125	无水氨 氨	Ammonia,anhydrous Anhydrous ammonia	30	0.1	0.2	参考表 4-3		
1008	125	三氟化硼 压缩三氟化硼	Boron Trifluoride Boron Trifluoride,compressed	30	0.2	0.7	400	2.4	4.7
1016	119	压缩一氧化碳	Carbon monoxide,compressed	30	0.1	0.2	200	1.2	3.9
1017	124	氯	Chlorine	60	0.3	1.5	参考表 4-3		
1026	119	氰	Cyanogen	30	0.1	0.4	60	0.3	1.1
1040	119P	环氧乙烷 环氧乙烷或含氮环氧乙烷	Ethylene oxide Ethylene oxide, or Ethylene oxide with Nitrogen	30	0.1	0.2	参考表 4-3		

续表

UN号	指南号	中文名称	英文名称	少量泄漏			大量泄漏		
				初始隔离距离（向四周）/m	人员防护距离（下风向）/km		初始隔离距离（向四周）/m	人员防护距离（下风向）/km	
					白天	夜晚		白天	夜晚
1045	124	压缩氟	Fluorine，compressed	30	0.1	0.2	100	0.5	2.3
1048	125	无水溴化氢	Hydrogen bromide，anhydrous	30	0.1	0.2	150	1.0	3.2
1050	125	无水氯化氢	Hydrogen chloride，anhydrous	30	0.1	0.3	参考表 4-3		
1051	117P	氰化氢，稳定的	Hydrogen cyanide，stabilized	60	0.2	0.7	200	0.7	1.8
1052	125	无水氟化氢	Hydrogen fluoride，anhydrous	30	0.1	0.5	参考表 4-3		
1053	117	硫化氢	Hydrogen sulfide Hydrogen sulphide	30	0.1	0.5	400	2.4	6.3
1061	118	无水甲胺	Methylamine anhydrous	30	0.1	0.2	200	0.6	2.1
1062	123	甲基溴	Methyl bromide	30	0.1	0.1	150	0.3	0.7

续表

UN号	指南号	中文名称	英文名称	少量泄漏			大量泄漏		
				初始隔离距离（向四周）/m	人员防护距离（下风向）/km		初始隔离距离（向四周）/m	人员防护距离（下风向）/km	
					白天	夜晚		白天	夜晚
1064	117	甲硫醇	Methyl mercaptan	30	0.1	0.3	200	1.3	3.9
1067	124	四氧化二氮 二氧化氮	Dinitrogen tetroxide Nitrogen dioxide	30	0.1	0.4	400	1.4	3.3
1069	125	氯化亚硝酰	Nitrosyl chloride	30	0.2	1.0	800	4.3	9.6
1076	125	光气	Phosgene	100	0.6	2.5	500	3.0	9.5
1079	125	二氧化硫	Sulfur dioxide(Sulphur dioxide)	100	0.6	2.6	参考表 4-3		
1082	119P	制冷剂气体 R-1113 三氟氯乙烯，稳定的	Refrigerant gas R-1113 Trifluorochloroethylene, stabilized	30	0.1	0.1	60	0.4	0.7
1092	131P	丙烯醛，稳定的	Acrolein, stabilized	100	1.3	3.5	600	6.8	11.1

续表

UN号	指南号	中文名称	英文名称	少量泄漏			大量泄漏		
				初始隔离距离（向四周）/m	人员防护距离（下风向）/km		初始隔离距离（向四周）/m	人员防护距离（下风向）/km	
					白天	夜晚		白天	夜晚
1093	131P	丙烯腈，稳定的	Acrylonitrile, stabilized	30	0.2	0.6	100	1.3	2.3
1098	131	烯丙醇	Allyl alcohol	30	0.2	0.3	60	0.8	1.2
1135	131	2-氯乙醇	Ethylene chlorohydrin	30	0.1	0.1	30	0.1	0.1
1143	131P	丁烯醛 丁烯醛，稳定的	Crotonaldehyde Crotonaldehyde, stabilized	30	0.1	0.2	60	0.5	0.7
1162	155	二甲基二氯硅烷（泄漏到水中时）	Dimethyldichlorosilane (when spilled in water)	30	0.1	0.1	30	0.4	1.2
1163	131	不对称二甲肼	Dimethylhydrazine, unsymmetrical	30	0.2	0.5	100	1.0	1.8
1182	155	氯甲酸乙酯	Ethyl chloroformate	30	0.2	0.3	60	0.6	0.9

续表

UN号	指南号	中文名称	英文名称	少量泄漏			大量泄漏		
				初始隔离距离（向四周）/m	人员防护距离（下风向）/km		初始隔离距离（向四周）/m	人员防护距离（下风向）/km	
					白天	夜晚		白天	夜晚
1183	139	乙基二氯硅烷（泄漏到水中时）	Ethyldichlorosilane(when spilled in water)	30	0.1	0.1	60	0.5	1.5
1185	131P	乙撑亚胺(亚乙基亚胺),稳定的	Ethyleneimine,stabilized	30	0.2	0.5	200	1.0	1.8
1196	155	乙基三氯硅烷（泄漏到水中时）	Ethyltrichlorosilane(when spilled in water)	30	0.1	0.5	150	1.8	3.7
1238	155	氯甲酸甲酯	Methyl chloroformate	30	0.2	0.5	150	1.2	2.2
1239	131	甲基氯甲基醚	Methyl chloromethyl ether	60	0.5	1.5	300	3.4	5.8
1242	139	甲基二氯硅烷（泄漏到水中时）	Methyldichlorosilane(when spilled in water)	30	0.1	0.1	60	0.5	1.7

续表

UN号	指南号	中文名称	英文名称	少量泄漏			大量泄漏		
				初始隔离距离（向四周）/m	人员防护距离（下风向）/km		初始隔离距离（向四周）/m	人员防护距离（下风向）/km	
					白天	夜晚		白天	夜晚
1244	131	甲基肼	Methylhydrazine	30	0.3	0.6	150	1.5	2.2
1250	155	甲基三氯硅烷（泄漏到水中时）	Methyltrichlorosilane(when spilled in water)	30	0.1	0.1	60	0.6	1.9
1251	131P	甲基乙烯基酮，稳定的	Methyl vinyl ketone, stabilized	100	0.3	0.7	800	1.7	2.8
1259	131	羟基镍	Nickel carbonyl	100	1.4	5.2	1000	11.0+	11.0+
1295	139	三氯硅烷（泄漏到水中时）	Trichlorosilane (when spilled in water)	30	0.1	0.1	60	0.5	1.5
1298	155	三甲基氯硅烷（泄漏到水中时）	Trimethylchlorosilane (when spilled in water)	30	0.1	0.1	30	0.4	1.0

续表

UN号	指南号	中文名称	英文名称	少量泄漏			大量泄漏		
				初始隔离距离（向四周）/m	人员防护距离（下风向）/km		初始隔离距离（向四周）/m	人员防护距离（下风向）/km	
					白天	夜晚		白天	夜晚
1305	155P	乙烯基三氯硅烷（泄漏到水中时） 乙烯基三氯硅烷，稳定的（泄漏到水中时）	Vinyltrichlorosilane (when spilled in water) Vinyltrichlorosilane, stabilized (when spilled in water)	30	0.1	0.1	30	0.4	1.3
1340	139	五硫化二磷，不含黄磷和白磷（泄漏到水中时）	Phosphorus pentasulfide, free from yellow and white Phosphorus(when spilled in water) Phosphorus pentasulphide, free from yellow and white Phosphorus (when spilled in water)	30	0.1	0.1	30	0.2	1.0
1360	139	磷化钙（泄漏到水中时）	Calcium phosphide(when spilled in water)	30	0.1	0.4	200	0.8	2.7

续表

UN号	指南号	中文名称	英文名称	少量泄漏			大量泄漏		
				初始隔离距离(向四周)/m	人员防护距离(下风向)/km		初始隔离距离(向四周)/m	人员防护距离(下风向)/km	
					白天	夜晚		白天	夜晚
1380	135	戊硼烷	Pentaborane	60	0.6	2.0	300	3.0	6.5
1384	135	连二亚硫酸钠(泄漏到水中时)	Sodium dithionite (Sodium hydrosulfite, Sodium hydrosulphite) (when spilled in water)	30	0.1	0.4	60	0.5	2.1
1390	139	氨基碱金属(泄漏到水中时)	Alkali metal amides (when spilled in water)	30	0.1	0.3	60	0.5	1.8
1397	139	磷化铝(泄漏到水中时)	Aluminum phosphide(when spilled in water)	30	0.1	0.7	400	1.6	4.7
1419	139	磷化铝镁(泄漏到水中时)	Magnesium aluminum phosphide (when spilled in water)	30	0.1	0.6	400	1.4	4.1
1432	139	磷化钠(泄漏到水中时)	Sodium phosphide (when spilled in water)	30	0.1	0.4	300	1.0	3.0

续表

UN号	指南号	中文名称	英文名称	少量泄漏			大量泄漏		
				初始隔离距离（向四周）/m	人员防护距离（下风向）/km		初始隔离距离（向四周）/m	人员防护距离（下风向）/km	
					白天	夜晚		白天	夜晚
1510	143	四硝基甲烷	Tetranitromethane	30	0.2	0.3	30	0.4	0.7
1541	156	丙酮合氰化氢，稳定的（泄漏到水中时）	Acetone cyanohydrin, stabilized (when spilled in water)	30	0.1	0.1	60	0.2	0.5
1556	152	液态砷化合物	Methyldichloroarsine	150	1.4	2.2	300	4.0	5.8
1560	157	三氯化砷	Arsenic chloride Arsenic trichloride	30	0.2	0.3	100	1.0	1.5
1569	131	溴丙酮	Bromoacetone	30	0.4	1.2	150	1.8	3.3
1580	154	三氯硝基甲烷（氯化苦）	Chloropicrin	60	0.5	1.2	200	2.4	3.7
1581	123	三氯硝基甲烷和甲基溴混合物	Chloropicrin and Methyl bromide mixture Methyl bromide and Chloropicrin mixture	30	0.1	0.6	300	2.1	5.9

续表

UN号	指南号	中文名称	英文名称	少量泄漏			大量泄漏		
				初始隔离距离(向四周)/m	人员防护距离(下风向)/km		初始隔离距离(向四周)/m	人员防护距离(下风向)/km	
					白天	夜晚		白天	夜晚
1582	119	三氯硝基甲烷和甲基氯混合物	Chloropicrin and Methyl chloride mixture Methyl bromide and Chloropicrin mixture	30	0.1	0.5	60	0.5	2.1
1583	154	三氯硝基甲烷混合物,未另作规定的	Chloropicrin mixture, n. o. s.	30	0.1	0.6	300	2.1	5.9
1589	125	氯化氰,稳定的	Cyanogen chloride, stabilized	300	1.9	6.6	1000	11.0+	11.0+
1595	156	硫酸二甲酯	Dimethyl sulfate Dimethyl sulphate	30	0.1	0.1	60	0.2	0.7
1605	154	二溴化乙烯(亚乙基二溴)	Ethylene dibromide	30	0.1	0.1	30	0.1	0.2

续表

UN号	指南号	中文名称	英文名称	少量泄漏			大量泄漏		
				初始隔离距离(向四周)/m	人员防护距离(下风向)/km		初始隔离距离(向四周)/m	人员防护距离(下风向)/km	
					白天	夜晚		白天	夜晚
1612	123	四磷酸六乙酯和压缩气体混合物	Compressed gas and hexaethyl tetraphosphate mixture Hexaethyl tetraphosphate and compressed gas mixture	100	0.8	2.7	400	3.5	8.1
1613	154	氢氰酸水溶液,含氰化氢≤20%	Hydrocyanic acid, aqueous solution, with not more than 20% hydrogen cyanide Hydrocyanic cyanide, aqueous solution, with not more than 20% hydrogen cyanide	30	0.1	0.1	100	0.5	1.1
1614	152	氰化氢,稳定的(吸收)	Hydrogen cyanide, stabilized (absorbed)	60	0.2	0.6	150	0.5	1.5

续表

UN号	指南号	中文名称	英文名称	少量泄漏			大量泄漏		
				初始隔离距离(向四周)/m	人员防护距离(下风向)/km		初始隔离距离(向四周)/m	人员防护距离(下风向)/km	
					白天	夜晚		白天	夜晚
1647	151	液态甲基溴和二溴化乙烯混合物	Ethylene dibromide and Methyl bromide mixture,liquid Methyl bromide and ethylene dibromide mixture,liquid	30	0.1	0.1	150	0.3	0.7
1660	124	压缩一氧化氮	Nitric oxide,compressed	30	0.1	0.6	100	0.6	2.2
1670	157	全氯甲硫醇	Perchloromethyl mercaptan	30	0.3	0.4	100	0.8	1.3
1672	151	二氯化苯胩	Phenylcarbylamine chloride	30	0.2	0.2	60	0.5	0.7
1680	157	固态氰化钾(泄漏到水中时)	Potassium cyanide, solid (when spilled in water)	30	0.1	0.1	60	0.2	0.7
1689	157	氰化钠,固态(泄漏到水中时)	Sodium cyanide,solid(when spilled in water)	30	0.1	0.1	60	0.2	0.9

续表

UN号	指南号	中文名称	英文名称	少量泄漏			大量泄漏		
				初始隔离距离（向四周）/m	人员防护距离（下风向）/km		初始隔离距离（向四周）/m	人员防护距离（下风向）/km	
					白天	夜晚		白天	夜晚
1695	131	氯丙酮，稳定的	Chloroacetone，stabilized	30	0.1	0.2	60	0.4	0.6
1716	156	乙酰溴（泄漏到水中时）	Acetyl bromide（when spilled in water）	30	0.1	0.1	30	0.2	0.7
1717	155	乙酰氯（泄漏到水中时）	Acetyl chloride（when spilled in water.）	30	0.1	0.1	60	0.7	2.0
1722	155	氯甲酸烯丙酯	Allyl chlorocarbonate Allyl chloroformate	100	0.3	0.8	400	1.5	2.4
1724	155	烯丙基三氯硅烷，稳定的（泄漏到水中时）	Allyltrichlorosilane，stabilized（when spilled in water）	30	0.1	0.1	30	0.4	1.2
1725	137	无水溴化铝（泄漏到水中时）	Aluminum bromide，anhydrous（when spilled in water）	30	0.1	0.1	30	0.1	0.2

续表

UN号	指南号	中文名称	英文名称	少量泄漏			大量泄漏		
				初始隔离距离（向四周）/m	人员防护距离（下风向）/km		初始隔离距离（向四周）/m	人员防护距离（下风向）/km	
					白天	夜晚		白天	夜晚
1726	137	无水氯化铝（泄漏到水中时）	Aluminum chloride, anhydrous (when spilled in water)	30	0.1	0.1	30	0.4	1.5
1728	156	戊基三氯化硅烷（泄漏到水中时）	Amyltrichlorosilane (when spilled in water)	30	0.1	0.1	30	0.4	1.2
1732	157	五氟化锑（泄漏到水中时）	Antimony pentafluoride (when spilled in water)	30	0.1	0.3	100	0.8	3.0
1741	125	三氯化硼（泄漏在地面时）	Boron trichloride (when spilled on land)	30	0.1	0.3	100	0.6	1.3
1741	125	三氯化硼（泄漏到水中时）	Boron trichloride(when spilled in water)	30	0.1	0.2	100	0.9	2.8
1744	154	溴或溴溶液（吸入危害区域A）	Bromine or Bromine, solution (Inhalation hazard zone A)	60	0.8	2.4	400	4.2	7.6

续表

UN号	指南号	中文名称	英文名称	少量泄漏			大量泄漏		
				初始隔离距离（向四周）/m	人员防护距离（下风向）/km		初始隔离距离（向四周）/m	人员防护距离（下风向）/km	
					白天	夜晚		白天	夜晚
1744	154	溴溶液（吸入危害区域 B）	Bromine， solution （Inhalation hazard zone B）	30	0.1	0.2	30	0.4	0.5
1745	144	五氟化溴（泄漏在地面时）	Bromine pentafluoride（when spilled on land）	100	0.9	2.7	500	5.7	10.8
1745	144	五氟化溴（泄漏到水中时）	Bromine pentafluoride（when spilled in water）	30	0.1	0.3	100	0.9	3.0
1746	144	三氟化溴（泄漏在地面时）	Bromine trifluoride（when spilled on land）	30	0.1	0.2	30	0.3	0.5
1746	144	三氟化溴（泄漏到水中时）	Bromine trifluoride（when spilled in water）	30	0.1	0.3	100	0.8	2.8
1747	155	丁基三氯硅烷（泄漏到水中时）	Butyltrichlorosilane（when spilled in water）	30	0.1	0.1	30	0.4	1.2

续表

UN号	指南号	中文名称	英文名称	少量泄漏			大量泄漏		
				初始隔离距离（向四周）/m	人员防护距离（下风向）/km		初始隔离距离（向四周）/m	人员防护距离（下风向）/km	
					白天	夜晚		白天	夜晚
1749	124	三氟化氯	Chlorite trifluoride	30	0.2	1.1	300	1.4	3.7
1752	156	氯乙酰氯（泄漏在地面时）	Chloroacetyl chlorid (when spilled on land)	30	0.3	0.6	100	1.2	1.9
1752	156	氯乙酰氯（泄漏到水中时）	Chloroacetyl chlorid (when spilled in water)	30	0.1	0.1	30	0.1	0.4
1753	156	氯苯基三氯硅烷（泄漏到水中时）	Chlorophenyltrichlorosilane (when spilled in water)	30	0.1	0.1	30	0.2	0.5
1754	137	氯磺酸（泄漏在地面时）	Chlorosulphonic acid (when spilled on land)	30	0.1	0.1	30	0.3	0.3
1754	137	氯磺酸（泄漏到水中时）	Chlorosulphonic acid (with or without sulfur trioxide) (when spilled in water)	30	0.1	0.1	60	0.5	1.7

续表

UN号	指南号	中文名称	英文名称	少量泄漏			大量泄漏		
				初始隔离距离（向四周）/m	人员防护距离（下风向）/km		初始隔离距离（向四周）/m	人员防护距离（下风向）/km	
					白天	夜晚		白天	夜晚
1758	137	氯氧化铬（泄漏到水中时）	Chromium oxychloride（when spilled in water）	30	0.1	0.1	30	0.1	0.3
1762	156	环己烯基三氯硅烷（泄漏到水中时）	Cyclohexenyltrichlorosilane（when spilled in water）	30	0.1	0.1	30	0.2	0.8
1763	156	环己基三氯硅烷（泄漏到水中时）	Cyclohexyltrichlorosilane（when spilled in water）	30	0.1	0.1	30	0.2	0.8
1765	156	二氯乙酰氯（泄漏到水中时）	Dichloroacetyl chloride（when spilled in water）	30	0.1	0.1	30	0.1	0.5
1766	156	二氯苯基三氯硅烷（泄漏到水中时）	Dichlorophenyltrichlorosilane（when spilled in water）	30	0.1	0.1	30	0.4	1.4
1767	155	二乙基二氯硅烷（泄漏到水中时）	Diethyldichlorosilane（when spilledin water）	30	0.1	0.1	30	0.2	0.6

续表

UN号	指南号	中文名称	英文名称	少量泄漏 初始隔离距离(向四周)/m	少量泄漏 人员防护距离(下风向)/km 白天	少量泄漏 人员防护距离(下风向)/km 夜晚	大量泄漏 初始隔离距离(向四周)/m	大量泄漏 人员防护距离(下风向)/km 白天	大量泄漏 人员防护距离(下风向)/km 夜晚
1769	156	二苯基二氯硅烷(泄漏到水中时)	Diphenyldichlorosilane(when spilled in water)	30	0.1	0.1	30	0.2	0.7
1771	156	十二烷基三氯硅烷(泄漏到水中时)	Dodecyltrichlorosilane(when spilled in water)	30	0.1	0.1	30	0.3	0.8
1777	137	氟硫酸(泄漏到水中时)	Fluorosulfonic acid(when spilled in water) Fluorosulphonic acid(when spilled in water)	30	0.1	0.1	30	0.1	0.3
1781	156	十六烷基三氯硅烷(泄漏到水中时)	Hexadecyltrichlorosilane (when spilled in water)	30	0.1	0.1	30	0.1	0.3
1784	156	己基三氯硅烷(泄漏到水中时)	Hexyltrichlorosilane(when spilled in water)	30	0.1	0.1	30	0.3	0.9

续表

UN号	指南号	中文名称	英文名称	少量泄漏			大量泄漏		
				初始隔离距离（向四周）/m	人员防护距离（下风向）/km		初始隔离距离（向四周）/m	人员防护距离（下风向）/km	
					白天	夜晚		白天	夜晚
1799	156	壬基三氯硅烷（泄漏到水中时）	Nonyltrichlorosilane(when spilled in water)	30	0.1	0.1	30	0.3	1.0
1800	156	十八烷基三氯硅烷（泄漏到水中时）	Octadecyltrichlorosilane(when spilled in water)	30	0.1	0.1	30	0.3	0.9
1801	156	辛基三氯硅烷（泄漏到水中时）	Octyltrichlorosilane(when spilled in water)	30	0.1	0.1	30	0.3	1.0
1804	156	苯基三氯硅烷（泄漏到水中时）	Phenyltrichlorosilane(when spilled in water)	30	0.1	0.1	30	0.3	1.0
1806	137	五氯化磷（泄漏到水中时）	Phosphorus pentachloride(when spilled in water)	30	0.1	0.1	30	0.2	0.9
1808	137	三溴化磷（泄漏到水中时）	Phosphorus tribromide(when spilled in water)	30	0.1	0.1	30	0.3	1.1

续表

UN号	指南号	中文名称	英文名称	少量泄漏			大量泄漏		
				初始隔离距离(向四周)/m	人员防护距离(下风向)/km		初始隔离距离(向四周)/m	人员防护距离(下风向)/km	
					白天	夜晚		白天	夜晚
1809	137	三氯化磷(泄漏在地面时)	Phosphorus trichloride(when spilled on land)	30	0.2	0.6	100	1.1	2.0
1809	137	三氯化磷(泄漏到水中时)	Phosphorus trichloride(when spilled in water)	30	0.1	0.1	60	0.5	1.8
1810	137	三氯氧化磷(磷酰氯)(泄漏在地面时)	Phosphorus oxytrichloride(when spilled on land)	30	0.3	0.6	100	1.1	1.8
1810	137	三氯氧化磷(磷酰氯)(泄漏到水中时)	Phosphorus oxytrichloride(when spilled in water)	30	0.1	0.1	60	0.5	1.5
1815	155	丙酰氯(泄漏到水中时)	Propionyl chloride(when spilled in water)	30	0.1	0.1	30	0.1	0.3
1816	155	丙基三氯硅烷(泄漏到水中时)	Propyltrichlorosilane(when spilled in water)	30	0.1	0.1	30	0.4	1.3

续表

UN号	指南号	中文名称	英文名称	少量泄漏			大量泄漏		
				初始隔离距离（向四周）/m	人员防护距离（下风向）/km		初始隔离距离（向四周）/m	人员防护距离（下风向）/km	
					白天	夜晚		白天	夜晚
1818	157	四氯化硅（泄漏到水中时）	Silicon tetrachloride (when spilled in water)	30	0.1	0.1	60	0.6	2.0
1828	137	氯化硫（泄漏在地面时）	Sulphur chlorides (Sulfur chlorides) (when spilled on land)	30	0.1	0.1	60	0.3	0.4
1828	137	氯化硫（泄漏到水中时）	Sulphur chlorides (Sulfur chlorides) (when spilled in water)	30	0.1	0.1	30	0.2	0.7
1829	137	三氧化硫，稳定的	Sulphur trioxide, stabilized Sulfur trioxide, stabilized	60	0.4	1.0	300	2.9	6.3
1831	137	硫酸烟雾	Sulphuric acid fuming Sulfuric acid fuming	60	0.4	1.0	300	2.9	6.3
1834	137	硫酰氯（泄漏在地面时）	Sulphuryl chloride (when spilled on land)	30	0.2	0.4	60	0.8	1.5

续表

UN号	指南号	中文名称	英文名称	少量泄漏			大量泄漏		
				初始隔离距离（向四周）/m	人员防护距离（下风向）/km		初始隔离距离（向四周）/m	人员防护距离（下风向）/km	
					白天	夜晚		白天	夜晚
1834	137	硫酰氯（泄漏到水中时）	Sulphuryl chloride (when spilled in water)	30	0.1	0.1	30	0.3	1.1
1836	137	亚硫酰氯（泄漏在地面时）	Thionyl chloride (when spilled on land)	30	0.1	0.2	30	0.3	0.5
1836	137	亚硫酰氯（泄漏到水中时）	Thionyl chloride (when spilled in water)	100	0.9	2.9	600	7.6	11.0+
1838	137	四氯化钛（泄漏在地面时）	Titanium tetrachloride (when spilled on land)	30	0.1	0.2	30	0.4	0.5
1838	137	四氯化钛（泄漏到水中时）	Titanium tetrachloride (when spilled in water)	30	0.1	0.1	30	0.3	1.2
1859	125	四氟化硅 压缩四氟化硅	Silicon tetrafluoride Silicon tetrafluoride, compressed	30	0.2	0.8	100	0.5	1.8

续表

UN号	指南号	中文名称	英文名称	少量泄漏			大量泄漏		
				初始隔离距离（向四周）/m	人员防护距离（下风向）/km		初始隔离距离（向四周）/m	人员防护距离（下风向）/km	
					白天	夜晚		白天	夜晚
1892	151	乙基二氯砷烷	Ethyldichloroarsine	150	1.5	2.2	400	5.1	6.4
1898	156	乙酰碘（泄漏到水中时）	Acetyl iodide (when spilled in water)	30	0.1	0.1	30	0.3	0.9
1911	119	乙硼烷 乙硼烷混合物	Diborane Diborane mixtures	60	0.3	1.2	300	1.6	4.6
1923	135	连二亚硫酸钙（亚硫酸氢钙）（泄漏到水中时）	Calcium dithionite (when spilled in water) Calcium hydrosulphite (when spilled in water) Calcium hydrosulfite (when spilled in water)	30	0.1	0.4	60	0.5	2.1

续表

UN号	指南号	中文名称	英文名称	少量泄漏			大量泄漏		
				初始隔离距离(向四周)/m	人员防护距离(下风向)/km		初始隔离距离(向四周)/m	人员防护距离(下风向)/km	
					白天	夜晚		白天	夜晚
1929	135	连二亚硫酸钾(亚硫酸氢钾)(泄漏到水中时)	Potassium dithionite(when spilled in water) Potassium hydrosulfite(when spilled in water) Potassium hydrosulphite (when spilled in water)	30	0.1	0.4	60	0.5	1.9
1931	171	连二亚硫酸锌(亚硫酸氢锌)(泄漏到水中时)	Zinc dithionite(when spilled in water) Zinc hydrosulfite(when spilled in water) Zinc hydrosulphite(when spilled in water)	30	0.1	0.4	60	0.5	1.9

续表

UN号	指南号	中文名称	英文名称	少量泄漏			大量泄漏		
				初始隔离距离（向四周）/m	人员防护距离（下风向）/km		初始隔离距离（向四周）/m	人员防护距离（下风向）/km	
					白天	夜晚		白天	夜晚
1953	119	压缩气体，毒性，易燃，未另作规定的 压缩气体，毒性，易燃，未另作规定的（吸入危害区域 A）	Compressed gas, poisonous (toxic), flammable, n. o. s. Compressed gas, poisonous, flammable, n. o. s. (Inhalation hazard zone A)	150	1.0	3.9	1000	6.2	10.5
1953	119	压缩气体，毒性，易燃，未另作规定的（吸入危害区域 B）	Compressed gas, poisonous (toxic), flammable, n. o. s. (Inhalation hazard zone B)	30	0.1	0.4	300	1.4	3.1
1953	119	压缩气体，毒性，易燃，未另作规定的（吸入危害区域 C）	Compressed gas, poisonous (toxic), flammable, n. o. s. (Inhalation hazard zone C)	30	0.1	0.3	150	1.0	2.7

续表

UN号	指南号	中文名称	英文名称	少量泄漏			大量泄漏		
				初始隔离距离(向四周)/m	人员防护距离(下风向)/km		初始隔离距离(向四周)/m	人员防护距离(下风向)/km	
					白天	夜晚		白天	夜晚
1953	119	压缩气体,毒性,易燃,未另作规定的(吸入危害区域 D)	Compressed gas, poisonous (toxic), flammable, n. o. s. (Inhalation hazard zone D)	30	0.1	0.3	150	1.0	2.7
1955	123	压缩气体,毒性,未另作规定的(吸入危害区域 A)	Compressed gas, poisonous (toxic), n. o. s. Compressed gas, poisonous (toxic), n. o. s. (Inhalation hazard zone A)	150	1.0	3.9	1000	6.2	10.5
1955	123	压缩气体,毒性,未另作规定的(吸入危害区域 B)	Compressed gas, poisonous (toxic), n. o. s. (Inhalation hazard zone B)	30	0.2	1.1	300	1.4	3.7

续表

UN号	指南号	中文名称	英文名称	少量泄漏			大量泄漏		
				初始隔离距离(向四周)/m	人员防护距离(下风向)/km		初始隔离距离(向四周)/m	人员防护距离(下风向)/km	
					白天	夜晚		白天	夜晚
1955	123	压缩气体,毒性,未另作规定的(吸入危害区域 C)	Compressed gas, poisonous (toxic), n. o. s. (Inhalation hazard zone C)	30	0.1	0.3	150	1.0	2.7
1955	123	压缩气体,毒性,未另作规定的(吸入危害区域 D)	Compressed gas, poisonous (toxic), n. o. s. (Inhalation hazard zone D)	30	0.1	0.3	150	1.0	2.7
1955	123	有机磷化合物与压缩气体混合物 有机磷酸盐与压缩气体混合物	Organic phosphate compound mixed with compressed gas Organic phosphate mixed with compressed gas Organic phosphorus compound mixed with compressed gas	100	1.0	3.4	500	4.4	9.6

续表

UN号	指南号	中文名称	英文名称	少量泄漏			大量泄漏		
				初始隔离距离(向四周)/m	人员防护距离(下风向)/km		初始隔离距离(向四周)/m	人员防护距离(下风向)/km	
					白天	夜晚		白天	夜晚
1967	123	气态杀虫剂,毒性,未另作规定的 对硫磷与压缩气体混合物	Insecticide gas, poisonous, n. o. s. Insecticide gas, toxic, n. o. s Parathion and compressed gas mixture	100	1.0	3.4	500	4.4	9.6
1975	124	一氧化氮和四氧化二氮混合物(一氧化氮和二氧化氮混合物)	Dinitrogen tetroxide and Nitric oxide mixture Nitric oxide and Dinitrogen tetroxide mixture Nitric oxide and Nitrogen dioxide mixture Nitrogen dioxide and Nitric oxide mixture	30	0.1	0.6	100	0.6	2.2
1994	136	五羰铁	Iron pentacarbonyl	100	0.9	2.1	400	5.2	7.8

续表

UN号	指南号	中文名称	英文名称	少量泄漏			大量泄漏		
				初始隔离距离（向四周）/m	人员防护距离（下风向）/km		初始隔离距离（向四周）/m	人员防护距离（下风向）/km	
					白天	夜晚		白天	夜晚
2004	135	二氨基镁（泄漏到水中时）	Magnesium diamide（when spilled in water）	30	0.1	0.3	60	0.5	1.8
2011	139	二磷化三镁（泄漏到水中时）	Magnesium phosphide（when spilled in water）	30	0.1	0.6	400	1.4	3.9
2012	139	磷化钾（泄漏到水中时）	Potassium phosphide（when spilled in water）	30	0.1	0.3	200	0.9	2.8
2013	139	磷化锶（泄漏到水中时）	Strontium phosphide（when spilled in water）	30	0.1	0.3	200	0.8	2.7
2032	157	硝酸，发红烟的	Nitric acid，red fuming	30	0.1	0.1	150	0.3	0.5
2186	125	冷冻液态氯化氢	Hydrogen chloride，refrigerated liquid	30	0.1	0.3	参考表 4-2		

续表

UN号	指南号	中文名称	英文名称	少量泄漏			大量泄漏		
				初始隔离距离(向四周)/m	人员防护距离(下风向)/km		初始隔离距离(向四周)/m	人员防护距离(下风向)/km	
					白天	夜晚		白天	夜晚
2188	119	砷	Arsine	150	1.0	3.9	1000	6.2	10.5
2189	119	二氯硅烷	Dichlorosilane	30	0.1	0.4	300	1.4	3.1
2190	124	压缩二氟化氧	Oxygen difluoride,compressed	300	1.8	7.2	1000	11.0+	11.0+
2191	123	硫酰氟	Sulphuryl fluoride Sulfuryl fluoride	30	0.1	0.5	400	2.2	5.0
2192	119	锗烷	Germane	150	0.9	3.3	600	3.6	7.4
2194	125	六氟化硒	Selenium hexafluoride	200	1.1	3.4	600	3.9	7.6
2195	125	六氟化碲	Tellurium hexafluoride	1000	5.9	11.1	1000	11.0+	11.0+
2196	125	六氟化钨	Tungsten hexafluoride	30	0.2	0.8	150	0.8	2.8

续表

UN号	指南号	中文名称	英文名称	少量泄漏			大量泄漏		
				初始隔离距离（向四周）/m	人员防护距离（下风向）/km		初始隔离距离（向四周）/m	人员防护距离（下风向）/km	
					白天	夜晚		白天	夜晚
2197	125	无水碘化氢	Hydrogen iodide，anhydrous	30	0.1	0.3	150	1.0	2.7
2198	125	五氟化磷 压缩五氟化磷	Phosphorus pentafluoride Phosphorus pentafluoride，compressed	30	0.2	1.0	200	1.1	3.5
2199	119	磷化氢（膦）	Phosphine	60	0.3	1.1	400	1.3	3.7
2202	117	无水硒化氢	Hydrogen selenide，anhydrous	300	1.7	6.0	1000	11.0+	11.0+
2204	119	硫化碳	Carbonyl sulfide Carbonyl sulphide	30	0.1	0.3	300	1.5	3.6
2232	153	氯乙醛	Chloroacetaldehyde 2-Chloroethanal	30	0.2	0.3	60	0.7	1.1

续表

UN号	指南号	中文名称	英文名称	少量泄漏			大量泄漏		
				初始隔离距离（向四周）/m	人员防护距离（下风向）/km		初始隔离距离（向四周）/m	人员防护距离（下风向）/km	
					白天	夜晚		白天	夜晚
2285	155	异氰酸三氟甲基苯酯	Isocyanatobenzotrifluorides	30	0.2	0.2	60	0.5	0.6
2308	157	液态亚硝基硫酸（泄漏到水中时）	Nitrosylsulfuric acid, liquid (when spilled in water) Nitrosylsulphuric acid, liquid (when spilled in water)	30	0.1	0.3	300	0.8	2.3
2334	131	烯丙胺	Allylamine	30	0.2	0.5	150	1.6	2.5
2337	131	苯硫酚	Phenyl mercaptan	30	0.1	0.1	30	0.3	0.4
2353	155	丁酰氯（泄漏到水中时）	Butyl chloride (when spilled in water)	30	0.1	0.1	30	0.2	0.5
2382	131	对称二甲基肼	Dimethylhydrazine, symmetrical	30	0.2	0.3	60	0.8	1.3

续表

UN号	指南号	中文名称	英文名称	少量泄漏			大量泄漏		
				初始隔离距离（向四周）/m	人员防护距离（下风向）/km		初始隔离距离（向四周）/m	人员防护距离（下风向）/km	
					白天	夜晚		白天	夜晚
2395	155	异丁酰氯	Isobutyryl chloride（when spilled in water）	30	0.1	0.1	30	0.1	0.3
2407	155	氯甲酸异丙酯	Isopropyl chloroformate	30	0.1	0.2	60	0.5	0.9
2417	125	碳酰氟	Carbonyl fluoride	100	0.7	2.5	600	3.8	8.2
2418	125	四氟化硫	Sulphur tetrafluoride Sulfur tetrafluoride	100	0.5	2.4	400	2.4	5.9
2420	125	六氟丙酮	Hexafluoroacetone	100	0.7	2.7	1000	11.0+	11.0+
2421	124	三氧化二氮	Nitrogen trioxide	60	0.3	1.2	200	1.4	4.3
2434	156	二苄基二氯硅烷（泄漏到水中时）	Dibenzyldichlorosilane（when spilled in water）	30	0.1	0.1	30	0.2	0.6

续表

UN号	指南号	中文名称	英文名称	少量泄漏			大量泄漏		
				初始隔离距离（向四周）/m	人员防护距离（下风向）/km		初始隔离距离（向四周）/m	人员防护距离（下风向）/km	
					白天	夜晚		白天	夜晚
2435	156	乙基苯基二氯硅烷（泄漏到水中时）	Ethylphenyldichlorosilane (when spilled in water)	30	0.1	0.1	30	0.2	0.6
2437	156	甲基苯基二氯硅烷（泄漏到水中时）	Methylpenyldichlorosilane (when spilled in water)	30	0.1	0.1	30	0.2	0.8
2438	131	三甲基乙酰氯	Trimethylacetyl chloride	60	0.5	1.0	200	2.3	3.3
2442	156	三氯乙酰氯	Trichloroacetyl chloride	30	0.2	0.3	60	0.7	1.1
2474	156	硫光气	Thiophosgene	60	0.6	1.8	200	2.3	4.2
2477	131	异硫氰酸甲酯	Methyl isothiocyanate	30	0.1	0.1	30	0.3	0.4
2478	155	异氰酸酯（或溶液），易燃，毒性，未另作规定的	Isocyanate solution, flammable, toxic, n. o. s Isocyanates, flammable, toxic n. o. s	60	0.8	1.8	400	4.7	7.0

续表

UN号	指南号	中文名称	英文名称	少量泄漏			大量泄漏		
				初始隔离距离（向四周）/m	人员防护距离（下风向）/km		初始隔离距离（向四周）/m	人员防护距离（下风向）/km	
					白天	夜晚		白天	夜晚
2480	155P	异氰酸甲酯	Methyl isocyanate	150	1.7	5.2	1000	11.0+	11.0+
2481	155	异氰酸乙酯	Ethyl isocyanate	150	2.0	5.3	1000	11.0+	11.0+
2482	155P	异氰酸正丙酯	*n*-Propyl isocyanate	100	1.3	2.8	600	7.8	10.7
2483	155P	异氰酸异丙酯	Isopropyl isocyanate	150	1.5	3.3	1000	11.0	11.0+
2484	155	异氰酸叔丁酯	*tert*-Butyl isocyanate	60	0.8	1.8	400	4.7	7.0
2485	155P	异氰酸正丁酯	*n*-Butyl isocyanate	60	0.6	1.2	300	2.9	4.2
2486	155P	异氰酸异丁酯	Isobutyl isocyanate	60	0.6	1.3	300	3.4	4.8
2487	155	异氰酸苯酯	Phenyl isocyanate	100	0.9	1.5	400	4.2	5.4
2488	155	异氰酸环己酯	Cyclohexyl isocyanate	30	0.3	0.4	100	1.1	1.4

续表

UN号	指南号	中文名称	英文名称	少量泄漏			大量泄漏		
				初始隔离距离(向四周)/m	人员防护距离(下风向)/km		初始隔离距离(向四周)/m	人员防护距离(下风向)/km	
					白天	夜晚		白天	夜晚
2495	144	五氟化碘(泄漏到水中时)	Iodine pentafluoride (when spilled in water)	30	0.1	0.3	100	0.9	3.2
2521	131P	双烯酮,稳定的	Diketene,stabilized	30	0.2	0.3	60	0.7	1.0
2534	119	甲基氯硅烷	Methylchlorosilane	30	0.1	0.3	150	0.8	1.8
2548	124	五氟化氯	Chlorine pentafluoride	100	0.5	2.5	800	5.1	11.0+
2605	155	异氰酸甲氧基甲酯	Methoxymethyl isocyanate	30	0.2	0.2	60	0.7	0.9
2606	155	原硅酸甲酯	Methyl orthosilicate	30	0.2	0.3	60	0.7	1.1
2644	151	甲基碘	Methyl iodide	30	0.1	0.2	100	0.3	0.7
2646	151	六氯环戊二烯	Hexachlorocyclopentadiene	30	0.1	0.1	30	0.3	0.3
2668	131	氯乙腈	Chloroacetonitrile	30	0.1	0.1	30	0.3	0.4

续表

UN号	指南号	中文名称	英文名称	少量泄漏			大量泄漏		
				初始隔离距离（向四周）/m	人员防护距离（下风向）/km		初始隔离距离（向四周）/m	人员防护距离（下风向）/km	
					白天	夜晚		白天	夜晚
2676	119	锑化氢	Stibine	60	0.3	1.6	200	1.3	4.1
2691	137	五溴化磷(泄漏到水中时)	Phosphorus pentabromide(when spilled in water)	30	0.1	0.1	30	0.1	0.4
2692	157	三溴化硼(泄漏在地面时)	Boron tribromide(when spilled on land)	30	0.1	0.2	30	0.2	0.4
2692	157	三溴化硼(泄漏到水中时)	Boron tribromide(when spilled in water)	30	0.1	0.1	60	0.4	1.4
2740	155	氯甲酸正丙酯	*n*-Propyl chloroformate	30	0.1	0.3	60	0.6	1.0
2742	155	氯甲酸酯，毒性，腐蚀性，易燃	Chloroformates, toxic, corrosive, flammable, n. o. s	30	0.2	0.2	60	0.5	0.7
2743	155	氯甲酸正丁酯	n-Butyl chloroformate	30	0.1	0.1	30	0.3	0.4

续表

UN号	指南号	中文名称	英文名称	少量泄漏			大量泄漏		
				初始隔离距离（向四周）/m	人员防护距离（下风向）/km		初始隔离距离（向四周）/m	人员防护距离（下风向）/km	
					白天	夜晚		白天	夜晚
2806	139	氮化锂（泄漏到水中时）	Lithium nitride（when spilled in water）	30	0.1	0.2	60	0.4	1.6
2826	155	氯硫代甲酸乙酯	Ethyl chlorothioformate	30	0.2	0.2	60	0.5	0.7
2845	135	乙基二氯化磷	Ethyl phosphonous dichloride, anhydrous	30	0.3	0.7	100	1.4	2.3
2845	135	二氯甲基磷	Methyl phosphonous dichloride	30	0.4	1.2	200	2.6	4.2
2901	124	氯化溴	Bromine chloride	100	0.5	1.8	1000	5.7	11.0+
2927	154	乙基硫代膦酰二氯	Ethyl phosphonothioic dichloride, anhydrous	30	0.1	0.1	30	0.2	0.2
2927	154	二氯磷酸乙酯	Ethyl phosphorodichloridate	30	0.1	0.1	30	0.3	0.3
2965	139	三氟化硼二甲基醚（泄漏到水中时）	Boron trifluoride dimethyl etherate（when spilled in water）	30	0.1	0.1	100	0.9	2.8

续表

UN号	指南号	中文名称	英文名称	少量泄漏			大量泄漏		
				初始隔离距离（向四周）/m	人员防护距离（下风向）/km		初始隔离距离（向四周）/m	人员防护距离（下风向）/km	
					白天	夜晚		白天	夜晚
2977	166	放射性物质，六氟化铀，易裂变（泄漏到水中时）	Radioactive material, Uranium hexafluoride, fissile(when spilled in water) Uranium hexafluoride, Radioactive material, fissile(when spilled in water)	30	0.1	0.2	30	0.4	1.6
2978	166	放射性物质，六氟化铀，非易裂变的或例外的易裂变的（泄漏到水中时）	Radioactive material, Uranium hexafluoride, nonfissile or fissile-excepted (when spilled in water) Uranium hexafluoride, radioactive material, nonfissile or fissile-excepted (when spilled in water)	30	0.1	0.2	30	0.4	1.6

续表

UN号	指南号	中文名称	英文名称	少量泄漏			大量泄漏		
				初始隔离距离(向四周)/m	人员防护距离(下风向)/km		初始隔离距离(向四周)/m	人员防护距离(下风向)/km	
					白天	夜晚		白天	夜晚
2985	155	氯硅烷,易燃,腐蚀性,未另作规定的(泄漏到水中时)	Chlorosilanes, flammable, corrosive,n. o. s(when spilled in water)	30	0.1	0.2	60	0.5	1.6
2986	155	氯硅烷,腐蚀性,易燃,未另作规定的(泄漏到水中时)	Chlorosilanes,corrosive,flammable,n. o. s. (when spilled in water)	30	0.1	0.2	60	0.5	1.6
2987	156	氯硅烷,腐蚀性,未另作规定的(泄漏到水中时)	Chlorosilanes corrosive, n. o. s. (when spilled in water)	30	0.1	0.2	60	0.5	1.6
2988	139	氯硅烷,遇水反应,易燃,腐蚀性,未另作规定的(泄漏到水中时)	Chlorosilanes,water-reactive,flammable, corrosive, n. o. s. (when spilled in water)	30	0.1	0.2	60	0.5	1.6
3023	131	2-甲基-2-庚硫醇	2-Methyl-2-heptanethiol	30	0.2	0.2	60	0.6	0.8

续表

UN号	指南号	中文名称	英文名称	少量泄漏			大量泄漏		
				初始隔离距离（向四周）/m	人员防护距离（下风向）/km		初始隔离距离（向四周）/m	人员防护距离（下风向）/km	
					白天	夜晚		白天	夜晚
3048	157	磷化铝农药（泄漏到水中时）	Aluminum phosphide pesticide (when spilled in water)	30	0.1	0.7	400	1.6	4.5
3057	125	三氟乙酰氯	Trifluoroacetyl chloride	30	0.2	0.9	800	4.9	11.0+
3079	131P	甲基丙烯腈，稳定的	Methacrylonitrile, stabilized	30	0.3	0.7	150	1.7	2.8
3083	124	氟化高氯酰（高氯酰氟）	Perchloryl fluoride	30	0.2	1.1	1000	5.5	10.9
3160	119	液化气体，毒性，易燃，未另作规定的（吸入危害区域 A）	Liquefied gas, poisonous (toxic), flammable, n. o. s. Liquefied gas, poisonous (toxic), flammable, n. o. s. (Inhalation hazard zone A)	150	1.0	3.9	1000	6.2	10.5

续表

UN号	指南号	中文名称	英文名称	少量泄漏			大量泄漏		
				初始隔离距离(向四周)/m	人员防护距离(下风向)/km		初始隔离距离(向四周)/m	人员防护距离(下风向)/km	
					白天	夜晚		白天	夜晚
3160	119	液化气体,毒性,易燃,未另作规定的(吸入危害区域 B)	Liquefied gas, poisonous(toxic), flammable, n. o. s. (Inhalation hazard zone B)	30	0.1	0.4	300	1.4	3.1
3160	119	液化气体,毒性,易燃,未另作规定的(吸入危害区域 C)	Liquefied gas, poisonous(toxic), flammable, n. o. s. (Inhalation hazard zone C)	30	0.1	0.3	150	1.0	2.7
3160	119	液化气体,毒性,易燃,未另作规定的(吸入危害区域 D)	Liquefied gas, poisonous(toxic), flammable, n. o. s. (Inhalation hazard zone D)	30	0.1	0.2	150	0.8	2.0
3162	123	液化气体,毒性,未另作规定的 液化气体,毒性,未另作规定的(吸入危害区域 A)	Liquefied gas, poisonous (toxic), n. o. s. Liquefied gas, poisonous (toxic), n. o. s. (Inhalation hazard zone A)	150	1	3.9	1000	6.2	10.5

续表

UN号	指南号	中文名称	英文名称	少量泄漏			大量泄漏		
				初始隔离距离（向四周）/m	人员防护距离（下风向）/km		初始隔离距离（向四周）/m	人员防护距离（下风向）/km	
					白天	夜晚		白天	夜晚
3162	123	液化气体，毒性，未另作规定的（吸入危害区域B）	Liquefied gas, poisonous (toxic), n. o. s. (Inhalation hazard zone B)	30	0.2	1.1	300	1.4	3.7
3162	123	液化气体，毒性，未另作规定的（吸入危害区域C）	Liquefied gas, poisonous (toxic), n. o. s. (Inhalation hazard zone C)	30	0.1	0.3	150	1.0	2.7
3162	123	液化气体，毒性，未另作规定的（吸入危害区域D）	Liquefied gas, poisonous (toxic), n. o. s. (Inhalation hazard zone D)	30	0.1	0.3	150	1.0	2.7
3246	156	甲磺硫酰氯	Methanesulfonyl chloride Methanesulphonyl chloride	30	0.2	0.3	60	0.7	1.0
3275	131	腈类，毒性，易燃，未另作规定的	Nitriles, poisonous, flammable, n. o. s. Nitriles, toxic, flammable, n. o. s.	30	0.3	0.7	150	1.7	2.8

续表

UN号	指南号	中文名称	英文名称	少量泄漏			大量泄漏		
				初始隔离距离(向四周)/m	人员防护距离(下风向)/km		初始隔离距离(向四周)/m	人员防护距离(下风向)/km	
					白天	夜晚		白天	夜晚
3276	151	腈类,毒性,未另作规定的 腈类,毒性,液态,未另作规定的	Nitriles,liquid,poisonous,n. o. s Nitriles, liquid, toxic, n. o. s Nitriles,poisonous,n. o. s. Nitriles,toxic,n. o. s.	30	0.3	0.7	150	1.7	2.8
3278	151	有机磷化合物,毒性,液态,未另作规定的	Organophosphorus compound liquid,poisonous,n. o. s. Organophosphorus compound liquid toxic,n. o. s. Organophosphorus compound poisonous liquid,n. o. s. Organophosphorus compound toxic,liquid,n. o. s.	30	0.4	1.2	200	2.6	4.2

续表

UN号	指南号	中文名称	英文名称	少量泄漏			大量泄漏		
				初始隔离距离（向四周）/m	人员防护距离（下风向）/km		初始隔离距离（向四周）/m	人员防护距离（下风向）/km	
					白天	夜晚		白天	夜晚
3279	131	有机磷化合物，毒性，易燃，未另作规定的	Organophosphorus compound, poisonous flammable, n. o. s. Organophosphorus compound, toxic flammable, n. o. s.	30	0.4	1.2	200	2.6	4.2
3280	151	有机砷化合物，液态，未另作规定的	Organoarsenic compound, liquid, n. o. s.	30	0.2	0.7	150	1.7	3.6
3281	151	羰基金属，液态，未另作规定的	Metal carbonyls, liquid, n. o. s.	100	1.4	5.2	1000	11.0+	11.0+
3294	131	氰化氢乙醇溶液，含氰化氢≤45%	hydrogen cyanide solution in alcohol, with not more than 45% hydrogen cyanide	30	0.1	0.2	150	0.7	2.0

续表

UN号	指南号	中文名称	英文名称	少量泄漏			大量泄漏		
				初始隔离距离（向四周）/m	人员防护距离（下风向）/km		初始隔离距离（向四周）/m	人员防护距离（下风向）/km	
					白天	夜晚		白天	夜晚
3300	119P	环氧乙烷和二氧化碳混合物，环氧乙烷含量>87%	Carbon dioxide and Ethylene oxide mixture, with more than 87% Ethylene oxide Ethylene oxide and Carbon dioxide mixture, with more than 87% Ethylene oxide	30	0.1	0.2	150	0.7	2.0
3303	124	压缩气体，毒性，氧化性，未另作规定的 压缩气体，毒性，氧化性，未另作规定的(吸入危害区域A)	Compressed gas, poisonous (toxic), oxidizing, n. o. s. Compressed gas, poisonous (toxic), oxidizing, n. o. s. (Inhalation hazard zone A)	100	0.5	2.5	800	5.1	11.0+
3303	124	压缩气体，毒性，氧化性，未另作规定的(吸入危害区域B)	Compressed gas, poisonous (toxic), oxidizing, n. o. s. (Inhalation hazard zone B)	30	0.2	1.1	500	3.5	9.9

续表

UN号	指南号	中文名称	英文名称	少量泄漏			大量泄漏		
				初始隔离距离（向四周）/m	人员防护距离（下风向）/km		初始隔离距离（向四周）/m	人员防护距离（下风向）/km	
					白天	夜晚		白天	夜晚
3303	124	压缩气体，毒性，氧化性，未另作规定的（吸入危害区域 C）	Compressed gas, poisonous (toxic), oxidizing, n. o. s. (Inhalation hazard zone C)	30	0. 1	0. 6	100	0. 6	2. 2
3303	124	压缩气体，毒性，氧化性，未另作规定的（吸入危害区域 D）	Compressed gas, poisonous (toxic), oxidizing, n. o. s. (Inhalation hazard zone D)	30	0. 1	0. 6	100	0. 6	2. 2
3304	125	压缩气体，毒性，腐蚀性，未另作规定的 压缩气体，毒性，腐蚀性，未另作规定的（吸入危害区域 A）	Compressed gas, poisonous (toxic), corrosive, n. o. s. Compressed gas, poisonous (toxic), corrosive, n. o. s. (Inhalation hazard zone A)	200	1. 1	3. 4	600	3. 9	7. 6

续表

UN号	指南号	中文名称	英文名称	少量泄漏			大量泄漏		
				初始隔离距离(向四周)/m	人员防护距离(下风向)/km		初始隔离距离(向四周)/m	人员防护距离(下风向)/km	
					白天	夜晚		白天	夜晚
3304	125	压缩气体,毒性,腐蚀性,未另作规定的(吸入危害区域 B)	Compressed gas,poisonous (toxic),corrosive,n. o. s. (Inhalation hazard zone B)	30	0.2	1.1	300	1.6	3.7
3304	125	压缩气体,毒性,腐蚀性,未另作规定的(吸入危害区域 C)	Compressed gas,poisonous (toxic), corrosive, n. o. s (Inhalation hazard zone C)	30	0.1	0.5	300	1.4	3.2
3304	125	压缩气体,毒性,腐蚀性,未另作规定的(吸入危害区域 D)	Compressed gas,poisonous (toxic),corrosive,n. o. s. (Inhalation hazard zone D)	30	0.1	0.2	150	0.8	2.0
3305	119	压缩气体,毒性,易燃,腐蚀性,未另作规定的 压缩气体,毒性,易燃,腐蚀性,未另作规定的(吸入危害区域 A)	Compressed gas,poisonous (toxic) flammable,corrosive,n. o. s. Compressed gas,poisonous (toxic) flammable, corrosive, n. o. s. (Inhalation hazard zone A)	150	1.0	3.9	1000	6.2	10.5

续表

UN号	指南号	中文名称	英文名称	少量泄漏			大量泄漏		
				初始隔离距离（向四周）/m	人员防护距离（下风向）/km		初始隔离距离（向四周）/m	人员防护距离（下风向）/km	
					白天	夜晚		白天	夜晚
3305	119	压缩气体，毒性，易燃，腐蚀性，未另作规定的（吸入危害区域B）	Compressed gas, poisonous (toxic) flammable, corrosive, n. o. s. (Inhalation hazard zone B)	30	0.1	0.4	300	1.4	3.1
3305	119	压缩气体，毒性，易燃，腐蚀性，未另作规定的（吸入危害区域C）	Compressed gas, poisonous (toxic) flammable, corrosive, n. o. s. (Inhalation hazard zone C)	30	0.1	0.3	150	1.0	2.7
3305	119	压缩气体，毒性，易燃，腐蚀性，未另作规定的（吸入危害区域D）	Compressed gas, poisonous (toxic) flammable, corrosive, n. o. s. (Inhalation hazard zone D)	30	0.1	0.3	150	1.0	2.7
3306	124	压缩气体，毒性，氧化性，腐蚀性，未另作规定的 压缩气体，毒性，氧化性，腐蚀性，未另作规定的（吸入危害区域A）	Compressed gas, poisonous (toxic), oxidizing, corrosive, n. o. s. Compressed gas, poisonous (toxic), oxidizing, corrosive, n. o. s. (Inhalation hazard zone A)	100	0.5	2.5	1000	5.5	11.0+

续表

UN号	指南号	中文名称	英文名称	少量泄漏			大量泄漏		
				初始隔离距离(向四周)/m	人员防护距离(下风向)/km		初始隔离距离(向四周)/m	人员防护距离(下风向)/km	
					白天	夜晚		白天	夜晚
3306	124	压缩气体,毒性,氧化性,腐蚀性,未另作规定的(吸入危害区域 B)	Compressed gas, poisonous (toxic), oxidizing, corrosive, n. o. s. (Inhalation hazard zone B)	30	0.2	1.1	800	5.1	10.9
3306	124	压缩气体,毒性,氧化性,腐蚀性,未另作规定的(吸入危害区域 C)	Compressed gas, poisonous (toxic), oxidizing, corrosive, n. o. s. (Inhalation hazard zone C)	30	0.1	0.5	300	1.6	3.2
3306	124	压缩气体,毒性,氧化性,腐蚀性,未另作规定的(吸入危害区域 D)	Compressed gas, poisonous (toxic), oxidizing, corrosive, n. o. s. (Inhalation hazard zone D)	30	0.1	0.2	150	0.8	2.0
3307	124	液化气体,毒性,氧化性,未另作规定的 液化气体,毒性,氧化性,未另作规定的(吸入危害区域 A)	Liquefied gas, poisonous (toxic), oxidizing, n. o. s. Liquefied gas, poisonous (toxic), oxidizing, n. o. s. (Inhalation hazard zone A)	100	0.5	2.5	800	5.1	11.0+

续表

UN号	指南号	中文名称	英文名称	少量泄漏			大量泄漏		
				初始隔离距离（向四周）/m	人员防护距离（下风向）/km		初始隔离距离（向四周）/m	人员防护距离（下风向）/km	
					白天	夜晚		白天	夜晚
3307	124	液化气体，毒性，氧化性，未另作规定的(吸入危害区域 B)	Liquefied gas, poisonous (toxic), oxidizing, n. o. s. (Inhalation hazard zone B)	30	0.2	1.1	500	2.8	10.9
3307	124	液化气体，毒性，氧化性，未另作规定的(吸入危害区域 C)	Liquefied gas, poisonous (toxic), oxidizing, n. o. s. (Inhalation hazard zone C)	30	0.1	0,6	100	0.6	2.2
3307	124	液化气体，毒性，氧化性，未另作规定的(吸入危害区域 D)	Liquefied gas, poisonous (toxic), oxidizing, n. o. s. (Inhalation hazard zone D)	30	0.1	0.6	100	0.6	2.2
3308	125	液化气体，毒性，氧化性，未另作规定的 液化气体，毒性，腐蚀性，未另作规定的(吸入危害区域 A)	Liquefied gas, poisonous (toxic), corrosive, n. o. s. Liquefied gas, poisonous (toxic), corrosive, n. o. s. (Inhalation hazard zone A)	200	1.1	3.4	600	3.9	7.6

续表

UN号	指南号	中文名称	英文名称	少量泄漏			大量泄漏		
				初始隔离距离（向四周）/m	人员防护距离（下风向）/km		初始隔离距离（向四周）/m	人员防护距离（下风向）/km	
					白天	夜晚		白天	夜晚
3308	125	液化气体，毒性，腐蚀性，未另作规定的（吸入危害区域 B）	Liquefied gas, poisonous (toxic), corrosive, n. o. s. (Inhalation hazard zone B)	30	0.3	1.1	300	1.6	3.7
3308	125	液化气体，毒性，腐蚀性，未另作规定的（吸入危害区域 C）	Liquefied gas, poisonous (toxic), corrosive, n. o. s. (Inhalation hazard zone C)	30	0.1	0.5	300	1.4	3.2
3308	125	液化气体，毒性，腐蚀性，未另作规定的（吸入危害区域 D）	Liquefied gas, poisonous (toxic), corrosive, n. o. s. (Inhalation hazard zone D)	30	0.1	0.2	150	0.8	2.0
3309	119	液化气体，毒性，易燃，腐蚀性，未另作规定的 液化气体，毒性，易燃，腐蚀性，未另作规定的（吸入危害区域 A）	Liquefied gas, poisonous (toxic), flammable, corrosive, n. o. s. Liquefied gas, poisonous (toxic), flammable, corrosive, n. o. s. (Inhalation hazard zone A)	150	1.0	3.9	1000	6.2	10.5

续表

UN号	指南号	中文名称	英文名称	少量泄漏			大量泄漏		
				初始隔离距离（向四周）/m	人员防护距离（下风向）/km		初始隔离距离（向四周）/m	人员防护距离（下风向）/km	
					白天	夜晚		白天	夜晚
3309	119	液化气体，毒性，易燃，腐蚀性，未另作规定的（吸入危害区域 B）	Liquefied gas, poisonous (toxic), flammable, corrosive, n. o. s. (Inhalation hazard zone B)	30	0.3	0.6	300	2.5	3.1
3309	119	液化气体，毒性，易燃，腐蚀性，未另作规定的（吸入危害区域 C）	Liquefied gas, poisonous (toxic), flammable, corrosive, n. o. s. (Inhalation hazard zone C)	30	0.1	0.3	150	1.0	2.7
3309	119	液化气体，毒性，易燃，腐蚀性，未另作规定的（吸入危害区域 D）	Liquefied gas, poisonous (toxic), flammable, corrosive, n. o. s. (Inhalation hazard zone D)	30	0.1	0.3	150	1.0	2.7
3310	124	液化气体，毒性，氧化性，腐蚀性，未另作规定的 液化气体，毒性，氧化性，腐蚀性，未另作规定的（吸入危害区域 A）	Liquefied gas, poisonous (toxic), oxidizing, corrosive, n. o. s. Liquefied gas, poisonous (toxic), oxidizing, corrosive, n. o. s. (Inhalation hazard zone A)	100	0.5	2.5	1000	5.1	11.0+

续表

UN号	指南号	中文名称	英文名称	少量泄漏			大量泄漏		
				初始隔离距离(向四周)/m	人员防护距离(下风向)/km		初始隔离距离(向四周)/m	人员防护距离(下风向)/km	
					白天	夜晚		白天	夜晚
3310	124	液化气体,毒性,氧化性,腐蚀性,未另作规定的(吸入危害区域B)	Liquefied gas, poisonous (toxic), oxidizing, corrosive, n. o. s. (Inhalation hazard zone B)	30	0.2	1.1	800	4.5	10.9
3310	124	液化气体,毒性,氧化性,腐蚀性,未另作规定的(吸入危害区域C)	Liquefied gas, poisonous (toxic), oxidizing, corrosive, n. o. s. (Inhalation hazard zone C)	30	0.1	0.5	300	1.6	3.2
3310	124	液化气体,毒性,氧化性,腐蚀性,未另作规定的(吸入危害区域D)	Liquefied gas, poisonous (toxic), oxidizing, corrosive, n. o. s. (Inhalation hazard zone D)	30	0.1	0.5	300	1.6	3.2
3318	125	氨溶液,含氨量高于50%	Ammonia solution, with more than 50% Ammonia	30	0.1	0.2	150	0.8	2.0

续表

UN号	指南号	中文名称	英文名称	少量泄漏			大量泄漏		
				初始隔离距离(向四周)/m	人员防护距离(下风向)/km		初始隔离距离(向四周)/m	人员防护距离(下风向)/km	
					白天	夜晚		白天	夜晚
3355	119	气体杀虫剂,毒性,易燃,未另作规定的 气体杀虫剂,毒性,易燃,未另作规定的(吸入危害区域A)	Insecticide gas, poisonous (toxic), flammable, n. o. s. Insecticide gas, poisonous (toxic), flammable, n. o. s. (Inhalation hazard zone A)	150	1.0	3.9	150	6.2	10.5
3355	119	气体杀虫剂,毒性,易燃,未另作规定的(吸入危害区域B)	Insecticide gas, poisonous (toxic), flammable, n. o. s. (Inhalation hazard zone B)	30	0.1	0.4	300	1.4	3.1
3355	119	气体杀虫剂,毒性,易燃,未另作规定的(吸入危害区域C)	Insecticide gas, poisonous (toxic), flammable, n. o. s. (Inhalation hazard zone C)	30	0.1	0.3	150	1.0	2.7
3355	119	气体杀虫剂,毒性,易燃,未另作规定的(吸入危害区域D)	Insecticide gas, poisonous (toxic), flammable, n. o. s. (Inhalation hazard zone D)	30	0.1	0.3	150	0.6	1.6

续表

UN号	指南号	中文名称	英文名称	少量泄漏			大量泄漏		
				初始隔离距离(向四周)/m	人员防护距离(下风向)/km		初始隔离距离(向四周)/m	人员防护距离(下风向)/km	
					白天	夜晚		白天	夜晚
3361	156	氯硅烷,毒性,腐蚀性,未另作规定的(泄漏到水中时)	Chlorosilanes, poisonous, corrosive,n. o. s. (when spilled in water) Chlorosilanes, toxic, corrosive, n. o. s. (when spilled in water)	30	0.1	0.2	60	0.5	1.6
3362	155	氯硅烷,毒性,腐蚀性,易燃,未另作规定的(泄漏到水中时)	Chlorosilanes, poisonous, corrosive, flammable, n. o. s. (when spilled in water) Chlorosilanes, toxic, corrosive, flammable, n. o. s. (when spilled in water)	30	0.1	0.2	60	0.5	1.6

续表

UN号	指南号	中文名称	英文名称	少量泄漏			大量泄漏		
				初始隔离距离（向四周）/m	人员防护距离（下风向）/km		初始隔离距离（向四周）/m	人员防护距离（下风向）/km	
					白天	夜晚		白天	夜晚
3381	151	吸入毒性危害液体，未另作规定的（吸入危害区域 A）	Poisonous by inhalation liquid, n. o. s. (Inhalation hazard zone A) Toxic by inhalation liquid, n. o. s. (Inhalation hazard zone A)	60	0.6	1.8	200	2.3	4.2
3382	151	吸入毒性危害液体，未另作规定的（吸入危害区域 B）	Poisonous by inhalation liquid, n. o. s. (Inhalation hazard zone B) Toxic by inhalation liquid, n. o. s. (Inhalation hazard zone B)	30	0.1	0.2	60	0.5	0.8
3383	131	吸入毒性危害液体，易燃，未另作规定的（吸入危害区域 A）	Poisonous by inhalation liquid, flammable, n. o. s. (Inhalation hazard zone A) Toxic by inhalation liquid, flammable, n. o. s. (Inhalation hazard zone A)	60	0.5	1.5	300	3.4	5.7

续表

UN号	指南号	中文名称	英文名称	少量泄漏			大量泄漏		
				初始隔离距离(向四周)/m	人员防护距离(下风向)/km		初始隔离距离(向四周)/m	人员防护距离(下风向)/km	
					白天	夜晚		白天	夜晚
3384	131	吸入毒性危害液体,易燃,未另作规定的(吸入危害区域B)	Poisonous by inhalation liquid, flammable, n. o. s (Inhalation hazard zone B) Toxic by inhalation liquid, flammable, n. o. s. (Inhalation hazard zone B)	30	0.2	0.3	60	0.6	0.9
3385	139	吸入毒性危害液体,遇水反应,未另作规定的(吸入危害区域A)	Poisonous by inhalation liquid, water-reactive, n. o. s. (Inhalation hazard zone A) Toxic by inhalation liquid, water-reactive, n. o. s. (Inhalation hazard zone A)	60	0.6	1.8	200	2.3	4.2

续表

UN号	指南号	中文名称	英文名称	少量泄漏			大量泄漏		
				初始隔离距离（向四周）/m	人员防护距离（下风向）/km		初始隔离距离（向四周）/m	人员防护距离（下风向）/km	
					白天	夜晚		白天	夜晚
3386	139	吸入毒性危害液体，遇水反应，未另作规定的（吸入危害区域B）	Poisonous by inhalation liquid, water-reactive, n. o. s. (Inhalation hazard zone B) Toxic by inhalation liquid, water-reactive, n. o. s. (Inhalation hazard zone B)	30	0.1	0.2	60	0.5	0.8
3387	142	吸入毒性危害液体，氧化性，未另作规定的（吸入危害区域A）	Poisonous by inhalation liquid, oxidizing, n. o. s. (Inhalation hazard zone A) Toxic by inhalation liquid, oxidizing, n. o. s. (Inhalation hazard zone A)	60	0.5	1.5	300	3.4	5.7

续表

UN号	指南号	中文名称	英文名称	少量泄漏			大量泄漏		
				初始隔离距离(向四周)/m	人员防护距离(下风向)/km		初始隔离距离(向四周)/m	人员防护距离(下风向)/km	
					白天	夜晚		白天	夜晚
3388	142	吸入毒性危害液体,氧化性,未另作规定的(吸入危害区域B)	Poisonous by inhalation liquid, oxidizing, n. o. s. (Inhalation hazard zone B) Toxic by inhalation liquid, oxidizing, n. o. s. (Inhalation hazard zone B)	30	0.1	0.1	150	0.3	0.5
3389	154	吸入毒性危害液体,腐蚀性,未另作规定的(吸入危害区域A)	Poisonous by inhalation liquid, corrosive, n. o. s. (Inhalation hazard zone A) Toxic by inhalation liquid, corrosive, n. o. s. (Inhalation hazard zone A)	100	0.3	0.7	800	1.7	2.8

续表

UN号	指南号	中文名称	英文名称	少量泄漏			大量泄漏		
				初始隔离距离（向四周）/m	人员防护距离（下风向）/km		初始隔离距离（向四周）/m	人员防护距离（下风向）/km	
					白天	夜晚		白天	夜晚
3390	154	吸入毒性危害液体，氧化性，未另作规定的（吸入危害区域B）	Poisonous by inhalation liquid, corrosive, n. o. s. (Inhalation hazard zone B) Toxic by inhalation liquid, corrosive, n. o. s. (Inhalation hazard zone B)	30	0.2	0.2	30	0.5	0.6
3456	157	固态亚硝基硫酸（泄漏到水中时）	Nitrosylsulphuric acid, solid (when spilled in water) Nitrosylsulfuric acid, solid (when spilled in water)	30	0.1	0.4	200	0.7	2.3

续表

UN号	指南号	中文名称	英文名称	少量泄漏			大量泄漏		
				初始隔离距离(向四周)/m	人员防护距离(下风向)/km		初始隔离距离(向四周)/m	人员防护距离(下风向)/km	
					白天	夜晚		白天	夜晚
3488	131	吸入毒性危害液体,易燃,腐蚀性,未另作规定的(吸入危害区域A)	Poisonous by inhalation liquid, flammable, corrosive, n. o. s. (Inhalation hazard zone A) Toxic by inhalation liquid, flammable, corrosive, n. o. s. (Inhalation hazard zone A)	60	0.5	1.5	300	3.4	5.7
3489	131	吸入毒性危害液体,易燃,腐蚀性,未另作规定的(吸入危害区域B)	Poisonous by inhalation liquid, flammable, corrosive, n. o. s. (Inhalation hazard zone B) Toxic by inhalation liquid, flammable, corrosive, n. o. s. (Inhalation hazard zone B)	30	0.2	0.3	60	0.6	0.9

续表

UN号	指南号	中文名称	英文名称	少量泄漏			大量泄漏		
				初始隔离距离（向四周）/m	人员防护距离（下风向）/km		初始隔离距离（向四周）/m	人员防护距离（下风向）/km	
					白天	夜晚		白天	夜晚
3490	155	吸入毒性危害液体，遇水反应，易燃，未另作规定的（吸入危害区域 A）	Poisonous by inhalation liquid, Water-reactive, flammable n. o. s. (Inhalation hazard zone A) Toxic by inhalation liquid, Water-reactive, flammable n. o. s. (Inhalation hazard zone A)	60	0.5	1.5	300	3.4	5.7
3491	155	吸入毒性危害液体，遇水反应，易燃，未另作规定的（吸入危害区域 B）	Poisonous by inhalation liquid, water-reactive, flammable, n. o. s. (Inhalation hazard zone B) Toxic by inhalation liquid, water-reactive, flammable n. o. s. (Inhalation hazard zone B)	30	0.2	0.3	60	0.6	0.9

续表

UN号	指南号	中文名称	英文名称	少量泄漏			大量泄漏		
				初始隔离距离(向四周)/m	人员防护距离(下风向)/km		初始隔离距离(向四周)/m	人员防护距离(下风向)/km	
					白天	夜晚		白天	夜晚
3492	131	吸入毒性危害液体,腐蚀性,易燃,未另作规定的(吸入危害区域A)	Poisonous by inhalation liquid, corrosive, flammable, n. o. s. (Inhalation hazard zone A) Toxic by inhalation liquid corrosive, flammable, n. o. s. (Inhalation hazard zone A)	60	0.5	1.5	300	3.4	5.7
3493	131	吸入毒性危害液体,腐蚀性,易燃,未另作规定的(吸入危害区域B)	Poisonous by inhalation liquid, corrosive, flammable, n. o. s. (Inhalation hazard zone B) Toxic by inhalation liquid corrosive, flammable, n. o. s. (Inhalation hazard zone B)	30	0.2	0.3	60	0.6	0.9

续表

UN号	指南号	中文名称	英文名称	少量泄漏			大量泄漏		
				初始隔离距离（向四周）/m	人员防护距离（下风向）/km		初始隔离距离（向四周）/m	人员防护距离（下风向）/km	
					白天	夜晚		白天	夜晚
3494	131	含硫原油，易燃，毒性	Petroleum sour crude oil, flammable, poisonous Petroleum sour crude oil, flammable, toxic	30	0.1	0.2	60	0.5	0.8
3507	166	六氟化铀，放射性物质，例外包件，每个包件小于0.1kg，非易裂变的或不属于易裂变的（泄漏到水中时）	Uranium hexafluoride, radioactive material, excepted package, less than 0.1 kg per package, non fissile or fissile-excepted (when spilled in water)	30	0.1	0.1	30	0.1	0.1
3512	173	吸附气体，毒性，未另作规定的 吸附气体，毒性，未另作规定的（吸入危害区域A）	Adsorbed gas, poisonous (toxic), n. o. s. Adsorbed gas, poisonous (toxic), n. o. s. (Inhalation hazard zone A)	30	0.1	0.1	30	0.1	0.1

续表

UN号	指南号	中文名称	英文名称	少量泄漏			大量泄漏		
				初始隔离距离(向四周)/m	人员防护距离(下风向)/km		初始隔离距离(向四周)/m	人员防护距离(下风向)/km	
					白天	夜晚		白天	夜晚
3512	173	吸附气体,毒性,未另作规定的(吸入危害区域 B) 吸附气体,毒性,未另作规定的(吸入危害区域 C) 吸附气体,毒性,未另作规定的(吸入危害区域 D)	Adsorbed gas, poisonous (toxic), n. o. s. (Inhalation hazard zone B) Adsorbed gas, poisonous (toxic), n. o. s. (Inhalation hazard zone C) Adsorbed gas, poisonous (toxic), n. o. s. (Inhalation hazard zone D)	30	0.1	0.1	30	0.1	0.1
3514	173	吸附气体,毒性,易燃,未另作规定的 吸附气体,毒性,易燃,未另作规定的(吸入危害区域 A)	Adsorbed gas, poisonous (toxic), flammable, n. o. s. Adsorbed gas, poisonous (toxic), flammable, n. o. s. (Inhalation hazard zone A)	30	0.1	0.1	30	0.1	0.1

续表

UN号	指南号	中文名称	英文名称	少量泄漏			大量泄漏		
				初始隔离距离（向四周）/m	人员防护距离（下风向）/km		初始隔离距离（向四周）/m	人员防护距离（下风向）/km	
					白天	夜晚		白天	夜晚
3514	173	吸附气体，毒性，易燃，未另作规定的（吸入危害区域 B） 吸附气体，毒性，易燃，未另作规定的（吸入危害区域 C） 吸附气体，毒性，易燃，未另作规定的（吸入危害区域 D）	Adsorbed gas, poisonous (toxic), flammable, n. o. s. (Inhalation hazard zone B) Adsorbed gas, poisonous (toxic), flammable, n. o. s. (Inhalation hazard zone C) Adsorbed gas, poisonous (toxic), flammable, n. o. s. (Inhalation hazard zone D)	30	0.1	0.1	30	0.1	0.1
3515	173	吸附气体，毒性，氧化性，未另作规定的 吸附气体，毒性，氧化性，未另作规定的（吸入危害区域 A）	Adsorbed gas, poisonous (toxic), oxidizing, n. o. s. Adsorbed gas, poisonous (toxic), oxidizing, n. o. s. (Inhalation hazard zone A)	30	0.1	0.1	30	0.1	0.1

续表

UN号	指南号	中文名称	英文名称	少量泄漏			大量泄漏		
				初始隔离距离(向四周)/m	人员防护距离(下风向)/km		初始隔离距离(向四周)/m	人员防护距离(下风向)/km	
					白天	夜晚		白天	夜晚
3515	173	吸附气体,毒性,氧化性,未另作规定的(吸入危害区域 B) 吸附气体,毒性,氧化性,未另作规定的(吸入危害区域 C) 吸附气体,毒性,氧化性,未另作规定的(吸入危害区域 D)	Adsorbed gas, poisonous (toxic), oxidizing, n. o. s. (Inhalation hazard zone B) Adsorbed gas, poisonous (toxic), oxidizing, n. o. s. (Inhalation hazard zone C) Adsorbed gas, poisonous (toxic), oxidizing, n. o. s. (Inhalation hazard zone D)	30	0.1	0.1	30	0.1	0.1
3516	173	吸附气体,毒性,腐蚀性,未另作规定的 吸附气体,毒性,腐蚀性,未另作规定的(吸入危害区域 A)	Adsorbed gas, poisonous (toxic), corrosive, n. o. s. Adsorbed gas, poisonous (toxic), corrosive, n. o. s. (Inhalation hazard zone A)	30	0.1	0.1	30	0.1	0.1

续表

UN号	指南号	中文名称	英文名称	少量泄漏			大量泄漏		
				初始隔离距离（向四周）/m	人员防护距离（下风向）/km		初始隔离距离（向四周）/m	人员防护距离（下风向）/km	
					白天	夜晚		白天	夜晚
3516	173	吸附气体，毒性，腐蚀性，未另作规定的（吸入危害区域B） 吸附气体，毒性，腐蚀性，未另作规定的（吸入危害区域C） 吸附气体，毒性，腐蚀性，未另作规定的（吸入危害区域D）	Adsorbed gas, poisonous (toxic), corrosive, n. o. s. (Inhalation hazard zone B) Adsorbed gas, poisonous (toxic), corrosive, n. o. s. (Inhalation hazard zone C) Adsorbed gas, poisonous (toxic), corrosive, n. o. s. (Inhalation hazard zone D)	30	0.1	0.1	30	0.1	0.1
3517	173	吸附气体，毒性，易燃，腐蚀性，未另作规定的 吸附气体，毒性，易燃，腐蚀性，未另作规定的（吸入危害区域A）	Adsorbed gas, poisonous (toxic), flammable, corrosive, n. o. s. (Inhalation hazard zone A)	30	0.1	0.1	30	0.1	0.1

续表

UN号	指南号	中文名称	英文名称	少量泄漏			大量泄漏		
				初始隔离距离（向四周）/m	人员防护距离（下风向）/km		初始隔离距离（向四周）/m	人员防护距离（下风向）/km	
					白天	夜晚		白天	夜晚
3517	173	吸附气体，毒性，易燃，腐蚀性，未另作规定的（吸入危害区域B） 吸附气体，毒性，易燃，腐蚀性，未另作规定的（吸入危害区域C） 吸附气体，毒性，易燃，腐蚀性，未另作规定的（吸入危害区域D）	Adsorbed gas, poisonous (toxic), flammable, corrosive, n. o. s. (Inhalation hazard zone B) Adsorbed gas, poisonous (toxic), flammable, corrosive, n. o. s. (Inhalation hazard zone C) Adsorbed gas, poisonous (toxic), flammable, corrosive, n. o. s. (Inhalation hazard zone D)	30	0.1	0.1	30	0.1	0.1
3518	173	吸附气体，毒性，氧化性，腐蚀性，未另作规定的 吸附气体，毒性，氧化性，腐蚀性，未另作规定的（吸入危害区域A）	Adsorbed gas, poisonous (toxic), oxidizing, corrosive, n. o. s. Adsorbed gas, poisonous (toxic), oxidizing, corrosive, n. o. s. (Inhalation hazard zone A)	30	0.1	0.1	30	0.1	0.1

续表

UN号	指南号	中文名称	英文名称	少量泄漏			大量泄漏		
				初始隔离距离（向四周）/m	人员防护距离（下风向）/km		初始隔离距离（向四周）/m	人员防护距离（下风向）/km	
					白天	夜晚		白天	夜晚
3518	173	吸附气体，毒性，氧化性，腐蚀性，未另作规定的（吸入危害区域B） 吸附气体，毒性，氧化性，腐蚀性，未另作规定的（吸入危害区域C） 吸附气体，毒性，氧化性，腐蚀性，未另作规定的（吸入危害区域D）	Adsorbed gas, poisonous (toxic), oxidizing, corrosive, n. o. s. (Inhalation hazard zone B) Adsorbed gas, poisonous (toxic), oxidizing, corrosive, n. o. s. (Inhalation hazard zone C) Adsorbed gas, poisonous (toxic), oxidizing, corrosive, n. o. s. (Inhalation hazard zone D)	30	0.1	0.1	30	0.1	0.1
3519	173	三氟化硼，吸附的	Boron trifluoride, adsorbed	30	0.1	0.1	30	0.1	0.1
3520	173	氯，吸附的	Chlorine, adsorbed	30	0.1	0.1	30	0.1	0.1

续表

UN号	指南号	中文名称	英文名称	少量泄漏			大量泄漏		
				初始隔离距离(向四周)/m	人员防护距离(下风向)/km		初始隔离距离(向四周)/m	人员防护距离(下风向)/km	
					白天	夜晚		白天	夜晚
3521	173	四氟化硅,吸附的	Silicon tetrafluoride,adsorbed	30	0.1	0.1	30	0.1	0.1
3522	173	胂,吸附的	Arsine,adsorbed	30	0.1	0.1	30	0.1	0.1
3523	173	锗烷,吸附的	Germane,adsorbed	30	0.1	0.1	30	0.1	0.1
3524	173	五氟化磷,吸附的	Phosphorus pentafluoride,adsorbed	30	0.1	0.1	30	0.1	0.1
3525	173	磷化氢,吸附的	Phosphine,adsorbed	30	0.1	0.1	30	0.1	0.1
3526	173	硒化氢,吸附的	Hydrogen selenide,adsorbed	30	0.1	0.1	30	0.1	0.1
3539	123	含有有毒气体的物品,未另作规定的	Articles containing toxic gas,n. o. s.	30	0.3	1.1	300	1.4	3.7

续表

UN号	指南号	中文名称	英文名称	少量泄漏			大量泄漏		
				初始隔离距离（向四周）/m	人员防护距离（下风向）/km		初始隔离距离（向四周）/m	人员防护距离（下风向）/km	
					白天	夜晚		白天	夜晚
9191	143	二氧化氯水合物，冷冻状态（泄漏到水中时）	Chlorine dioxide, hudrate, frozen (Wen spilled in water)	30	0.3	0.1	30	0.2	0.5
9202	168	一氧化碳，冷冻液体（低温液体）	Carbon monoxide, refrigerated liquid(cryogenic liquid)	30	0.1	0.2	200	1.2	3.9
9206	137	甲基膦酰二氯	Methyl phosphonic dichloride	30	0.2	0.2	60	0.5	0.6
9263	156	氯代特戊酰氯	Chloropivaloyl chloride	30	0.1	0.1	30	0.2	0.3
9264	151	3,5-二氯吡啶	3,5-Dichloropyridine	30	0.1	0.1	30	0.2	0.3
9269	132	三甲氧基硅烷	Trimethoxysilane	30	0.2	0.7	150	1.4	2.4

第六节　遇水反应产生毒性气体的物质

表 4-2 列出了遇水反应产生毒性气体的物质。这类物质泄漏到水中时会产生大量吸入毒性危害（即 TIH）的气体。这些物质按 UN 号（联合国编号）顺序列出。

表 4-2 所列遇水反应产生毒性气体的物质对应于表 4-1 所列名称后标有“**泄漏到水中时**”的物质。表 4-2 列出的 TIH 气体仅供参考。表 4-1 列出的初始隔离距离和防护距离已经考虑了所产生的 TIH 气体。例如：表 4-2 列出的氰化钠（UN1689）泄漏到水中时，会产生氰化氢（HCN）气体。在表 4-1 中，你只能查到氰化钠的距离，而不是氰化氢气体的距离。

有些遇水反应物质本身就是 TIH 气体的物质［例如 UN1746（三氟化溴）、UN1836（亚硫酰氯）］。在此情况下，表 4-1 中按地面泄漏和水中泄漏两种情况分列两个条目。如果某遇水反应物质在表 4-1 中只有一个条目（**泄漏到水中时**），并且该产品没有泄漏到水中，则表 4-1 和表 4-2 不适用，只需参考相应的应急指南卡。

被分类为 4.3 项的物质是指遇水容易自燃或放出易燃气体或有时放出大量毒性气体的物质。表 4-2 中所列遇水反应物质是指泄漏到水中后迅速产生大量有毒气体的物质。因此，被分类为 4.3 项的物质不一定总会被列入表 4-2 中。

表 4-2　遇水反应产生毒性气体的物质

UN号	中文名称	英文名称	类别或项别	指南号	产生的毒性气体
1162	二甲基二氯硅烷	Dimethyldichlorosilane	3,8	155	氯化氢(HCl)
1183	乙基二氯硅烷	Ethyldichlorosilane	4.3,3,8	139	氯化氢(HCl)
1196	乙基三氯硅烷	Ethyltrichlorosilane	3,8	155	氯化氢(HCl)
1242	甲基二氯硅烷	Methyldichlorosilane	4.3,3 8	139	氯化氢(HCl)
1250	甲基三氯硅烷	Methyltrichlorosilane	3,8	155	氯化氢(HCl)
1295	三氯硅烷	Trichlorosilane	4.3,3,8	139	氯化氢(HCl)
1298	三甲基氯硅烷	Trimethylchlorosilane	3,8	155	氯化氢(HCl)
1305	乙烯基三氯硅烷	Vinyltrichlorosilane	3,8	155P	氯化氢(HCl)
1340	五硫化二磷，不含黄磷或白磷	Phosphorus pentasulphide, free from yellow or white phosphorus	4.3,4.1	139	硫化氢(H_2S)
1360	磷化钙	Calcium phosphide	4.3,6.1	139	磷化氢(PH_3)
1384	连二亚硫酸钠	Sodium dithionite (Sodium hydrosulphite)	4.2	135	硫化氢(H_2S)，二氧化硫(SO_2)

续表

UN 号	中文名称	英文名称	类别或项别	指南号	产生的毒性气体
1390	氨基碱金属	Alkali metal amides	4.3	139	氨气(NH_3)
1397	磷化铝	Aluminum phosphide	4.3,6.1	139	磷化氢(PH_3)
1419	磷化铝镁	Magnesium aluminum phosphide	4.3,6.1	139	磷化氢(PH_3)
1432	磷化钠	Sodium phosphide	4.3,6.1	139	磷化氢(PH_3)
1541	丙酮合氰化氢,稳定的	Acetone cyanohydrin, stabilized	6.1	156	氰化氢(HCN)
1680	氰化钾,固态	Potassium cyanide, solid	6.1	157	氰化氢(HCN)
1689	氰化钠,固态	Sodium cyanide, solid	6.1	157	氰化氢(HCN)
1716	乙酰溴	Acetyl bromide	8	156	溴化氢(HBr)
1717	乙酰氯	Acetyl chloride	3,8	155	氯化氢(HCl)
1724	烯丙基三氯硅烷,稳定的	Allyltrichlorosilane, stabilized	8,3	155	氯化氢(HCl)
1725	无水溴化铝	Aluminum bromide, anhydrous	8	137	溴化氢(HBr)
1726	无水氯化铝	Aluminum chloride, anhydrous	8	137	氯化氢(HCl)
1728	戊基三氯硅烷	Amyltrichlorosilane	8	156	氯化氢(HCl)
1732	五氟化锑	Antimony pentafluoride	8,6.1	157	氟化氢(HF)

续表

UN号	中文名称	英文名称	类别或项别	指南号	产生的毒性气体
1741	三氯化硼	Boron trichloride	2.3,8	125	氯化氢(HCl)
1745	五氟化溴	Bromine pentafluoride	5.1,6.1,8	144	氟化氢(HF),溴(Br_2)
1746	三氟化溴	Bromine trifluoride	5.1,6.1,8	144	氟化氢(HF),溴(Br_2)
1747	丁基三氯硅烷	Butyltrichlorosilane	8,3	155	氯化氢(HCl)
1752	氯乙酰氯	Chloroacetyl chlorid	6.1,8	156	氯化氢(HCl)
1753	氯苯基三氯化硅	Chlorophenyltrichlorosilane	8	156	氯化氢(HCl)
1754	氯磺酸（含或不含三氧化硫）	Chlorosulphonic acid (with or without sulphur trioxide)	8	137	氯化氢(HCl)
1758	氯氧化铬	Chromium oxychloride	8	137	氯化氢(HCl)
1762	环己烯基三氯硅烷	Cyclohexenyltrichlorosilane	8	156	氯化氢(HCl)
1763	环己基三氯硅烷	Cyclohexyltrichlorosilane	8	156	氯化氢(HCl)
1765	二氯乙酰氯	Dichloroacetyl chloride	8	156	氯化氢(HCl)
1766	二氯苯基三氯硅烷	Dichlorophenyltrichlorosilane	8	156	氯化氢(HCl)

续表

UN 号	中文名称	英文名称	类别或项别	指南号	产生的毒性气体
1767	二乙基二氯硅烷	Diethyldichlorosilane	8,3	155	氯化氢(HCl)
1769	二苯基二氯硅烷	Diphenyldichlorosilane	8	156	氯化氢(HCl)
1771	十二烷基三氯硅烷	Dodecyltrichlorosilane	8	156	氯化氢(HCl)
1777	氟磺酸	Fluorosulphonic acid	8	137	氟化氢(HF)
1781	十六烷基三氯硅烷	Hexadecyltrichlorosilane	8	156	氯化氢(HCl)
1784	己基三氯硅烷	Hexyltrichlorosilane	8	156	氯化氢(HCl)
1799	壬基三氯硅烷	Nonyltrichlorosilane	8	156	氯化氢(HCl)
1800	十八烷基三氯硅烷	Octadecyltrichlorosilane	8	156	氯化氢(HCl)
1801	辛基三氯硅烷	Octyltrichlorosilane	8	156	氯化氢(HCl)
1804	苯基三氯硅烷	Phenyltrichlorosilane	8	156	氯化氢(HCl)
1806	五氯化磷	Phosphorus pentachloride	8	137	氯化氢(HCl)
1808	三溴化磷	Phosphorustribromide	8	137	溴化氢(HBr)

续表

UN 号	中文名称	英文名称	类别或项别	指南号	产生的毒性气体
1809	三氯化磷	Phosphorus trichloride	6.1,8	137	氯化氢(HCl)
1810	三氯氧化磷(磷酰氯)	Phosphorusoxytrichloride	6.1,8	137	氯化氢(HCl)
1815	丙酰氯	Propionyl chloride	3,8	155	氯化氢(HCl)
1816	丙基三氯硅烷	Propyltrichlorosilane	8,3	155	氯化氢(HCl)
1818	四氯化硅	Silicon tetrachloride	8	157	氯化氢(HCl)
1828	氯化硫	Sulphurchlorides	8	137	氯化氢(HCl),二氧化硫(SO_2),硫化氢(H_2S)
1834	硫酰氯	Sulphuryl chloride	6.1,8	137	氯化氢(HCl)
1836	亚硫酰氯	Thionyl chloride	8	137	氯化氢(HCl),二氧化硫(SO_2)
1838	四氯化钛	Titanium tetrachloride	6.1,8	137	氯化氢(HCl)
1898	乙酰碘	Acetyl iodide	8	156	碘化氢(HI)
1923	连二亚硫酸钙(亚硫酸氢钙)	Calcium dithionite (Calcium hydrosulphite)	4.2	135	硫化氢(H_2S),二氧化硫(SO_2)
1929	连二亚硫酸钾(亚硫酸氢钾)	Potassium dithionite (Potassium hydrosulphite)	4.2	135	硫化氢(H_2S),二氧化硫(SO_2)

续表

UN 号	中文名称	英文名称	类别或项别	指南号	产生的毒性气体
1931	连二亚硫酸锌（亚硫酸氢锌）	Zinc dithionite (Zinc hydrosulphite)	9	171	硫化氢（H_2S），二氧化硫（SO_2）
2004	二氨基镁	Magnesium diamide	4.2	135	氨气（NH_3）
2011	二磷化三镁	Magnesium phosphide	4.3,6.1	139	磷化氢（PH_3）
2012	磷化钾	Potassium phosphide	4.3,6.1	139	磷化氢（PH_3）
2013	磷化锶	Strontium phosphide	4.3,6.1	139	磷化氢（PH_3）
2308	液态亚硝基硫酸	Nitrosylsulphuric acid, liquid	8	157	二氧化氮（NO_2）
2353	丁酰氯	Butyl chloride	3,8	155	氯化氢（HCl）
2395	异丁酰氯	Isobutyryl chloride	3,8	155	氯化氢（HCl）
2434	二苄基二氯硅烷	Dibenzyldichlorosilane	8	156	氯化氢（HCl）
2435	乙基苯基二氯硅烷	Ethylphenyldichlorosilane	8	156	氯化氢（HCl）
2437	甲基苯基二氯硅烷	Methylpenyldichlorosilane	8	154	氯化氢（HCl）
2495	五氟化碘	Iodine pentafluoride	5.1,6.1,8	144	氟化氢（HF）
2691	五溴化磷	Phosphorus pentabromide	8	137	溴化氢（HBr）

续表

UN号	中文名称	英文名称	类别或项别	指南号	产生的毒性气体
2692	三溴化硼	Boron tribromide	8	157	溴化氢(HBr)
2806	氮化锂	Lithium nitride	4.3	139	氨气(NH_3)
2965	三氟化硼合二甲醚	Boron trifluoride dimethyl etherate	4.3	139	氟化氢(HF)
2977	放射性物质六氟化铀，易裂变的	Radioactive material, Uranium hexafluoride, fissile	7,8	166	氟化氢(HF)
2978	放射性物质六氟化铀，非易裂变的或例外的易裂变的	Radioactive material, Uranium hexafluoride, non fissile or fissile excepted	7,8	166	氟化氢(HF)
2985	氯硅烷，易燃，腐蚀性，未另作规定的	Chlorosilanes, flammable, corrosive, n. o. s	3,8	155	氯化氢(HCl)
2986	氯硅烷，腐蚀性，易燃，未另作规定的	Chlorosilanes, corrosive, flammable, n. o. s.	8,3	155	氯化氢(HCl)
2987	氯硅烷，腐蚀性，未另作规定的	Chlorosilanes, corrosive, n. o. s	8	156	氯化氢(HCl)
2988	氯硅烷，遇水反应，易燃，腐蚀性，未另作规定的	Chlorosilanes, Water-reactive, flammable, corrosive, n. o. s.	4.3,3,8	139	氯化氢(HCl)

续表

UN号	中文名称	英文名称	类别或项别	指南号	产生的毒性气体
3048	磷化铝农药	Aluminum phosphide pesticide	6.1	157	磷化氢(PH_3)
3361	氯硅烷,毒性,腐蚀性,未另作规定的	Chlorosilanes, toxic, corrosive, n. o. s.	6.1,8	156	氯化氢(HCl)
3362	氯硅烷,毒性,腐蚀性,易燃,未另作规定的	Chlorosilanes, toxic, corrosive, flammable, n. o. s.	6.1,3,8	155	氯化氢(HCl)
3456	固态亚硝基硫酸	Nitrosylsulphuric acid, solid	8	157	二氧化氮(NO_2)
3507	六氟化铀,放射性材料,例外包件,每个包件小于0.1kg,非易裂变的或不属于易裂变的	Uranium hexafluoride, radioactive material, excepted package, less than 0.1 kg per package, nonfissile or fissile-excepted	8	166	氟化氢(HF)

第七节 常见吸入毒性危害物质

表4-3(常见吸入毒性危害物质初始隔离和防护距离)列出了以下6种常见的吸入毒性危害物质在不同类型运输容

器（载重量或容积不一）、不同时态（白天和夜晚）、不同风速（微风、和风、大风）并发生大量泄漏（泄漏量大于208L）情况下的初始隔离距离和防护距离：

① UN1005-无水氨；

② UN1017-氯；

③ UN1040-环氧乙烷和UN1040-含氮环氧乙烷；

④ UN1050-无水氯化氢和UN2186-冷冻液态氯化氢；

⑤ UN1052-无水氟化氢；

⑥ UN1079-二氧化硫。

不同类型运输容器载重量或容积参考规格如下：

铁路罐车：80000kg

公路罐车或拖车：20000～25000kg

农用罐车：3785L

小气瓶：72L

大气瓶：757～1135L

关于风速的判断，可通过下表所列环境因素进行：

通过环境因素判断风速表

风速/(km/h)	风态描述	环境因素表现特征
＜10	低(微风)	脸部有感觉;树叶发出沙沙声;树叶受风会摆动
10～20	中(和风)	带起了灰尘,吹散纸片;小树枝摇动
＞20	高(大风)	大树枝摇动;电话线发出口哨声;雨伞使用困难

注：上表所列微风、和风、大风3个风速类别系根据蒲福风力等级表数据加工而成。

表 4-3　常见吸入毒性危害物质初始隔离和防护距离

运输容器	所有风向初始隔离距离/m	下风向人员防护距离/km					
		白天			夜晚		
		低风速（<10 km/h）	中风速（10～20km/h）	高风速（>20 km/h）	低风速（<10 km/h）	中风速（10～20km/h）	高风速（>20 km/h）
UN1005 无水氨：大量泄漏							
铁路罐车	300	1.6	1.2	1.0	4.1	2.1	1.3
公路罐车或拖挂车	150	0.8	0.5	0.4	1.8	0.7	0.6
农用罐车	60	0.5	0.3	0.3	1.4	0.3	0.3
多支小气瓶	30	0.3	0.2	0.1	0.7	0.3	0.2
UN1017 氯：大量泄漏							
铁路罐车	1000	9.6	6.3	5.1	11+	8.9	6.5
公路罐车或拖挂车	600	5.6	3.3	25	6.4	4.7	3.8
多支大气瓶	300	1.9	1.3	1.0	3.5	2.3	1.3
多支小气瓶或单支大气瓶	150	1.3	0.7	0.5	2.4	1.2	0.6

续表

运输容器	所有风向初始隔离距离/m	下风向人员防护距离/km					
		白天			夜晚		
		低风速（<10 km/h）	中风速（10～20km/h）	高风速（>20 km/h）	低风速（<10 km/h）	中风速（10～20km/h）	高风速（>20 km/h）
UN1040 环氧乙烷：大量泄漏　UN1040 含氮环氧乙烷：大量泄漏							
铁路罐车	200	1.5	0.8	0.7	3.0	1.4	0.8
公路罐车或拖挂车	100	0.9	0.5	0.4	2.0	0.7	0.4
多支小气瓶或单支大气瓶	30	0.4	0.2	0.1	0.8	0.3	0.2
UN1050 氯化氢：大量泄漏　UN2186 冷冻液态氯化氢：大量泄漏							
铁路罐车	500	3.7	2.0	1.7	9.7	3.3	2.2
公路罐车或拖挂车	200	1.5	0.8	0.6	3.7	1.5	0.8
多支大气瓶	30	0.4	0.2	0.1	1.0	0.3	0.1
多支小气瓶或单支大气瓶	30	0.3	0.2	0.1	0.9	0.3	0.2

续表

运输容器	所有风向初始隔离距离/m	下风向人员防护距离/km					
		白天			夜晚		
		低风速（<10 km/h）	中风速（10～20km/h）	高风速（>20 km/h）	低风速（<10 km/h）	中风速（10～20km/h）	高风速（>20 km/h）
UN1052 氟化氢:大量泄漏							
铁路罐车	500	3.4	2.1	1.8	6.4	3.0	1.9
公路罐车或拖挂车	200	2.0	1.0	0.9	3.6	1.5	0.9
多支小气瓶或单支大气瓶	100	0.8	0.4	0.3	1.7	0.5	0.3
UN1079 二氧化硫:大量泄漏							
铁路罐车	1000	11+	11+	6.9	11+	11+	9.6
公路罐车或拖挂车	1000	11+	6.0	5.0	11+	7.9	6.0
多支大气瓶	500	5.2	2.2	1.7	7.4	4.0	2.7
多支小气瓶或单支大气瓶	200	3.1	1.5	1.1	5.6	2.4	1.5

第八节　防护用品

1. 工作制服

公安或其他医疗救护人员穿用的工作制服，对危险货物事故产生的有害影响没有任何防护作用。

2. 消防员防护服（SFPC）

消防员的防护服通常称为消防服。该类服装通常是消防员在建（构）筑物灭火作业时穿用。它包括头盔、外套、裤子、靴子、手套和用于遮盖头盔面罩不能防护到位的头巾，可与全面罩正压自给式呼吸器（SCBA）配套使用。这些服装应当符合相应的国家标准。建构筑物消防作业所用消防服只能提供有限的冷热保护，但可能无法对危险物质/危险货物事故中遇到的有害气体或液体提供足够的防护。

每个指南卡都包含应对所涉及危险货物事故时如何使用消防用品的内容。有些指南卡强调消防服只能提供有限的保护。在这种情况下，同时穿戴消防服和正压自给式呼吸器的应急人员可以实施快速进出的作业。但此种作业有可能使应急人员面临暴露、受伤或死亡的风险。事故应急指挥员只有在万分紧急情况下才能决定这样做（例如实施紧急救援、关闭阀门以控制泄漏等）。请注意，常规下森林或野外灭火时穿用的连体式防护服并不是消防服，本指南不推荐使用该种防护服。

3. 正压自给式呼吸器（SCBA）

在高强度工作需要吸入大量氧气的情况下，自给式呼吸器可提供自给的、持续的氧气。应使用经过国家有关机构认证的自给式呼吸器并按照规定标准佩戴。化学药筒式呼吸器或其他过滤口罩均不能用来替代自给式呼吸器。

4. 面罩呼吸器

如果怀疑事故与化学战剂有关，应使用经过国家有关机构认证的具有化学的、生物的、放射性的核的保护功能的呼吸器。

N95 口罩是 7 种微颗粒过滤面罩式呼吸器中最常见的一种。该产品可过滤至少 95% 的空气中颗粒物（粒径 0.3μm），但不耐油。N95 口罩不能隔绝气体和蒸气。电动空气净化呼吸器（PAPR）通过空气净化滤芯或过滤器将环境空气输入面罩内，但不能通过另配气瓶来供应氧气或空气。

5. 化学防护服和装备

化学防护服及装备通常是专门为防护某种特定的化学物质而设计的，不适用于其他化学物质。这类装备对过冷或过热情况没有很好的防护作用。除非这种防护服与释放的物质兼容，否则不要使用。使用该类装备必须经过专业培训。未经过专业培训的非专业人员不适合使用这类装备。当今世界上尚无能够抵御所有危险品伤害的防护服材料。非经制造商专门认证，不能认定所用防护衣物具有抗冷、耐热或暴露在火焰中的功能。

以下是这种设备的示例：

（1）蒸汽防护套装［美国国家消防协会标准第 1991 号（NFPA1991）］，也称为完全封闭化学防护套装或 A* 级保护［美国《职业安全与健康法》第 29 篇第 1910.120 条（OSHA29CFR1910.120），附录 A 和 B］

（2）液体飞溅防护套装（NFPA1992），也称为 B* 级或

C*级保护（OSHA29CFR1910.120，附录A和B），或用于化学/生物恐怖主义事件的套装（NFPA1994），第1、2或3级套装及加拿大国家标准第Z1610-2011号（CAN/CGSB/CSA-Z1610-11）-保护应急人员免受化学、生物、放射性和核（CBRN）事件的影响。

第九节　净化

对遭受污染的人员和设备进行净化或去污有多种方法。如果净化时需要帮助，可按货运单提供的应急电话号码或本指南第五部分附录所列的应急救援联系方式联络。这些资源可以在没有其他办法情况下与化学品制造商取得联系并确定合适的方法。

1. 什么叫净化

净化是指对人员和设备在事故中造成污染的危险物品进行清除或中和的过程。污染通常发生在事故附近区域（即所谓“热区”“禁区”或“限制区”）。为控制污染扩大，处于该区域内的所有人员（包括应急人员）及物品离开时都应当进行净化。

污染有两类：一是直接污染，发生在事故热区。二是交叉污染，通常发生在过渡区域（即所谓“暖区”或“减少污染走廊”）或清洁区域（即所谓“冷区”或“支持区”），主要由那些离开热区时没有经过适当清理的人员和物品将污染带给其他人员或物品。

2. 净化的方法

归纳起来，净化方法主要有两种：一是采用物理手段去除污染物；二是利用化学药剂中和污染物。

美国消防协会《危险物品和大规模毁灭性武器事件应急响应能力标准》（NFPA472）第 3 章介绍了以下 4 种净化方法。

（1）彻底去污：快速去除表面污染，通常使用机械去除污染物或用软管、应急淋浴器及附近水源的清水进行冲洗。

（2）技术去污：采用化学或物理方法尽可能将污染降至最低水平。可专门组织险情处置小组实施去污工作。

（3）大规模去污：面临可能危及生命健康情况，应尽快减少或清除众人的表面污染。

（4）紧急去污：无论是否正式设立去污通道，应立即减少那些生命健康有潜在威胁的人员所遭受的污染。这项工作应在受害者的上风向或上坡方向进行。应急人员应避免接触去污过程中的人员、水流或喷沫。

应急处置和大规模去污可通过消防和救援设备进行。为形成淋浴状去污，喷嘴可置于广角水喷雾模式并喷洒到地面。应急人员也可在机器排气口上安装喷嘴。

开展净化工作之前，必须移除在事故影响区域使用和保存过的遭受污染的衣物和设备。如果防护衣物和装备无法去污，必须妥善处理。

化学中和过程会释放热量，千万不要让污染受害者尝试。

第十节　消防和泄漏控制

1. 消防

水是最常见，也是最容易获得的灭火剂。事故中需要考虑的因素很多，因此应当谨慎选择灭火方法。对于某些物质的火灾，水可能是无效的。

（1）涉及易燃液体泄漏的火灾

这些火灾通常是通过将消防泡沫作用到燃烧物的表面。

扑灭易燃液体火灾需要：

- 与燃烧物化学性质相容的泡沫浓缩液；
- 正确混合泡沫浓缩液与水和空气；
- 小心使用和维持泡沫覆盖层。

一般有两种类型的消防泡沫：普通型和抗溶型。普通泡沫例子有蛋白质基泡沫、氟蛋白泡沫或水成膜泡沫（AFFF）。可以通过使用普通型泡沫来控制一些可燃液体火灾，包括许多石油产品。其它易燃液体，如醇类和酮类等极性溶剂（可溶于水的易燃液体）具有不同的化学特性，因而控制这些物质引起的火灾不能轻易地使用普通泡沫灭火剂，应该使用抗溶泡沫灭火剂来代替。

相比其他易燃液体火灾，极性溶剂火灾可能很难控制，需要更高的泡沫灭火剂使用率（更多信息见 NFPA11）。可参考适当的指南内容，以确定采用合适类型的泡沫。对具有腐蚀性或毒性次生危害的易燃液体，难以给出具体建议，但抗溶泡沫灭火剂对此类型许多物质可能还是有效的。

为获取有关正确使用灭火剂的信息，应尽快拨打货运单上的应急电话或联系合适的应急机构。

如何控制火灾取决于以下因素：

- 事故地点；
- 暴露危害；
- 火势大小；
- 环境问题；

• 现场灭火剂和灭火设备的可用性。

(2) 遇水反应物质

水有时用于冲洗溢出物，并在溢出情况下减少或引导蒸气。本指南所涵盖的一些物质遇水时会发生剧烈反应，甚至发生爆炸。在此情况下，考虑让火继续燃烧或者让泄漏物自生自灭（除非通过筑堤防止其蔓延），直到你能得到更多的技术解决办法。

相关指南对这些潜在的危险反应给出了明确的警示。处理这些物质时需要进行技术咨询。这是因为：

• 水进入破裂或泄漏的容器可能会引发爆炸。

• 可能需要用水冷却邻近容器，以防止它们破裂、爆炸或防止火势进一步蔓延。

• 水可以有效地缓解涉及遇水反应物质的事故，但前提是**具有足够的水量确保持续使用**。

• 遇水反应生成的产物可能比引发火灾的产物更具毒性、腐蚀性或不良影响。

当对涉及遇水反应性物质的事故做出响应时，需要考虑：

• 现有条件，如风向、降水、事发地点和可达性；

• 控制火灾或泄漏的材料的可用性。

因为需要考虑许多不确定性，所以必须根据来源可靠的信息（例如，通过应急响应电话或应急机构咨询该物质的制造商）来决定是否对火灾或泄漏的遇水反应物质用水。

2. 蒸汽控制

对易燃或腐蚀性液体池火所释放的蒸气数量加以限制是一个操作性问题。它需要合适的防护服、专业设备、适用的化学药剂和熟练的技术人员等。在开始蒸气控制作业之前，应听取专业人员的处置建议。

有一些方式可以减少从泄漏液体池中逸出的蒸气数量，例如使用特殊泡沫、吸附剂、吸收剂和中和剂等。为有效起见，必须选择一种可以减轻而不是恶化事故状态的方式来使用它们。

如果具体物质已知，例如在生产或储存场合，为防止泄漏发生，负责危险品应急响应的部门应与设施运营人员预先做出安排，提前选择和储备好这些控制剂。

在事故现场，应急人员可能缺乏适合抑制该着火物质的最有效的蒸气控制剂。这时的消防车可能只有水，或者只有一种类型的消防泡沫。如果没有可用的泡沫类型，很可能使用水喷雾，而水喷雾是用来形成蒸气封堵的，所以在使用过程中必须注意不要搅动或让泄漏物扩散。遇水不起反应的气体会随着水幕周围的气流从现场逸出。为有效控制蒸气排放和抑制火势，在使用水喷雾或其他方法之前，应根据具体危险品名称进行技术咨询。

3. 液体泄漏控制

液体泄漏控制是应对危险品事故的重要环节。泄漏可能对健康、安全和环境造成严重后果。处理液体泄漏的方法有很多，包括：围堤、筑坝和吸附等。

液体泄漏可以通过在泄漏区域周围设置围堤来控制。根据所涉及的产品，泄漏可以使用惰性或不可燃的吸附材料来控制。

惰性吸附材料呈颗粒状，常见的有：沙子、硅藻土（由沉积岩制成的细粉）、蛭石和黏土等。

不可燃吸附材料通常不易燃，并且能吸收大量液体。它们通常由合成材料制成，如：聚丙烯、聚乙烯以及其他合成纤维等。

其他容易获得的吸附性材料还有锯末或黏土屑等。但请注意以下几点：

- 锯末不应用于吸附易燃液体或氧化剂，因为它可能会着火。

- 黏土屑不应用于吸附酸类物质，因为它可能含有小苏打，会与酸发生反应。

在使用任何一种吸附材料之前，建议先进行技术咨询以确认其兼容性，或对泄漏物做一下测试。

第十一节　锂电池及电动车（EV）火灾控制要点

1. 火灾控制

水喷雾可以冷却电池，帮助抑制和减缓有毒气体的释放，但无法停止电池内的化学反应（热失控）。其他灭火剂（如 CO_2、干粉等）可能会困住热量而不是减少热量，导致温度读数偏低。

在处理电动车火灾时，务必参考车辆制造商提供的紧急响应指南，以识别高压和中压电缆。不要切割这些电缆。

大多数电动车都有紧急切断回路，这是一种低压电线回路，可以切断以断开车辆的高压系统。如果安全可行，应按照制造商的指示切断 12V 电池的连接，这样可以隔离高压电池，减少电击风险。

2. 损坏、有缺陷或召回的锂电池

所有锂电池都存在火灾风险，无论是锂金属电池还是锂离子电池，无论是新电池还是使用过的电池。然而，损坏、有缺陷或召回的（DDR）锂电池与非 DDR 锂电池相比更有可能起火，因为它们容易发生所谓的“**热失控**”现象。

热失控是一种连锁反应，导致储存的能量和可燃气体发生爆炸性释放。该反应会扩展到附近的其他电池或可燃物，从而引发大规模热事件，可能造成严重后果。

DDR 锂电池的损坏迹象包括：

- 电解液泄漏；
- 电池外壳膨胀或变色；
- 异味或腐蚀；
- 烧痕；
- 被发现使用情况不当的；
- 被召回过的电池。

第十二节　沸腾液体膨胀蒸气爆炸（BLEVE）和热撕裂

1. 沸腾液体膨胀蒸气爆炸（BLEVE）

以下介绍有关 BLEVE 安全的重要信息，并提供一个图表以便在涉及液化石油气（LPG）UN1075 可能发生事故情况下考虑。

（1）与液化石油气相关的常见易燃气体

- UN1011-丁烷（Butane）
- UN1012-丁烯（Butylene）

- UN1055-异丁烯（Isobutylene）
- UN1077-丙烯（Propylene）
- UN1969-异丁烷（Isobutane）
- UN1978-丙烷（Propane）

当火灾冲击或损坏的罐车，无法控制其内部压力并随着产品突然释放而爆炸时，就会发生 BLEVE。这种灾难性事故更可能发生在损坏的压力罐车上，即使在没有火灾的情况下。

（2）LPG 发生 BLEVE 的**主要危害**

• 火灾：如果释放出的物质被点燃，会立即产生火球。

• 热辐射：在距离火球半径约 4 倍处，从火球散发出来的热量，足以在 2s 内灼伤裸露的皮肤。穿着防护服可限制热辐射剂量。

• 爆炸：压力物质突然释放引起冲击力。对于露天发生的 BLEVE，在距离火球半径 4 倍处的爆炸强度能够打碎窗户玻璃，并可能对建筑物造成轻微损坏。

• 迸射：储罐故障可能会将金属碎片迸射到很远的距离。这些碎片可能而且已经致命。人们离开 BLEVE 中心越远则危险越小。迸射危险性最大。

涉及 BLEVE 关键性安全问题的视频信息，可访问：加拿大政府网站（Canada. ca）→加拿大交通部（Transport Canada）→危险货物（Dangerous goods）板块，关于“BLEVE—响应与预防”的内容。

2. 热撕裂（HIT）

热撕裂（HIT）是指装有易燃液体的无压罐车暴露在大火的高温下破裂。金属会软化，油罐车内的压力会增加，从而导致安全壳失效。撕裂通常发生在容器的蒸气空间（上侧），随后高速排出大量易燃液体和蒸气，形成火球并产生强烈的热浪。

与 BLEVE 相比，HIT 很少导致油罐车碎片的抛射。热撕裂发生在脱轨后 20 分钟内，以及首次起火后长达 10 多个小时以上。

应对此类事故（BLEVE 和 HIT）需要专门的培训、战术方法和设备。

3. BLEVE 安全预防措施

（1）谨慎使用。表 4-4（**BLEVE 应对表**）列出了各种尺寸储罐性能、临界时间、临界距离和冷却水流量等参数，以供应急人员参考，请谨慎使用。

（2）储罐尺寸是近似的，可能随储罐设计和应用的不同而变化。

（3）最小失效时间是近似的，是按照良好状态下储罐的蒸气空间受到**严重火炬冲击影响**所得出的。如果储罐受到损坏或腐蚀，可能会提前失效。根据不同的条件，储罐失效时间可能要比最小失效时间长数分钟或数小时。此处假定储罐没有配备隔热或水雾冷却装置。

（4）最小排空时间，假设储罐被大火吞噬并带有适当大小减压阀。如果储罐只是被部分吞噬，那么排空时间会增加（即：如果储罐被大火吞噬 50%，则储罐排空要花 2 倍时间）。此处再次假定储罐没有配备隔热或水雾冷却装置。

（5）配备隔热或水雾冷却装置的储罐，显著增加失效的时间和排空的时间。隔热装置可以减少热量输入 10 倍或更多。这也意味着储罐通过减压阀（PRV）排空可能需要十倍的时间。

（6）火球半径和应急响应距离是按照数学方程式计算出来的近似值。假定火球是球形的，但实际上并非总是如此。

（7）两个公众疏散的安全距离。最小距离是基于储罐以较小倾斜角被抛射（即比水平面高几度）。这是最常见的卧式圆柱体。首选疏散距离是在假定储罐与地面呈 45 度角时被抛射，因此留有足够的安全余地。这对于竖直储罐可能更合适。

据了解，这些距离是很大的，在人口密集区可能不实际。但应该理解，离 BLEVE 越近则风险增加越快。切记：抛射到最远处的抛射物往往脱落在与罐体两端任一端呈 45 度夹角的区域。

冷却储罐金属壳体所需水流量计算：$10 \cdot (\sqrt{储罐容量(L)}$ (L/min)。

警告：所给数据是近似值，应当谨慎使用。例如，给出的储罐失效时间和储罐通过压力释放阀排空的时间——这些都是典型性的，实际时间可能因具体情况而异。因此，不要按照这些时间来冒险。

表 4-4 BLEVE 应对表

容量/L	直径/m	长度/m	丙烷质量/kg	严重火炬最小失效时间/min	火焰吞噬排空近似时间/min	火球半径/m	应急反应距离/m	最小疏散距离/m	最佳疏散距离/m	冷却水流量/(L/min)
100	0.3	1.5	40	4	8	10	90	154	307	97
400	0.61	1.5	160	4	12	16	90	244	488	195
2000	0.96	3	800	5	18	28	111	417	834	435
4000	1	4.9	1600	5	20	35	140	525	1050	615
8000	1.25	6.5	3200	6	22	44	176	661	1323	870

续表

容量/L	直径/m	长度/m	丙烷质量/kg	严重火炬最小失效时间/min	火焰吞噬排空近似时间/min	火球半径/m	应急反应距离/m	最小疏散距离/m	最佳疏散距离/m	冷却水流量/(L/min)
22000	2.1	6.7	8800	7	28	62	247	926	1852	1443
42000	2.1	11.8	16800	7	32	77	306	1149	2200	1994
82000	2.75	13.7	32800	8	40	96	383	1435	2200	2786
140000	3.3	17.2	56000	9	45	114	457	1715	2200	3640

注意：表列数据是近似值，使用时应特别小心。表列的时间数值可能因情况而异。液化石油气储罐几分钟内就可能发生 BLEVE。因此，不要照搬这些时间数值来冒险。

第十三节　防范利用化学/生物/放射性物质进行犯罪和恐怖活动

如果怀疑有人故意释放化学、生物或放射性物质(CBRN)，请立即联系当地应急响应机构。以下内容为一般性指导，不作为专业性事故应急反应培训内容。没有经过培训并配有合适的装备不要进入现场。

在潜在的 CBRN/恐怖主义事件中需要考虑的**初步行动**：

- 最先到场的应急人员必须确保自身安全。
- 避免在距离可疑装置 100m 范围内使用手机、无线电装置等。
- 如有可能，求援于有经验的专家。
- 现场指挥机构设置在该区域的上风向和上坡处。

• **不要**触摸或移动可疑包装物或容器。

• 注意现场可能存在的不起眼的器件［例如简易爆炸装置（IED）］。

• 防止污染。

• 仅允许负责营救受害者或测评未知材料或设备的人员进入。

• 远距离疏散并隔离可能接触危险物品的人员，尽可能使其处于上风处和上坡处，同时注意避免身体接触。

• 为开展材料分析，应隔离受污染区域，确保现场安全。

应急人员在对怀疑事故或事件涉及刑事犯罪或恐怖分子利用化学、生物和/或放射性物质（CBRN）情况进行初步评估时可使用以下信息。为有助于评估，在以下段落列出了已使用或存在过的化学、生物制剂或放射性物质的可观测指标。本节最后内容是关于应对简易爆炸装置产生各种威胁时所应采取安全避让距离的图表。

1. 化学、生物和放射性制剂之间的差异

化学和生物制剂以及放射性物质可以被播散于我们呼吸的空气和饮用的水之中或者我们身体容易接触到的物体表面。播散方法简单的可能就像打开一件容器或使用传统的养花用水喷雾器，复杂的就像引爆一个简易爆炸装置。

（1）化学事故（或事件） 其特点是医疗症状发作快（从数分钟到数小时），具有很容易观察到的鲜明特征（色彩残留、枯叶、刺鼻气味、死亡的昆虫和动物）。

（2）生物事故（或事件） 其特点是症状在数小时或数天后才出现，没有典型的特征，因为生物制剂通常是无气味和无色的。由于症状出现滞后，受感染地区可能因感染者的流动而扩大。

（3）放射性事故（或事件） 其特点是如果有发病症状，可能在几天到几周或更长时间才出现，没有任何明显特征，因为放射性物质通常也是无味、无色的。需要使用专门设备来测定受影响区域的规模以及辐射水平对人体健康的危害是眼前的还是长期的。由于放射性影响情况需要使用专用设备才能检测到，因此往往由于污染个体的随意迁移而造成事故区域的灾情进一步扩大。

最可能的辐射源不会产生致人死亡或导致严重疾病的辐射量。在“脏弹”或放射性传播装置（RDD）引起的放射性事故（或事件）中，通过引爆普通炸药而造成放射性污染扩散，其主要危害来自爆炸。不过，散布在空气中的一些放射性物质可能会污染到城市的几个街区，容易使人们产生恐惧甚至恐慌情绪，可能需要花费高昂的清理费用。

2. 预示可能发生了化学事故（或事件）的可观测指标（或迹象）

（1）死去的动物/鸟/鱼 不仅仅是偶尔被车辆压死的动物，而是同一地区的很多动物（野生和家养的，小的和大的）以及鸟类和鱼类的死亡。

（2）没有存活的昆虫 如果看不到正常的昆虫活动（地面、空气和/或水面），检查地面或水面或海岸线上死去的昆虫。如果靠近水域，检查死鱼或死去的水生鸟类。

（3）原因不明的气味 可能的气味包括果味、花香味、强烈的、辛辣的、大蒜味、类似辣根味、苦杏仁味、桃仁味或新割的干草味。这些气味与周围环境是完全不相干的。

（4）不寻常的死亡和患病人数（大量人员伤亡） 出现

大量健康问题，包括恶心、定向障碍、呼吸困难、抽搐、局部出汗、结膜炎（眼睛红肿）、红斑（皮肤红肿）和死亡。

（5）人员伤亡模式　伤亡人员可能分布在下风向，或者如果是在室内，则由通风系统导致。

（6）水疱/皮疹　大量人员经历原因不明的水样疱疹、鞭痕（像蜂蜇伤）和/或皮疹。

（7）封闭区域内疾病　在室内和室外工作人员的伤亡率不同，这与释放药剂的地点有关。

（8）不寻常的液滴　大量物体表面出现油滴或油膜，大片水面出现油膜（近期一直无雨）。

（9）景观异常的区域　不仅有成片枯死的杂草，还有死亡、变色或枯干的树木、灌木、灌木丛、粮食作物和/或草坪（当前并未干旱）。

（10）云层低垂　低垂的云或雾，与周边的环境情况不一样。

（11）不寻常的金属碎片　不明炸弹或类似弹药的材料，特别是当它含有液体时。

3. 预示可能发生了生物事故（或事件）的可观测指标

（1）不寻常的人或动物患病和死亡数量　可能会出现许多症状。伤亡可能在事故（或事件）发生后数小时至数天内发生。观察到症状之前所需时间取决于制剂。

（2）不明和不寻常的喷剂被播撒　特别是在户外黑暗的时候。

（3）废弃的喷淋设备　设备可能没有明显的气味。

4. 预示可能发生了放射性事故（或事件）的可观测指标

（1）放射性警示标记　容器上可能会有一个“螺旋桨”

样的放射性警示标记。

（2）不寻常的金属碎片　不明炸弹或类似弹药的材料。

（3）热传导材料　材料灼热或在似乎没有任何外在热源的情况下发热。

（4）发光材料　强放射性物质可能发射能量或引起辐射发光。

（5）患病的人或动物　在非常不可能的情况下发生不寻常的人或动物患病或死亡的数量。人员伤亡可能会在事故发生后几小时、几天或几周内发生。症状被观察到之前所需时间取决于所使用的放射性物质和所接受的剂量。可能的症状包括皮肤红肿或呕吐。

5. 人身安全注意事项

当接近一个可能涉及化学、生物制剂或放射性物质的场合，最重要的是要考虑自身和其他救援人员的安全。

必须使用适当安全级别的防护服和呼吸系统保护器具。在怀疑 CBRN 材料有可能被用作武器的事故（或事件）中，推荐使用经国家主管部门认证的 CBRN 呼吸保护器。请注意，作为个体，你可能无法验证或识别化学、生物制剂或放射性物质，特别是生物或放射性制剂。

以下措施适合应对化学、生物或放射性事故（或事件）。所列内容属于一般性指导意见，应对者需要根据具体情况灵活使用。

6. 应对方法和策略

（1）应对方法

① 使暴露时间最小化。

② 尽量扩大你与可能伤害你的物品之间的距离。

③ 使用防护罩作保护。

④ 穿戴适当的个人防护装备和呼吸系统保护器具。

⑤ 使用上述可观测指标对风险进行识别和评估。

⑥ 隔离相关区域并保护现场。

⑦ 尽快隔离和净化可能受污染的人群。

⑧ 尽可能采取措施限制污染物的传播。

（2）特别注意事项　在发生化学事故（或事件）时，化学气味变淡不一定就是蒸气浓度降低。一些化学物质使感官麻木，给你错误的感觉，好像化学物质不再存在。

如果有迹象表明某一区域可能被放射性物质污染，包括发生非意外爆炸的地点，应急救援人员应配备有辐射探测设备并知晓如何正确使用它。这些设备应被设计成这样一种方式，当达到不可接受的环境剂量率或环境剂量达到某一限值时会向使用它的应急救援人员发出警报。

7. 净化措施

（1）对于遭受化学和生物制剂污染　应急救援人员应当遵循标准的清污程序（冲洗—剥离—冲洗）。应尽快开始清除大规模伤亡人员的污染，剥去所有衣物，并用肥皂和水清洗。如需进一步资料，请与本指南第五部分附录一列出的相关机构联系。

（2）对于遭受放射性物质污染的人员　注意尽量减少污染的扩散。如果有必要，在确保安全情况下，应将他们转移到低辐射区域。脱掉他们的衣物并把这些衣物放入带有明确标记的密封容器例如塑料袋中，用以后续检测。进行上述净化措施时，一定要注意防止皮肤损伤（例如刷牙过于用力）。不论是受污染人员还是应急救援人员，外部辐射污染难以对他们完整的皮肤表面形成足够高的危害剂量。出于这个原因，应优先考虑对受污染伤员进行医疗稳定方面的救治。

8. 化学战剂和生物战剂

化学战剂和生物战剂没有指定的联合国编号［见表 4-5（A）化学战剂和表 4-5（B）生物战剂］，因为这些物质不属于商业运输性质。在紧急情况下，本指南相关内容可为初步响应提供基本指导［见表 4-5（C）涉及化学战剂时可参考的初始隔离距离和防护距离］。

用于化学战剂安全距离的量化标准为：

- 少量释放指释放量不超过 2kg。
- 大量释放指释放量不超过 25kg。

表 4-5（A） 化学战剂

水疱剂 (发疱剂)	引起皮肤起泡的物质。通过液体或蒸气接触暴露的组织(眼睛、皮肤、肺)进行传播。 示例:路易氏剂、芥子气。 症状:眼睛发红、皮肤刺激、皮肤灼烧感、水疱、上呼吸道损伤、咳嗽、声音嘶哑。
血液剂	干扰细胞呼吸(血液和组织之间的氧气和二氧化碳交换)的物质。 示例:砷、氯化氢、氰化氢。 症状:呼吸窘迫、头痛、反应迟钝、癫痫发作、昏迷。
窒息剂	对肺部造成物理损伤的物质。通过吸入传播。在极端情况下,肺膜肿胀,肺部充满液体(肺水肿),最终因窒息死亡。 示例:双光气、光气。 症状:眼、鼻、喉咙刺激,呼吸困难,恶心,呕吐,暴露皮肤灼烧感。

续表

失能剂	使人无法清晰思考或导致意识改变(可能失去意识)的物质。 示例:二苯乙醇酸-3-喹咛环酯(Buzz)。症状:幻觉、困惑、躁动、瞳孔扩大、视力模糊、皮肤干燥/发红、腹泻、心率加快、高血压、体温升高。
神经性毒剂	干扰中枢神经系统的物质。主要通过液体接触(皮肤和眼睛)传播,其次通过蒸气吸入传播。 示例:沙林、塔崩、VX。 症状:瞳孔缩小、剧烈头痛、胸闷、呼吸困难、流鼻涕、咳嗽、流口水、反应迟钝、癫痫。
催泪剂	通过刺激眼睛、口腔、喉咙、肺和皮肤,使人暂时不能正常工作的化合物。示例:溴苄基氰化物、氯乙酰苯。 症状:过度流泪、眼睛灼烧感、视力模糊、眼睛发红、口腔灼烧和刺激、吞咽困难、胸部紧绷、咳嗽、窒息感、皮肤灼伤和皮疹。
呕吐剂	引起眼睛、上呼吸道和皮肤迅速发炎以及恶心和呕吐的化学物质。 示例:亚当氏剂,二苯氯胂。 症状:眼睛刺激,鼻子和喉咙灼烧,胸部紧绷,恶心,呕吐,腹部痉挛。

表 4-5 (B) 生物战剂

生物剂	通过犯罪意图传播的病原体(细菌、病毒等)。它们可以导致健康人患病或死亡。 示例:炭疽、鼠疫、天花病毒。 **参见指南号 158。**
毒素	来自植物、动物或细菌来源的有毒或毒性物质。 示例:肉毒杆菌毒素、蓖麻毒素。 **参见指南号 152。**

表 4-5(C)　涉及化学战剂时可参考的初始隔离距离和防护距离

化学战剂	指南号	初始隔离距离/m	少量释放/km	大量释放/km
水疱剂(发疱剂)	153	200	0.4	1.6
血液剂	117	400	0.9	3.2
窒息剂	125	100	0.3	1.1
失能剂	153	1000	1.7	7.8
神经性毒剂	153	400	1.0	4.0
催泪剂	159	30	0.2	0.6
呕吐剂	153	100	0.6	1.1

注：涉及生物战剂时，请参考相应的指南号以确定安全距离。

9. 简易爆炸装置

简易爆炸装置（IED）是一种“自制”炸弹和/或破坏性装置，用于破坏、使人丧失能力、骚扰或分散注意力。由于简易爆炸装置是临时制作的，它们可以有多种形式，从小型管状炸弹到能够造成大规模破坏和人员伤亡的复杂装置。

根据炸药的体积或重量（TNT 当量）、炸药能力、炸弹和 LPG 储罐的威胁类型、LPG 储罐质量与容量比值和火球直径等参数预测了破坏半径，并据此列出相应的疏散距离。见表 4-6 和表 4-7。

表 4-6　简易爆炸装置（烈性炸药）安全疏散距离

威胁类型		炸药能力①/kg	强制疏散距离②/m	就地避难区/m	首选疏散距离③/m
烈性炸药（TNT 当量）	土制炸弹	2.3	21	22～365	366＋④
	自杀式炸弹	9	34	35～518	519＋

续表

威胁类型		炸药能力①/kg	强制疏散距离②/m	就地避难区/m	首选疏散距离③/m
烈性炸药（TNT 当量）	公文包/手提箱	23	46	47～563	564＋
	汽车	227	98	99～579	580＋
	SUV/厢型车	454	122	123～731	732＋
	小型搬运车	1814	195	196～1158	1159＋
	集装箱卡车/运水车	4536	263	264～1554	1555＋
	半挂车	27216	475	476～2834	2835＋

① 基于材料可以合理装入一个容器或一台车辆的最大数量。可能有变化。

② 按非强化建筑承受严重损坏或倒塌能力测算。

③ 按较大碎片投掷距离或玻璃破损或下落风险距离测算。对于穿着防弹背心的人员，距离可以减小。注意：假定土制炸弹、自杀式炸弹和公文包/手提箱炸弹有迸射特性，对比装有同样数量炸药的汽车需要更大的疏散距离。

④“＋”表示“及以上”。

表 4-7　简易爆炸装置（LPG 储罐）安全疏散距离

威胁类型		LPG 质量/容量①/(kg/L)	火球直径②/m	安全距离③,④/m
液化石油气(LPG)-丁烷或丙烷	小型 LPG 罐	9/19	12	48
	大型 LPG 罐	45/95	21	84
	商用或住宅区 LPG 罐	907/1893	56	224
	小型 LPG 罐车	3630/7570	89	356
	LPG 半挂罐车	18144/37850	152	608

① 基于 LPG 可以合理装入一个容器或一台车辆的最大数量。可能有变化。

② 假设易燃气体与周围空气有效混合。

③ 由美国消防实践决定。其中安全距离约为火焰高度的 4 倍。

④ 本列表针对外部装有炸药的液化石油气储罐。注意：对于充满烈性炸药的液化石油气储罐的疏散距离要比充满液化石油气储罐的疏散距离大得多。

第五部分

附录

附录一 应急救援机构联系方式

1. 国家化学事故应急咨询中心

专线电话：0532-83889090

2. 各省（自治区、直辖市）、计划单列市疾病预防控制中心

其联系方式见附表1。

附表1 各省（自治区、直辖市）、计划单列市疾病预防控制中心联系方式

单位	地址	邮编	电话	传真
北京市疾病预防控制中心	北京东城区和平里中街16号	100013	010-64407016	010-64407019
天津市疾病预防控制中心	天津市河东区华越道6号	300011	022-24333453	022-24333455
河北省疾病预防控制中心	石家庄市裕华区槐安东路97号	050021	0311-86573151	0311-86573151
山西省疾病预防控制中心	太原市迎泽区小南关街8号	030012	0351-7553016	0351-7553001
内蒙古自治区综合疾病预防控制中心	呼和浩特市新城区永平路	010010	0471-4395866	0471-5964101 0471-45964101

续表

单位	地址	邮编	电话	传真
辽宁省疾病预防控制中心	沈阳市浑南区金枫街 168 号	110172	024-23372448	02423372448
吉林省疾病预防控制中心	长春市绿园区景阳大路 3145 号	130062	043187976809	0431-87976967
黑龙江省疾病预防控制中心	哈尔滨市香坊区油坊街 40 号	150030	0451-55153710	0451-87907313
上海市疾病预防控制中心	上海市长宁区中山西路 1380 号	200336	021-62758710	021-62756323
江苏省疾病预防控制中心	南京市鼓楼区江苏路 172 号	210009	025-83759314	025-83759310
浙江省疾病预防控制中心	杭州市滨江区滨盛路 3399 号	310051	0571-87115020 057187115020	0571-87115100
安徽省疾病预防控制中心	合肥市经开区繁华大道 12560 号	230601	0551-63674888	0551-63674977
福建省疾病预防控制中心	福州市晋安区崇安路 386 号	350012	0591-87533291	0591-87670235
江西省疾病预防控制中心	南昌市青山湖区北京东路 555 号	330000	0791-88319966	0791-88319966
山东省疾病预防控制中心	济南市历下区经十路 16992 号	250014	0531-82679626	0531-82679620
河南省疾病预防控制中心	郑州市郑东新区农业南路 105 号	450016	0371-68089001 0371-68089008	0371-68089002

续表

单位	地址	邮编	电话	传真
湖北省疾病预防控制中心	武汉市洪山区卓刀泉北路35号	430079	027-87652057	027-87641813
湖南省疾病预防控制中心	长沙市开福区兴联路861号	410000	0731-84305907	0731-82223945
广东省疾病预防控制中心	广州市番禺区大石街群贤路160号	511430	020-31051252/3105/1022	020-31051502
广西壮族自治区疾病预防控制中心	南宁市青秀区金州路18号	530028	0771-2518766	0771-2518768
海南省疾病预防控制中心	海口市美兰区海府路44号	570203	0898-65231812	0898-65333245
四川省疾病预防控制中心	成都市武侯区中学路6号	610041	028-85586035	028-85582320
重庆市疾病预防控制中心	重庆市北碚区蔡家镇同康路	400070	023-63820626	023-68803303
贵州省疾病预防控制中心	贵阳市云岩区八鸽岩路73号	550004	0851-86822197	0851-86824556
云南省疾病预防控制中心	昆明市西山区东寺街158号	650022	0871-63611746	0871-63613063
西藏自治区疾病预防控制中心	拉萨市城关区林廓北路21号	850000	0891-6322089	0891-6333414
陕西省疾病预防控制中心	西安市碑林区建东街3号	710054	029-82211952	029-82211952

续表

单位	地址	邮编	电话	传真
甘肃省疾病预防控制中心	兰州市城关区东岗西路 310 号	730000	0931-8266392	0931-8266115
青海省疾病预防控制中心	西宁市城东区八一中路 55 号	810000	0971-8808538	0971-8801538
宁夏回族自治区疾病预防控制中心	银川市金凤区凤巢路 4 号	750002	0951-4082773	0951-4077307
新疆维吾尔自治区疾病预防控制中心	乌鲁木齐市天山区碱泉一街 380 号	830002	0991-2625962 0991-2615081	0991-2633955
新疆生产建设兵团疾病预防控制中心	乌鲁木齐市天山区五星南路 344 号	830002	0991-2645602	0991-2645602
大连市疾病预防控制中心	大连市甘井子区悦岭西街 151 号	116037	0411-84335913	0411-84335913
青岛市疾病预防控制中心	青岛市市南区丰县路 8 号	266024	0532-85623909	0532-85646110
宁波市疾病预防控制中心	宁波市海曙区范江岸路 1166 号	315000	0574-87680163	0574-87361764
深圳市疾病预防控制中心	深圳市南山区龙苑路 8 号	518055	0755-25530261	0755-25532595
厦门市疾病预防控制中心	厦门市集美区盛光路 681-685 号	361021	0592-2020001	0592-2020002

3. 中国国家中毒控制中心及各地分中心

联系方式见附表 2。

附表 2　中国国家中毒控制中心及各地分中心联系方式

中心名称	联系电话	地址	依托单位
国家中毒控制中心	010-83132345	北京西城区南纬路 29 号	中国疾病预防控制中心
上海市杨浦区中心医院	021-65690520	上海腾越路 450 号	上海市杨浦区中心医院
河南分中心	0371-66959721	郑州市康复中街 3 号	河南省职业病防治研究所
广东分中心	020-84198181	广州市海珠区新港西路海康街 68 号	广东省职业病防治院
天津分中心	022-24334059	天津市河东区新开路 55 号	天津市职业病防治院
辽宁分中心	024-23397403	辽宁省沈阳市和平区集贤街 79-3 号	辽宁省职业病防治院
河北分中心	0311-86839374	石家庄市石正公路 145 号	河北省职业病防治所
军事医学科学院附属 307 医院	010-66947000 010-6647120	北京市丰台区东大街 8 号	军事医学科学院附属 307 医院
沈阳网络医院	024-31088950 024-25741990(总机)	沈阳市铁西区南 11 西路 18 号	沈阳市第九人民医院

续表

中心名称	联系电话	地址	依托单位
徐州网络医院	0516-85538611(总机)	徐州市环城路131号	徐州第三人民医院
石家庄市急救中心	0311-66610100	石家庄市建设南大街188号	石家庄市急救中心

注：表列控制中心或各地分中心又称：化学中毒救治基地

4. 中国各地化学品中毒抢救中心

联系方式见附表3。

附表3　中国各地化学品中毒抢救中心联系方式

单位名称	联系方式	地址	依托单位	主管部门
上海抢救中心	总机:021-22836200	上海市静安区成都北路369号	上海市化工职业病防治院	上海华谊集团公司
株洲抢救中心	0733-2380980 传真:0733-2381777	湖南省株洲市石峰区化校	湖南省化工职业病防治院	湖南株化集团公司
青岛抢救中心	0532-83786201 传真:0532-83861318	青岛市延安三路218号	中石化安全工程研究院	中国石化集团公司

续表

单位名称	联系方式	地址	依托单位	主管部门
沈阳抢救中心	024-25828772 传真:024-25827733	沈阳市卫工北街 26 号	辽宁省化工职防所	沈阳化工股份有限公司
天津抢救中心	022-25685427 传真:022-67995485	天津市滨海新区牌坊东街 40 号	天津化工厂医院	渤海集团天津化工厂
吉林抢救中心	一院:0432-63917111 二院:0432-63917222 传真:0432-3038283	吉林市遵义东路 52 号	吉化集团公司总医院	吉林化工集团公司
大连抢救中心	0411-39530993 传真:0411-86892077	大连市甘井子区	大化集团公司医院	大连化工集团公司
济南抢救中心	0531-82595605 （南院） 0531-82919903, 0531-82954079 （北院） 传真:0531-82954079	北院:山东省济南市经十路 18877 号 南院:山东省济南市市中区玉兴路 17 号	山东省职业卫生与职业病防治研究院	山东省石油化工厅

续表

单位名称	联系方式	地址	依托单位	主管部门
国家化学湖北救治基地/湖北省新华医院	027-65600875	武汉市江汉区菱角湖路11号	湖北省新华医院	湖北省职业病医院

5. 各省（自治区、直辖市）、计划单列市卫生健康主管机关联系方式见附表4。

附表4　各省（自治区、直辖市）计划单列市卫生健康委（厅、局）联系方式

单位	地址	邮编	电话	传真
北京市卫生健康委	北京市通州区达济街6号院	101117	010-55532155	010-55532700
天津市卫生健康委	天津市和平区贵州路94号	300070	022-23337771 022-12345	022-23337695
河北省卫生健康委	石家庄市新华区合作路42号	050051	0311-66165310	0311-66165315
山西省卫生健康委	太原市杏花岭区建设北路99号	030013	0351-3580675 0351-3580521	0351-3072128

续表

单位	地址	邮编	电话	传真
内蒙古自治区卫生健康委	呼和浩特市新城区新华大街 63 号	010055	0471-6945392 0471-6944165	0471-6911012
辽宁省卫生健康委	沈阳市和平区太原北街 2 号	110001	024-81601566	024-23388920
吉林省卫生健康委	长春市宽城区人民大街 1485 号 长春人民大街 1485 号省政府 2 号楼	130051	0431-88905570	0431-82723515
黑龙江省卫生健康委	哈尔滨市香坊区赣水路 36 号	150090	0451-85971160	0451-87096793
上海市卫生健康委	浦东新区世博村路 300 号 4 号楼	200125	021-23111111	021-83090030
江苏省卫生健康委	南京市玄武区中央路 42 号	210008	025-83620878 025-83620503	025-83620817
浙江省卫生健康委	杭州市下城区庆春路 216 号	310006	0571-87709006	0571-87060292
安徽省卫生健康委	合肥市包河区屯溪路 435 号	230022	0551-62998106	0551-62998125
福建省卫生健康委	福州市鼓楼区鼓屏路 61 号	350003	0591-87853086	0591-87826631
江西省卫生健康委	南昌市东湖区豫章路 72 号	330006	0791-86235386	0791-86396331

续表

单位	地址	邮编	电话	传真
山东省卫生健康委	济南市历下区燕东新路 9 号	250014	0531-67876123	0531-51766333
河南省卫生健康委	郑州市金水区金水东路与博学路交叉口	450046	0371-65951308	0371-65954869
湖北省卫生健康委	武汉市洪山区卓刀泉北路 39 号	430079	027-87576368	027-87710423
湖南省卫生健康委	长沙市开福区湘雅路 30 号	410008	0731-84822000	0731-84822000
广东省卫生健康委	广州市越秀区先烈南路 17 号	510060	020-83828646	020-83710312
广西壮族自治区卫生健康委	南宁市青秀区新民路 2 号	530021	0771-2802380	0771-2801402
海南省卫生健康委	海口市美兰区海府路 38 号	570203	0898-66211507	0898-65388312
四川省卫生健康委	成都市青羊区上汪家拐街 39 号	610041	028-86131488	028-86135458
重庆市卫生健康委	重庆市渝北区旗龙路 6 号	401147	023-67706707	023-67706355
贵州省卫生健康委	贵阳市云岩区中华北路 242 号省政府 7 号楼	550004	0851-86870000	0851-86815774

续表

单位	地址	邮编	电话	传真
云南省卫生健康委	昆明市官渡区国贸路 309 号政通大厦	650200	0871-67195110	0871-67195272
西藏自治区卫生健康委	拉萨市城关区北京西路 25 号	850000	0891-6289606	0891-6289602
陕西省卫生健康委	西安市莲湖区莲湖路 112 号	710003	029-89620600	029-89620500
甘肃省卫生健康委	兰州四城关区白银路 220 号	730000	0931-4818146	0931-4818727
青海省卫生健康委	青海省西宁市城西区西山一巷 5 号	810000	0971-8244534	0971-8239212
宁夏回族自治区卫生健康委	银川市金凤区凤悦巷 151 号	750001	0951-12320	0951-5042706
新疆维吾尔自治区卫生健康委	乌鲁木齐市天山区龙泉街 191 号	830001	0991-8561122	0991-8560237
新疆生产建设兵团卫生健康委	乌鲁木齐市天山区光明路 196 号兵团机关 5 楼	830002	0991-2890320	0991-2890320
大连市卫生健康委	大连市中山区人民路 75 号	116001	0411-39052555	0411-39052244
青岛市卫生健康委	青岛市市南区闽江路 7 号	266071	0532-85912517	0532-85912515

续表

单位	地址	邮编	电话	传真
宁波市卫生健康委	宁波市鄞州区和济街 117 号	315010	0574-87360950	0574-87363936
深圳市卫生健康委	深圳市福田区深南中路 1025 号新城大厦东座	518031	0755-82299566	0755-88113796
厦门市卫生健康委	厦门市思明区同安路 2 号天鹭大厦 B 幢	361003	0592-2058120	0592-2072568

6. 国家或省级中毒救治基地

联系方式见附表 5。

附表 5　国家或省级中毒救治医疗机构联系方式

名称	地址	邮编	电话
中国疾病预防控制中心职业卫生与中毒控制所	北京市西城区南纬路 29 号	100050	010-83132345
首都医科大学附属北京朝阳医院	北京市朝阳区工人体育场南路 8 号	100020	010-85231777

续表

名称	地址	邮编	电话
天津市职业病防治院	天津市河东区新开路 55 号	300011	022-24334234
河北省人民医院	河北省石家庄市和平西路 348 号	050051	0311-85988120
河北医科大学第二医院	河北省石家庄市和平西路 215 号	050000	0311-66002120
山西省第二人民医院	山西省太原市寇庄西路 9 号	330006	0351-7324875
内蒙古自治区第四医院	内蒙古自治区呼和浩特市新城区机场路与 110 国道连接路中段	010000	0471-2318300
中国医科大学附属盛京医院	辽宁省沈阳市铁西区滑翔路 39 号	110072	96615-11101
中国医科大学附属第一医院	辽宁省沈阳市和平区南京北路 155 号	110002	024-83282011
吉林省职业病防治院	吉林省长春新区北湖科技开发区明溪路 2351 号	130102	0431-85851971
吉林大学第一医院	吉林省长春市新民大街 1 号	130021	0431-88782222
黑龙江省第二医院	黑龙江省哈尔滨市松北区江都街 209 号	150028	0451-88831308

续表

名称	地址	邮编	电话
上海市肺科医院	上海市杨浦区政民路 507 号	200433	021-65115006
江苏省人民医院	江苏省南京市广州路 300 号	210029	025-83718836
浙江医科大学第一附属医院	浙江省杭州庆春路 79 号	310006	0571-87236114
安徽省立医院	安徽省合肥市庐阳区庐江路 17 号	230002	0551-62283290
安徽省职业病防治院	安徽省合肥市北二环砀山路 1868 号	230012	0551-63672069
福建医科大学附属第一医院	福建省福州市茶中路 20 号	350005	0591-87982222
福建医科大学附属协和医院	福建省福州市鼓楼区新权路 29 号	350001	0591-83357896
福建省立医院	福建省福州市东街 134 号	350001	0591-87557768
南昌大学第一附属医院	江西省南昌市东湖区永外正街 17 号	330006	0791-88694375
南昌大学第二附属医院	江西省南昌市民德路 1 号	330006	0791-86262258
江西省职业病防治研究院	江西省南昌市东湖区阳明东路 159 号	330006	0791-88613714

续表

名称	地址	邮编	电话
山东省职业卫生与职业病防治研究院	山东省济南市市中区玉兴路 17 号	250002	0531-82595620
山东第一医科大学附属省立医院	山东省济南市经五纬七路 324 号	250021	0531-68776000
河南省第三人民医院	河南省郑州市二七区康复中街 3 号	450052	0371-66863971
湖北省中西医结合医院	湖北省武汉市江汉区菱角湖路 11 号	430015	027-65600806
湖南省职业病防治院	湖南省长沙市新建西路 162 号	410021	0731-85602016
广东省职业病防治院	广州市海珠区新港西路海康街 68 号	510220	020-84198181
广西壮族自治区职业病防治研究院	广西南宁市青秀区柳沙路 2 号	530021	0771-5317834
海南省人民医院	海南省海口市秀英区秀华路 19 号	570311	0898-66226666
重庆市职业病防治院	重庆市南岸区南城大道 301 号	400060	023-61929106
四川大学华西第四医院	四川省成都市武侯区人民南路三段 18 号	610042	028-85503621
贵州省第三人民医院	贵州省贵阳市观山湖区金清大道 238 号	550022	0851-84856111

续表

名称	地址	邮编	电话
贵州省人民医院	贵州省贵阳市南明区中山东路 83 号	550002	0851-85937684
昆明医科大学第二附属医院	云南省昆明市五华区滇缅大道 374 号	650101	0871-63402815
云南大学附属医院	云南省昆明市青年路 176 号	650021	0871-65156650-3149
陕西省西安市中心医院	陕西省西安市西五路 161 号	710003	029-87278357
甘肃省人民医院	甘肃省兰州市城关区东岗西路 204 号	730000	093196109
青海大学附属医院	青海省西宁市同仁路 29 号	810006	0970-6162222
西藏自治区人民医院	西藏自治区拉萨市林廓北路 18 号	850000	0891-6371322
宁夏回族自治区人民医院	宁夏银川市金凤区正源北街 301 号	750002	0951-5920031
宁夏医科大学总医院	宁夏银川市兴庆区胜利南街 804 号	750001	0951-6744457
新疆维吾尔自治区职业病防治医院	新疆乌鲁木齐南昌路 168 号	830052	0991-7864861

附录二　名词术语解释

A 类感染性物质 Category A

对人或动物的个体和群体健康构成高度风险的感染性物质。这些物质会导致严重的疾病和死亡。可能没有有效的治疗和预防措施。

B 类感染性物质 Category B

对人或动物的个体和群体健康构成低至中度风险的感染性物质。这些物质不大可能引起严重的疾病。有有效的治疗和预防措施。

饱和蒸气浓度 V

在 20℃和标准大气压下，某种物质在空气中的饱和蒸气浓度（mL/m^3 或 ppm）。

包装类别　Packing Group

包装类别（PG）根据危险货物的危险程度分为：

PGⅠ：严重危险；

PGⅡ：中度危险；

PGⅢ：轻度危险。

包装类别 PG

PG，即 Packing Group 的缩写，意为包装类别，参见“包装类别 Packing Group”。

半数致死浓度 LC_{50}

吸入物质的浓度，预计在规定的时间内会导致 50%的实验动物种群死亡。(浓度以 ppm 或 mg/m^3 表示)。

不可相溶 Immiscible

本指南意为某种材料不易与水相溶混合。

第五部分　附录

不溶于水的 Water insoluble

不溶于水的物质。

大量泄漏 Large spill

大于 208L 的泄漏量。通常包括一个大包装的泄漏，或许多小包装的多次溢泄漏。

低温液体 Cryogenic liquid

在大气压力下沸点低于－90℃并以不高于－100℃的温度进行处理或运输的冷冻液化气体。

对水敏感 Water-sensitive

接触水时可能产生易燃和/或毒性分解物的材料。

二氧化碳 CO_2

即二氧化碳气体。

分解物 Decomposition products

物质经过化学分解或热分解形成的产物。

防护用品 Protective clothing

在本指南中，防护用品是指包括用于保护呼吸和全部身体的呼吸器、服装、鞋帽及其他有关用品。人们不能将防护服或呼吸装置分开来设定防护等级。这些用品的防护等级已被美国海岸警卫队、美国国家职业安全卫生研究所和美国环保局等应急机构接受并明确。

A 级：SCBA＋全封装防渗透防护服。

B 级：SCBA＋连帽防溅服。

C 级：全脸或半脸呼吸器＋连帽防溅服。

D 级：工作服，包括建筑物消防员防护服（SFPC），无呼吸保护。

SCBA：自给式呼吸器。

放射性 Radioactivity

物质能够释放无形和潜在的有害辐射的特性。

沸溢 Boil over

积聚在油罐车底部的油水在火灾中沸腾导致易燃液体排出而使火势突然增大。

沸腾液体膨胀蒸气爆炸 BLEVE

BLEVE，即 Boiling Liquid Expanding Vapor Explosion 的缩写，意为沸腾液体膨胀蒸气爆炸。

辐射防护管理机构 Radiation Authority

按指南卡中指南 161 至指南 166 中关于放射性材料有关内容，国家或省级政府层面都可能设有辐射防护机构。他们的职责包括在正常运行和紧急情况下对辐射危害情况进行评估。如果应急响应人员不知道该机构的职责和联系方式，而且该机构已被列入当地应急计划，则可以从本指南附录列出的应急机构名录中获得相关信息。辐射防护管理机构的名单会定期得到更新。

敷设区 Right-of-way

建在地下并有一个或多个高压天然气管道等设施的区域。

浮肿 Edema

细胞组织因积聚大量水状液体而引起。例如，肺水肿是因为吸入了对肺组织有腐蚀性的气体后致使肺部积水过多。

高倍数泡沫 High expansion foam

具有高膨胀比（大于 1∶200）且含水量低的消防灭火用泡沫。

干粉灭火剂 Dry chemical

一种用于扑灭易燃液体、自燃物质和电气设备火灾的制剂。常见的类型含有碳酸氢钠或碳酸氢钾。通常由小苏打或碳酸铵等灭火基料、硬脂酸镁或云母粉等适量润滑剂以及硅胶等少量防潮剂相混合并经精细研磨而制成。干粉灭火剂可灌装于各种手提或固定式干粉灭火装置内，主要用于扑救各种不可混溶的和可混溶的易燃液体的火灾，以及天然气和液化石油气等易燃气体的火灾或一般带电设备的火灾。可与氟蛋白泡沫灭火剂、水成膜泡沫灭火剂联用，扑救油罐的初起火灾，能快速控制火焰发展，起到迅速灭火的作用。磷酸盐干粉灭火剂还可以扑灭固体火灾。

隔离 Isolate

即禁止那些没有配备装备并经过适当训练的公众和应急人员进入以及用于减缓事故危害的区域。

洪水之量 Flooding quantities

即消防用水最低需要量：1900L/min。

化学、生物、放射性或核的制剂 CBRN

即 **Chemical, biological, radiological or nuclear agent** 的缩写，意为化学、生物、放射性或核的制剂。

简易爆炸装置 Improvised Explosive Device

由商用、军用途径或自制炸药等方式制造的炸弹。

简易爆炸装置 IED

即 **Improvised Explosive Device** 的缩写，意为简易爆炸装置。

极性 Polar

分子的一面带部分正电荷而另一面则带部分负电荷，例如醇类和酮类。

急性暴露指南水平 AEGL

AEGL，即 Acute Exposure Guideline Level 的缩写。

AEGL 表示公众接触罕见或稀少的污染后所能承受程度的临界值。接触污染的时间范围从 10min 到 8h 不等。急性暴露指南水平划分为三个层次：AEGL-1，AEGL-2 和 AEGL-3；为便于区分中毒程度，将接触时间分成 5 个档次：即 10min、30min、1h、4h 和 8h。参见 AEGL-1 AEGL-2 AEGL-3。

急性暴露指南水平 1 AEGL-1

是指一般人群包括易感个体接触了由某种物质所引起的超出该水平值的空气污染浓度（表示为 ppm 或 mg/m^3）时可能感觉到明显不适、刺激或某些无症状、无知觉的反应。但如果停止接触，这些反应则是短暂的、不会致残的。

急性暴露指南水平 2 AEGL-2

是指一般人群包括易感个体接触了由某种物质所引起的超出该水平值的空气污染浓度（表示为 ppm 或 mg/m^3）时可能体验到的不可逆或其他严重的、长期的不良健康影响或逃逸能力受损。

急性暴露指南水平 3 AEGL-3

是指一般人群包括易感个体接触了由某种物质所引起的超出该水平值的空气污染浓度（表示为 ppm 或 mg/m^3）时可能产生危及生命和健康的影响或导致死亡。

净化 Decontamination

在必要的情况下从人员和设备上去除危险品污染物，以防止对安全、健康和环境产生潜在的不利影响。参见本指南第四部分第九节 净化。

就地躲避 Shelter-in-place

人们应该在建筑物内寻求庇护，并一直待在里面直至危险结束。当疏散比就地躲避风险更大或者无法进行疏散时，可以使用就地躲避。要告知躲避在建筑物内的人员必须关闭所有门窗、通风、加热和冷却系统。如果泄漏物的挥发气体是易燃的，或者该区域毒性气体需要很长时间才能散尽，或者建筑物不能密闭，面对这样的情况，就地躲避可能就不是最好的选择。如果车辆窗户和通风系统可以关闭，短时间内可提供一些保护，但车辆在就地躲避保护方面不如建筑物更有效。

聚合反应 Polymerization

一种经常产生热和压力的化学反应。反应一旦开始，就会因所产生的热量而加速。不受控制的热量和压力的积聚会引起火灾或爆炸，或使封闭的容器破裂。列在指南号后的字母（P）表示该物质在运输事故期间会在高温或被其他物品污染情况下可能发生剧烈聚合反应。它也被用来辨认在因事故损耗导致抑制剂缺乏情况下那些具有强大聚合潜力的物质。

聚合反应 P

P，即 **Polymerization** 的缩写，意为聚合反应。

抗溶性泡沫 Alcohol-resistant foam

即凝胶型合成泡沫灭火剂，由微生物多糖、碳氢表面活性剂、氟碳表面活性剂、防腐剂、助剂等组成，具有良好的触变性能，并具有对输液管道不受限制，供给强度大，灭火迅速，贮存稳定，腐蚀性低等优点，用于扑救醇、酯、醚、酮、醛、胺、有机酸等可燃极性溶剂火灾，亦可以用于扑救油类火灾。

可相溶 Miscible

本指南意为某种材料易与水相溶混合。

可燃物 Combustible

在本指南中，可燃烧的固体或液体，但不像易燃液体那样容易着火。参见“可燃液体”。

可燃液体 Combustible liquid

闪点大于 60℃、低于 93℃的液体。美国法规准许闪点在 38℃至 60℃之间的易燃液体被重新分类为可燃液体。

可溶于水的 Water soluble

易溶于水的物质。极性物质一般可溶于水。

控制区 Control zones

根据危险品事故安全和危险程度所设定的区域。用以描述控制区的术语很多，本指南就有一些这样的区域，如称作热区、排斥区、红色区域和限制区域；暖区、污染减少区、黄色区域和限制进入区域以及冷区、支持区、绿色区域和清洁区域（其中许多术语是由美国法规规定的）。

控制温度 Control temperature

温控物质能够安全运输的最高温度。在此温度以上，可能发生自加速分解或聚合。

冷冻液体 Refrigerated liquid

参见“冷冻液化气体 Refrigerated liquefied gas”。

冷冻液化气体 Refrigerated liquefied gas

某种气体在罐装运输时，由于其温度较低而部分变成液体。参见“低温液体 Cryogenic liquid”。

冷区 Cold zone

为控制事故而设的指挥所和支援机构所在的区域。美国常称为清洁区、绿色区或支持区。

临界安全指数 CSI

CSI，即 Criticality safety index 的缩写。意为分配给含有裂变材料的包件和组件的一种数值，用于限制含有裂变材料的包件交付运输的数量。

麻醉剂 Narcotic

一种作为中枢神经系统抑制剂的物质，产生诸如嗜睡、麻痹、警觉性降低、反射丧失、协调性缺乏和眩晕等症状。这些症状也可能表现为严重的头痛或恶心，并可能导致判断力下降，头晕，易怒，疲劳，记忆功能受损，知觉和协调能力不足，反应迟钝或嗜睡。

浓度单位 mg/m^3

即每立方米空气中某一物质的质量（毫克）。

浓度单位 ppm

即 **Parts per million**（百万分之几）的缩写。

浓度单位 mL/m^3

即每立方米空气中含有多少毫升某物质（$1mL/m^3=1ppm$）。

密度（比重）Specific gravity

在一定温度下，物质的重量与等体积水的重量之比。比重小于1，表示比重小于水；比重大于1表示该物质比水重。

黏度 Viscosity

用于测量并表示液体内部流动阻力的指标。黏度特性很重要，因为它能表明某种材料通过容器或储罐的孔隙漏出的速度。

暖区 Warm zone

在热区和冷区之间设立的旨在进行人员和设备净化和对热区进行支持的区域。为有效减少污染的扩散，进出热区通道的管制点也设在这里。美国一些文件也称为减少污染走廊（CRC）、减少污染区（CRZ）、黄色区域或限制进入区。

配装组 Compatibility group

用字母表示的具有相容性的爆炸品。该定义是描述性的。欲弄清该定义确切含义，请查阅特定范围危险品运输资料或爆炸品规则。对于放在一起运输的第 1 类危险货物（即爆炸品），既没有明显增加事故发生的概率，在给定的数量条件下也没有使事故影响扩大，就认为它们具有相容性。具有不同特性配装组分别用以下字母表示：

A 遇火之后会迅速引起整体爆炸的物质。

B 遇火之后会迅速引起整体爆炸的物品。

C 容易点燃和剧烈燃烧但不一定发生爆炸的物质或物品。

D 在明火烘烤下会引起整体爆炸（带有冲击波和迸射危害）的物质或物品。

E 和 F 在火灾中会引起整体爆炸的物品。

G 可能发生整体爆炸并释放烟雾或者有毒气体的物质或物品。

H 燃烧过程中可能喷射有害气体和白色浓烟的物品。

J 可能引起整体爆炸的物品。

K 燃烧过程中可能喷射有害抛射体和有毒气体的物品。

L 存在特殊风险且遇空气或水能被激活的物质和物品。

N 仅含有极不敏感引爆物质且意外被引燃或波及的可能性极小的物品。

S 包装物质或物品，如果发生事故，其影响通常仅限于邻近区域。

皮肤刺激 Skin irritation

使用测试物质长达 4h 后对皮肤产生的可逆损伤。

皮肤腐蚀 Skin corrosion

使用测试物质长达 4h 后对皮肤产生不可逆的损伤。

皮肤致敏物 Skin sensitizer

皮肤接触后引起过敏反应的物质。

强劲水流 Straight or solid streams

消防水龙末端喷水或分配水流的方法。水在压力下输送渗透。有效的强劲水流会有大约 90%的水量通过临界点上一个直径为 38cm 的假想圆孔。强劲水流软管或直流软管经常用于冷却暴露在易燃液体火灾中的罐箱和其他设备，或清除事故区的着火溢出物。然而，如果使用不当或对装有易燃可燃液体的开敞容器内部使用强劲水流，将导致流淌火蔓延。

热区 Hot zone

危险货物事故附近区域，该区域延伸到足以防止泄漏物对区域外人员造成的不利影响。该区域在美国也被称为禁区、红色区域或限制区域。

热失控 Thermal runaway

当电池温度增高时引发的变化使温度更进一步地增高，产生恶性循环，导致储存的能量和可燃气体发生剧烈释放的连锁反应。这种反应可以扩散到附近的其他电池或可燃材料，从而可能造成大规模的热事件或严重后果。

闪点 Flash point

闪点是易燃可燃性液体贮存、运输和使用的一个安全指标，同时也是易燃可燃性液体的挥发性指标。闪点越低的易燃可燃性液体，挥发性越高，越容易着火，安全性也越差。

少量泄漏 Small spill

等于或小于 208L 的泄漏量。通常对应于单个小包装（例如，一个滚筒）、小圆筒或大包装的小泄漏。

烧伤 Burn

一般指热力，包括热液（水、汤、油等）、蒸气、高温气体、火焰、炽热金属液体或固体等所引起的组织损害，主要指皮肤和/或黏膜，严重者也可伤及皮下或/和黏膜下组织，如肌肉、骨、关节甚至内脏。本书特指化学性烧伤或者热烧伤。前者可能由腐蚀性物质引起，后者可能由冷冻液化气体、热融物或者明火引起。

水喷雾 Water spray (fog)

水喷雾是使用或分配消防用水的方法。水喷雾可将水流分散很细从而产生很强的吸热性。水喷雾角度可从10°到90°。水喷雾可用于灭火或控制火势，或为暴露于危险环境中的人员、设备、建筑物等提供保护。**(此法可用来吸收蒸气、减少或分散蒸气。通过引导雾状水流而不是充实水流进入蒸气云便能实现上述任一目的。)** 对于易燃液体和闪点大于37.8℃的挥发性固体物质着火，水喷雾尤其有效。除此之外，水喷雾能够成功地用于低闪点易燃液体。如果方法得当则效果更好。当运行协调的消防管线配以合适的水枪用于控制液体表面的火焰时，即使是特殊类型的汽油泄漏火灾也能被扑灭。此外，由于水喷雾法可使火焰表面产生泡沫并形成隔离层从而能够灭火，故被经常用于扑灭高闪点易燃液体（或任何黏性液体）的火灾。

酸碱值 pH

表示水溶液酸度或碱度的值。纯水的pH值是7。**pH**值低于7表示酸性溶液（**pH**值为1是极酸性）。**pH**值高于7表明是碱性溶液（**pH**值为14是极碱性）。酸和碱通常被称为腐蚀性物质。

疏散 Evacuate

为保护尽可能多的人，将可能遭受危害区域内的人员安全撤离或转移。如果撤离或转移风险太大，也可以考虑在该区域内进行就地躲避。

未另作规定的　n. o. s.

用来泛指具有某一特定化学性质或技术性质的一组物质或物品，如“腐蚀性液体，未另作规定的”。这意味着该腐蚀性液体的具体技术名称并未在规则中列出，只列出一个类属的名称。但在运输文件上必须加上技术名称。

危险区域（吸入危害区域）Hazard zones（Inhalation Hazard Zones）

危险区域 A，气体，LC50（即急性吸入毒性致死浓度）≤200ppm；液体，V（即在 20℃和标准大气压力下的饱和蒸气浓度）≥500 LC_{50}，LC_{50}≤200ppm。

危险区域 B：气体，200ppm<LC_{50}≤1000ppm；液体，V≥10LC_{50}；LC_{50}≤1000ppm，不符合危险区 A 的标准。

危险区域 C：1000ppm<LC_{50}≤3000ppm。

危险区域 D：3000ppm<LC_{50}≤5000ppm。

请注意：即使使用了“区域”术语，危险区域也并不是一个实际的区域或距离。如何分配区域主要取决于泄漏物的致死浓度（LC_{50}）。例如，吸入毒性危害区域 A 比 D 的毒性更大。

吸附气体 Adsorbed gas

吸附于设置在钢制气瓶内的固体多孔材料（如活性炭）表面的气体。气瓶所受压力：20℃时小于 101.3kPa，50℃时小于 300kPa，远低于那些装有压缩气体或液化气体的常规钢瓶。

吸入毒性危害 TIH

即 **Toxic Inhalation Hazard** 的缩写。该术语用于描述当吸入气体和挥发性液体时会中毒。这些物质在运输过程中可能对人类健康构成一定的风险，系根据对动物的研究结果推定对人类有毒害作用。

氧化剂 Oxidizer

一种自身提供氧气并帮助其他可燃物质更容易燃烧的化学物质。

易燃液体 Flammable liquid

闪点低于60℃的液体。

应急响应计划指南 ERPG

即**Emergency Response Planning Guideline**的缩写，旨在提供人们在合理预期可以观察到的对健康有不利影响的浓度范围估计数值。参见**ERPG-1、ERPG-2和ERPG-3**。

应急响应计划指南1 ERPG-1

在最大空气浓度之下，据信几乎所有人都可能被暴露在空气中长达1h而不会受到比轻微、短暂还严重的不利健康影响，也不会感受到明显的难闻气味。

应急响应计划指南2 ERPG-2

在最大空气浓度之下，据信几乎所有人都可能被暴露在空气中长达1h而不会经受或发展成为不可逆转的有可能损害个人采取保护行动能力的其他严重健康影响或症状。

应急响应计划指南3 ERPG-3

在最大空气浓度之下，据信几乎所有人都可能被暴露在空气中长达1h而不会经受或发展成为危及生命的健康影响。

有害的 Noxious

在本指南中，是指可能对生命和健康造成伤害的物质。

有机过氧化物 Organic Peroxide

由两个氧原子结合在一起的有机（含碳）化合物。它是热不稳定化学物质，可能具有下列一种或多种特性：易爆炸分解、快速燃烧、对冲击或摩擦敏感、易与其他物质发生危险反应。

遇空气反应 Air-Reactive

参见“自燃”。

遇水反应物质 Water Reactive Material

在本指南中，指与水接触时会产生大量毒性气体的材料。

蒸气密度 Vapor density

在相同的温度和压力下，一定体积的纯蒸气或纯气体（没有空气）与同样体积的干燥空气的重量的比值。蒸气密度小于1时表示蒸气比空气轻，将有上升趋势。蒸气密度大于1时表示蒸气比空气重，可沿地面传播。

蒸气压 Vapor pressure

液体和蒸气在一定的温度下处于平衡状态时的压力。液体蒸气压越高蒸发越快。

整体爆炸 Mass explosion

是指在瞬间几乎影响到整个载荷的爆炸。

致癌物质 Carcinogen

引起癌症或增加其发病率的物质或混合物。

致变剂 Mutagen

引起细胞或有机体种群发生更多突变的药剂。突变是指细胞中遗传物质的数量或结构发生了永久变化。

致呼吸道过敏之物质 Respiratory sensitizer

吸入后引起呼吸道过敏的物质。

自发热材料 Self-heating material

长时间（数小时或数天）与空气中的氧接触后可能自燃或发热的物质。

自反应物质 Self-reactive material

热不稳定的物质，分解时即使没有空气参与也会生热。

自燃 Pyrophoric

遇空气（或氧气）能自发点燃。

自燃材料 Spontaneously combustible material

本指南所谓自燃材料是指可燃（自反应）材料或自发热材料。参见前述相关术语。

最大容许工作压力 MAWP

MAWP，即 Maximum Allowable Working Pressure 的缩写。意为储罐在正常工作过程中可能承受的最大允许内压力。